DICCIONARIO DE TERMINOS FINANCIEROS Y DE INVERSION

Segunda edición

DICCIONARIO DE TERMINOS FINANCIEROS Y DE INVERSION

Segunda edición

Francisco Mochón Morcillo

Catedrático de Teoría Económica
Universidad Nacional de Educación a Distancia

Rafael Isidro Aparicio

Profesor de Teoría Económica.
Universidad de Alcalá de Henares
Gerente de Operaciones Financieras
de Telefónica, S. A.

MADRID • BUENOS AIRES • CARACAS • GUATEMALA • LISBOA • MEXICO
NUEVA YORK • PANAMA • SAN JUAN • SANTAFE DE BOGOTA • SANTIAGO • SAO PAULO
AUCKLAND • HAMBURGO • LONDRES • MILAN • MONTREAL • NUEVA DELHI • PARIS
SAN FRANCISCO • SIDNEY • SINGAPUR • ST. LOUIS • TOKIO • TORONTO

DICCIONARIO DE TERMINOS FINANCIEROS Y DE INVERSION. Segunda edición

McGRAW-HILL/INTERAMERICANA DE ESPAÑA, S. A. U.
Edificio Valrealty, 1.ª planta
Basauri, 17
28023 Aravaca (Madrid)

ISBN: 84-481-2005-1
Depósito legal: M. 3387-2001

Editora: M.ª Victoria Peralba Ruiz
Compuesto en FER, Fotocomposición, S. A.
Impreso en EDIGRAFOS, S. A.

CONTENIDO

Presentación vii

Diccionario de términos con sus equivalentes en inglés .. 1

Relación de términos inglés-español 409

Abreviaturas y acrónimos españoles 479

Abreviaturas y acrónimos no españoles 491

Referencias bibliográficas básicas 501

PRESENTACION

La rápida evolución que está experimentando el mundo relacionado con la economía, especialmente en el área de las finanzas, está provocando una utilización cada vez más generalizada de un lenguaje específico. Este lenguaje se caracteriza por la creación de términos nuevos, muchos de los cuales provienen del inglés.

El objetivo que nos hemos propuesto al hacer este diccionario es el de suministrar una herramienta de trabajo a los profesionales de las finanzas y la dirección de empresas, que sea útil y de fácil manejo a la vez y que contenga un número importante de términos que facilite al usuario sus relaciones con el mundo de la empresa y los mercados e instrumentos financieros.

Hemos reunido en este diccionario una serie de términos fundamentales, ampliamente utilizados en el mundo empresarial y financiero, así como aquellos términos nuevos que han ido aflorando en los últimos años en relación con los mercados de acciones, de renta fija, de divisas, de productos derivados, fusiones y adquisiciones, análisis fundamental, análisis técnico, ingeniería financiera, etc.

Cada término incorpora una definición y, generalmente, va acompañado de su equivalente en inglés entre paréntesis. A veces, el término en castellano responde al significado de más de un término en inglés, por lo que dichos términos y su significado aparecen separados por el signo ‖.

Hay términos cuyo significado hemos considerado de utilidad presentarlos de forma ampliada con la idea de que sirvan de fundamento para aquellos usuarios que lo necesiten. Se incluye, asimismo, un número importante de referencias cruzadas con el fin de facilitar una visión más completa sobre algunos conceptos.

El diccionario contiene, además, una relación separada de términos inglés-español que facilita la búsqueda de algún concepto cuando sólo se conoce la forma inglesa, y también una relación de abreviaturas y acrónimos españoles y otra de abreviaturas y acrónimos no españoles.

En cuanto al orden alfabético, se ha utilizado el criterio de la ordenación por letras, en vez de por palabras, de tal manera que un término compuesto como, por ejemplo, Coeficiente de inversión obligatoria, aparece ordenado como si se tratara de Coeficientedeinversiónobligatoria.

Comentario a la segunda edición

En esta edición segunda, se ha realizado una revisión de los términos y definiciones utilizados en la edición anterior. Además se ha incorporado un número significativo de nuevos términos, la mayoría de ellos relacionados con los mercados e instrumentos de productos derivados y de ingeniería financiera. Con ello pretendemos que, sin perder su utilidad para los profesionales de otras áreas, refuerce el carácter de herramienta útil para los profesionales de las finanzas.

LOS AUTORES

DICCIONARIO DE TERMINOS CON SUS EQUIVALENTES EN INGLES

A

AAPP Administraciones Públicas.

Abonar (*Subscribe*) Practicar una nota de abono o crédito en la contabilidad, o anotar una cantidad en el haber de una cuenta. Acción de pagar una deuda.

Abono en cuenta (*Payment on account*) Crédito a favor del titular de una cuenta que se abona en la misma.

Abrazo del oso (*Bear hug*) Cuando se produce una aproximación, más o menos amistosa, hacia los directivos de una empresa que se desea adquirir. Generalmente dicha aproximación es previa a la formalización de una oferta pública de adquisición y se hace con la doble finalidad de mantener unas buenas relaciones entre las dos empresas e influir en el ánimo de los accionistas de la empresa que se quiere comprar.

Absorción (*Takeover*) En el ámbito societario, la absorción es la operación en la que una o más empresas se disuelven, pasando a formar parte de otra ya existente que las absorbe. Estas operaciones pueden llevarse a cabo de forma amistosa o de forma hostil.

Absorción de costes (*Absorption costing*) Determinación del coste de una unidad incluyendo su coste variable y su participación en los costes fijos y costes indirectos o de estructura, de acuerdo con unos criterios justificables.

Acción (*Share* [*UK*]; *Stock* [*USA*]) Parte alícuota del capital de una sociedad mercantil. Pueden ser nominativas o al portador, total o parcialmente desembolsadas, etc. La acción es un título-valor y da derecho a una parte proporcional en el reparto de beneficios y a su cuota patrimonial correspondiente en la disolución de la sociedad. Da también derecho preferente en la suscripción de nuevas acciones y derecho de voto en las Juntas Generales.

Acción al portador (*Bearer share*) Acción emitida en favor de la persona que posea físicamente el título. Lo contrario sería acción nominativa.

Acción amortizable (*Redeemable share*) Acción que puede ser amortizada por la sociedad, según se ha previsto en las condiciones de la emisión, y que suele ir acompañada de ciertas ventajas económicas.

Accionariado (*Body of shareholders*) Denominación genérica con la que se hace referencia al conjunto de acciones y accionistas de una sociedad mercantil. También se utiliza en ocasiones para designar el régimen especial de una determinada clase de acciones.

Acción bancaria (*Bank share*) Aquella que representa la participación social del accionista en la propiedad de un banco o entidad de crédito. Las acciones bancarias por propia exigencia legal deberán ser necesariamente nominativas.

Acción cíclica (*Cyclical stock*) Es aquella cuyo precio sigue un comportamiento cíclico, ligado a los condicionantes estacionales a que está sujeta la empresa a la que pertenece.

Acción con cotización oficial (*Officially listed stock*) Título admitido a negociación en una Bolsa o mercado de valores, previa petición de la sociedad emisora de los mismos.

Acción con prima (*Premium stock*) Acción que se emite exigiendo un valor superior al nominal, es decir, se trata de emisiones sobre la par y cuya finalidad puede deberse a un intento de aumentar la capacidad patrimonial de la empresa.

Acción cotizada (*Listed share*) *Véase* ACCIÓN CON COTIZACIÓN OFICIAL.

Acción de aportación en especie (*Vendor's share*) Acción emitida por una sociedad como contrapartida a una aportación en especie no dineraria.

Acción de disfrute (*Founder's share*) También llamadas acciones de goce, bonos de disfrute o bonos de fundador, son aquellas acciones emitidas sin valor nominal ni capacidad de voto que, en general, no confieren la condición de socio accionista. Se le entrega a los fundadores o promotores de la sociedad con una participación en los beneficios de la sociedad, pero con una limitación temporal y cuantitativa.

Acción de fundador (*Founder's share*; *Management share*) *Véase* ACCIÓN DE DISFRUTE.

Acción desembolsada (*Paid-up stock*) En la constitución de una sociedad anónima, uno de los requisitos mínimos que se exige es el de encontrarse totalmente suscrito el capital y desembolsado al menos en una cuarta parte del valor nominal de cada una de las acciones. Una vez que se exige el desembolso de los dividendos pasivos, y realizado el pago, la acción pasa a estar totalmente desembolsada.

Acción de oro (*Golden share*) Acción con derechos especiales de voto que le dan un poder peculiar con respecto a las demás acciones. Este término se aplica, particularmente, a las acciones retenidas por los gobiernos después de una privatización.

Acción de voto (*Voting stock*; *Voting share*) Aquella que otorga a su titular el derecho de asistencia y voto en las Juntas Generales ordinarias y extraordinarias de la sociedad emisora. La regla general en el ordenamiento jurídico español es la existencia de acciones de voto, siendo éste un derecho político inherente a la acción del que no podrá privarse al accionista, si bien, se admite que estatutariamente pueda restringirse o limitarse este derecho a la tenencia de un número mínimo de títulos.

Acción en cartera (*Treasury capital*; *Treasury stock*) Acciones emitidas no suscritas y que se encuentran en poder de la propia empresa. La regulación actual de la Ley de Sociedades Anónimas española es bastante restrictiva en cuanto a las acciones en cartera, estableciendo al respecto que la sociedad no podrá suscribir ni adquirir acciones propias ni acciones emitidas por su sociedad dominante, salvo que dicha adquisición se acomode a ciertas previsiones legales y que éstas sean enajenadas o amortizadas en unos plazos establecidos.

Acciones emitidas (*Issued shares*) Denominación genérica con la que se hace referencia al conjunto de acciones emitidas y puestas en circulación por una sociedad mercantil. Estas acciones pueden encontrarse en diversas situaciones: efectivamente suscritas por los suscriptores, y en este caso, total o parcialmente desembolsadas, o bien, sin suscripción efectiva, en cuyo caso la sociedad podrá mantenerlas en su cartera cumpliendo los requisitos legales o deberán retirarlas para su amortización.

Acciones en garantía (*Qualifying shares*) Acciones que son depositadas por los miembros del Consejo de Administración de una empresa durante su mandato, como garantía de sus responsabilidades.

Acciones gemelas (*Twin shares*) Acciones pertenecientes a dos empresas diferentes, pero que deben ser mantenidas juntas en función de una operación de fusión o de otro tipo.

Acciones preferentes acumulativas (*Cumulative preferred stocks*) Acciones preferentes que incluyen el requisito de que se acumule cada dividendo preferente no pagado, debiendo pagarse en su totalidad antes de que se distribuyan dividendos corrientes. *Véase* ACCIÓN PREFERENTE.

Acciones preferentes no acumulativas (*Non cumulative preferred stocks*) Acciones preferentes que no incluyen el requisito de que se acumule cada dividendo preferente no pagado. *Véase* ACCIÓN PREFERENTE Y ACCIONES PREFERENTES ACUMULATIVAS.

Acción estampillada (*Stamped share*) Acción que tras su emisión se ve sujeta a modificaciones en sus condiciones, con lo que para señalar dichas variaciones, se estampillan sobre el documento los cambios efectuados.

Acción ex-derecho (*Ex right stock*) Acción de la que se ha ejercitado el derecho de suscripción preferente en una ampliación de capital.

Acción gratuita (*Bonus share*) *Véase* ACCIÓN LIBERADA.

Acción hipotecaria (*Mortgaged action*) Acción que corresponde al acreedor hipotecario para hacer efectivo su crédito, consistente en la enajenación en pública subasta del bien hipotecado. La acción hipotecaria se ejercita directamente sobre los bienes hipotecados por el procedimiento ejecutivo ordinario, por el judicial sumario o por un procedimiento ejecutivo extrajudicial, si así se ha pactado en la escritura de constitución.

Accionista (*Stockholder* [*USA*]; *Shareholder* [*UK*]) Titular de una o más acciones y, por tanto, copropietario de la sociedad en función de su aportación social. Dicha titularidad confiere al accionista la condición de socio y le atribuye los derechos reconocidos por Ley y por los Estatutos de la sociedad. El suscriptor de las acciones adquirirá la condición de accionista de la sociedad con todos los derechos y obligaciones cuando las acciones se inscriban en los registros contables del S.C.L.V. *Véase* AMPLIACIÓN DE CAPITAL.

Accionista mayoritario (*Majority shareholder*) Aquel que posee un paquete de acciones lo suficientemente representativo como para influir con su voto en las decisiones sociales y, en base a ello, puede ejercer el control sobre la sociedad y sus órganos de decisión.

Accionista minoritario (*Minority shareholder*) Por oposición al accionista mayoritario, aquel cuya participación en el capital de la sociedad no alcanza el porcentaje suficiente para controlar con su voto la toma de decisiones.

Accionista moroso (*Defaulter stockholder*) El accionista se encuentra en situación morosa cuando, una vez finalizado el plazo previsto en los estatutos sociales o, en su caso, el fijado por los administradores para el pago de la porción de capital no desembolsada, no ha realizado el pago de ese dividendo pasivo.

Accionistas censores de cuentas (*Stockholder auditors*) Accionistas nombrados por la Junta General para revisar y comprobar todos los estados financieros de la sociedad: balance de situación, cuenta de pérdidas y ganancias, etc. En teoría, el accionista censor de cuentas puede entrar en nivel de detalle que juzgue necesario para su labor comprobadora.

Acción liberada (*Bonus share*; *Paid-up stock*) Acción que se entrega a los accionistas en las ampliaciones de capital con cargo a reservas, recibiendo cada socio un número de acciones en proporción a su respectiva participación en el capital social. Puede ser liberada al cien por cien, en cuyo caso el accionista no efectúa desembolso alguno, o sólo liberada en un porcentaje en relación al nominal, donde el accionista satisface una parte, quedando cubierta la otra por la sociedad. Esta forma de ampliación de capital debilita la estructura de los fondos propios y aumenta el capital con derecho a dividendo.

Acción no liberada (*Non paid-up share*) Aquellas acciones no enteramente desembolsadas, es decir, en las que queda pendiente el pago de los dividendos pasivos.

Acción nueva (*New share*) Acción emitida en una ampliación de capital. Se le da este nombre para distinguirla de las acciones viejas o en circulación, pues en algunas ocasiones, y de forma temporal, tienen derechos económicos distintos. *Véase* ACCIÓN VIEJA.

Acción ordinaria (*Common stock* [*USA*]; *Ordinary share* [*UK*]) En Derecho Mercantil, las acciones ordinarias son aquellas que no confieren a su titular ningún privilegio especial. Simplemente suponen una aportación al capital social, dando derecho por ello a la percepción de beneficios y voz y voto en la Junta General cuando se reúne el mínimo exigido por los estatutos sociales. Son las acciones normales dentro de una sociedad, en contraposición a las acciones preferentes.

Acción parcialmente liberada (*Partly-paid stock*) Acción que no ha sido totalmente desembolsada por el suscriptor.

Acción pauliana La acción pauliana, también denominada rescisoria o revocatoria, es la que corresponde a los acreedores para anular todos los actos que su deudor haya celebrado en fraude de acreedores con la intención de lesionar sus derechos de crédito. La acción pauliana, a diferencia de la acción subrogatoria, es una acción personal que corresponde a los acreedores por derecho propio, sin necesidad de una legitimación especial concedida por el ordenamiento, como en el caso de la acción subrogatoria.

Acción pignoraticia (*Action of pledge*) Acción que corresponde al deudor pignoraticio para reclamar la cosa prendada una vez satisfecho el crédito al acreedor, el cual deberá devolverla.

Acción preferente (*Preferred stock*; *Preference share*) Título intermedio entre la acción y la obligación, que tiene una retribución fija si el emisor logra unos beneficios mínimos. Se llama también obligación participativa. Normalmente no tiene derecho de voto. También se denomina acción privilegiada. Los dividendos pueden ser acumulativos, en el caso de que la empresa no pueda pagar dividendos en un período de tiempo debiendo pagarse en su totalidad antes de que se distribuyan dividendos corrientes, o no acumulativos.

Acción privilegiada (*Preferred stock*) *Véase* ACCIÓN PREFERENTE.

Acción propia (*Treasury capital*) *Véase* ACCIÓN EN CARTERA.

Acción sin cotización (*Non officially listed share*) Aquella cuya negociación no se encuentra admitida en ningún mercado bursátil.

Acción sin voto (*Non voting share*) Las acciones sin voto fueron una creación del derecho anglosajón, donde el derecho al voto no ha constituido una condición esencial de la cualidad de socio. Vienen a responder a las nuevas necesidades creadas por la participación de particulares en las sociedades de capital con cotización bursátil, más interesados en los beneficios económicos que en la marcha general de la sociedad, lo que se traducía en una falta de asistencia a las Juntas Generales. Son aquellas acciones que atribuyen a sus titulares unos derechos económicos especiales, principalmente un dividendo mínimo en la distribución de beneficios, a cambio de la mengua en los derechos políticos, ya que no tienen derecho a voto en las Juntas Generales.

Acción solidaria (*Solidary action*) La acción solidaria es la que corresponde a cada uno de varios acreedores contra varios deudores solidarios por la cual se puede exigir el pago total de la deuda a cada uno de ellos, quedando así saldada la obligación. El deudor que haga el pago podrá repercutirlo contra el resto de los deudores solidarios, a cada uno según su parte, junto con los intereses de anticipo. La solidaridad no se presume, por lo que debe señalarse expresamente en la obligación, a no ser que sea solidaridad legal.

Acción subordinada (*Subordinate share*) Dícese de aquella acción que, incorporando un derecho a la participación de beneficios de la sociedad (dividendos), éste se encuentra subordinado al reparto de las acciones preferentes y ordinarias.

Acción subsidiaria (*Subsidiary action*) Acción legal que se ejercita en defecto de la principal y para suplir la falta de cumplimiento de ésta. Se aborda esta acción cuando se han agotado las otras vías o éstas ya no resultan posibles, como es el caso de indemnización de daños y perjuicios por incumplimiento de una obligación.

Acción vieja (*Outstanding share*) Acción en circulación perteneciente a la primera o anterior emisión, antes de realizarse una ampliación de capital con emisión de acciones nuevas. Se califica así por oposición a las acciones nuevas. *Véase* ACCIÓN NUEVA.

Accreting swap (*Accreting swap*) Swap de tipo de interés cuyo principal nocional aumenta durante la vida del swap, a diferencia del swap tradicional donde el principal nocional es fijo. También se le denomina *accumulation swap*.

Aceptación bancaria (*Banker acceptance*) Una aceptación bancaria es aquella que ha sido firmada por un banco. Contrariamente a una aceptación comercial, no se relaciona con ninguna clase de bienes, sino que más bien es una letra financiera de cambio respaldada por los activos del banco.

Aceptación de la letra de cambio (*Draft acceptance*) Acto formal por el que una persona se obliga, después de haber reconocido la firma del que la gira, a pagar una letra a su vencimiento, estampando su firma, la fecha y la palabra «acepto».

Acida, prueba (*Acid test*) Ratio de liquidez inmediata. Mide la capacidad de la empresa para hacer frente a sus deudas a corto plazo con los recursos a corto plazo, excepto las existencias, ya que constituyen la parte más lenta de realizar. El numerador está compuesto por el activo circulante menos las existencias y el denominador por el pasivo circulante.

Acomodación continua (*Marking to market*) Proceso de evaluación continua del riesgo de una posición abierta en obligaciones, contratos de opciones o futuros. En estos contratos la Cámara de Compensación de la Bolsa exige a los operadores que ajusten sus posiciones a partir de los precios de cierre de cada sesión. Los operadores deben mantener una fianza mínima en la Cámara de Compensación y depositar cantidades adicionales si el proceso de acomodación continua lo requiere, al variar los precios en una proporción determinada.

Acordeón (*Accordion*) Expresión de una operación de reducción de capital social de una empresa, seguida de una ampliación de capital con aportación de nuevos fondos. Normalmente se realiza para enjugar pérdidas acumuladas.

Acreditar (*Credit*) Abonar en una cuenta.

Acreedor (*Creditor*) Persona física o jurídica, sujeto activo, a quien se le debe algo o que tiene la facultad de exigir a otro, sujeto pasivo, el cumplimiento de una obligación.

Acreedor hipotecario (*Mortgage creditor*) Acreedor que tiene constituida hipoteca sobre algún bien de su deudor con el fin de asegurar su derecho de crédito. El acreedor hipotecario podrá ejecutar su hipoteca al vencimiento del derecho de crédito sea quien sea el poseedor del bien hipotecado: el propio deudor, un tercer poseedor que haya adquirido el bien gravado o un tercero que haya hipotecado bienes propios para asegurar la deuda de otra persona.

Acreedor mancomunado (*Joint creditor*) Acreedor que posee junto a otros acreedores un derecho de crédito contra uno o varios deudores, pero que no puede exigir a cada deudor la totalidad del crédito, sino sólo la parte correspondiente a cada uno de ellos.

Acreedor pignoraticio (*Pledge*; *Secured creditor*) Acreedor que para el aseguramiento de su derecho de crédito tiene una cosa de su deudor en prenda, con la obligación de poseeerla y conservarla hasta la satisfacción de su crédito y, en caso contrario, con la posibilidad de enajenar judicialmente la prenda y, con el importe de la venta, proceder al pago de la deuda. El poseedor de la cosa pignorada, ya sea el propio acreedor o un tercero convenido por las partes, no puede hacer uso de ella sin consentimiento del deudor prendario.

Acreedor preferente (*Senior creditor*; *Preferential creditor*) Acreedor con derecho de cobro privilegiado en un procedimiento ejecutivo o concursal. El acreedor es privilegiado por su derecho real sobre la cosa o por estipulación legal.

Acreedor social (***Creditor of a partnership***) Los acreedores sociales pueden ser acreedores de la sociedad o acreedores de los socios, si bien los acreedores de la sociedad son preferentes frente a los acreedores de los socios. El acreedor del socio podrá solicitar, para la satisfacción de su crédito, el embargo y ejecución de la parte proporcional del patrimonio social correspondiente a su deudor.

Acreedor solidario (***Solidary creditor***) Acreedor que, junto a otros acreedores, tienen un derecho de crédito frente a uno o más deudores, de modo que cada acreedor solidario podrá solicitar del deudor el pago completo de la deuda, y el deudor quedará liberado por el pago hecho a cualquiera de ellos.

Acreedores a corto plazo (***Short term creditors***) Conjunto de personas que proveen a la empresa de recursos, tanto de naturaleza corriente (crédito comercial), como de naturaleza financiera (crédito financiero), considerados en un horizonte temporal de corto plazo, es decir, menos de un año.

Acreedores a largo plazo (***Long term creditors***) Conjunto de personas que proveen a la empresa de recursos, tanto de naturaleza corriente, crédito comercial, como de naturaleza financiera, crédito financiero, todos ellos considerados en un horizonte temporal de largo plazo, es decir, más de un año.

Across the board (***Across the board***) Movimiento de la Bolsa que afecta a casi todos los valores en la misma dirección.

Acta de cotización (***Rating act***) Es el documento público en el que se constatan los cambios ocurridos en las sesiones de Bolsa y demás operaciones o circunstancias que en las citadas sesiones se produzcan.

Acta de protesto (***Captain's protest***) Acta notarial que acredita la falta de aceptación o de pago de una letra de cambio, cheque, pagaré u otro título mercantil análogo, en la que se copiará o reproducirá el documento protestado en cuestión. Los protestos notariales se documentan en el acta, que habrá de incorporarse al protocolo.

Acta de transferencia (***Transfer deed***) Documento que remite a la sociedad emisora el Agente o Corredor vendedor de acciones nominativas, notificándole que se ha efectuado la transmisión y solicitando que anule los títulos del vendedor y expida otros nuevos a favor del comprador.

Activación de gastos (*Expenses capitalization*) Contabilización de gastos como partida de activo, sean inversiones tangibles o intangibles. Se contabilizan como inversión los gastos financieros asociados a la misma, y también los gastos de investigación y desarrollo, los traspasos y los gastos de primer establecimiento. Estos gastos se amortizan en ejercicios posteriores. Este tipo de gastos, también llamados amortizables, deberán amortizarse en un plazo no superior a cinco años.

Actividades exentas Son aquellas que por su naturaleza estarían sometidas a gravamen, pero que la Ley las excluye de dicha obligación por determinadas circunstancias.

Activo (*Asset*) Son los bienes y derechos de una empresa susceptibles de ser valorados económicamente. Deben registrarse en los documentos contables por su valor de adquisición. En el activo se representan las inversiones de la empresa, es decir, el capital en funcionamiento o destino de los recursos financieros. Se divide en inmovilizado o activo fijo y activo circulante.

Activo al descuento (*Discount securities*) *Véase* ACTIVO FINANCIERO CON RENDIMIENTO IMPLÍCITO.

Activo amortizable (*Depreciable asset*) Aquellos bienes o derechos que, por agotamiento, por el transcurso del tiempo o por otras causas ajenas a la fluctuación de los precios en el mercado, disminuyen constante o periódicamente de valor, de forma que en los libros debe reducirse el valor en la cantidad correspondiente. Generalmente se excluyen los de carácter financiero.

Activo antifuncional (*Underproductive asset*) Elementos del activo de una empresa que generan pérdidas o cuyos rendimientos son inferiores a los de otros activos.

Activo circulante (*Current asset*) Está formado por aquellos bienes y derechos que pueden transformarse en dinero en un corto período de tiempo, generalmente antes de un año. Comprende, a su vez, el activo disponible y el activo realizable. El primero incluye aquellos bienes y derechos que son susceptibles de convertirse en dinero de forma inmediata, tales como el dinero en caja o cuenta corriente, los efectos aceptados, los títulos negociables en Bolsa, etc. El activo realizable incluye los bienes y derechos que pueden convertirse en dinero a corto plazo, tales como los préstamos realizados, los anticipos a proveedores, los productos terminados, etc.

Activo computable en el coeficiente de caja Son los activos situados en la cuenta corriente de las entidades financieras en el Banco de España. Sus saldos se computarán por el valor que arrojen los libros del Banco de España, según las comunicaciones que rindan las oficinas del mismo, al cierre de las operaciones de cada día.

Activo contingente (*Contingent asset*) Activo financiero cuyo precio está en función del precio de otro activo denominado activo básico. Una opción es un ejemplo de activo contingente, ya que su precio depende del precio del activo subyacente sobre el que puede ejercitarse.

Activo cuasimonetario (*Near money*) Son aquellos activos convertibles en dinero a corto plazo sin riesgo de pérdida, como, por ejemplo, los depósitos de ahorro, las letras del Tesoro y las divisas.

Activo exigible (*Receivable asset*) Activo patrimonial de una empresa pendiente de entrega si se trata de bienes, o de pago si se trata de dinero. En el caso de sociedades mercantiles por acciones hay que diferenciar el activo social exigible por terceros a la sociedad, del activo exigible a los socios por no haber desembolsado íntegramente las acciones.

Activo exterior neto (*Net foreign asset*) Diferencia entre la propiedad de activos extranjeros por parte de los residentes nacionales y la propiedad de activos nacionales por parte de extranjeros.

Activo ficticio (*Fictitious asset*) Parte del activo inmovilizado de una empresa, compuesto por elementos patrimoniales que carecen de valor de realización, como pueden ser una pérdida o gasto que no haya sido absorbido en el ejercicio económico en el que se ha producido y que se eliminará a través de futuros ejercicios. Dentro de este grupo se incluyen los gastos de constitución y de primer establecimiento y, en general, todos los gastos amortizables.

Activo fijo (*Fixed asset*; *Capital asset*) Denominado también activo inmovilizado, está formado por aquellos bienes y derechos que están destinados a permanecer en la empresa durante varios períodos y que tienen un grado de liquidez bajo. Comprende el activo inmovilizado material, el activo inmovilizado inmaterial, el inmovilizado financiero y los gastos amortizables.

Activo financiero (*Financial asset*; *Financial claim*) Inversiones, tanto fijas como circulantes, que realiza la empresa y que no tienen nada que ver con las inversions que lleva a cabo para el normal desenvolvimiento de las funciones productivas de la misma. Constituyen derechos a favor de la empresa y se realizan con la finalidad de colocar los excedentes financieros que no se utilizan, surgiendo de este modo la posibilidad de consolidarse económica y financieramente. Los tipos de inversiones que puedan realizarse van desde los préstamos concedidos al personal de la empresa hasta la colocación en el capital de otras empresas. También se denomina así a los instrumentos de captación de ahorro, títulos valores representativos de préstamos u operaciones financieras similares, con un vencimiento que puede ir desde el corto plazo hasta activos perpetuos. Estos instrumentos representan simultáneamente una obligación para el emisor y un derecho para su poseedor, materializado éste en la rentabilidad que se obtiene del activo o el reembolso del principal, rentabilidad que puede venir fijada por la diferencia entre los precios de emisión y reembolso (rendimiento implícito), o mediante la percepción de una renta a lo largo de la vida del activo (rendimiento explícito). En general, las diferentes modalidades de activos financieros se producen por combinaciones de tres elementos: nivel de riesgo del activo, forma de determinar la remuneración al poseedor y grado de liquidez del activo.

Activo financiero con rendimiento explícito (*Financial claim with explicit yield*) Desde el aspecto fiscal, es aquel en el que el rendimiento viene representado por los intereses o cualquier forma de retribución expresamente pactada como contraprestación a la utilización o captación de recursos ajenos, que son los tradicionales (certificados de depósito, imposiciones a plazo fijo, obligaciones, etc.). Las personas físicas o jurídicas que abonen este tipo de rendimientos estarán obligadas a retener e ingresar en el Tesoro el porcentaje que se establezca.

Activo financiero con rendimiento implícito (*Financial claims with implicit yield*) Activo financiero cuyo rendimiento se fija total o parcialmente de forma implícita (el rendimiento es la diferencia entre el importe satisfecho en la emisión, primera colocación o endoso y el comprometido a reembolsar al vencimiento) a través de documentos tales como letras de cambio, pagarés, bonos, obligaciones, cédulas y cualquier otro título similar utilizado para la captación de recursos ajenos. En España se realiza la retención en la suscripción inicial por el rendimiento antes definido y en las sucesivas transmisiones por la diferencia entre el precio pagado y el de reembolso.

Activo financiero con retención en origen. AFRO (*Treasury bills in general*) Se trataba de unos activos financieros con rendimiento implícito, cuya peculiaridad especial era que, al principio, se encontraban gravados con una retención única en origen del 18 por 100, que posteriormente fue elevada al 55 por 100, quedando las entidades emisoras e intermediadoras exoneradas de facilitar a la Administración Tributaria información nominativa sobre sus suscriptores y compradores, por lo que eran conocidos como activos anónimos u opacos. En 1991 se prohibió la emisión y puesta en circulación de nuevas emisiones de este tipo de activos, si bien se mantuvo el régimen fiscal esecial para aquellos que se encontrasen en circulación hasta su completa amortización.

Activo financiero indirecto Activo financiero emitido por los intermediarios financieros de la economía: depósitos en los bancos, pólizas de seguro, bonos o acciones emitidas por los bancos.

Activo financiero primario Activo financiero emitido por los prestatarios últimos de la economía: fondos públicos, bonos o acciones emitidos por empresas productivas.

Activo líquido (***Liquid asset***) Partidas del activo formadas por caja, bancos, e inversiones financieras temporales. Todas ellas pueden ser consideradas sustitutivas del dinero, ya que pueden venderse rápidamente, a un precio predecible y con poco coste o esfuerzo.

Activo mancomunado (***Joint asset***) Es aquel activo fijo que proviene de una copropiedad.

Activo monetario (***Monetary Asset***) Dícese de los activos financieros de gran liquidez y nulo o muy bajo riesgo. Estos activos son susceptibles de negociación al por mayor en mercados monetarios.

Activo negro (***Concealed asset***) Término de uso muy frecuente para denominar a cualquier bien que no es declarado a efectos fiscales o se elude cualquier forma de identificación por proceder de tráfico ilícito o delictivo. Con frecuencia, estos activos negros están materializados en dinero y otros bienes de difícil control, por no estar sujetos a normas registrales o formalismos de transferencia de propiedad. *Véase* ACTIVO OCULTO.

Activo neto (***Net asset; Net worth***) Suma de los fondos propios de la empresa. Equivale a neto patrimonial.

Activo no realizable (***Uncontingent asset; Slow asset***) Conformado por las partidas de la empresa cuyo objeto no es su venta o realización, salvo en casos excepcionales de procesos de liquidación.

Activo obsoleto (***Obsolete asset***) Se llama así a la maquinaria y equipo que han sufrido una baja excesiva en relación a nuevos modelos que los colocan en calidad de anticuados o pasados de moda, aunque estén en excelentes condiciones de uso.

Activo oculto (***Concealed asset***) Activo que no aparece en el balance ni en las declaraciones fiscales de sociedades o personas físicas, no con intención de defraudar, sino porque la normativa fiscal o contable no permite aflorarlo, por el coste que implicaría en el primer caso y por ir contra el principio de prudencia en el segundo. *Véase* ACTIVO NEGRO.

Activo pignorado (***Pledged asset***) Se refiere a aquellas mercancías que los comerciantes y productores depositan en los almacenes de depósito para garantizar algún crédito obtenido; estas mercancías quedan pignoradas o en prenda hasta la devolución del crédito y pago de sus intereses.

Activo real (*Real asset*) Dícese de los elementos del activo de naturaleza material e inmaterial utilizados en el proceso productivo. Esta clase de activo forma casi completamente el activo total, puesto que la parte de activo ficticio es muy pequeña o, al menos así debiera ser desde un punto de vista de análisis financiero.

Activo realizable (*Contingent asset*; *Floating asset*; *Current asset*) Desde un punto de vista financiero, las diferentes partidas del activo se dividen entre activo no realizable y activo realizable o disponible. Las partidas que forman parte de este subgrupo se corresponden con las del activo circulante, es decir, los bienes cuya función es única y exclusivamente la de transformarse en dinero a través del ciclo de rotación o maduración de la empresa que, por tanto, son fácilmente convertibles en dinero.

Activos de caja del sistema bancario (*Credit institutions cash assets*) Reservas líquidas que los Bancos, Cajas de Ahorro, Cooperativas de crédito y otras instituciones financieras mantienen en el Banco de España como depósitos a la vista. Una parte de dichos activos son mantenidos voluntariamente por razones de liquidez con la finalidad de compensar pagos entre otras operaciones y otra parte son mantenidos con carácter obligatorio para cumplir con el coeficiente de caja, que actualmente representa el 2 por 100 de los pasivos computables en dicho coeficiente.

Activos líquidos en manos del público. ALP'S (*Liquid assets held by the public*) Agregado monetario del que forman parte las disponibilidades líquidas o M3 y otros pasivos líquidos del sistema crediticio, que se van ampliando en su diversidad a medida que la innovación financiera va creando nuevos instrumentos. Forman parte de este agregado monetario, tras su reforma vigente desde enero de 1992, los siguientes componentes: efectivo en manos del público, depósitos a la vista, depósitos de ahorro, depósitos a plazo y los pertenecientes al Crédito Oficial con un plazo inferior o igual al año, cesión temporal de activos (repos de letras y pagarés del Tesoro de deuda pública a medio y largo plazo y de activos privados), participaciones de activo, depósitos en moneda extranjera, empréstitos, incluidos los pagarés emitidos por el Crédito Oficial a un plazo superior al año, operaciones de seguro, transferencias de activos privados, letras endosadas, avales a pagarés de empresa, valores públicos a corto plazo (letras y pagarés del Tesoro, pagarés forales y otros pasivos monetarios emitidos por las Administraciones Territoriales). Además, el nuevo agregado monetario conocido como ALP2 incluye valores privados a corto plazo como los pagarés de empresa.

Activos sintéticos (*Synthetic assets*) Activos creados mediante una combinación de otros instrumentos, normalmente caja más un derivado.

Activo subyacente (*Underlying asset*) En los mercados de opciones y futuros financieros se denomina así al activo financiero, por ejemplo, un índice de acciones cotizadas o de activos financieros, sujeto a un contrato normalizado de los negociados en el mercado y que es el objeto de intercambio.

Activo total medio (*Medium total asset*) Normalmente, el valor medio simple entre los activos totales de dos balances anuales consecutivos.

Actos jurídicos documentados Hecho o acción humana que produce efectos jurídicos. Están sujetos a gravamen por este concepto los documentos: notariales (escrituras, actas y testimonios notariales) y mercantiles (documentos mercantiles sujetos, como las letras de cambio y los documentos que realicen función de giro o suplan a aquéllas, así como los resguardos o certificados de depósito transmisibles, tales como: las libranzas y pagares a la orden, las cartas-órdenes de crédito por cantidad fija o determinada, los cheques y talones a la orden, etc.).

Actual (*Actual*) *Véase* CONTABILIDAD DE DÍAS.

Actuario (*Actuary*) Profesional de la aplicación del cálculo de probabilidades, la estadística y la matemática financiera al análisis del riesgo y el seguro. Calcula las primas, las reservas y las provisiones técnicas.

A cuenta (*On account*) Anticipo de pago parcial de una cantidad sin que, frecuentemente, esté fijado el total.

Acuerdo de Bretton Woods (*Bretton Woods Agreement*) Conferencia internacional que tuvo lugar en Bretton Woods, New Hampshire, Estados Unidos, en 1944, con asistencia de cuarenta y cuatro países, y de la que se derivaron diferentes acuerdos, como la creación del Banco Internacional de Reconstrucción y Desarrollo y del Fondo Monetario Internacional.

Acuerdo de crédito condicionado (*Revolving credit agreement*) Compromiso de un banco para conceder un crédito a un cliente si se cumplen condiciones específicas. El compromiso contiene, por lo general, cláusulas que permiten al banco rechazar la concesión si se ha modificado significativamente la situación financiera del cliente.

Acuerdo de recompra *Véase* PACTO DE RECOMPRA.

Acuerdo entre aseguradores (*Aggreement among underwriters*) Contrato entre los participantes de un sindicato bancario. En dicho acuerdo se designa el banco director y el banco agente y se reparten proporcionalmente las obligaciones o el crédito concedido, entre otras decisiones.

Acuerdo participativo sobre tipos de interés (*Participating interest rate agreement. PIRA*) Es un contrato mediante el cual una empresa compra un *cap* a un precio determinado sobre un determinado *principal nocional*, y vende simultáneamente un *floor* con el mismo tipo de interés de ejercicio pero sobre un *principal nocional* que es sólo de un porcentaje del utilizado en el contrato *cap*, de modo que la transacción neta resulte a coste cero.

Acuerdo sintético para tipo de cambio futuro (*Synthetic agreement for forward exchange. SAFE*) Es un contrato entre dos partes por el cual se conviene el intercambio de divisas en una fecha futura y a un tipo de cambio acordado ahora. Es un contrato equivalente al FRA, pero en el mercado de divisas.

Acuerdo sobre tipos de cambio futuros (*Forward exchange agreement. FXA*) Es un *swap de divisas sintético a plazo/a plazo*, o *forward/forward*, en el que los intercambios de divisas no se producen en el momento actual sino a partir de un momento determinado. Combina dos contratos a plazos teóricos en un único trato, y es liquidado por un único pago realizado en la fecha de valoración, *value date*, por una de las partes a la otra con objeto de compensar las oscilaciones del tipo de cambio durante la vida del contrato. Es la réplica en el mercado de divisas del Acuerdo sobre tipos de interés futuros o FRA (*véase*). A diferencia de los mercados de futuros, el FXA no requiere depósitos de garantía.

Acuerdo sobre tipos de interés futuros (*Forward rate agreement. FRA*) Los contratos a plazo de tipo interés son compromisos entre dos partes sobre el tipo de interés de un depósito teórico o nocional a un plazo y por un importe determinado, a constituirse a partir de una fecha estipulada en el contrato. Por ejemplo, un contrato de este tipo podría ser: un contrato FRA de 1.000 millones de pesetas «de tres a nueve meses» (o tres/nueve meses) a un tipo de interés del 15 por 100 en base anual. Mediante este contrato, el comprador del mismo se asegura que el tipo de interés a pagar por un depósito de 1.000 millones de pesetas a seis meses a obtener dentro de tres meses será del 15 por 100. Por otra parte, el vendedor del contrato garantiza, mediante dicho contrato, la obtención de un 15 por 100 en la constitución de un depósito de 1.000 millones de pesetas realizable dentro de tres meses. Es decir, los compradores de estos contratos tienen el objetivo de protegerse de aumentos futuros en los tipos de interés, mientras que los vendedores persiguen el objetivo opuesto: asegurar un tipo de interés mínimo o cubrirse de descensos en los tipos de interés. En cierto modo, los compradores actúan como futuros prestatarios y los vendedores como futuros prestamistas. Estos contratos se liquidan mediante el pago de la diferencia de intereses entre el tipo vigente en el mercado interbancario (Libor, Mibor, etc.) y el tipo estipulado en función de la cantidad acordada. Es decir, si en la fecha de liquidación el tipo de interés es superior al tipo del contrato, el vendedor debe abonar la diferencia al comprador, y viceversa.

Acuerdos de clearing (*Clearing arrangements*) Acuerdo entre los bancos centrales de dos países que permite la realización de transacciones comerciales internacionales sin necesidad de pagos y cobros continuos en divisas, que son sustituidos por liquidaciones por compensación de saldos. Los acuerdos de *clearing* establecen procedimientos de compensación de saldos entre los bancos centrales de los países importador y exportador.

Acuerdo stand-by (*Stand-by agreement*) Acuerdo entre una empresa y un banco de inversión por el que éste asegura la colocación de una emisión (*underwriter*), comprometiéndose a comprar los valores no vendidos a un precio determinado y a cambio de una comisión, *stand by fee*, también fijada previamente. *Véase* CRÉDITO STAND-BY.

Acumulativo (*Cumulative*) En relación con el pago de cupones o, por ejemplo, el pago de un dividendo sobre acciones preferentes, describe el derecho a recibirlo en el futuro en el caso de que no se pague en el momento o ejercicio previsto. *Véase* NO ACUMULATIVO.

Acuñación (*Coinage*) Fabricación de moneda. La acuñación de moneda estuvo siempre sujeta a la decisión del poder político ejercido sobre un territorio. En España la acuñación de moneda está reservada por ley al poder ejecutivo que, anualmente, determina las cantidades que deben acuñarse, labor que se encomienda a la Fábrica Nacional de Moneda y Timbre.

Acuracidad (*Accuracy*) Se dice que un estimador cumple la propiedad de la acuracidad, cuando verifica conjunta y simultáneamente las propiedades de ser preciso.

Adeudar (*Charge*; *Debit*; *Owe*) Operación consistente en realizar una anotación en el debe de una cuenta. || Tener la obligación de pagar o devolver una cantidad de dinero.

Adjudicación (*Allotment*) *Véase* ASIGNACIÓN.

Administración Fiscal (*Fiscal Administration*) Organo administrativo cuya función consiste en controlar la recaudación de impuestos, aranceles, derechos, productos y aprovechamientos que la legislación fiscal promulga, así como establecer estímulos fiscales, controlar el crédito público y calcular los ingresos de la nación.

Administrador (*Trustee*) Un banco u otra entidad que administra las estipulaciones de un contrato de fideicomiso. En las operaciones financieras dichas estipulaciones están relacionados con un préstamo o un empréstito.

Admisión a cotización (*Admission to quotation*) Incorporación del capital de una sociedad a la lista de otras acciones e instrumentos financieros de deuda que se comercializa en determinados mercados de valores. La administración de un valor requiere el cumplimiento de los requisitos exigidos por la normativa bursátil y lleva consigo la incorporación de un título al resto de los que se negocian habitualmente en Bolsa. Toda admisión conlleva un procedimiento ante la Sociedad Rectora de la Bolsa en cuestión, además de una verificación previa por la Comisión Nacional del Mercado de Valores. Entre los requisitos formales se encuentran los mismos que para las emisiones en general: aportación de documentación jurídica, auditoría de cuentas de los estados financieros y presentación de un folleto informativo. Tendrá que cumplir además determinados requisitos de carácter económico.

Adquisición (*Acquisition*) Es la compra y posterior control de una compañía por otra. Este término está vinculado con las fusiones a través de la expresión *M&B*, *Mergers & Acquisitions*. Pueden llevarse a cabo de forma amistosa, que es cuando ambas partes acuerdan la compraventa, o de forma hostil, que es cuando algunos accionistas venden su participación en contra del parecer de la dirección. Normalmente, determinado tipo de inversores están buscando empresas con posibilidades de ser adquiridas con objeto de adelantarse a los posibles compradores, con lo que conseguirán que éstos paguen por las acciones un precio superior al de mercado para hacerse con el control de la empresa.

Adquisición de la empresa por la dirección (*Management Buy-Out. MBO*) Es un tipo de adquisición en el que el equipo de directivos de una empresa compra ésta dejando fuera a los actuales propietarios. Es una operación muy utilizada en los años ochenta por la que los equipos directivos pedían prestadas grandes sumas de dinero a los bancos para comprar las empresas que ellos mismos dirigían, poniendo los activos de la empresa como garantía del préstamo. Dado que parten de una situación financiera muy apalancada, este tipo de operaciones es muy sensible a los movimientos de los tipos de interés, lo que ha producido un porcentaje de fracasos importante a causa de las subidas de tipos de interés de los primeros años noventa.

Adquisición furtiva (***Creeping tender offer***) Es la compra en Bolsa por parte de un inversor o grupo de inversores de una gran cantidad de acciones de una empresa, con el objeto de hacerse con el control de la misma sin lanzar una oferta pública de adquisición.

ADR *Véase* AMERICAN DEPOSITARY RECEIPT.

ADS *Véase* AMERICAN DEPOSITARY SHARE.

Ad valorem duty (***Ad valorem duty***) *Véase* DERECHOS AD VALOREM.

Afianzamiento (***Guarantee***) Aseguramiento del cumplimiento de una obligación por medio de una fianza. Por el contrato, uno se obliga a pagar o cumplir por un tercero. En el caso de no hacerlo éste, se configura al fiador como un responsable subsidiario respecto al obligado principal.

Afidavit (***Afidavit***) Término anglosajón de origen latino que significa afirmar. Consiste en una declaración jurada por la que un no residente demuestra que ciertos valores mobiliarios han sido ya gravados en el país de origen, quedando así exonerados del pago del impuesto correspondiente en el país de recepción, evitando con ello la doble imposición. Mediante esta declaración se posibilita el cobro en moneda propia y la exención fiscal si el gravamen que afecta a los títulos sólo es aplicable a tenedores nacionales.

Aforo (***Appraisal***) Se designa con esta palabra en ciertos países de Amércia del Sur, y en particular en Argentina y Uruguay, el valor ficticio en la Aduana, atribuido por las autoridades monetarias a una mercancía determinada. Este valor, expresado en divisas y habitualmente en dólares, determina el importe de las divisas que el exportador debe ceder a las autoridades monetarias a cambio del mercado oficial. Determina igualmente el importe en divisas que un importador puede adquirir al cambio del mercado oficial. En ambos casos, el complemento puede ser vendido o comprado en el mercado libre, es decir, en la práctica, a cambios más elevados.

AFRO *Véase* ACTIVO FINANCIERO CON RETENCIÓN EN ORIGEN.

After date (*After date*) Esta expresión consignada sobre un efecto significa que es pagadero un cierto número de días después de su fecha de creación. El vencimiento así fijado, no depende de la fecha de aceptación.

Agencia de calificación crediticia (*Credit rating agency*) Compañía especializada en el análisis prospectivo de entidades o empresas importantes. Determina el nivel de solvencia a corto y largo plazo y cuyas conclusiones, que se suelen concretar en el *rating*, tienen gran importancia en los mercados financieros con el fin de asignar niveles de riesgo en base a una escala de evaluación predeterminada. Entre las agencias más importantes están las estadounidenses Standard and Poor's Corporation y Moody's Investor Service. *Véase* CALIFICACIÓN DE SOLVENCIA.

Agencias de valores (*Securities agencies*) Son intermediarios autorizados a contratar en la Bolsa de Valores. A diferencia de las Sociedades de Valores sólo pueden operar por cuenta ajena y no pueden ejercer contrapartida ni especular en el mercado, ni pueden asegurar emisiones de renta fija, renta variable, u ofertas públicas de venta. Al operar sólo por cuenta ajena, asumen menores riesgos que las Sociedades de Valores y, por tanto, se les exige menor capital.

Agente (*Agent*) En los mercados financieros, profesional que actúa en nombre de otra persona o entidad, es decir, del ordenante. Los bancos suelen ser designados agentes por sus clientes.

Agente de cálculo (*Calculation agent*) En un acuerdo de swap o una operación financiera general, la persona o institución que calcule la cantidad a pagar.

Agente de pagos (*Paying agent*; *Issuing and Paying Agent*) Institución financiera designada por un prestatario como responsable del pago de intereses y principal a los inversores bajo los términos de una emisión o un préstamo.

Agente de pagos del Tesoro La Dirección General del Tesoro y Política Financiera ha sido autorizada a celebrar convenios con una o más entidades financieras para que pueda celebrar, a través de las mismas, el pago de intereses y reeembolso de capitales, actuando como agentes de pagos del Tesoro. Por tanto, en las fechas de vencimiento, dicha Dirección General efectuará la oportuna provisión de fondos al agente de pago para que éste atienda el pago de intereses y el reembolso de capitales.

Agente fiscal (*Fiscal agent*) Banco nombrado por un prestatario como agente para una nueva emisión de títulos en el caso de que no se haya nombrado a un fideicomisario. Sus funciones son actuar como agente de pagos y otras funciones administrativas, pero no tiene responsabilidades como fideicomisario.

Agio (*Agio*) Hacer especulación utilizando los cambios y oscilaciones de los precios. Generalizando, *agio* sería cuando la diferencia es positiva, es decir, cuando produce ganancias y *disagio* cuando es negativa, es decir, cuando produce pérdidas.

Agiotaje (*Agiotaje*) Especulación en Bolsa provocada por diversos medios. Normalmente se produce la subida artificial de la cotización de unos títulos que han sido adquiridos a bajo precio. Se habla de agiotaje en sentido negativo cuando estas subidas artificiales han sido provocadas por falsas informaciones, documentos contables incorrectos o estadísticas depuradas que hacen creer en la bondad de un valor cuando realmente no es así. La información pura del mercado impide el agiotaje en esos modos. Se diferencia de la especulación en que ésta consiste en tomar posiciones respecto a un valor sin influenciar el libre juego de la oferta y la demanda.

Agiotista (*Speculator*) Especulador en Bolsa que se caracteriza por realizar maniobras para forzar o deprimir los cambios de acuerdo con sus intenciones particulares, distorsionando gravemente el mercado.

Agregados económicos (*Economic aggregates*) Variables utilizadas en los análisis macroeconómicos sobre el comportamiento de un conjunto de unidades económicas y las diferentes relaciones entre ellos, expresado de forma algebraica.

Agregados monetarios (*Monetary aggregates*) La aplicación de criterios elementales, fijados de forma concertada por los diferentes países y aplicados con flexibilidad para adaptarse a las peculiaridades de cada sistema financiero ha conducido, en el caso de España, a la selección de los siguientes agregados:

M1 = Oferta Monetaria.
M2 = Oferta Monetaria Ampliada.
M3 = Disponibilidades Líquidas.
ALP(M4) = Activos Líquidos en Manos del Público.
ALP2(M5) = ALP + Pagarés de Empresa en Manos del Público.

De acuerdo con los criterios establecidos por el Comité de Gobernadores de la UE, la definición armonizada de M3 servirá de base para los ejercicios de concertación de objetivos monetarios a nivel comunitario en los que se materializa la coordinación de políticas monetarias.

Agrupación de acciones (*Joined shares*) Agrupación o reunión circunstancial de las acciones poseídas por los pequeños inversores con el fin de alcanzar el mínimo preciso para acudir a una Junta de Accionistas.

Agrupación de interés económico (*Economic interest group*) Son asociaciones de empresarios individuales o sociales que por sí mismas no tienen ánimo de lucro y cuya finalidad es, mediante la unión, facilitar el desarrollo o mejorar el resultado de la actividad de sus socios. Es una figura asociativa creada con el fin de facilitar y desarrollar la actividad económica de sus miembros, que viene a cumplir en el ámbito del mercado interior una función similar a la Agrupación Europea de Interés Económico regulada por el Reglamento del Consejo de la CEE 2.137/1985, de 25 de julio.

Agujeros negros (*Black holes*) Los banqueros denominan de esta forma a empresas, sectores o países cuya situación de crisis financiera es irreversible en el horizonte temporal en el que pueden tomar las decisiones. Por ello, los fondos que reciben éstos no tienen capacidad para cambiar la trayectoria de un crecimiento indefinido del endeudamiento, ya que la situación del país exige cambios sociopolíticos y ayudas a nivel de Gobierno y Organizaciones Públicas Supranacionales.

Ahorro a la vista (*On sight saving*) Referido al Sistema Bancario, es un contrato por el que su titular ingresa fondos en la entidad bancaria pudiendo incrementar, disminuir e incluso retirar totalmente su saldo en el momento en que lo desee. Características de este depósito son el servicio de caja y el uso de talonarios. En los últimos años han aparecido las cuentas corrientes financieras, también denominadas supercuentas o cuentas de alta remuneración, con un tipo de interés más elevado, pagado generalmente sobre un saldo mínimo. En España están autorizados los descubiertos en este tipo de depósitos desde el año 1981 sin limitación de cantidad ni de tiempo.

Ahorro a plazo (*On term saving*) Referido al ahorro colocado en el Sistema Bancario, es un contrato similar al de la cuenta corriente, pero se instrumenta en libretas. Está constituido en forma de depósitos de efectivo a diferentes plazos, certificados de depósitos, pagarés, y otros instrumentos emitidos a plazo por la propia entidad. En general, cualquier forma de ahorro en la que la recuperación de los fondos por el depositante o adquirente del activo de que se trate tiene fijado contractualmente un plazo. En España están autorizados los descubiertos desde 1990.

Ahorro bancario (*Bank saving*) Se denomina así al ahorro situado en activos financieros emitidos por el Sistema Bancario (Bancos, Cajas de Ahorros y Cooperativas de Crédito): depósitos a la vista, a plazo, emisión de deuda, cesiones temporales de activos y participaciones de créditos. En los últimos años ha sufrido una fuerte competencia debido al intenso proceso de desintermediación financiera y la competencia de la Deuda Pública.

AIAF ASOCIACIÓN DE INTERMEDIARIOS DE ACTIVOS FINANCIEROS.

AIBD *Véase* ASSOCIATION OF INTERNATIONAL BOND DEALERS.

Ajustado (*Tight*) En el argot de los mercados bursátiles y financieros, en general, se define así a un mercado con un gran volumen de contratación y márgenes muy estrechos entre los precios de oferta y demanda.

Ajustar a mercado (*Mark to market*) Ajuste diario de una cuenta para reflejar los beneficios y las pérdidas acumulados.

Ajuste (*Adjustment*) Operación destinada a homogeneizar cotizaciones con objeto de que puedan constituir una unidad de medida. || Puesta en práctica de una política macroeconómica contractiva para combatir la inflación.

Ajuste de precios en el mercado de valores (*Market price adjustment*) Reacción ante un movimiento anterior de precios, como por ejemplo: cuando el mercado sube de forma rápida, es lógico esperar un ajuste en los precios por toma de beneficios. || Reacción ante una noticia o hecho específico, por ejemplo: cuando los tipos de interés suben es de esperar un ajuste en los precios de las obligaciones para que éstas den un rendimiento acorde con el mercado. || Ajuste de mercado por el ejercicio de un derecho, como por ejemplo: cuando hay un dividendo en efectivo y la acción se cotiza ex-cupón, normalmente el valor del dividendo se descuenta y hay un ajuste en el precio de la acción.

Ajuste estacional (*Seasonal adjustment*) La eliminación de los movimientos estacionales regulares de series temporales.

Ajuste por periodificación (*End of period adjustment*) Devengo de gastos e ingresos de carácter no periódico en las fechas intermedias, a efectos de cálculo de resultados.

A la par (*At par*; *Par value*) Término indicativo de la equivalencia entre el valor efectivo de un título y su valor nominal o facial.

Alcista (*Bull*; *Bullish*) Situación en la que, esperándose la apreciación de un valor mobiliario, se acentúa la presión compradora a causa de dichas expectativas.

Al contado (*Spot*) Se denomina así a aquella operación acordada que se realiza antes de un plazo máximo de dos días. Si sobrepasa este período, dichas operaciones han de realizarse en el mercado de futuros o plazos. *Véase* VALOR SPOT.

Algoritmo (*Algorithm*) Conjunto de reglas o fórmulas para dar solución a un problema.

Alianza (*Alliance*) Es la unión de dos corporaciones, frecuentemente competidoras, mediante un vínculo de disolución voluntaria para la consecución de un aparente beneficio mutuo.

Alianza estratégica (*Strategic alliance*) Operación de cruce de participaciones entre dos empresas con la intención de acumular derechos de voto en manos de inversores amistosos. Cuando la fusión o absorción de empresas no es posible se lleva a cabo una alianza estratégica.

Alícuota (*Aliquot*) Proporcional.

Allien corporation (*Allien corporation*) En Estados Unidos, sociedad anónima extranjera.

All in cost (*All in cost*) Es el coste total de una transacción financiera incluyendo intereses, márgenes, comisiones, tasas, etc. Se suele expresar como un porcentaje del valor nominal o como un porcentaje en tasa anual de dicho valor. En una emisión nueva es la rentabilidad o margen para el emisor después de todos los desembolsos. Es la convención en el mercado de *swaps*.

Alisado (*Smoothing*) Operación matemática que consiste en suavizar o eliminar el exceso de variabilidad de los datos. Es utilizada especialmente en la representación gráfica de los precios. El instrumento más frecuentemente utilizado para alisar una serie es la media móvil.

Al portador (*To the bearer*) Fórmula mercantil para los documentos de crédito por la que se indica que éstos podrán ser exigidos por su tenedor, al no haber hecho indicación expresa del acreedor en el momento del libramiento. Los documentos librados al portador facilitan la transmisibilidad del título, ya que circula en el tráfico mercantil con mayor facilidad que los nominativos.

ALP'S *Véase* ACTIVOS LÍQUIDOS EN MANOS DEL PÚBLICO.

ALP'S 2 ALP'S más Pagarés de Empresa en Manos del Público. *Véase* ACTIVOS LÍQUIDOS EN MANOS DEL PÚBLICO.

Alquiler de valores (*Securities rent*) Préstamo de valores con garantía personal y con obligación de devolución en fecha determinada a cambio de remuneración.

Altamente estructurado (*Highly structured*) Se dice de los instrumentos financieros, con cupón fijo o flotante, cuya rentabilidad varía sobre una base apalancada frente a un índice, o mediante la utilización de uno o más *swaps*, con el fin de cambiar los flujos de caja a los que tiene que hacer frente en principio.

Alza de cotizaciones (*Price rise*) Aumento del valor de las cotizaciones bursátiles. En un sentido general, es el aumento de los precios de los títulos-valores que cotizan en un mercado.

American Depositary Receipt. ADR (*American Depositary Receipt. ADR*) Fórmula usual de representación de los valores en las operaciones de compreventa en las Bolsas de Estados Unidos. Los valores admitidos a cotización son depositados en un banco americano que emite un recibo de depósito por una porción de ellos. Por este procedimiento se facilitan las operaciones con las acciones y títulos extranjeros, tanto en las principales Bolsas como en los mercados de segundo orden, ya que se cuenta con la garantía de que los valores están depositados en un banco doméstico que ha emitido el ADR. Véase AMERICAN DEPOSITARY SHARE.

American Depositary Share. ADS (*American Depositary Share. ADS*) Según la legislación norteamericana, un *ADS* es la unidad en la que un accionista de Estados Unidos posee las acciones de un emisor extranjero que haya establecido un programa de *ADRs*. Un *ADS* puede corresponder a una o más acciones de un emisor. Un *ADR* es el instrumento emitido por el Depositario de los *ADSs*, el cual es entregado al inversor de los Estados Unidos y tiene por finalidad acreditar la titularidad de *ADSs* por parte del inversor. Véase AMERICAN DEPOSITARY RECEIPT.

AMEX (*American Stock Exchange*) Es el segundo mercado de valores en Estados Unidos en cuanto a importancia, después de la Bolsa de Nueva York (NYSE). Está ubicado en Nueva York y concentra las acciones de las compañías de tamaño medio.

Amortizable (*Redeemable*; *Callable*) Se dice que algo es amortizable cuando puede extinguirse o suprimirse. El término amortizable se utiliza para designar una clase de Deuda del Estado de carácter temporal y que se opone al término «perpetua», en el que no existe compromiso temporal de amortización.

Amortización (*Redemption* || *Amortization*) Podemos distinguir la amortización desde dos puntos de vista, según se trate de amortización de valores: amortización financiera; o amortización contable: amortización empresarial. Desde un punto de vista financiero, la amortización consiste en el pago de una deuda. Se calcula de acuerdo con los planes teóricos de amortización de las emisiones vivas, siendo éstos modificados por los volúmenes amortizados por conversiones y opciones de amortización anticipada para el tenedor o el emisor de los títulos. || Desde un punto de vista económico-contable, la amortización es el reflejo contable de la depreciación. Consiste en la recuperación de los activos fijos, es decir, de la inversión, cuya pérdida se produce por su incorporación paulatina al proceso productivo. El proceso supone la recuperación parcial por ejercicios económicos de los equipos que se van consumiendo, es decir, el inmovilizado se va transformando en liquidez mediante la amortización. Dicha liquidez se utiliza para financiar provisionalmente los ciclos de explotación, para la adquisición de nuevos activos inmovilizados o para inversiones a corto plazo.

Amortización acelerada (*Accelerated depreciation*) Amortización de los elementos del activo que se lleva a cabo a un ritmo superior al nominal, que se encuentra prevista en la normativa fiscal como una de las maneras de evitar los coeficientes fijados, siempre que se demuestre la efectiva depreciación de los bienes. El reglamento del Impuesto de Sociedades español señala que la depreciación es efectiva cuando las dotaciones se ajusten a un plan formulado por el titular de la actividad y aceptado por la Administración Tributaria. La diferencia con la amortización normal es de carácter fiscal, no contable.

Amortización anticipada (*Early repayment* || *Call*) Devolución del principal de un crédito o préstamo antes de su vencimiento. || Derecho del deudor y/o el acreedor a que una emisión se amortice parcial o totalmente, antes de la fecha de vencimiento del empréstito.

Amortización constante (*Straight-line depreciation*) Método de amortización consistente en calcular una cuota de amortización anual para que, al cabo de un determinado número de años, quede amortizado el valor inicial sin dejar valor residual alguno.

Amortización de capital con cargo a reservas (*Amortization of capital from reserves*) La reducción de capital puede realizarse con cargo a reservas, de manera que se devuelven activos a cambio de las acciones amortizadas. Para realizar esta operación debe garantizarse que la cifra de patrimonio neto no disminuya por debajo de la cifra de capital social inicial. Esta operación se realiza para preservar la garantía de cobro de los accreedores.

Amortización decreciente (*Depreciation of diminishing values*) Método de amortización que consiste en aplicar cada año la amortización sobre el valor residual.

Amortización de deuda (*Redemption*; *Repayment*) Cumplimiento de la obligación de reembolso nacida del contrato de préstamo. Supone la devolución del principal de la deuda. La amortización puede ser instantánea o periódica. Si es periódica, existen varios procedimientos: a) por anualidades: con el pago de los intereses se reintegra una porción del capital; b) por series: el empréstito se divide en series y a cada una de ellas se le fija una fecha para ser amortizada; c) por sorteo: en el momento previsto se sortea entre los títulos, de forma individual o por grupos, y se determina de esta forma cuáles serán amortizados en cada plazo, y d) por subasta: en cada uno de los momentos fijados en la emisión se aceptan para ser amortizados los títulos que se ofrezcan a un precio más reducido y hasta un determinado tope. *Véase* AMORTIZACIÓN.

Amortización de acciones (*Redemption of shares*) Adquisición de las acciones representativas del capital social mediante su canje por acciones de goce o bien por dinero. La amortización de acciones puede realizarse a la par, es decir, según su valor nominal, o por encima o por debajo de la par.

Amortización de obligaciones (*Redemption of bonds*) Acto por el que la sociedad emisora, al término del plazo establecido, reembolsa a los obligacionistas el importe nominal de los títulos suscritos y, en su caso, los intereses devengados.

Amortización de un empréstito (*Borrowing redemption*) Acto por el que la empresa emisora del empréstito reembolsa a los suscriptores de las obligaciones el valor nominal más los intereses de los correspondientes títulos.

Amortización financiera (*Financial repayment*) Cuotas periódicas devengadas en concepto de cancelación o extinción de los recursos financieros tomados a préstamo por parte de la empresa. Podemos distinguir entre la amortización de empréstitos de obligaciones, o cualquier otra clase de préstamos o emisión de títulos realizada para la captación de recursos ajenos, y la amortización de capital, muy frecuente en el ámbito de las empresas cuya actividad se desarrolla con concesiones administrativas temporales. *Véase* AMORTIZACIÓN y AMORTIZACIÓN DE DEUDA.

Amortización mixta Es un método que combina las características de los métodos decreciente y constante, realizando una amortización decreciente en los primeros años y combinándola con una amortización constante a partir de un determinado número de años.

Amortización, planes de (*Depreciation methods*) Los sistemas principales para calcular la amortización económico-contable que debe cargarse a cada ejercicio son: lineal, porcentual y suma de dígitos de los años. La práctica española es amortizar una cantidad variable en función de los resultados del ejercicio y dentro de los coeficientes máximos fiscales.

Amortizar (*Redeem* || *Amortize*) Cancelar o extinguir los capitales pertenecientes a un préstamo o cualquier otra clase de deuda. || Cálculo de la parte del valor total del activo fijo que debe considerarse depreciado y, por tanto, imputarse como gasto del ejercicio (cuota anual amortizativa). *Véase* AMORTIZACIÓN.

Ampliación blanca (*White amplification*) Denominación que recibe en los procedimientos de ampliación de capital el caso en que un accionista suscribe un número de acciones nuevas sin que deba realizar ningún desembolso por su parte, puesto que vende los derechos de suscripción que no le son necesarios. Es decir, el accionista suscribe un número de acciones menor que el que le correspondería vendiendo los derechos de suscripción necesarios para que en las acciones nuevas que suscriba no tenga que realizar ningún desembolso.

Ampliación de capital (*Capital increase*) Es una operación mediante la cual la empresa aumenta su cifra de capital social. Este aumento podrá realizarse mediante la emisión de nuevas acciones o incrementando el valor nominal de las ya existentes, lo que puede dar lugar, bien al incremento de patrimonio social, bien a su mantenimiento, pero variando su composición. La ampliación de capital implica, en cualquier caso, una modificación estatutaria. Al igual que en los supuestos de constitución de sociedad, en las operaciones de ampliación el capital suscrito debe ser desembolsado en un 25 por 100 al menos. En las ampliaciones de capital se deberá respetar el derecho de suscripción preferente a favor de los antiguos accionistas y los titulares de obligaciones convertibles para suscribir un número de acciones proporcional al valor nominal de las acciones que posean, o de las que les corresponderían a los titulares de obligaciones convertibles de ejercitar en ese momento la facultad de conversión.

Amplitud (*Extent*; *Greatness*) En el ámbito de los mercados financieros se dice que un mercado es amplio cuando existe un volumen suficiente de órdenes de compra y venta para diferentes niveles de precios. Se trata de una de las propiedades de un mercado perfecto. *Véase* MERCADO PERFECTO.

Amplitud auténtica En el análisis técnico bursátil, se trata de la distancia mayor entre: el máximo y el mínimo de hoy; entre el cierre de ayer y el máximo de hoy y entre el cierre de ayer y el mínimo de hoy. Se utiliza para calcular la volatilidad.

Amplitud de oscilación En el análisis técnico bursátil, distancia que recorre un precio por cada incremento de tiempo. *Véase* AMPLITUD AUTÉNTICA.

Análisis del punto muerto (*Break even analysis*) Método de análisis de inversiones para determinar bajo qué circunstancias deberían ser iguales los rendimientos de dos títulos. || Método para comparar dos títulos de diferentes plazos de amortización.

Análisis de gap (*Gap analysis*) Enfoque de la gestión de tipos de interés de activo y pasivo de las instituciones financieras. Incluye la comparación, sobre una base periódica, de las amortizaciones de activos y pasivos. Un gap positivo indica que la institución tendrá pérdidas si los tipos de interés suben y un gap negativo implica una pérdida si los tipos bajan. Un análisis más sofisticado implica computar los *cash-flow* y las duraciones de activos y pasivos y hacer simulaciones bajo distintas hipótesis de tipos de interés.

Análisis de regresión (*Regression analysis*) Es el cálculo estadístico de la relación entre dos o más variables.

Análisis de sensibilidad (*Sensivity analysis*) Técnica que permite estimar el impacto de las variaciones de los factores más importantes en los beneficios y, consecuentemente, en la tasa de rendimiento, de forma tal que podamos conocer el impacto en dicha tasa de una variación en ventas, costes, etc.

Análisis de tendencia (*Trend analysis*) Práctica estadístico-empresarial que consiste en examinar gráficos de comportamiento en el pasado y analizar a partir de ellos las tendencias del futuro.

Análisis de valores (*Value analysis*) Examen y estudio pormenorizado de los factores legales, económicos, financieros y bursátiles de los títulos-valores y que condicionan una inversión bursátil.

Análisis financiero (*Balance sheet analysis*) Actividad que separa los diversos elementos que concurren en el resultado de las operaciones de una empresa e identifica los factores que lo componen a fin de determinar su participación en éste.

Análisis fundamental (*Fundamental analysis*) Técnica de análisis que, para predecir las cotizaciones futuras de un valor, se basa en el estudio minucioso de los estados contables de la empresa emisora así como de sus expectativas futuras de expansión y de capacidad de generación de beneficios. Se trata de estimar el valor intrínseco de una empresa para tratar de conseguir que su análisis descubra una futura revalorización que empuje su cotización al alza. El análisis fundamental se completa con el análisis técnico para la consecución de un análisis integral de un valor bursátil. *Véase* ANÁLISIS TÉCNICO.

Análisis marginal (*Marginal analysis*) Búsqueda del valor óptimo de una variable comparando los costes y los beneficios que provocarían pequeñas variaciones de esa variable.

Análisis técnico (*Technical analysis*) Es la denominación aplicable a un conjunto de técnicas que tratan de predecir las cotizaciones bursátiles desde su perspectiva histórica, teniendo en cuenta el comportamiento de ciertas magnitudes bursátiles, como volumen de contratación, cotización de las últimas sesiones, evolución de las cotizaciones en períodos más largos, capitalización bursátil, etc. Está apoyado en la construcción de gráficos que indican la evolución histórica de los precios de los valores, pero también en técnicas analíticas que permiten predecir las oscilaciones bursátiles. *Véase* ANÁLISIS FUNDAMENTAL.

Analista de inversiones (*Investment analyst*) Especialista del mercado financiero cuya misión consiste en diagnosticar las empresas, en cuanto a los títulos que emiten, con objeto de disminuir la incertidumbre de las inversiones a la hora de elegir dónde colocar sus capitales.

Analista financiero (*Financial analyst*) Experto profesional en el análisis de activos financieros calculando su precio en función de la situación patrimonial actual y las perspectivas futuras de rentabilidad y riesgo. Es, en definitiva, un experto en inversiones, rentabilidad, evaluación de empresas y negocios bursátiles.

Anatocismo (*Anatocism*) Acumulación de los intereses producidos imputándolos al principal, de modo que se obtenga una suma que devengue a su vez intereses. Es el devengo de intereses sobre los intereses vencidos y no pagados. En el ámbito financiero se conoce como «interés compuesto» al convenio de capitalización de los intereses vencidos, que origina, a su vez, la producción de intereses. *Véase* TIPO DE INTERÉS COMPUESTO.

Anchura (*Width*) En el análisis técnico bursátil, cociente entre la suma de los valores que han experimentado alzas y bajas y los que no han variado en una semana. Un valor bajo de este cociente advierte de un cambio en la tendencia del mercado. Es muy útil para predecir el final de fases bajistas.

Angel caído (*Fallen angel*) Son títulos de una empresa de primera línea cuyo valor ha caído repentinamente como consecuencia de haberse producido una noticia o de un acontecimiento negativo.

Anotaciones en cuenta (*Account entry*) Sistema de referencias técnicas para agilizar las transacciones de determinados títulos. Es la forma de operatoria de las Letras del Tesoro y de otros tipos de títulos de renta fija y de renta variable. *Véase* CUENTAS DIRECTAS DE DEUDA PÚBLICA ANOTADA.

Anticiparse al mercado Movimiento especulativo para la compra-venta de acciones o valores de renta variable ante algún pronóstico o evento que vaya a influir en la cotización de estos instrumentos.

Anticipo (*Advance payment*) Pago anterior al momento en que se origina el débito. En el ámbito bancario, crédito a corto plazo en base a la realización de títulos valores o de crédito. También suele denominarse así a los descubiertos en cuenta corriente.

Antidilución (*Antidilution*) Cláusula que se establece en algunas emisiones de obligaciones convertibles que supone una condición de protección con el objeto de compensar los descensos de cotización en las acciones por causa de ampliaciones de capital anteriores a la fecha de conversión, a las que el tenedor de las obligaciones no tiene acceso. Consiste en rebajar del cambio de conversión el importe del valor teórico o cambio medio del derecho de suscripción de las acciones.

Antidumping (*Antidumping*) Cuerpo legislativo creado para prevenir el *dumping*, reconocido por todos como una práctica comercial ilícita. *Véase* DUMPING.

Antiestatutario (*Ultra vires*) Acción realizada en una empresa más allá de los poderes otorgados por los Estatutos Sociales.

Antimonopolio (*Anti trust*) Es un conjunto de leyes y normas que ayuda a mantener la competencia y suprimir los monopolios. *Véase* MONOPOLIO.

Anualidad (*Annuity*) La anualidad sirve para la devolución de préstamos y para la constitución de cierto capital. Los préstamos se reintegran, normalmente, mediante cantidades constantes pagadas a intervalos regulares, aunque también hay anualidades variables. Si se trata de anualidades de amortización de los elementos del activo, éstas tienen por objeto formar el capital necesario para la sustitución de dichos elementos cuando se prescinde de su uso. Si se trata de reintegrar un préstamo, nos hallamos ante las anualidades de amortización. Para constituir un capital se parte de las anualidades pagaderas al comienzo de cada período, en este caso se dice que las anualidades son de inversión, o bien por anualidades pagaderas al final de cada período, siendo en éste las anualidades de capitalización. El tipo de interés utilizado en el cálculo de las anualidades es el interés compuesto. Ello significa que se calcula el interés en función de los capitales y de los propios intereses capitalizados. La capitalización se realiza al final de cada uno de los períodos, generalmente un año. Si se desea conocer el capital constituido al final de un período por medio de anualidades de inversión, debe conocerse el importe de anualidad constante, el número de períodos y el tipo de interés.

Anualidad perpetua (*Perpetuity*; *Perpetual annuity*) Se utiliza para designar a una renta pagadera por tiempo ilimitado.

Anualizar (*Annualise*) Calcular o expresar el tipo o tasa de rentabilidad en base a un año.

Anunciador (*Announcer*) Persona encargada de inscribir los cambios durante las sesiones bursátiles en la cartelera instalada en el salón de contratación de la Bolsa.

Anuncio de emisión efectuada (*Tombstone*) Se trata del anuncio publicitario sobre una nueva emisión. Generalmente se publica después de la colocación de la misma, y en él se indican las condiciones principales de la misma y los miembros del consorcio asegurador y colocador.

Año base (*Base year*) El año de referencia al que se asigna un valor de 100 cuando se construye un índice.

Año fiscal (*Fiscal year*; *Tax year*) Un período de doce meses seleccionado como año a efectos contables y fiscales.

Apalancamiento, efecto de (*Leverage effect*; *Gearing*) Grado de utilización de la financiación externa por una empresa, medido en relación con los recursos propios. El endeudamiento de una empresa tiene una repercusión que puede ser positiva o negativa sobre su rentabilidad financiera, es decir, sobre el resultado de sus recursos propios. Cuando los costes financieros son muy elevados, el efecto apalancamiento puede llegar a ser tan negativo que haga entrar en pérdidas a la empresa. El punto crítico en el que el endeudamiento de una empresa no debe subir, fijándonos exclusivamente en los efectos de la rentabilidad financiera, es aquel en el que el coste de los recursos ajenos sea igual al beneficio obtenido con ellos. En este caso, lo normal es establecer si el apalancamiento es positivo, para lo cual el porcentaje que representen los beneficios antes de deducir cargas financieras, amortizaciones, provisiones e impuestos sobre recursos totales (ajenos y propios) debe ser superior a la tasa media a la que resulten los recursos ajenos. La elección de los recursos de la empresa se debe realizar en función del apalancamiento financiero, teniendo en cuenta factores como la facilidad para efectuar el reembolso de los capitales tomados a préstamo, riesgo de descenso de la actividad que impida hacer frente a los pagos de intereses e incluso del reembolso y el porcentaje de recursos ajenos sobre propios, que no debe pasar de cierto porcentaje según el sector sin hacer peligrar la autonomía financiera.

Apalancamiento defensivo (*Leveraged recap*) Es la utilización de la capacidad de endeudamiento de una empresa para drenar liquidez de la misma y hacerla así menos atractiva de cara a un posible comprador hostil. *Véase* APALANCAMIENTO.

Apalancamiento financiero (*Financial Leverage*) Se produce cuando una empresa utiliza, además de sus recursos propios, recursos ajenos que llevan asociados costes financieros fijos y se define como la relación entre el coste de remuneración y el beneficio por unidad de recursos empleados. Expresado como ratio de endeudamiento, es la relación entre recursos ajenos y recursos propios.

Apalancamiento financiero = Deudas/Valor total de la empresa

El efecto de apalancamiento será positivo si la rentabilidad del activo es mayor que el coste de la financiación ajena. Sirve como referencia a la hora de decidir la elección de recursos propios y ajenos, poniendo en relación el endeudamiento de la empresa y la rentabilidad financiera de sus recursos propios. *Véase* APALANCAMIENTO.

Apalancamiento operativo (*Operating leverage*) Se conoce así al efecto que, sobre los resultados de una empresa, produce la estructura de costes de la misma. El apalancamiento operativo viene determinado por la relación entre la variación del beneficio antes de intereses e impuestos y la variación de las unidades vendidas. El apalancamiento produce un efecto expansivo sobre los beneficios a partir de un nivel determinado. *Véase* APALANCAMIENTO.

Apelación al Banco de España La petición de fondos que realiza el Estado al Banco Emisor por encima de las condiciones establecidas en la Ley General Presupuestaria. Tanto en las normas previstas en el Tratado de la Unión Europea, como en la reforma del estatuto legal del Banco de España, se erradica esta práctica por su efecto negativo sobre la evolución de los precios.

Aplicación (*Application*) Operación consistente en una compra y venta realizada simultáneamente sobre un mismo valor por una misma cantidad de títulos en una misma fecha y a un mismo cambio por cuenta de dos o varios ordenantes. En el mercado español, este tipo de operaciones están reguladas por el Real Decreto 1.416/1991, de 27 de septiembre, sobre operaciones bursátiles especiales y sobre transmisiones extrabursátiles de valores cotizados y cambios medios ponderados, así como por la Orden del Ministerio de Economía y Hacienda de 5 de diciembre de 1991.

Aportación (*Contribution*) En el ámbito mercantil, entrega por parte de cada uno de los socios del contravalor, en dinero o en especie, de las acciones que suscriben. La necesidad de efectuar la aportación viene concretada de modo ineludible en la

Ley de Sociedades Anónimas, que prohíbe la contratación de acciones que no correspondan a una efectiva aportación a la sociedad. || Término que, en relación a un Plan de Pensiones, se utiliza para designar la cuota que un partícipe destina al mismo con objeto de financiar las futuras prestaciones.

Aportación dineraria Es la aportación realizada mediante numerario o efectivo a una empresa, normalmente como aportación al capital de ésta.

Aportación no dineraria Contribución que se realiza a una empresa, normalmente como aportación al capital de ésta, con elementos del activo como inmuebles, *stocks*, etc.

Apreciación de una moneda (*Currency appreciation*) Las monedas convertibles están sujetas continuamente al juego del libre mercado internacional a través de los *brokers* o intermediarios internacionales de divisas. Cuando aumenta la demanda de una moneda se produce un encarecimiento, es decir, la elevación de su tipo de cambio. La demanda de una moneda concreta se produce, fundamentalmente, por las siguientes razones: transacción (pagos internacionales) precaución (moneda refugio), inversión, y especulación.

Apremio, procedimiento de Procedimiento de recaudación que se utiliza para el cobro de los créditos a favor de la Hacienda Pública vencidos y no satisfechos. El carácter de este procedimiento es exclusivamente administrativo, siendo privativa de la Administración la competencia para entender del mismo y resolver todas sus incidencias, sin que los Tribunales de cualquier grado y jurisdicción puedan admitir demanda o pretensión alguna en esta materia, a menos que se justifique que se ha agotado la vía administrativa, o que la administración decline el conocimiento del asunto en favor de la jurisdicción ordinaria.

A prorrata (*At pro-rata*) Distribución por prorrateo o prorrata. *Véase* PRORRATA.

Arbir loans (*Arbir loans*) Préstamos concertados con la finalidad de obtener fondos en los mercados donde son relativamente baratos y colocarlos donde sean relativamente caros.

Arbitraje (*Arbitrage*) Operación consistente en la compra y venta simultánea de instrumentos financieros en los diferentes mercados para obtener ventaja de los diferentes precios existentes entre ellos. Los mercados pueden estar en diferentes países, o bien, puede tratarse de diferentes mercados en el mismo país. El arbitraje consiste, así, en identificar y aprovechar ineficiencias de los mercados que, mediante tal arbitraje, tienden a minimizarse. *Véase* ARBITRAJE DE DIVISAS.

Arbitraje de divisas (*Foreign-exchange arbitrage*) En el ámbito de los mercados financieros, se aplica a las operaciones simultáneas de compra y de venta realizadas sobre un mismo producto o instrumento financiero denominado en divisas en diferentes mercados o plazos, al objeto de obtener beneficios por las eventuales diferencias entre sus correspondientes valores de mercado. *Véase* ARBITRAJE.

Arbitraje de impuestos (*Tax arbitrage*) Arbitraje consistente en aprovechar las ventajas de las discrepancias entre los tipos impositivos de diferentes entidades en diferentes jurisdicciones.

Arbitraje de intereses (*Interest arbitrage*) Efectuar un arbitraje significa obtener beneficios de las anomalías existentes entre los precios de los productos financieros de los diferentes mercados. Como el precio de cualquier instrumento viene determiando por el tipo de interés, se denomina arbitraje de interés al que se realiza teniendo en cuenta los tipos de interés de los diferentes mercados. *Véase* ARBITRAJE y ARBITRAJE DE DIVISAS.

Arbitraje directo (*Cash and carry*) Es una modalidad de arbitraje consistente en comprar en un mercado de contado y, simultáneamente, vender en un mercado de futuros. Se apoya en la sobrevaloración del precio del futuro en relación al de contado, ya que por el principio de convergencia ambos precios se igualarán al vencimiento del contrato de futuros. *Véase* ARBITRAJE.

Arbitraje inverso (*Reverse cash and carry*) Es una modalidad de arbitraje consistente en comprar en un mercado de futuros y, simultáneamente, vender en un mercado de contado. Se practica cuando el mercado de contado está infravalorado en relación al valor teórico del contrato de futuros. *Véase* ARBITRAJE.

Area de libre comercio (*Free trading area*) Grupo de países que eliminan las restricciones comerciales (aranceles, cuotas, etc.) entre sí, pero en el que cada uno conserva el derecho de establecer restricciones a las importaciones procedentes de países no miembros.

Area del marco Zona de influencia monetaria formada por aquellas monedas cuya cotización está muy vinculada a la del marco alemán y, por tanto, a la política monetaria del Bundesbank. Está formada, además de por el marco, por las monedas de los países del Benelux (Holanda, Bélgica y Luxemburgo), el franco suizo y el chelín austríaco. Esta influencia se modificará con la entrada en vigor de la UME-11 (véase) el 1-1-1999.

Area monetaria (*Currency area*) Bloque económico formado por un conjunto de sistemas monetarios vinculados entre sí de tal modo que desemboca en una unión monetaria. La formación de las áreas monetarias se basa en la valoración de las distintas monedas que la integran o en la magnitud de las relaciones entre las economías en las que circulan las diferentes monedas.

Armonización fiscal (*Tax law harmonization*) Ajustes de los distintos sistemas tributarios nacionales para conseguir una adaptación de acuerdo a un proyecto supranacional, por ejemplo: armonización del Impuesto sobre el Valor Añadido y del Impuesto de Sociedades en la Comunidad Económica Europea.

Arrangement fee (*Arrangement fee*) Comisión pagada a un broker u otro intermediario por su intervención en el inicio o la implementación de una transacción.

Arranger (*Arranger*) Un intermediario que organiza un swap u otra operación financiera entre dos usuarios finales sin participar realmente en la operación. Los *arrangers* cobran comisiones en vez de cargar un spread en la operación. *Véase* ARRANGEMENT FEE.

Arrear (*Arrear*) Suma de dinero que debería haber sido pagada ya. Suma de dinero devengada y no pagada.

Arrendador (*Lessor*) Propietario del equipo que va a ser arrendado al arrendatario o usuario.

Arrendamiento (*Leasing*) Instrumento financiero que permite a las empresas financiar sus activos fijos muebles e inmuebles tomándolos en arrendamiento de una sociedad especializada, a cambio de un canon periódico en concepto de alquiler y con la opción de comprarlos cuando finalice el contrato por un valor residual. *Véase* ARRENDAMIENTO FINANCIERO.

Arrendamiento financiero (*Financial Leasing*) Se refiere al arrendamiento de activos de elevado precio a un fabricante por parte de una compañía financiera. Tiene la ventaja de financiar activos que de otra manera las empresas no podrían pagar. Asimismo, tiene la ventaja de gozar de determinadas exenciones fiscales. Como contrapartida, el coste suele ser relativamente elevado. Es un instrumento de financiación por el cual el usuario o arrendatario puede adquirir el uso de un activo durante toda su vida útil. Los alquileres son netos para el arrendador, es decir, el mantenimiento, los seguros e impuestos del equipo son responsabilidad del arrendatario. Las cuotas durante la vida del arrendamiento son suficientes para recuperar el coste del equipo más los intereses de la inversión. Este tipo de arrendamiento puede implicar tanto un verdadero arrendamiento como una venta condicionada. *Véase* CAPITAL LEASING y ARRENDAMIENTO OPERATIVO.

Arrendamiento operativo (*Operating leasing*) Es una operación de arrendamiento en la que la empresa contratante tiene la opción de cancelar en cualquier momento dicha operación previo aviso. Representa una forma alternativa de financiar la adquisición del bien, es decir, es una alternativa a un préstamo. Disfruta de ventajas fiscales ya que los contratos se realizan en un plazo inferior al normal de la vida útil del bien, con lo que se amortiza aceleradamente. Su fin principal suele ser el de ejercer una opción de compra sobre el bien. Es un tipo de arrendamiento que, a efectos de contabilildad financiera, no se le aplica el Statemente 13 del FASB y por tanto, no tiene que mostrarse en el balance del arrendatario, si bien tiene que ser informado en una nota de página como una carga fija. También se utiliza este término para describir un arrendamiento a corto plazo por el que el usuario puede adquirir el uso de un activo por una parte o fracción de su vida útil. El arrendador puede proveer servicios como mantenimiento, seguros e impuestos. *Véase* CAPITAL LEASING y ARRENDAMIENTO FINANCIERO.

Arrendatario (*Lesee*) Persona que va a utilizar el equipo arrendado.

Asamblea de accionistas (*Annual stockholders meeting*) *Véase* JUNTA GENERAL DE ACCIONISTAS.

Asamblea de obligacionistas (*Bondholders meeting*) Es la reunión, debidamente convocada al efecto, de los titulares de las obligaciones emitidas por la sociedad para delimitar y adoptar los acuerdos y decisiones permanentes en defensa de sus intereses.

ASE *American Stock Exchange.*

Asegurador (*Underwriter*) Bancos y otros intermediarios financieros que, junto con el jefe y cojefes de fila, aseguran o garantizan la colocación de una emisión. *Véase* ASEGURAMIENTO.

Aseguramiento (*Underwriting*) Actividad bancaria consistente en asumir el riesgo de la colocación de una nueva emisión de acciones, bonos o un préstamo sindicado de una entidad privada o pública, mediante la compra de dicha emisión y su posterior reventa al público a un mayor precio asumiendo la recolocación de los títulos o partes del préstamo. En definitiva asegura al emisor la disposición de los fondos procedentes de la emisión en su totalidad.

Aseguramiento de una emisión (*Underwriting of an issue*) Las entidades encargadas de colocar los títulos de una emisión garantizan la total suscripción de los mismos, adquiriendo el compromiso de suscribir ellas mismas los títulos que no pueden colocar entre el público.

Asignación (*Allotment*) En los mercados de emisiones de valores, es la adjudicación de participación en una nueva emisión de valores ofertada por parte del director principal entre los miembros del sindicato. La asignación se realiza después del período de suscripción de la emisión y una vez fijados sus términos definitivos. Los miembros del sindicato asignan a su vez los valores a sus clientes inversores. También se denomina así al prorrateo según los importes suscritos cuando la cuantía total demandada supera la cantidad ofertada.

Asimetría (*Skewness*) Referido a los balances de las entidades de crédito o a algunos epígrafes de los mismos de signo opuesto, la asimetría es la diferencia entre los volúmenes de uno y otro signo a los mismos vencimientos.

Asociaciones de accionistas (*Stockholders associations*) Son agrupaciones de accionistas constituidas con la finalidad de defender sus intereses comunes. En España no se les atribuye un derecho especial ni cuentan con un papel definido. En otros países han llegado a tener cierta importancia.

Asset allocation (*Asset allocation*) Distribución de las inversiones en diferentes mercados con el objetivo de diversificar riesgos o de maximizar rendimientos.

Asset swap (*Asset swap*) *Swap* que, en combinación con la tenencia de un activo, permite al tenedor de dicho activo modificar la naturaleza del *cash flow* procedente del mismo. Típicamente, un inversor comprará un bono que cotiza bajo par y simultáneamente establece un *swap* de tipos de interés por el que paga tipo fijo y recibe flotante. Esto permite un *spread* entre el rendimiento de los bonos y el tipo de *swap*. También es utilizado para cambiar la posición en cuanto al riesgo de tipo de cambio del activo inicial.

Association of International Bond Dealers. AIBD Es el organismo autorregulador del mercado de eurobonos. Fundado en Zurich, tiene su centro de administración en Londres. Se ocupa especialmente de promocionar unos altos niveles de profesionalidad entre sus miembros y de resolver los problemas relativos a la negociación y liquidación de las transacciones de eurobonos.

Asunción de deuda (*Assumption of debt*) Transmisión de deuda a un tercero, esto es, a un nuevo deudor que asume completamente la obligación, sin renovarse o alterarse ésta. La asunción de deuda es un negocio jurídico por el que una persona asume la deuda del deudor primitivo, quedando por este acto obligado frente al acreedor.

At risk (*At risk*) Expuesto al riesgo de pérdidas.

At the money (*At the money*) En el mercado de opciones se utiliza para señalar que el precio de ejercicio de la opción es igual, o muy aproximado, al de mercado del subyacente. Si, al llegar el vencimiento, la situación es *at the money*, significa que dicha opción expira sin valor.

Auditoría (*Audit*) Actuación encaminada a examinar los estados financieros de una entidad con objeto de verificar si los mismos ofrecen una imagen fiel de la situación económico financiera, patrimonial y de resultados de la misma. Se trata de un servicio que se presta a la empresa revisada y que afecta e interesa no sólo a la propia empresa, sino también a terceros que mantengan relaciones con la misma.

Auditoría externa (External audit) Es la auditoría realizada por una empresa de auditoría o por un auditor individual, ajenos e independientes de la empresa auditada. *Véase* AUDITORÍA.

Auditoría interna (*Internal audit*) Es la auditoría realizada por la propia empresa que es auditada. *Véase* AUDITORÍA.

Autenticación (*Authentication*) Firma física de un título por el Agente de Pagos para darle efectos legales.

Autocartera (*Treasury stock*) Se denominan así a la posesión por parte de una sociedad de sus propias acciones en circulación mediante la adquisición de las mismas, que mantiene en su cartera de inversiones mobiliarias. La Ley de Sociedades Anónimas española limita la adquisición en el artículo 75. *Véase* ACCIÓN EN CARTERA.

Autocorrelación (*Auto-correlation*) Denominación que se utiliza para designar la correlación existente entre los valores de una variable en un cierto momento, con los valores correspondientes a esta misma variable en períodos anteriores. *Véase* CORRELACIÓN.

Autofinanciación (*Self-financing*) Creación de nuevos recursos financieros por la propia unidad económica. Una vez obtenido el resultado del ejercicio y remunerados los agentes económicos que participan en el proceso productivo, quedará el resto de libre disposición para la empresa. La autofinanciación beneficia la estructura y funcionamiento del sistema de gestión e incorpora ventajas futuras a todos los partícipes. Las consecuencias más importantes de esta forma de financiación son la reducción de la dependencia del exterior y la de los gastos financieros. La autofinanciación también puede considerarse como la parte de los beneficios, o de los recursos generados, que permanece en el seno de la empresa, es decir, los beneficios no distribuidos, los fondos de amortización y las provisiones.

Autonomía financiera (*Financial autonomy*) En el análisis financiero, ratio que informa sobre la composición estructural de las fuentes de financiación y mide la independencia financiera de la entidad, en el sentido de poder elegir las fuentes de financiación que más le convenga. A través de este ratio se intenta conocer el nivel óptimo de endeudamiento de una empresa, estudiando la relación entre los capitales propios y las deudas totales.

Autoseguro (*Self-Insurance*) Situación en la que una persona física o jurídica asume las consecuencias de sus riesgos sin acudir a una entidad aseguradora. Usualmente se realiza mediante la creación de la oportuna reserva con la que hacer frente a los posibles daños que se deriven del acaecimiento de un siniestro.

Aval (*Guarantee*) Se trata, en general, de una forma de garantía. Es el compromiso de una persona, avalista, de responder por la obligación de otra, avalado, en caso de incumplimiento. Constituye una fianza o garantía de la obligación, salvo que se hubiese pactado solidaridad, en cuyo caso responderá en idénticas condiciones. *Véase* AVAL DEL ESTADO.

Aval del Estado (*Treasury guarantee*) Una de las formas de utilización del crédito por el Estado consiste en garantizar préstamos solicitados por otras administraciones o empresas públicas, e incluso empresas privadas. Las leyes de presupuestos generales suelen introducir límites a las posibilidades de aval del Estado.

Avalista (*Guarantor*) Se dice de la persona o institución que aporta su aval a una operación, comprometiéndose al pago en caso de incumplimiento del obligado principal. *Véase* FIADOR Y GARANTE.

Aversión al riesgo (*Risk aversion*) Es el grado en que un inversor no está dispuesto a asumir riesgos financieros. *Véase* PROPENSIÓN AL RIESGO.

B

Back office (*Back office*) Departamento de los bancos o intermediarios financieros y, en general, de las empresas, que no está directamente relacionado con los clientes. Está dirigido fundamentalmente hacia la contabilidad, el cumplimiento de las obligaciones legales y la comunicación entre las filiales. *Véase* FRONT OFFICE.

Back to back loan (*Back to back loan*) Préstamo por el que dos bancos con sedes centrales en diferentes países acuerdan prestarse mutuamente principales equivalentes según los tipos de cambio vigentes de sus respectivas divisas. Cada parte recibe intereses de su contraparte como pago del préstamo realizado con base en los tipos de interés vigentes para cada divisa. Los principales de cada divisa son intercambiados al principio y al vencimiento del préstamo al tipo de cambio de contado vigente al comienzo del mismo.

Back up line (*Back up line*) Línea de crédito bancaria a favor de un emisor de papel comercial que cubre la amortización de los títulos en caso de que no puedan emitir nuevos pagarés para reemplazarlos.

Back stop role (*Back stop role*) Expresión del mercado de euronotas que hace referencia a un compromiso entre los suscriptores de una determinada emisión, por el que se comprometen a comprar los títulos a un margen predeterminado, normalmente en relación con el Libor, si el activo de que se trate no puede colocarse a este tipo de interés de referencia, o por debajo de él.

BAI Beneficio antes de intereses.

BAII Beneficio antes de intereses e impuestos.

Bail out (*Bail out*) Vender un título rápidamente sin considerar el precio recibido. Un inversor se sale de una posición si las pérdidas crecen rápidamente y no puede soportar mucho tiempo mayores pérdidas. Por ejemplo, alguien que vende títulos en una posición corta puede recurrir a cubrir dicha posición en pérdidas en caso de que el precio del activo suba rápidamente. || Apoyo a una persona, empresa o Gobierno que tiene dificultades financieras.

Baja (*Drop*) En un sentido general, es la disminución de los precios en el mercado. Tendencia a la disminución de la cotización de los valores en Bolsa.

Bajista (*Bearish*) Referido a un mercado, indica que se espera una caída en los precios o cotizaciones y, en consecuencia, una subida en los tipos de interés. Las expectativas de caída de los precios presionan a la venta, lo que a su vez refuerza dichas expectativas.

Bajo la par (*Below par*) Cuando la cotización es inferior al valor nominal o 100 por 100. Emisión de un título por debajo de su valor nominal.

Balance (*Balance Sheet*) Documento que refleja la situación patrimonial de una empresa en un momento determinado mediante la aplicación de la técnica contable. El balance comprenderá, con la debida separación, los bienes y derechos que constituyen el activo de la empresa y las obligaciones que forman el pasivo de la misma, especificando los fondos propios. El balance de apertura de un ejercicio debe corresponder con el balance de cierre del ejercicio anterior. Es uno de los datos fundamentales que permiten acreditar la bondad de un valor cotizado en Bolsa y que toda empresa cotizada debe aportar, junto con otros, para su admisión y permanencia en la Bolsa y debe ser difundido suficientemente para conocimiento de los posibles inversores.

Balance consolidado (*Consolidated Balance Sheet*) Es el balance resultante de la agregación de balances condensados de cada una de las empresas entre las que existen relaciones de pertenencia o filiación, y donde se expresan las relaciones que mantiene el grupo con terceros, así como las propias relaciones entre empresas del grupo. La sociedad matriz, que controla al resto mediante participaciones directas o indirectas en su capital social, asume el balance como propio.

Balanza básica (*Basic Balance*) Se trata de una de las agrupaciones resultantes de distinguir entre transacciones autónomas y acomodantes, dentro de un estudio de equilibrio y desequilibrio de la Balanza de Pagos. Es el resultado de la suma de la Balanza por Cuenta Corriente y la Balanza de Capital a Largo Plazo. El Saldo de la Balanza Básica se utiliza frecuentemente como representativo de la Balanza de Pagos, significando que no importa demasiado un déficit corriente si el país cuenta con un suministro regular de capital a largo plazo que le permita mantener el equilibrio del conjunto de sus transacciones más regulares e importantes.

Balanza comercial (*Trade balance*) Es la parte de la Balanza de Pagos que registra sistemáticamente el volumen de importaciones y exportaciones de mercancías realizadas entre los residentes de un país con el resto del mundo, es decir, el llamado comercio visible.

Balanza de pagos (*Balance of payments*) Documento contable que registra sistemáticamente el conjunto de transacciones económicas de un país con el resto del mundo, durante un período de tiempo determinado. Se compone de varias sub-balanzas: Balanza de Mercancías o Comercial, que agrupa las exportaciones e importaciones de mercancías; Balanza de Servicios, que agrupa las exportaciones e importaciones de servicios (fletes, seguros, turismo, rentas de inversión, etc.); Balanza de Transferencias (remesas de emigrantes, donaciones, etc.). Estas tres sub-balanzas componen la Balanza por Cuenta Corriente. Además, está la Balanza por Cuenta de Capital. Como contrapartida financiera incluye la Cuenta Financiera, entre cuyos componentes aparecen las Inversiones y las Reservas de divisas. Por último, aparece la partida de ajuste Errores y Omisiones. Si el cierre de la Balanza de Pagos arroja un excedente, éste se traduce en un aumento de las Reservas de Divisas; si arroja un déficit, se traduce en una reducción de Reservas de Divisas o en un aumento del endeudamiento del país.

Balanza por cuenta corriente (*Balance of payment on current account*) Es una de las dos grandes sub-balanzas en que se descompone la Balanza de Pagos. Se incluyen las rúbricas de mercancías, servicios y transferencias, es decir, registran las transacciones que modifican la renta o capacidad de gasto de un país. *Véase* BALANZA DE PAGOS.

Balanza por cuenta financiera (*Balance of payment of financial accounts*) Es una de las dos grandes sub-balanzas en que se divide la Balanza de Pagos. Incluye las rúbricas de Inversiones (a largo plazo); Otra inversión (a corto plazo) y Reservas. Registra las transacciones que dan lugar a una modificación de la posición acreedora o deudora del país con el resto del mundo. Esta balanza es la financiadora de las operaciones corrientes, bien a través de una salida neta de capitales si aquélla ha resultado positiva, o bien, a través de una entrada neta si los saldos corrientes han resultado deficitarios. Es decir, es el saldo de las exportaciones de capital de un país, formadas por conceptos tales como la concesión de créditos al exterior, las inversiones en el extranjero, el aumento de reservas de divisas, etc., menos las importaciones de capital, tales como la obtención de créditos exteriores, las inversiones del exterior y la disminución de las reservas de divisas. *Véase* BALANZA DE PAGOS.

Ballon interest (*Ballon interest*) En las emisiones de bonos, cuando el tipo de interés del cupón es mayor coincidiendo con los últimos pagos de las cuotas de amortización.

Ballon loan (*Ballon loan*) Se designa así el préstamo o título amortizable por anualidades en el que una parte importante del principal queda pendiente de pagar al vencimiento final de la operación. Es decir, los pagos no son homogéneos durante la vigencia del préstamo.

Ballon maturity (*Ballon maturity*) Emisión de bonos o préstamo a largo plazo con cuotas de amortización progresivamente mayores.

Balloon payment (*Balloon payment*) Cuando un préstamo amortizable se amortiza en plazos iguales excepto el pago final, el cual es sustancialmente mayor que los anteriores, a este pago se le conoce como *ballon payment.*

Banca a domicilio (*Home banking*) Servicio bancario que puede obtenerse a través de la pantalla de un ordenador, un *modem* y una línea de teléfono.

Banca comercial (*Commercial banking*) Banca cuyas operaciones típicas son la captación de fondos mediante depósitos a la vista disponibles mediante cheques y, más modernamente, mediante libretas de ahorro, depósitos a plazo y las inversiones mediante el descuento de papel comercial, el crédito a corto plazo a comerciantes industriales y los servicios de caja. La banca comercial no es exactamente igual que la banca al por menor, puesto que puede desarrollar operaciones de gran volumen. El distintivo más significativo es el de no poseer inversiones industriales.

Banca corporativa (*Corporative banking*) Segmento de banca que realiza actividades de banca de empresas, o también, banca de negocios o inversiones, pero especializada en prestar estos servicios a grandes empresas, multinacionales y corporaciones.

Banca de negocios (*Merchant bank*; *Investment bank*) Banca especializada en operaciones de adquisición, venta, toma de participaciones, asesoramiento, intermediación de valores de renta fija y variable, actividades de banco agente y de ingeniería financiera para proyectos concretos o de financiación global de empresas. También se conoce como banca de empresas y banca al por mayor, por el hecho de orientarse el negocio fundamentalmente a empresas, pero también a inversores institucionales o administraciones públicas, y realizar grandes operaciones, aunque también atiende a la empresa media. Estos bancos no suelen realizar operaciones de banca comercial o lo hacen marginalmente.

Banca extranjera (*Foreign banking*) Se denomina así a la banca establecida en un país de alguna de las formas admitidas por la legislación de éste, pero cuya sede central o banco matriz se encuentra en otro país.

Banca extraterritorial (*Offshore bank*) Se trata de bancos establecidos en aquellos países que admiten su instalación para operar en mercados internacionales sin que sus transacciones de captación de recursos e inversiones financieras, realizadas en monedas diferentes del país en que están ubicados, queden sujetas a regulaciones específicas de la actividad bancaria doméstica ni a las derivadas de los movimientos de la instalación de bancos internacionales o banca *off shore*. Entre las plazas más importantes destacan las de Londres, Nueva York, algunas asiáticas y del Caribe. También es frecuente la instalación de estos bancos en los llamados «paraísos fiscales».

Bancarización (*Bankarization*) Expresa el grado de utilización de productos y servicios bancarios por parte de la población de un país o de cualquier otro ámbito territorial para determinados segmentos de la población o sectores económicos.

Bancarrota (*Bankruptcy*; *Failure*) Equivale a quiebra, esto es, la situación jurídica del empresario o sociedad mercantil que no puede hacer frente al pago corriente de sus obligaciones.

Banca universal Forma de organización del negocio bancario que se basa en la oferta de todos los productos, servicios y operaciones disponibles, hacia todos los clientes potenciales y en todos los mercados de operación.

Banco agente (*Agent Bank*) En relación a los créditos sindicados y emisiones de valores sindicados, el banco encargado de la gestión y administración. En los euromercados designa, con referencia a las emisiones a interés flotante, el banco que tiene la responsabilidad de determinar el tipo de interés de los valores en cada *fixing* y otras funciones convenidas de gestión de la deuda. En particular, en los mercados de europagarés a corto plazo y en las facilidades crediticias en certificados de depósito, un banco agente es también el que se responsabiliza de las funciones de agente emisor y pagador. *Véase* BANCO ASEGUREADOR, BANCO CODIRECTOR y BANCO PARTICIPANTE.

Banco asegurador (*Underwriter bank*) Es la entidad bancaria que se compromete a garantizar la colocación de una emisión de eurobonos o que compra directamente dicha emisión para distribuirla posteriormente entre el público. *Véase* BANCO AGENTE, BANCO CODIRECTOR y BANCO PARTICIPANTE.

Banco central (*Central bank*) Banco encargado de la emisión de moneda en un país, así como de la instrumentación y puesta en práctica de la política monetaria, la inspección y vigilancia de los demás bancos, y otras funciones que le son oficialmente asignadas. *Véase* BANCO DE ESPAÑA, BUNDESBANK, SISTEMA DE LA RESERVA FEDERAL y BANCO CENTRAL EUROPEO.

Banco Central Europeo (*European Central Bank*) Institución con personalidad jurídica propia que figura en el Tratado de la Unión Económica y Monetaria de Maastrich y que ostentará el derecho exclusivo para autorizar la emisión de billetes de banco en la Comunidad, pudiendo emitir, junto con los bancos centrales de los países miembros, los únicos billetes de curso legal en aquélla. Forma parte fundamental del Sistema Europeo de Bancos Centrales, que entrará en vigor al inicio de la tercera fase de la unión económica y monetaria el 1-1-1999. Sus órganos rectores serán el Comité Ejecutivo y el Consejo de Gobierno, integrados por todos los miembros de aquél y por los gobernadores de los bancos centrales nacionales. Asimismo ejercerá las funciones de diseño y ejecución de la política monetaria de la Unión Monetaria Europea.

Banco codirector (*Comanager bank*) Banco que participa, junto con el banco director, en la dirección de una emisión de obligaciones y en su posterior colocación. *Véase* BANCO AGENTE, BANCO ASEGURADOR, BANCO DIRECTOR y BANCO PARTICIPANTE.

Banco Comercial (*Commercial bank*) Institución financiera de propiedad privada con fines de lucro que acepta depósitos a la vista y de ahorro, hace préstamos y adquiere otros activos rentables, como bonos e instrumentos negociables de corto plazo.

Banco Consorcial (*Consortium bank*) Tipo de banco internacional formado por un grupo de bancos, generalmente de varios países. Operan, básicamente, en la concesión de préstamos a empresas multinacionales, obteniendo los fondos, *funding*, en el Euromercado de divisas.

Banco de España (*Bank of Spain*) Es el órgano que formula e instrumenta la política monetaria en España, con todo lo que ello supone en relación con los tipos de interés y, especialmente, con la influencia, de una forma u otra, de estos mismos tipos sobre el conjunto de mercados financieros españoles. Actualmente se rige por la Ley 13/1994, de 1 de junio, de Autonomía del Banco de España. Entre las funciones que tiene encomendadas destaca el diseño y puesta en práctica de la política monetaria, emisión de moneda, instrumentación de la política de tipo de cambio, agente financiero de la Deuda Pública, supervisión del sistema financiero, etc. *Véase* BANCO CENTRAL.

Banco de Inversión (*Investment bank)* Banco que comercia con acciones, obligaciones y otros valores. *Véase* BANCA DE NEGOCIOS.

Banco de Pagos Internacionales. BPI (*Bank for International Settlements. BIS*) Organismo internacional de cooperación monetaria fundado en 1930 a consecuencia del *Plan Young* relativo al pago de las reparaciones alemanas. Tomó la forma de sociedad anónima en la que participan los bancos centrales de 28 países. EE.UU. también participa a través de diferentes bancos comerciales. Sus principales operaciones son de carácter bancario, facilitando créditos, anticipos de garantía, operaciones *swaps*, etc. Sus principales órganos son la Asamblea o Reunión General, el Consejo de Directores o de Administración, el Presidente y el Rector General. El fin que persigue es la cooperación entre bancos centrales, actuando como banco de bancos y como centro de cooperación internacional. Actúa como agente o mandatario en la ejecución de acuerdos financieros internacionales y realiza trabajos de investigación, publicando estudios sobre cuestiones económicas y monetarias. También se le llama Banco de Liquidaciones Internacionales. Realiza estudios, propuestas y celebra reuniones entre las que destacan las celebradas por el Grupo de los Diez. Actúa como secretaría del Comité de Gobernadores de los bancos centrales de los países miembros de la UE y del consejo de administración del Fondo Europeo de Cooperación Monetaria, FECOM, como depositante de los préstamos emitidos por la CECA y como agente de la OCDE.

Banco director (*Manager bank*) En los créditos sindicados es el que se encarga de organizar el crédito, pudiendo hacer esta función más de un banco. Deberá poseer gran solvencia y prestigio, y es el encargado de buscar a los otros miembros del sindicato, entre los que deberá distribuir el mismo. Su función termina con la concesión del crédito.

Banco emisor (*Issuing bank*) Sinónimo de Banco central.

Banco Europeo de Inversiones. BEI (*European Investment Bank. EIB*) Fue creado en 1957 por el Tratado de Roma y se rige por los artículos 129 y 130 de éste para permitir un desarrollo equilibrado de la Comunidad. Concede préstamos a regiones poco favorecidas para la modernización y reconversión de empresas y para proyectos de interés comunitario que afecten a varios Estados Miembros. Su financiación se realiza al margen de los presupuestos comunitarios, captando recursos en los mercados financieros internacionales, especialmente mediante la emisión de papel. Existen dos modalidades fundamentales de préstamos. Los destinados a proyectos concretos, con un máximo del 50 por 100 de su coste, y créditos globales a los bancos nacionales, que después éstos distribuyen entre los proyectos presentados por sus clientes.

Banco industrial (*Industrial banking; Merchant-bank*) *Véase* BANCA INDUSTRIAL.

Banco participante (*Participant bank*) Banco que forma parte de un sindicato bancario. *Véase* BANCO AGENTE, BANCO ASEGURADOR y BANCO CODIRECTOR.

Bancos de referencia (*Reference banks*) Bancos elegidos por el sindicato de un eurocrédito para fijar el tipo de interés en los períodos de revisión y ajuste de intereses.

Banda de apertura (*Opening range*) Es la diferencia entre el precio más alto y el precio más bajo negociados en la apertura de una sesión, en un mercado de valores.

Bandas de fluctuación (*Fluctuation range* || *Trading range*) Márgenes permitidos en las variaciones positivas o negativas de un cambio o valor medio o central establecido, bien en un sistema de cambio de divisas ajustable, bien en cualquier convenio sobre intervenciones en mercados de divisas o mercados de valores cuando unas u otros rebasan las bandas o márgenes establecidos. ‖ En un gráfico de precios, límites dentro de los cuales queda contenido el movimiento del precio de un valor durante un cierto intervalo de tiempo sin mostrar tendencia aparente.

Bandas de fluctuación del Sistema Monetario Europeo (*Exchange rates band of the European Monetary System*) En torno a los tipos centrales bilaterales se establecen bandas de fluctuación máximas, que determinan los límites entre los que se debe mover la cotización del mercado de una moneda. Esta era hasta 1993 del 2,5 por 100 por encima y por debajo del tipo central, con las excepciones del escudo y la peseta, a las que se les asignaba una banda 6 por 100. En 1993 se igualó la banda de fluctuación al 15 por 100 para todas las monedas del SME.

Banderas (*Flags*) En el análisis técnico bursátil, formación que suele aparecer en medio de etapas de ascenso o descenso muy rápido. Va acompañada de un descenso gradual en el volumen de operaciones que interrumpe ese rápido aumento o disminución hasta casi desaparecer. Tiene un aspecto similar al de un rectángulo formado por una ligera tendencia bajista en las etapas ascendentes y alcista en las descendentes.

Banderín (*Pennant*) En el análisis técnico bursátil, formaciones similares a las banderas que se forman en un período corto de tiempo y van acompañadas de descensos en el volumen de operaciones. Aparecen en la mitad de fases alcistas o bajistas. La diferencia principal con las banderas es que éstas se forman dentro de un rectángulo mientras que los banderines lo hacen en un triángulo.

Bar (*Bar*) En el argot de los mercados financieros internacionales, se refiere a un millón de libras esterlinas.

Barandillero (*Side line trader*) Persona situada en la barandilla del parqué interesada en las operaciones bursátiles.

Barrera inversa (*Reverse barrier*) Barrera establecida a un nivel en el que una opción convencional estaría *in the money*.

Base del bono (*Bond basis*) Referencia al método de cálculo de los intereses devengados en un bono. *Véase* CÁLCULO DE DÍAS.

Base del mercado monetario (*Money market basis*) Método utilizado en el mercado monetario para el cálculo de los intereses en los instrumentos financieros. El tipo de interés se multiplica por el número de días transcurridos y se divide por el número de días del año tomado como convención (normalmente, 360 días en el Euromercado). El rendimiento de los bonos a corto plazo también se suelen calcular con base en el mercado monetario. *Véase* CÁLCULO DE DÍAS.

Base imponible (*Taxable base*) Cuantificación dineraria del hecho imponible que permite determinar la obligación tributaria del contribuyente.

Base inversora (*Investor base*) Es la categoría esperada de compradores de una emisión de títulos.

Base liquidable (*Next tax base*) Es el resultado de restar a la base imponible las deducciones establecidas por la Ley propia de cada tributo. A la base liquidable se le aplica el tipo de gravamen.

Base más cercana (*Nearby basis*) Diferencia entre el precio actual de mercado y el precio del contrato de futuros con vencimiento más cercano.

Base monetaria (*Monetary base*) También denominado dinero de alta potencia, se trata de la suma de los activos de caja del sistema bancario y del efectivo en manos del público. (Véase.)

Base rate (*Base rate*) Tipo de interés anual cargado por los bancos a las empresas que son sus mejores clientes en el Reino Unido. Es el tipo equivalente al *Prime Rate* en Estados Unidos.

Basis swap (*Basis swap*) *Swap* de tipo de interés desde un instrumento a tipo de interés flotante a otro también a interés flotante en la misma moneda, pero a diferente plazo con el objetivo de eliminar o minimizar el riesgo de base. *Véase* RIESGO DE BASE.

BCE Banco Central Europeo.

Beamer (*Beamer*) Termino utilizado en el mercado doméstico de EE.UU. que se refiere a la anualidad de cupón que está respaldada por alguna hipoteca.

Bear raid (*Bear raid*) Actuación de los inversores para manipular a la baja el precio de las acciones, vendiendo al descubierto un gran número de ellas.

BE *Véase* BANCO DE ESPAÑA.

BEI *Véase* BANCO EUROPEO DE INVERSIONES.

Bells and whistles (*Bells and whistles*) Expresión del argot de emisiones en los mercados internacionales que podría traducirse por «campanas y silbidos», y que hace referencia a características secundarias como *calls, puts, warrants*, etc., que se incluyen en una emisión de valores cuyo objetivo es atraer a los inversores o bien reducir los costes para el emisor o ambas cosas a la vez. *Véase* PLAIN VANILLA.

Benchmark (*Benchmark*) Tasa o índice de referencia que sirve para hacer comparaciones. || Instrumento financiero utilizado como referencia para los rendimientos de otras emisiones del mismo tipo o en el mismo mercado.

Beneficio (*Profit*) Desde un punto de vista económico, el beneficio de una empresa resulta de la diferencia entre los ingresos totales obtenidos y los costes y gastos incurridos para la obtención de dichos ingresos.

Beneficio bruto (*Gross profit*) Es la diferencia entre ingresos y gastos del ejercicio antes de deducir las amortizaciones e impuestos o, en otras palabras, la diferencia que resulta de haber deducido de la cifra neta de ventas el coste de la mercancía vendida.

Beneficio contable (*Book profit*) Es la cifra que aparece en la cuenta de pérdidas y ganancias de una empresa, recogida en el balance dentro de los fondos propios del pasivo y que incluye no sólo los resultados obtenidos en la actividad normal de la empresa, sino el de todas aquellas operaciones, tanto ajenas a la explotación como extraordinarias, que tiene como sujeto a la empresa.

Beneficio de explotación (*Operating profit*) Beneficio de una empresa proveniente de sus actividades normales y sin considerar el pago de intereses e impuestos.

Beneficio de inventario (*Benefit of Inventary*) Una persona llamada a una herencia puede aceptarla a beneficio de inventario por una declaración al efecto ante notario o juez competente pidiendo la realización de un inventario de los bienes. Una vez aceptada la herencia e inventariados los bienes, el heredero tendrá derecho a que no se confunda su patrimonio personal con el heredado, de modo tal que sólo responderá de las deudas y obligaciones contraídas por el causante en la medida en que puedan éstas satisfacerse con el importe de la herencia sin responder de ellas con su propio patrimonio como supondría la aceptación de una herencia pura y simple.

Beneficio de papel (*Paper gain*) Es el beneficio no realizado por un inversor en relación a un activo que posee, y que ha experimentado una revalorización de su precio. Ganancias de capital no realizadas.

Beneficio económico. BE (*Economic profit*; *Residual income*) Medida del beneficio contable menos el valor contable de las acciones multiplicado por la rentabilidad exigida a las acciones.

Beneficio en especie (*Benefit in kind*) Remuneraciones no monetarias, sino mediante algún bien o servicio.

Beneficio fiscal (*Tax incentive*) Hace referencia a las deducciones, exenciones o bonificaciones fiscales concedidas sobre uno o varios tributos al objeto de incentivar determinadas actividades económicas o sectores de población con escasa capacidad económica.

Beneficio monopolístico (*Monopolistic profit*) Beneficio que supera el coste de oportunidad del capital suministrado por los propietarios de las empresas y que refleja la capacidad de éstas para elevar el precio por encima del coste marginal.

Beneficio neto (*Net profit*) Es el que resulta de deducir del margen bruto los gastos de explotación no incorporados al producto y que corresponden al período, así como las provisiones. Este apartado constituye el concepto fundamental del beneficio generado por el negocio, ya que no incorpora los posibles efectos que pudieran derivarse de los resultados atípicos, de los ajenos a la explotación o de la financiación.

Beneficio por acción (*Earning per share*) Ratio que relaciona el beneficio después de intereses e impuestos con el número de acciones ordinarias en circulación, teniendo en cuenta que el beneficio después de impuestos se asimila al excedente disponible por la empresa para remunerar las acciones ordinarias. Si existieran acciones privilegiadas, la cifra de beneficio a utilizar se correspondería con la cifra de beneficios después de intereses, impuestos y dividendos asignados a los títulos privilegiados. En el caso de que se hayan producido ampliaciones de capital, el ratio se multiplicará por un factor de ajuste.

Beneficios diferidos (*Deferred profits*) Consiste en el traslado de beneficios de unos años a otros. Esta cuenta recoge la diferencia entre lo que se pretende incorporar en ejercicios posteriores y lo que se aplica en el actual, procedente de ejercicios anteriores.

Beneficios extraordinarios (*Excess profits*) Ganancias obtenidas a través de operaciones catalogadas como no normales o típicas por la empresa.

Beneficios no distribuidos (*Undistributed profits*) Normalmente materializados en reservas, conforman la parte del resultado repartible después de impuestos de una empresa que permanece en el seno de la misma, es decir, no se reparte a los accionistas o socios en forma de dividendos. La finalidad de esta medida puede ser el aumento de la garantía empresarial mediante el aumento de los recursos propios de la empresa, o para expandir sus actividades.

Best efforts basis (*Best efforts basis*) En el argot de los mercados internacionales de valores o divisas, hace referencia a la estrategia de los agentes intermediarios de una nueva emisión no asegurada en la que intenta vender el volumen que acepte el mercado en lugar de forzar las condiciones de gestión para la suscripción del importe total. ‖ También puede tener un significado equivalente a la expresión «por lo mejor» cuando un mercado interbancario se trata de cumplimentar, durante un período de tiempo especificado, una orden en firme para comprar o vender un importe determinado de valores o divisas al mejor precio que pueda conseguirse.

Beta (*Beta*) *Véase* COEFICIENTE BETA.

Bid (***Bid***) Hacer una oferta para comprar algo a un precio determinado.

Bid and asked price (***Bid and asked price*****;** ***Bid and offer price***) *Bid* es el precio más alto al que un comprador estaría dispuesto a pagar en un momento del tiempo por un determinado título. *Asked* es el precio más bajo que un vendedor estaría dispuesto a aceptar por el mismo título. La diferencia entre ambos es el margen o *spread*. En conjunto representan una cotización.

Bid rate (***Bid rate***) Precio al cual un dealer está dispuesto a comprar moneda extranjera en el mercado *spot* o en el mercado *forward*.

Bien mueble (***Chattel***) Los que pueden trasladarse de una parte a otra sin menoscabo de la cosa inmueble a que estuvieren unidos. También tienen la consideración de cosas muebles las rentas o pensiones, sean vitalicias o hereditarias, afectas a una persona o familia, los oficios enajenados, los contratos sobre servicios públicos y las cédulas y títulos representativos de préstamos hipotecarios.

Big Bang (***Big Bang***) Fecha de inicio de la desregulación en la Bolsa de Londres, el día 27 de octubre de 1986.

Big Board (***Big Board***) Nombre con el que se conoce a la Bolsa de Nueva York. Proviene de la gran pantalla que hay en su sala de operaciones, en la que se anuncian las cotizaciones de los títulos.

Big figure (***Big figure***) En los mercados financieros ingleses expresión que se utiliza cuando se pide o se menciona la parte entera, sin la fracción de un precio.

Billete de banco (***Bill*** **[*UK*];** ***Bank note*** **[*USA*]**) Título al portador, a la vista y sin devengar interés, que autoriza a exigir del respectivo banco de emisión, normalmente el Banco Central, el pago en la moneda nacional de la cantidad que representa.

Billion (***Billion***) En Estados Unidos, Reino Unido y otros países anglosajones, mil millones (millardo). *Véase* YARDA.

Billón (***Trillion***) Equivale a un millón de millones.

Bills (***Bills***) Títulos de deuda emitidos a descuento por el Tesoro de Estados Unidos para períodos de un año o menos. *Véase* TREASURY BILL.

BIS *Bank of International Settlements.*
Blanquear capitales (*Launder funds*) Hacer que los fondos obtenidos ilegalmente obtengan la situación de legalizados. La práctica usual es transferir el dinero a través de bancos extranjeros para disimular su procedencia.
Block trade (*Block Trade*) Operación de negociación en el mercado secundario de un tamaño superior a lo normal para un instrumento determinado, teniendo en cuenta las particulares condiciones del mercado. || Emisión internacional de títulos comprada en su totalidad por el director de la misma por su cuenta para distribuirla posteriormente a su propia discreción.
Blow out (*Blow out*) Venta rápida de todas las acciones de una nueva emisión. Las empresas emisoras prefieren este tipo de operaciones porque así consiguen un mejor precio en la colocación. Los inversores apenas tienen tiempo de conseguir el número de acciones que desean en una colocación de estas características.
Blue-chips (*Blue-chips*) Con este nombre se designa en *Wall Street*, Bolsa de Nueva York, a los títulos de las empresas de primera fila, de cotización estable y buenos rendimientos, que ofrecen mayor seguridad al inversor.
Blue sky laws (*Blue sky laws*) Legislación de EE.UU de control de emisión y venta de valores. El nombre proviene de las promesas irreales hechas en ocasiones por algunos emisores.
Board broker (*Board broker*) En EE.UU., miembros de la Bolsa a cargo del libro de órdenes públicas de las Bolsas que utilizan el sistema de creador de mercado, en vez del sistema de especialista, para la ejecución de las órdenes.
BOAT (*Boat*) *Warrant* vinculado al *spread* de rentabilidad entre los bonos *Bunds* del Tesoro alemán y los bonos *OATs* del Tesoro francés.
BOE Boletín Oficial del Estado.
Bola de nieve (*Snow ball*) Táctica consistente en suscribir acciones en todas las ampliaciones de capital, aumentando así el número de acciones poseídas. Esta política es excelente cuando se trata de buenos valores que con regularidad llevan a cabo ampliaciones de capital.

Bolerplate (***Bolerplate***) Formularios o borradores que se utilizan en los bufetes jurídicos para la constitución de empresas en EE.UU. Normalmente para la constitución de empresas se utilizan las leyes del Estado de *Delaware* por su simplicidad y bajo coste de domiciliación y registro.

Boletín de cotización oficial (***Official List*; *Stock Exchange List***) Publicación oficial que realiza cada Bolsa con el objeto de dar la máxima publicidad a todas aquellas circunstancias que se refieren directa o indirectamente a la contratación bursátil. Es una publicación oficial en la que constan todos los datos que se refieren a la contratación bursátil: títulos de cotización oficial, cambios producidos, última fecha de cotización, número de títulos admitidos a contratación, serie, nominal por título, volúmenes contratados, cambio de los derechos de suscripción preferentes, exclusiones, etc.

Bolsa a domicilio Sistema interactivo teleinformático que permite recibir información bursátil en tiempo real e impartir órdenes de compra o venta a un *broker*.

Bolsa de valores (***Stock Exchange***) Institución de carácter económico que tiene por objeto la contratación pública y mercantil de valores y efectos públicos o privados, industriales y mercantiles, organizadas en régimen colegiado de mediación, para lograr la seguridad jurídica y económica de lo convenido y la proclamación oficial de los precios. También cabe la posibilidad de contratar metales preciosos, divisas, etc. Es el principal mercado secundario de negociación de valores, tanto de renta fija como de renta variable, autorizados por la Comisión Nacional del Mercado de Valores en España. Las Bolsas de Valores están regidas y administradas por una sociedad anónima, que es responsable de su organización y funcionamiento interno y es titular de los medios necesarios para ello, siendo éste su objeto social exclusivo. Dichas sociedades tienen como únicos accionistas a todos los miembros de las correspondientes Bolsas.

Bolsín (***Private stock exchange*; *Local stock exchange***) Lugar de reunión privado, en plazas que no cuentan con Bolsa Oficial, en el que se opera con valores. Cuando se le confiere un marco legal, más limitado que el de la Bolsa, estamos ante un Bolsín oficial (*véase*).

Bolsín oficial (*Regional stock exchange*) Bolsa de Valores de ámbito local en plazas que no cuentan con Bolsa Oficial, autorizada por el Ministerio de Economía y Hacienda, cuando el volumen de valores a negociar así lo aconseje.

Bond rating (*Bond rating*) Valoración, otorgada por una reconocida agencia de rating, de la solvencia de una emisión o de un emisor.

Bonista (*Bondholder*) Persona, física o jurídica, titular de un bono.

Bono (*Bond*) Activo de renta fija, emitido a largo plazo por una empresa, gobierno u organismo público, con un determinado tipo de interés y unas fechas previstas de pago de los intereses y reembolso del principal. Los intereses de los bonos pueden pagarse periódicamente, que es el caso más general; al vencimiento del bono, como es el caso de los bonos cupón cero; o al desembolso del bono, como es el caso de los bonos emitidos al descuento.

Bono aladino (*Aladine bond*) Es un bono emitido mediante la conversión de una emisión en circulación. El interés del cupón y el precio de la emisión se fijan en función de características propias del rescate de la deuda.

Bono alcista (*Bull bond*) Es un bono que tiene un cupón con dos componentes, uno fijo y otro ligado al rendimiento de un índice bursátil en proporción directa: cuando la Bolsa sube, el cupón crece. *Véase* BONO BAJISTA.

Bono a interés variable (*Floating rate bond*) Bono a interés variable, en función de uno o más tipos de referencia, con o sin tope máximo y mínimo. En estas emisiones el tipo de interés se establece de modo indirecto, es decir, señalando que será igual a menos o más un número determinado de puntos que otro tipo de referencia (o un promedio de otros tipos de referencia). Suelen tomarse como tipos de referencia los tipos preferenciales de interés para créditos a uno o tres años de un grupo de bancos importantes. No es muy ortodoxo utilizar como tipo de referencia un único tipo preferencial y menos aún si es el de la propia entidad emisora. Otros tipos de referencia que pueden utilizarse son el Mibor, Libor, el promedio de subastas de pagarés, el de referencia para el mercado hipotecario, el de determinadas deudas públicas, etc. Suele ponerse un tope mínimo y otro máximo para el interés resultante, de manera que el interés a pagar fluctuará entre esos dos topes. Las revisiones de los tipos suelen ser trimestrales o semestrales.

Bono al portador (*Bearer bond*) Bono en el que la única evidencia de propiedad es su posesión física.

Bono ascendente (*Step up bond*) Bono a tipo de interés variable, cuyo diferencial sobre el tipo de referencia se va ajustando al alza durante la vida de la emisión, en las fechas preestablecidas para ello. *Véase* BONO DECLINANTE.

Bono bajista (*Bear bond*) Bono cuyo cupón está ligado parcialmente al rendimiento de un índice bursátil en proporción inversa, es decir, cuando el índice sube, el cupón baja. *Véase* BONO ALCISTA.

Bono basura (*Junk bond*) Bono emitido por sociedades creadas para realizar determinadas operaciones financieras, especialmente de compra de sociedades, por medio de diferentes técnicas como «opas hostiles» y *leveraged buy outs*, o bien por sociedades con poca solvencia o alto riesgo. Suelen prometer altos rendimientos por los grandes riesgos a los que se encuentran sujetos.

Bono bellwether (*Barometer bond* [*UK*]; *Bellwether bond* [*USA*]) En el argot de los mercados financieros internacionales, una emisión que está incluida en un conjunto de emisiones de bonos que se utiliza para apreciar el funcionamiento del mercado. *Véase* BONO DE REFERENCIA.

Bono bolsa (*Bull-bear bond*) Bono simple, cuya rentabilidad está referenciada a un índice bursátil. En España se suele utilizar el Indice Ibex-35.

Bono bulldog (*Bulldog bond*) En el argot de los mercados financieros de Londres, obligación emitida en el Reino Unido por una institución no británica. No debe confundirse con los Eurosterling o Eurobonos emitidos en libras.

Bono bunny (*Bunny bond*) En el argot de los mercados internacionales de valores, una emisión en la cual el tenedor tiene la opción de recibir los pagos de intereses, bien al contado o, alternativamente, con más bonos de la misma emisión.

Bono carabela (*Carabela bond*) Bono emitido en escudos portugueses, en Portugal, por un prestario no residente.

Bono canjeable (*Exchangeable bond*) Bono que incorpora una o varias opciones de canje por acciones en circulación del emisor. Es decir, en las fechas de canje, el bonista tiene la posibiliad de transformar sus bonos en acciones «viejas» del emisor. *Véase* BONO CONVERTIBLE.

Bono con colateral (*Collateral bond*) Bono asegurado por un colateral, que puede ser una hipoteca u otro instrumento financiero. *Véase* COLATERAL.

Bono con conversión obligatoria (*Mandatory convertible bond*) Bono convertible con conversión automática en acciones.

Bono con opción de recompra (*Callable bond*) Es un bono que puede ser amortizado por la entidad emisora a un precio y en unas fechas preestablecidas. Es un tipo de bono ampliamente utilizado en los mercados internacionales, dado que tiene la ventaja para el emisor de que si los tipos de interés bajan puede recomprar la antigua emisión y lanzar al mercado otra con un tipo de interés menor para sustituirla. *Véase* BONO CON OPCIÓN DE REVENTA.

Bono con opción de reventa (*Puttable bond*) Bono emitido a largo plazo en el que la sociedad emisora asegura la recompra, a opción del adquirente, pasado determinado tiempo, lo que ofrece un atractivo adicional, pues permite acortar la emisión al margen del mercado si el tenedor tiene interés en ello. *Véase* BONO CON OPCIÓN DE RECOMPRA.

Bono con vencimiento único (*Bullet bond*) Bono en el que el total de la emisión se amortiza en un único vencimiento final.

Bono convertible (*Convertible bond*) Título de deuda privada que, además del derecho a percibir un interés y la amortización del principal, incorpora una opción de adquisición o suscripción de acciones de la entidad emisora, a un precio fijo o variable, en una fecha determinada o en sucesivos momentos de la vida del título. El coeficiente de conversión suele hacerse depender de la cotización de las acciones subyacentes durante un cierto período anterior a la fecha de conversión, aplicándole un descuento.

Bono convertible cupón cero (*Zero coupon convertible bond*) Bono cupón cero que tiene incorporado la opción de ser convertidos en acciones u otro título.

Bono con warrant (*Warrant bond*) Bono al que, en la emisión, se incorpora un cupón (*warrant*) que puede cotizarse independientemente y que permite la adquisición de acciones u otro título del emisor del bono a unos precios predeterminados, en los períodos establecidos para dicho *warrant*. Todo ello con independencia de que el propio bono pueda ser también convertible.

Bono cupón cero (*Zero coupon bond*) Bono que no tiene pago periódico de intereses, sino que éstos son percibidos en su totalidad en el momento del pago de la amortización. Se trata de títulos con rendimiento implícito y cuya rentabilidad se encuentra en la relación entre sus valores de amortización y de emisión. Aparecieron por vez primera en el mercado internacional en 1981. Durante la vida de la emisión, la cotización en el mercado secundario irá aumentando en el importe de los intereses corridos, de forma que, llegado el momento de su amortización, su valor tiende al valor de amortización.

Bono de alto rendimiento (*High yield bond*) *Véase* BONO BASURA.

Bono de anualidad (*Annuity bond*) En los mercados internacionales de valores, bonos en los que los pagos de amortización del principal y de intereses se realizan durante la vida del bono mediante el método francés de cuotas de amortización crecientes a fin de producir pagos por anualidades constantes.

Bono de caja (*Short term bond*) Título emitido por instituciones financieras de depósitos con vencimiento a medio plazo, para captar depósitos estables.

Bono declinante (*Step down bond*) Bono con tipo de interés variable, cuyo cupón se va ajustando a la baja en las fechas previstas. *Véase* BONO ASCENDENTE.

Bono de disfrute (*Founder's bond*) *Véase* ACCIÓN DE DISFRUTE.

Bono de doble divisa (*Dual currency bond*) En los euromercados, la emisión de un bono en el que se pactan los intereses en una divisa y la amortización del principal en otra divisa diferente.

Bono de fundador (*Founder's bond*) *Véase* ACCIÓN DE DISFRUTE.

Bono del Bundbahnpost (*Bundbahnpost bond*) En el argot de los euromercados, forma de referirse, mediante la unión de tres palabras sincopadas, a los bonos emitidos por la República Federal Alemana: Bundesrepublik; los Ferrocarriles Federales: Bundesbahn, y el Servicio de Correos Federal: Bundespost.

Bono del Estado (*Treasury bond*; *Government bond*) Deuda pública emitida por el Estado español, a largo plazo entre tres y cinco años, con cupón explícito y colocado por medio de subasta. En EE.UU., hace referencia a la deuda emitida por el Tesoro a un plazo entre diez y treinta años, con cupón explícito. Las obligaciones del Estado se emiten a diez, quince y treinta años, en similares condiciones.

Bono de primera clase (*High grade bond*) Bono emitido por emisores de máxima solvencia. Según las agencias de calificación crediticia Moody's y Standard and Poor's, los bonos de primera clase son aquellos que ostentan la calificación Aaa y AAA, respectivamente.

Bono de referencia (*Benchmark bond*) En los mercados internacionales, una emisión de bonos cuyas condiciones se utilizan como referencia para comparar con emisiones posteriores, bien del mismo emisor o de otros emisores en el mismo sector del mercado. *Véase* BENCHMARK.

Bono desdoblado (*Stripped bond*) Un bono con cupón explícito que se negocia separadamente del principal en el mercado. Su tenedor recibirá, a su vencimiento, sólo el valor facial del título. Los cupones se negocian en el mercado como un instrumento independiente. *Véase* STRIP.

Bono de tesorería (*Treasury bond*) Emisión de obligaciones y bonos simples que pueden emitir los Bancos y Cajas de Ahorros con la garantía general de sus bienes y derechos, con objeto de captar recursos.

Bono de vencimiento fijo (*Dated bond*) Bono con fecha de vencimiento prefijada.

Bono dingo (*Dingo bond*) Bono emitido en Australia, en dólares australianos, por emisores no residentes.

Bono entregable (*Delivery bond*) Según el reglamento del mercado de futuros, cualquier emisión de bonos que sea válida para que el vendedor de un contrato de futuros cuyo activo subyacente sea un bono nocional, pueda hacer frente a su compromiso de venta cuando llegue la fecha de vencimiento del contrato. Generalmente se suelen estipular como bonos entregables todas las emisiones de Deuda Pública, cuyo plazo de amortización sea similar o cercano al plazo de amortización teórico del bono nocional, definido en el contrato de futuros.

Bono indiciado (*Indexed bond*) Bono cuyo pago de intereses está ligado a la evolución de un determinado índice.

Bono Kiwi (*Kiwi bond*) Eurobono neozelandés emitido en dólares de EE.UU.

Bono matador (*Matador bond*) Título de renta fija denominado en pesetas, emitido en España por Estados e Instituciones no residentes y asegurado por bancos españoles y extranjeros residentes. Son valores de la máxima seguridad en cuanto al riesgo que comportan.

Bono mini-max (*Mini-max bond*) Un bono emitido a interés flotante con margen acotado, siendo muy similares el interés máximo y mínimo del cupón que paga, lo que hace que se aproxime bastante a un bono de renta fija.

Bono nocional (*Notional bond*) Es un bono teórico, con unas determinadas características de plazo, valor nominal y cupón, que no tiene una existencia material en el mercado al contado y que sirve únicamente a efectos de definir un activo subyacente estandarizado para los contratos de futuros sobre tipos de interés. La correspondencia entre cada una de las emisiones reales de deuda y el bono nocional, base del contrato de futuros, queda definida mediante el cálculo del factor de conversión. *Véase* BONO ENTREGABLE.

Bono nocional a cinco años Contrato de futuros sobre Deuda Pública anotada emitida por el Estado español. Comenzó a negociarse en el mercado MEFF/SRRF el 22 de abril de 1991. *Véase* BONO NOCIONAL A TRES AÑOS.

Bono nocional a tres años Contrato de futuros sobre Deuda Pública anotada emitida por el Estado español. Este contrato fue el primero creado por MEFFSA, hoy MEFF/SRRF. Comenzó a negociarse el 16 de marzo de 1990. *Véase* BONO NOCIONAL A CINCO AÑOS.

Bono no convertible (*Strainght bond*) *Véase* BONO SIMPLE.

Bono perpetuo (*Perpetual bond*) Bono emitido sin fecha de vencimiento prefijada, pagando por tanto intereses por tiempo indefinido.

Bono protegido Bono cuyo precio de reembolso tiene dos componentes: a) un importe garantizado, que suele ser el nominal que obtendrá el bonista, como mínimo, al vencimiento, y b) un importe variable en función de la evolución de un índice bursátil, una divisa, etc. Realmente un bono protegido es la combinación de un bono cupón cero y una opción implícita a largo plazo. Los bonos protegidos son demandados por aquellos inversores que desean garantizar un capital a medio plazo, pero también quieren aprovecharse de una subida futura del instrumento subyacente de la opción implícita, o descenso si la opción implícita es un *Put*.

Bono reinvertible (*Bunny bond*) *Véase* BONO BUNNY.

Bono Rembrandt (*Rembrandt bond*) Bono denominado en florines, emitido en Holanda por prestatarios no residentes.

Bono Samurai (*Samurai bond*) Bono emitido en Japón, en yenes, por prestatarios no residentes.

Bono Shogun (*Shogun bond*) Bono emitido en Japón por prestatarios no residentes y denominado en dólares de EE.UU.

Bono simple (*Straight bond*) Es un bono que no es convertible en acciones y que paga un tipo de interés explícito fijo.

Bono variable con techo (*Capped floating rate note*) Bono con tipo de interés variable, que no se va ajustando al tipo de referenica en los períodos señalados para ello, pero que incorpora un techo máximo, *cap*, que no puede ser rebasado por dicho tipo de interés. *Véase* BONO MINI-MAX.

Bono Yankee (*Yankee bond*) Bono denominado en dólares y emitido en EE.UU. por un prestatario no residente.

Bonus (*Bonus*) Algo extra, normalmente un pago en dinero, como recompensa por un buen trabajo o por hacer un trabajo peligroso o desagradable.

BONUS Borrower's Option for Notes and Underwriting Stand-by.

Book entry security (*Book entry security*) Se refiere a un valor cuyos datos sobre la propiedad están incluidos en registros informatizados que no están representados físicamente (por ejemplo, los registros del FED para bonos del Tesoro de EE.UU.). *Véase* ANOTACIONES EN CUENTA.

Book entry system (*Book entry system*) Sistema bajo el cual los títulos no están representados por certificados sino que se registran y negocian en un sistema computerizado.

Book runner (*Book runner*) Banco director de una emisión que tiene la responsabilidad sobre la documentación, sindicación, distribución, pago y entrega en una emisión de títulos en el mercado primario. Normalmente es el *lead manager* de la operación. A veces se nombra a más de un *book runner* o *joint book runner*. En el mercado de préstamos dicha responsabilidad se circunscribe a la invitación y control del sindicato.

Boom (*Boom*) Espectacular aumento del volumen de transacciones, provocado por una repentina intensificación de la demanda de valores que se refleja en un alza bursátil muy importante. Es lo contrario de recesión.

BORME Boletín Oficial del Registro Mercantil.

BOT Board on Trustees.

BPA *Véase* BENEFICIO POR ACCIÓN.

BPI *Véase* BANCO DE PAGOS INTERNACIONALES.

Brecha de rendimiento (*Yield gap*) Diferencia entre el rendimiento medio de las acciones (renta variable) y los bonos (renta fija).

Broadcast (*Broadcast*) Una oferta generalizada enviada por fax o por carta a las instituciones prestamistas invitándolas a participar en la sindicación de un eurocrédito.

Broker (*Broker*) *Véase* MEDIADOR.

Broker ciego (*Blind broker*) Mediadores de los mercados financieros que preservan el anonimato de las partes contratantes, como es el caso de los mediadores entre negociantes de Deuda Anotada. || Término de jerga que hace referencia a los Mediadores de Deuda Pública Anotada, MEDAS, en el mercado español. *Véase* MEDIADOR.

Broker de divisas (*Currency broker*) Son aquellos *brokers* que actúan como intermediarios en los mercados de divisas domésticos o internacionales, tanto de contado como a plazo, no sólo en operaciones de compraventa al por mayor de divisas, sino también en la colocación de fondos en divisas, actuando mediante la percepción de una comisión, ofertando y demandando divisas y negociando el precio entre las partes interesadas.

Broker del mercado monetario (*Monetary market broker*) También llamados mediadores de los mercados monetarios, tienen como función la de contribuir a una formación eficiente de precios, abaratando a los operadores los costes de información necesaria y proporcionándoles servicios de asesoría. Su operativa consiste en revisar todos los submercados para obtener información lo más rápida y amplia posible sobre los precios y cantidades que configuran las diferentes ofertas y demandas con objeto de ofrecer, a los operadores que soliciten sus servicios, información sobre la capacidad y tendencias del mercado, lo que usualmente se realiza mediante pantallas, por teléfono o telefax. En base a dicha información puede recibir orden del operador para casar operaciones que las partes comunican al Servicio Telefónico del Mercado de Dinero. Al mediador se le liquida una comisión y no puede actuar por cuenta propia. Los mediadores deben cumplir una serie de requisitos ante el Banco de España.

Bruto (*Gross*) Antes de impuestos.

Buba *Véase* BUNDESBANK.

Bullet (*Bullet*) Emisiones con vencimiento único.

Bullet loan (*Bullet loan*) Préstamo con amortización única al final del plazo.

Bullish (*Bullish*) Referido a un mercado, indica que se espera una subida en los precios y, en consecuencia, un descenso en los tipos de interés o la rentabilidad.

Bund (*Bund*) Bonos emitidos por el Gobierno alemán a largo plazo.

Bundesbank. Buba (*Bundesbank*) Banco central alemán. Desde 1987 goza de independencia respecto al gobierno alemán. Está gobernado por una Junta a cuyo frente se encuentra el presidente del Bundesbank. Dicha Junta se suele reunir cada dos semanas, los jueves.

Burbuja especulativa (*Bubble*; *Speculative bubble*) El fenómeno de las burbujas especulativas se puede dar en todo aquel mercado en el que el precio se determine libremente por la confluencia de las ofertas y demandas. Esta situación se da cuando, ante fluctuaciones en los precios, las mismas son consideradas excesivas, sobrepasando a las fluctuaciones normales y haciendo aumentar la volatilidad de los precios por encima de la que es habitual.

Buy in (*Buy in*) Compra de instrumentos financieros con el propósito de cubrir, compensar o cerrar una posición corta.

C

Caballero blanco (*White Knight*) Empresa que acude en ayuda de otra que está sufriendo un intento de adquisición hostil.

Caballero gris (*Gray knight*) Persona o entidad que, aprovechando las hostilidades desatadas entre un caballero negro (*véase*) y la empresa objetivo, realiza una segunda oferta pública de adquisición sobre la empresa objetivo, sin que ello responda a una solicitud de dicha empresa.

Caballero negro (*Black Knight*) Persona o empresa que promueve una oferta pública de adquisición que es considerada como hostil por la gerencia de la empresa objetivo. *Véase* CABALLERO GRIS.

Cabeza y hombros (*Head and shoulders*) En el análisis técnico bursátil, cuando los precios se mueven hacia arriba, brazo izquierdo, luego se estabilizan brevemente antes de subir, hombro izquierdo y cabeza. En la coronilla los precios se mueven hacia abajo realizando una breve pausa en el hombro derecho antes de bajar por el brazo derecho. Se le adjudica un fuerte valor predictivo.

Cac 40 index (*Cac 40 index*) Indice bursátil con base 1.000 al 31 de diciembre de 1987, elaborado por la Bolsa de París y utilizado desde el 15 de junio de 1988 sobre los 40 valores más representativos de dicha Bolsa, que se revisan cada trimestre. Se calcula ponderando por capitalización bursátil los valores seleccionados, sopesando la representación de todos los sectores, recalculando su valor constantemente y publicándose cada 30 segundos. *Véase* CAC 240 INDEX.

Cac 240 index (*Cac 240 index*) Construido por la *Compagnie des Agentes de Change, CAC*, es el Indice General de la Bolsa de París, ponderado por capitalización bursátil sobre 240 valores representativos de todos los sectores, comprendiendo las acciones con mayor capitalización bursátil dentro de cada sector. El número de valores se va ampliando en función del número de sociedades cotizadas. *Véase* CAC 40 INDEX.

CAGR *Compound average growth rate.*

Caja (*Cash*) Cuenta del activo de una empresa, que refleja la cobertura en metálico (monedas y billetes) que posee.

Caja rural (*Land bank*) Es una modalidad especial de Cooperativas de Crédito, es decir, una sociedad con personalidad jurídica propia, de número ilimitado de socios, cuyo objeto es servir a las necesidades financieras de sus socios y de terceros mediante el ejercicio de las actividades propias de las entidades de crédito, y cuya característica principal es que su objeto social es la prestación de servicios en el medio rural.

Caja de ahorros (*Saving bank*) Intermediario financiero español no bancario, que puede realizar las mismas operaciones que las autorizadas a la Banca Privada. Los beneficios obtenidos habrán de destinarse a obras benéfico sociales, especialmente dentro del ámbito regional de su actuación.

Cálculo de días (*Day count basis*) Convenciones para calcular los intereses acumulados, rentabilidades y cupones raros. Existen diferentes combinaciones. En cada una de ellas el numerador expresa el número de días entre las fechas y el denominador indica el número de días que se consideran por año. En Actual/360, el numerador indica el número de días naturales entre dos fechas sobre un año de 360 días. En 30/360, el numerador indica meses de 30 días. En actual/365, el denominador indica un año de 365 días. Actual/366, para el caso de un año bisiesto.

Cálculo del descuento y del efectivo en el mercado de pagarés de empresa De acuerdo con las especificaciones del reglamento del Mercado AIAF de Renta Fija, se utiliza la siguiente fórmula para el cálculo del descuento en el Mercado de Pagarés de Empresa:

$$\begin{array}{c}\text{Rentabilidad}\\ \text{o tipo de interés}\end{array} = \frac{36.000 \times \text{Descuento}}{36.000 - (\text{Descuento} \times \text{Días})}$$

La fórmula de rentabilidad o tipo de interés en la negociación de pagarés de empresa para el cálculo del efectivo, teniendo como datos conocidos, tanto el valor nominal como el tipo de interés o rentabilidad es la siguiente:

$$\text{Efectivo} = \frac{\text{Nominal}}{1 + \dfrac{\text{Días} \times \text{tipo interés}}{36.500}}$$

Cálculo financiero (*Financial calculation*) Conjunto de operaciones realizadas mediante las matemáticas actuariales o financieras.

Calentar (*Heat up*) Cuando se utilizan diferentes recursos, como la compra selectiva de acciones o la propagación de falsos rumores con el fin de elevar artificialmente la cotización de un valor para venderlo a un precio mejor.

Calificación crediticia (***Rating***) *Véase* CALIFICACIÓN DE SOLVENCIA.

Calificación de solvencia (***Credit rating***; ***Credit worthiness***) Nivel de solvencia a corto o largo plazo determinado por compañías especializadas en el análisis prospectivo de empresas multinacionales o grupos muy importantes, y que es considerado especialmente en el mercado de eurobonos y eurobligaciones. Los niveles se especifican por *Standard & Poor's* con las letras AAA; AA; AA; BBB y BB, siendo la triple A el indicador de máximo nivel de solvencia. Sólo unas pocas compañías muy competitivas y con una demanda potencial asegurada racionalmente, a largo plazo, gozan de la calificación AAA. Para *Moody's*, las calificaciones equivalentes son Aaa; Aa; A; Baa y Ba. Para *Commercial Paper*, los ratings de *Standard and Poor's* son: A-1 Plus; A-1; A-2; A-3; B; C y D, mientras que los de *Moody's* son P-1; P-2; P-3 y N.R. *Véase* AGENCIA DE CALIFICACIÓN, CALIFICACIÓN DE TÍTULOS, STANDARD AND POOR'S CORPORATION y MOODY'S INVESTOR SERVICE.

Calificación de títulos (***Securities rating***) Se trata de un procedimiento creado fundamentalmente en el mercado de valores americano, pero que se está extendiendo a los mercados de capitales internacionales, por medio del cual una entidad privada independiente califica el riesgo de una entidad emisora y de una emisión determinada, adjudicando un baremo en función de su solvencia y seguridad. *Véase* CALIFICACIÓN DE SOLVENCIA.

Call (***Call***) *Véase* OPCIÓN DE COMPRA.

Callable bond (***Callable bond***) Bono cuyo emisor tiene el derecho de amortizarlo antes de su fecha de maduración, pagando por ello un precio predeterminado. *Véase* BONO CON OPCIÓN DE RECOMPRA.

Call comprada (***Long call***) En relación con las posiciones simples que pueden tomarse en los mercados de opciones, se refiere a la posición de comprador de una opción de compra o posición larga. *Véase* CALL VENDIDA.

Call money (***Call money***) Dinero a la vista destinado a préstamos inmediatos o a cubrir las necesidades de liquidez inmediata, constituyéndose en depósitos con plazos de un día. En la Bolsa de Nueva York hace referencia al dinero cuyo préstamo se instrumenta sobre títulos. Es muy utilizado en los Eurodepósitos.

Call protection (*Call protection*) Cláusula de protección en un título (normalmente bonos o acciones preferentes) por la cual se impide su amortización antes de un período de tiempo desde su emisión.

Call vendida (*Short call*) En relación con las posiciones simples que pueden tomarse en los mercados de opciones, se refiere a la posición de vendedor o emisor de una opción de compra o posición corta. La posición opuesta contractual es la compra de una opción de compra, es decir, la compra de un *call*, o posición larga (*long call*).

Cámara de compensación y liquidación (*Clearing house*) Institución de origen británico creada para la compensación de los créditos recíprocos entre los miembros de la Cámara, evitando de esta forma el traslado material de los títulos y del efectivo. La compensación puede ser bancaria, *banking clearing*, o de títulos o valores, *securities clearing*. Permite a las instituciones usuarias liquidar sus créditos y débitos recíprocos al final del día, transfiriendo solamente el saldo resultante.

Cambio (*Change*; *Exchange*) Relación o variaciones del valor de las monedas entre los distintos países, o del dinero de un país con referencia al patrón oro. || En el análisis técnico bursátil, precio o cotización en Bolsa de un bien. El cambio puede expresarse porcentualmente, indicando el valor relativo de dicho bien en relación al nominal, que sería del 100 por 100, o bien, en valores absolutos en la moneda en que se cotice.

Cambio cierto (*Certain quotation*) En mercados de divisas al contado en los que se utiliza el método de cambio cierto se oferta o demanda una cantidad variable de la moneda extranjera, que expresa así su cotización de un momento dado, en función de una cantidad fija de la moneda del mercado cotizante, generalmente una unidad. Es decir, la base de cotización es la divisa del mercado cotizante. En los mercados inglés y norteamericano se utiliza normalmente el procedimiento de cambio cierto.

Cambio comprador (***Bid price*** || ***Buying price***; ***Buying rate***) Es una operación de compraventa de valores o títulos, es el cambio que resulta para el que ocupa la posición compradora. Es el precio de oferta. || Cambio aplicado por un banco o institución financiera, al adquirir divisas a sus clientes, que será más bajo que el que aplica cuando vende dichas divisas.

Cambio convenido (***Agreed exchange***) Especificación de una de las órdenes de Bolsa utilizadas en los mercados de valores y que indica que el cambio al que se desea realizar la operación es único y fijo. Normalmente ese cambio viene decidido por las partes. Los títulos que no cotizan en Bolsa suelen realizar las operaciones mediante ese método, siendo también muy utilizadas en las operaciones de aplicación.

Cambio cruzado (***Crossed exchange***) Cambio entre dos divisas por referencia a una tercera.

Cambio de apertura (***Opening change***) En el análisis técnico bursátil, es el primer cambio que se forma para un determinado valor en una sesión de Bolsa. *Véase* PRECIO DE APERTURA.

Cambio de cierre (***Closing price***) El cambio cotizado en el espacio de tiempo definido como de cierre en la Bolsa o, también, el último cambio cotizado por una divisa, valor o cualquier producto negociado en un mercado organizado con horario de apertura y cierre. Generalmente se refiere al último cierre de mercado que haya tenido lugar o, en otro caso, se especificará el día a que se refiere. Se publica en el Boletín Oficial de Cotización y en el Acta de Cotización.

Cambio forward de divisas (***Foreign currency forward change***) *Véase* FORWARD.

Cambio incierto (***Uncertain quotation***) En mercados de divisas se cotiza por el método de cambio incierto (o plaza incierta o cotización indirecta) cuando se oferta o demanda una moneda extranjera, en función de una cantidad fija (base de cotización) de la misma, señalando la cotización o precio de una cantidad de monedas nacionales que expresa el precio en cada momento.

Cambio indirecto (*Indirect exchange*) En las transacciones de divisas se refiere a operaciones en las que la relación de valor entre dos divisas hay que establecerla en función de otra que cotiza a ambas o de dos o más terceras divisas.

Cambio libre (*Free exchange rate*) Tipo de cambio que fluctúa libremente.

Cambio máximo (*Maximun price*) En el análisis técnico bursátil, el precio más alto al que se efectúan contrataciones en un período de tiempo determinado.

Cambio medio (*Middle rate*) En el ansálisis técnico bursátil, aquel valor situado entre los cambios máximo y mínimo de un título en una sesión bursátil. No se trata del cálculo del valor medio de esa diferencia, sino de un cambio al que efectivamente se haya contratado.

Cambio mínimo (*Minimun price*) En el análisis técnico bursátil, el precio más bajo al que se efectúan operaciones en un período de tiempo determinado.

Cambio oficial (*Official exchange rate*) Tipo de cambio al que se deben ajustar los bancos en sus transacciones en divisas. Viene dado diariamente por el mercado de divisas y con la misma periodicidad lo publica el Banco de España.

Cambio pivote (*Pivot rate*) Se denomina así a un cambio central de una divisa a partir del cual se establecen márgenes de fluctuación, bien márgenes de cotización al incorporar costes, o bien márgenes para la toma de decisiones sobre una cartera, etc.

Cambios recíprocos (*Crossed rates*) Cambios de dos divisas, expresados ambos en la otra divisa.

Cambio teórico (*Theoretical change*) Es el valor teórico de una acción. Es el valor que se supone que debe alcanzar la acción tras la ampliación de capital social para que se mantenga la misma relación.

Cambio vendedor (*Asked price* ‖ *Selling rate*) Cambio resultante en una transacción de valores para quien hace las funciones de vendedor. Es el precio de demanda. ‖ Cambio que aplica un banco o entidad financiera para proveer a sus clientes de divisas, que será mayor que el que aplica para las compras de las mismas divisas.

Canal (*Channel*) En el análisis técnico bursátil, formación que se produce cuando la cotización fluctúa en una banda formada por unas líneas de soporte y resistencia paralelas. La ruptura del canal supone un cambio de tendencia al alza o a la baja, según se supere la línea de resistencia o soporte, respectivamente. La actuación dentro del canal es comprar en el fondo y vender en el techo.

Canje (*Change*) Cambio de unos títulos por otros de características similares. En contraposición con la conversión, en la que el cambio se realiza entre títulos con diferentes características, el canje implica el cambio físico de títulos, pero sin alterar los elementos básicos diferenciadores de los mismos.

Cantidad de dinero *Véase* OFERTA MONETARIA.

Cap (*Cap*) El contrato *cap* es un instrumento de cobertura del riesgo de tipo interés a medio y largo plazo, que permite al tesorero protegerse durante una serie de períodos contra el alza de los tipos de interés flotantes. Al tratarse de una opción, el tesorero será el comprador del *cap*, lo que garantizará un tipo de interés máximo en el caso de un préstamo o deuda. Es un acuerdo realizado entre el comprador y el vendedor con respecto al valor máximo de un tipo de interés flotante basado en un índice determinado (Libor, Mibor, Tipo Preferencial, etcétera). El *cap* está compuesto por un conjunto de Opciones de Compra Europeas sobre un determinado índice por las que el comprador paga al vendedor una prima, y si los tipos se mueven hacia arriba, recibirá una cantidad de dinero igual a la diferencia entre el valor actual del índice elegido y el tipo límite especificado en el contrato, que hace el papel de Precio de Ejercicio en la Fecha de Comparación especificada, *Reset date*. Normalmente, el coste de un *cap* será más elevado cuanto más bajo sea el tipo de ejercicio y más largo el período de cobertura.

Capacidad adquisitiva del dinero (*Purchasing power of money*) Valor del dinero para comprar bienes y servicios. El valor del dinero es igual a la unidad dividida por el índice de precios.

Capacidad de pago (*Payment capacity*) Estimación de la capacidad de una empresa para hacer frente a los vencimientos de las deudas o créditos que mantiene. Se puede medir a través de la relación *cash-flow / carga financiera*, entendiendo ésta como suma del principal e intereses.

Cap amortizable (*Amortising cap*) *Cap* cuyo valor principal nocional se reduce a lo largo del tiempo.

Cap diferido (*Deferred cap*) Es un *cap* cuya fecha de entrada en vigor es posterior a la fecha de su contratación.

Capital (*Capital*) Patrimonio poseído susceptible de producir una renta. Capital real: edificios equipos y otros materiales utilizados en el proceso de producción y que han sido producidos a su vez en el pasado. Capital financiero: fondos disponibles para la compra de capital real, o activos financieros, tales como bonos o acciones. Capital humano: la educación, el entrenamiento y la experiencia, que hacen a los seres humanos más productivos. ‖ Bajo el punto de vista bursátil, un capital es un caudal de dinero colocado, o destinado a serlo, en valores.

Capital circulante (*Working capital*) Parte de los recursos permanentes que financia activos circulantes, o diferencia entre el activo circulante y el pasivo circulante de una sociedad. Es uno de los dos ciclos que coexisten en una empresa. Este tiene carácter temporal de corto plazo, por atravesar rápidamente el proceso Dinero-Bien-Dinero. Está formado por las cuentas de existencias, clientes y proveedores, consideradas todas como dentro de la explotación; de fuera de la explotación tenemos deudores y acreedores a corto sin coste financiero y los ajustes por periodificación, considerando la liquidez, caja y bancos, los préstamos a corto con coste y los efectos comerciales descontados; en general, todas aquellas cuentas que permiten la actividad normal de la empresa. El capital circulante es la parte del activo circulante neto que está financiada por el fondo de maniobra, siendo éste una parte de la financiación permanente. *Véase* FONDO DE MANIOBRA.

Capital desembolsado (*Paid up capital*) Capital realmente aportado, en efectivo, en activos físicos o inmateriales, por los accionistas a una sociedad. En la constitución o ampliación de una sociedad anónima, el capital social debe ser suscrito íntegramente y desembolsado al menos en una cuarta parte. En las sociedades de responsabilidad limitada el capital social debe ser suscrito y desembolsado desde su origen.

Capital emitido (*Issued capital*) Capital social puesto a disposición de los accionistas o del público en general, según los casos, para la suscripción del mismo ya que se trata de un proceso de constitución de sociedad o de ampliación de capital. No tiene por qué coincidir con el capital suscrito ni con el desembolsado.

Capital escriturado (*Registered capital*) Cifra de capital declarada en la escritura de una sociedad.

Capital ficticio (*Fictitious capital*) Capital, generalmente integrado por bienes muebles o inmuebles que, debido a procesos inflacionarios, se incrementa nominal, pero no efectivamente. || En los procesos de constitución de sociedades, aquel que aún no está suscrito ni desembolsado por los socios, pero que figura en la cifra de capital social.

Capital fijo (*Fixed asset*) Es uno de los ciclos que coexisten en la empresa, en este caso el de largo plazo. Como el de corto plazo, su fin es la conversión en liquidez que se realiza a lo largo del tiempo mediante la amortización del equipo fijo, recuperándose las inversiones en ellos realizadas. Es el capital destinado a instalaciones y equipos de carácter permanente de la sociedad.

Capital financiero (*Financial capital*) Es el valor de la inversión financiera de carácter permanente o temporal que mantiene una sociedad en otras empresas, mediante la adquisición de acciones y participaciones en las mismas, así como obligaciones y bonos, préstamos concedidos, fianzas y depósitos constituidos.

Capitalización (*Capitalization* || *Compounding*) Poder o capacidad que tiene la empresa para generar recursos que entren a formar parte de su neto patrimonial, bien en su capitalización libre mediante reservas de libre disposición, bien en su capital permanente mediante reservas de revalorización, obligatorias o estatutarias. || Determinación del capital correspondiente a intereses. Acumulación de los intereses devengados al capital para la obtención de otros nuevos sobre la suma total. Ley financiera que, aplicada a un determinado capital en un momento dado, produce un nuevo valor en un momento futuro.

Capitalización bursátil (***Market capitalization***) Valor de una empresa según la cotización de sus acciones en Bolsa.

Capitalización compuesta (***Compound capitalization***) En matematicas financieras, cuando en una sucesión de períodos iguales de tiempo, los intereses producidos en cada uno de ellos se acumulan al capital para producir nuevos intereses.

Capitalización continua (***Continuous capitalization***) Caso de capitalización en la que los intereses se capitalizan en períodos infinitamente pequeños.

Capitalización de activos (***Assets capitalization***) Proceso de valoración de los activos de una empresa mediante el cálculo de la suma actual de la renta futura esperada que generará dicho activo.

Capitalizar (***Capitalize***) Calcular el valor actual de un activo financiero que incorpora unos determinados rendimientos.

Capitalizar una renta (***Capitalize an income***) Operación de cálculo consistente en valorar un capital partiendo de su rentabilidad, según el tipo de interés corriente.

Capitalizar un beneficio (***Capitalize a profit***) Consiste en agregar el beneficio al capital. Se aplica a la conducta de los accionistas que acuden a la suscripción de nuevas acciones, en lugar de vender en Bolsa el derecho de suscripción preferente.

Capital leasing (***Capital leasing***) Tipo de arrendamiento, bajo el *Statement* 13 del *Financial Accounting Standards Board* (FASB), que debe reflejarse en el balance de la empresa como un activo con su correspondiente pasivo. Generalmente se aplica a arrendamientos en los que el arrendatario o usuario asume esencialmente todos los beneficios y riesgos de la propiedad del bien arrendado.

Capital nominal (***Face capital***) Capital escriturado de una empresa, que puede estar parcial o totalmente desembolsado por los accionistas.

Capital productivo (*Active capital*) Elementos, tanto de naturaleza material como inmaterial, que son utilizados en el proceso productivo empresarial.

Capital riesgo (*Risk capital* || *Venture capital*) Acciones, participaciones o cualquier otra forma de instrumentación de capital aportado a una empresa como fondos propios y que queda a resultas del negocio, sin que tenga contractualmente reconocida una determinada cuantía de remuneración. || Se ha definido también el capital-riesgo como un modo de financiación original por el que los aportadores de capital, individuos o instituciones, aceptan correr un riesgo financiero, generalmente de una empresa nueva o de reciente creación, y al mismo tiempo se comprometen a darle un apoyo técnico y una caución moral, con el propósito de realizar en un plazo de 3 a 10 años, según los distintos supuestos, una plusvalía importante, que es la esencia de su retribución.

Capital social (*Share capital* [*UK*]; *Capital stock* [*USA*]) Cifra integrada por los recursos aportados inicial o sucesivamente por los socios accionistas. Está representado por un número determinado de acciones, que represenan una parte alícuota de la propiedad de la empresa. Es obligatorio consignar la cifra de capital social en las escrituras de constitución y en los estatutos sociales, con la expresión, en su caso, de la parte que se encuentra desembolsada o no y de la forma y plazo en que habrán de satisfacer los dividendos pasivos. Igualmente habrá de designarse el número de acciones o participaciones en que se encuentra dividido, su valor nominal, clase y serie, con expresión de los derechos a ellas atribuidos.

Capital social autorizado (*Authorized share capital*) Es una de las modalidades del capital social, consistente en una autorización expresa de la Junta General al órgano administrativo para que pueda ampliar la cifra de capital. La Ley y los estatutos pueden limitar el alcance de esta autorización, tanto cualitativa como cuantitativamente. Los requisitos que debe cumplir dicha modificación son los mismos que cualquier modificación estatutaria.

Capital suscrito (*Subscribed capital*) En las emisiones de capital, por constitución de sociedad o ampliación de capital, es el capital efectivamente suscrito por las acciones o por el público en general, con independencia de que sea o no desembolsado en ese momento.

Capital suscrito y no desembolsado (*Uncalled capital*) Parte del capital social emitido por una empresa que no ha sido pagado aún por los suscriptores.

CAPM *Véase* MODELO DE VALORACIÓN DE PRECIOS DE ACTIVOS.

Captación de fondos (*Funds raising*; *Funding*) Obtención de recursos financieros por la empresa procedentes de los propios accionistas, del sistema bancario o de los mercados de emisiones nacionales e internacionales.

Caption (*Caption*) Opción sobre un *cap*. Consiste en una opción de compra sobre un *cap* futuro. Se utiliza por empresas que están comprometidas en una oferta de obligaciones importante y tienen incertidumbre sobre el movimiento futuro de los tipos de interés. *Véase* FLOORTION.

Carga o presión fiscal (*Burden*) *Véase* INCIDENCIA DE UN IMPUESTO.

Carga tributaria (*Tax burden*) Se identifica con la posición del sujeto pasivo en la relación tributaria. Está integrada por su deuda tributaria y los demás deberes y cargas de su parte.

Carry (*Carry*) Coste de financiar una posición abierta. Es la diferencia entre el tipo de interés obtenido por la posición comprada menos el coste de los fondos obtenidos para comprar dicha posición. Cuando el tipo de interés obtenido es mayor que el coste de los fondos se denomina *carry* positivo, y al revés *carry* negativo.

Carta constitucional (*Articles of incorporation*) Documento registrado en la Administración de EE. UU. por los fundadores de una sociedad. Una vez aprobada, la Administración emite un certificado de constitución. Ambos documentos constituyen la escritura de constitución que proporciona a la sociedad existencia legal y que incluye información como: el nombre de la empresa, objeto, número de acciones autorizadas, así como número e identidad de los directivos. Por tanto, los poderes de la empresa provienen de las leyes y de las estipulaciones de la escritura. Las reglas que gobiernan la gestión interna de la empresa están establecidas en los estatutos sociales, que son redactados por los fundadores. *Véase* ESTATUTOS SOCIALES.

Carta de apoyo (*Comfort letter*) Carta requerida por la legislación de valores que debe ser emitida por un auditor independiente, por la cual se garantiza que la información que aparece en el *prospectus* no ha sido alterada significatvamente en el período que va desde la preparación de dicho *prospectus* hasta su distribución al público.

Carta de crédito (*Letter of credit*) Documento que el banco entrega al cliente con el fin de que sea provisto de fondos en otros bancos del país o, más usualmente, del extranjero hasta un máximo estipulado y un período de tiempo determinado. Consiste en emitir el crédito como un título nominativo en un papel especial que impida una posible falsificación, cuya utilización es negociable normalmente a través de cualquier banco a elección del beneficiario, mediante giros librados a cargo del banco emisor, sin necesidad de recurrir al banco intermediario, salvo que los giros deban librarse a cargo de este último.

Cártel (*Cartel*) Acuerdo entre empresas cuyo objetivo, en general, es reducir los efectos de la competencia entre ellas mediante la colusión de los precios, la división de los mercados o la realización de prácticas parecidas, por lo que tienden por su propia naturaleza a las prácticas monopolistas. De esta manera, las industrias logran unos niveles de producción inferiores, junto a unos precios superiores a los competitivos.

Cartera (*Portfolio*) Se denomina así a un conjunto de valores, acciones u obligaciones, emitidos por diferentes empresas.

Cartera de control (*Control portfolio*) También llamada cartera de influencia, consiste en la adquisición de un número de acciones suficiente para permitir cierto control sobre la sociedad emisora a través de los derechos que confieren dichos valores y la posibilidad, por tanto, de formar parte del consejo de administración y participar directamente en la gestión y toma de decisiones.

Cartera de valores (*Securities portfolio*) Está formada por el conjunto de títulos que mantiene un sujeto o empresa en su poder, tanto con el fin de especular, como de controlar las empresas emisoras de los títulos si confieren propiedad. El mantenimiento de una cartera especulativa se mueve hacia la consecución de una rentabilidad o beneficio, por lo que tendrá en cuenta a la hora de ver su composición aspectos tan relevantes de los títulos como liquidez, riesgo, vencimiento, rentabilidad, etc.

Cartera eficiente (*Efficient portfolio*) Según la Teoría de la Selección de Carteras desarrollada por Harry Markowitz, se denomina así a aquellas carteras que proporcionan el mayor rendimiento para un riesgo dado y, al mismo tiempo, que soportan el mínimo riesgo para un rendimiento conocido.

Cartera óptima (*Optimum portfolio*) Cartera que proporciona el mayor rendimiento posible para un riesgo determinado, dada la actitud ante el riesgo de un inversor.

Casación (*Cassation*) Instancia excepcional ante el Tribunal Supremo, que asiste a los litigantes para revocar o anular un fallo de instancia cuando en la sentencia o procedimiento se aprecie infracción de ley o quebrantamiento de forma. No se revisan los hechos, sólo se debaten cuestiones de derecho.

Casa matriz (*Head office*) Dentro de un grupo de sociedades, aquella que ostenta la posición dominante frente a las filiales, con una participación activa en su capital que posibilita el control de sus decisiones.

Casar (*Matching*) Casar una operación es disponer u ordenar que haga juego con otra. *Véase* APLICACIÓN.

Cash-flow, flujo de la caja (*Cash-flow*) También denominado flujo de tesorería, es el conjunto de cobros y pagos realizados en un determinado período de tiempo. Se corresponde con la circulación financiera, más concretamente con los flujos dinerarios. En definitiva, es el conjunto de anotaciones que se realizan en la cuenta de tesorería a consecuencia de cualquier tipo de operaciones que se lleven a cabo en el seno de la empresa.

Cash-flow libre (*Free cash-flow*) Medida de *cash-flow* definida como *cash-flow* retenido menos el gasto en inversión.

Cash-flow por acción (*Cash-flow per share*) Ratio que refleja el *cash-flow* (beneficio más amortizaciones) que corresponde a cada accionista por título poseído:

(*Cash-flow neto* / Número medio de acciones) * Factor de ajuste

Cash-flow, recursos generados (*Cash-flow*) Son los recursos financieros generados por la empresa en el transcurso de un ejercicio económico, es decir, la autofinanciación de la empresa. Se obtiene mediante la suma del beneficio conseguido por la empresa y los importes dedicados a amortizaciones. Esta acepción de *cash-flow* está relacionada con la circulación económica real de la empresa, es decir, los recursos que se generan con el desenvolvimiento de las actividades económicas, tanto de naturaleza corriente como de capital.

Cash management (*Cash management*) En sentido estricto, gestión de tesorería. En un sentido amplio se identifica con la gestión de todos los activos financieros de una empresa. Se trata de un sistema que, al establecer centros de gestión internacional de tesorería, posibilita la consecución de objetivos como la reducción de los costes de transacción, el aumento de los flujos y rentabilidad de la tesorería, el aumento de la cobertura de riesgos de cambio, etc. Las grandes empresas que emplean este sistema actúan con un centro de compensación múltiple establecido en una filial financiera.

Cash-value added. CVA (*Cash-value added. CVA*) Medida del beneficio antes de intereses y después de impuestos más la amortización, menos la amortización económica (es decir, la anualidad que, capitalizada al coste de los recursos acumulará el valor de los activos fijos al final de la vida útil de los mismos), menos el coste de los recursos utilizados (es decir, la inversión inicial multiplicada por el coste promedio de los recursos).

Castles in Spain (*Castles in Spain*) Táctica ofensiva por la que un tiburón financiero puja por una empresa ofreciendo un precio inferior al que realmente estaría dispuesto a ofrecer en caso necesario.

CATS (*Computer Assisted Trading System*) *Véase* CONTRATACIÓN ASISTIDA POR ORDENADOR.

CBOE *Chicago Board Options Exchange*.

CBT *Chicago Board of Trade*.

CCAA Comunidades Autónomas.

CCLL Corporaciones Locales.

CEBES *Véase* CERTIFICADOS DE DEPÓSITOS DEL BANCO DE ESPAÑA.

CECA Confederación Española de Cajas de Ahorro.

Cedel (*Cedel*) *Centrale de Livraison de Valeurs Mobilières*. Una de las entidades, junto a *Euroclear*, que dispone de un sistema de depósito y liquidación para custodiar, registrar y liquidar las transacciones del mercado secundario de Eurobonos. Está situado en Luxemburgo y fue fundado en 1970. Cuenta con más de mil miembros.

Cedente (*Assignor*) Persona que cede a otra un bien, derecho, acción o título. Generalmente se aplica al acreedor que traspasa a un tercero un título de crédito.

Cédula (*Security*) Denominación que se aplica a algunos títulos de renta fija por sus características particulares. Son títulos similares a las obligaciones y a los bonos.

Cédula hipotecaria (*Mortgage debenture*) Título hipotecario que se emite con la garantía de la cartera de préstamos hipotecarios de la entidad emisora. Sólo pueden ser emitidas por entidades de crédito oficial, cajas de ahorros y sociedades de crédito hipotecario. Pueden ser nominativas, a la orden o al portador.

CEMM Comisión de Estudios del Mercado Monetario.

CNAE Clasificación Nacional de Actividades Económicas.

CNE Contabilidad Nacional de España.

Central de anotaciones en cuenta Registro en el Banco de España donde se reflejan, mediante anotaciones contables, la gran mayoría de los títulos en circulación de Deuda del Estado. Registro de referencias contables de Deuda Pública anotada gestionado por el Banco de España. Constituye un sistema de compensación y liquidación de las operaciones en los mercados de emisión y de negociación, referidas a los diversos instrumentos públicos de tal carácter. Actúa en coordinación con el Servicio Telefónico del Mercado de Dinero, de manera que las contrapartidas de efectivo de las correspondientes operaciones se salden mediante las cuentas corrientes mantenidas en el Banco de España por los titulares de anotaciones de cuenta.

Central de balances (*Business performance information office*) Una central de balances es un servicio que obtiene de las empresas no financieras información relativa a sus características (domicilio, actividades, localización geográfica, accionariado, etcétera) y a sus datos contables, con los que crea un banco de datos homogéneos, agregables y comparables que, con una metodología adecuada, utiliza para realizar y difundir estudios económicos y financieros a distintos niveles de agregación, poniendo de manifiesto la situación de los diversos sectores del colectivo tratado. Efectúa, además, una labor de asesoramiento a las empresas. Las centrales de balances suelen realizarse por los bancos centrales de cada país, utilizando los datos con fines de diagnóstico o de supervisión, e intercambio de información a las empresas. En el caso español, la central de balances se creó en 1983; la recopilación de datos se realiza de forma voluntaria, por lo que no representan el total de empresas no financieras, no pudiéndose, por tanto, construirse las cuentas de contabilidad nacional a través de esta recopilación.

Central de Información de Riesgos. CIR (*Banking risk office*) Servicio del Banco de España desarrollado a partir del Decreto-Ley de 1962, de nacionalización y reorganización del Banco de España. Su objetivo es elaborar y reorganizar la estadística general del crédito en España a través de la información suministrada por parte de las entidades que incurren en riesgo e identificar a los prestatarios que presenten riesgos elevados. La información ha de ser suministrada mensualmente, indicando la cuantía y el titular del riesgo, y sólo por prestatarios residentes. Se declararán a la CIR todos los titulares residentes en España, pertenecientes tanto al sector privado como al público y cualquiera que sea su personalidad jurídica.

CEO *Chief Executive Officer*.

CFO *Chief Financial Officer*.

Certificación de cambio (*Exchange certificate*) Documento expedido por el miembro de la Bolsa de Valores acreditativo de las operaciones que ha realizado, poniendo en conocimiento las características principales de dichas operaciones.

Certificado de depósito (***Certificate of deposit***) Documento acreditativo de un depósito de dinero en un banco, transmisible y negociable por simple endoso en cualquier momento, sin necesidad de Agente o Fedatario público. El banco abona periódicamente al depositante los intereses o bien los anticipa en su totalidad.

Certificados de depósito del Banco de España. CBE (***Bank of Spain certificates***) En su forma actual, son títulos que han sido emitidos y colocados obligatoriamente para absorber la liquidez liberada por la reforma y reducción del coeficiente de caja. Se instrumentan mediante anotaciones en cuenta mantenidas en el Banco de España. Sólo pueden ser suscritos por entidades a las que afectaba el tramo remunerado del coeficiente de caja y se amortizarán gradualmente hasta el año 2000.

Cesión (***Assignment***) Acto por el que el cedente, con capacidad para enajenar, transmite o traspasa al cesionario, a título oneroso o gratuito, un bien, derecho, acción o crédito que tiene frente a un tercero. El cesionario adquiere los mismos derechos que tenía el cedente en el momento de la cesión. ‖ Transferencia legal de un título.

Cesionario (***Assignee***) Persona a cuyo favor se realiza una cesión de bienes, créditos o derechos. Como regla general, el cesionario habrá de tener capacidad suficiente para recibir el objeto transmitido.

Cesión de activos (***Transfer of assets***) Operación por la cual el otorgante inicial de una financiación la cede total o parcialmente, ya sea conservando el riesgo de la misma (participación) o transmitiéndolo al adquirente (transferencia).

Cesión de créditos (***Assignment of credits***) Facultad de un banco para efectuar la cesión de un préstamo a un tercero, previamente así convenido con el prestatario. La ventaja de dicha operación para las entidades financieras es que elimina la necesidad de cubrir coeficientes bancarios, aunque, por lo general, el riesgo de los créditos cedidos no se traslada a los clientes.

Cesión de venta (*Selling concession*) Comisión, expresada por un porcentaje fijo sobre el principal de los títulos emitidos en el mercado primario, al que los miembros del sindicato tienen derecho en relación con la cantidad que les ha sido asignada por el director de la emisión.

Cesta de monedas (*Currency basket*) Conjunto de divisas, ponderadas de una forma determinada, que sirven para determinar el valor de una moneda o de un índice económico. En el ámbito de las relaciones económicas internacionales las cestas de monedas se utilizan para paliar los efectos de las variaciones en la cotización de las divisas.

Ceteris paribus (*Ceteris paribus*) «Lo demás constante». Así, por ejemplo, en el análisis de la oferta y la demanda es frecuente introducir el supuesto de *ceteris paribus*, es decir, suponer que ninguno de los determinantes de la cantidad demandada u ofrecida cambian, con la única excepción del precio.

CFPA *Cash flow por acción.*

Chart (*Chart*) En el análisis técnico bursátil, gráfico que representa en un eje de coordenadas la evolución de las cotizaciones de un título en un período de tiempo, indicando en el eje vertical los precios y en el horizontal el tiempo, y comparándolas con el volumen de contratación que se representa igualmente en el gráfico.

Chartismo (*Chartism*) Técnicas de análisis bursátil cuyo objetivo consiste en predecir las cotizaciones bursátiles mediante la traducción a representaciones gráficas, *charts*, de las cotizaciones de los valores y los volúmenes de contratación.

Cheque (*Check*) Título cambiario que incorpora el mandato puro de pago contra una cuenta bancaria.

Cherry picking (*Cherry picking*) Comportamiento de los participantes en los mercados de productos derivados que tiende a cumplir sólo aquellos contratos donde la posición propia resulte positiva, mientras que incumplen aquellos donde ocurre lo contrario.

Chicharro (*Non blue chip stock*) En el argot bursátil, valores de segunda fila, de elevado riesgo. Se trata de una clase de valores sometidos a una fuerte volatilidad unido a una escasa liquidez, lo que los configura como unos valores con un elevado índice de riesgo. Generalmente se corresponden con sociedades de acusados problemas financieros, incluso en situación de suspensión de pagos. La razón de su contratación por los inversores es su baja cotización, que probablemente no podrá disminuir, ante la expectativa, aun poco probable, de una posterior subida. El más grave inconveniente es su liquidez ante la posibilidad de no encontrar comprador en caso de enajenación.

CHIPS (*Clearing House Interbank Payments System*) Sistema informático con el que operan los bancos de Nueva York para liquidación de pagos internacionales.

Chooser option (*Chooser option*; *As-you-like option*) Opción en la que el tenedor dispone de un derecho suplementario durante la vida o, hasta un momento determinado, de la misma, tanto si se trata de una opción *put* o *call*. El precio de ejercicio, vencimiento, tipo de opción (americana o europea) y el activo subyacente, se fijan en el momento de la emisión.

Ciclo bursátil (*Stock exchange cycle*) Fluctuación larga y básica de las cotizaciones bursátiles.

Ciclo económico (*Economic cycle*) Evolución rítmica en la economía mundial caracterizada por sucesivos períodos de prosperidad y decadencia, de expansión y contracción simultánea en todas las industrias del país. Los economistas han querido observar unos ciclos repetitivos, en los que primeramente se da una época de expansión y bonanza económica para pasar un período de caída y recesión de la que vuelve a surgir una nueva era de bienestar.

Ciclo político (*Political cycle*) Ciclo económico causado por las acciones emprendidas por los políticos para aumentar las probabilidades de reelección.

Cierre (*Close*) Momento en que termina oficialmente la contratación en Bolsa. Cambio de cierre es la última cotización de un valor.

Cierre bancario (*Bank holiday*) En UK, vacaciones oficiales como navidades, semana santa, etc., en los que cierran los mercados financieros.

Cierre de posición (*Closing position*) En el argot del mercado de divisas, se refiere a cubrir o equilibrar una posición abierta, activa o pasiva, mediante operaciones de signo contrario. || En el lenguaje de los mercados de futuros y opciones tiene uno de los siguientes significados: cancelación de una obligación vigente de entrega o recepción a plazo mediante otorgamiento de contrato normalizado, que genera una obligación inversa o compensatoria de una preexistente, o bien, cancelación mediante cumplimiento de la obligación al vencimiento.

Cierre patronal (*Lock-out*) Cierre temporal de una fábrica u oficina para privar a los trabajadores de sus empleos. Es un instrumento de negociación que se utiliza algunas veces en los conflictos laborales. Es el equivalente de la huelga para los empleados.

Cifra de negocios (*Sales*; *Turnover*) Volumen de ventas de un negocio. || Cifra de negociación en relación con el valor de una cartera. || Volumen de negocio de un título o del mercado en su totalidad o número de acciones o bonos que han cambiado de propietario en un día de negociaciones.

Cilindro (*Cylinder*) Es un instrumento de cobertura del riesgo de cambio. Es el equivalente del *collar* en la cobertura del riesgo de interés. La amplitud del cilindro estará determinada por el tamaño del tipo de cambio máximo, *ceiling*, y por la prima pagada. Se dice que la estrategia seguida es de bajo riesgo cuando la amplitud del cilindro es pequeña. Si la amplitud fuese nula, nos encontraríamos ante un contrato a plazo ordinario sin riesgo.

CIR *Véase* CENTRAL DE INFORMACIÓN DE RIESGOS.

Circulación fiduciaria (*Legal tender*) Volumen de billetes y moneda metálica en circulación en un país.

Circulación monetaria (*Monetary circulation*) Supone la circulación de dinero en sus diferentes modalidades. Junto a la circulación de bienes y servicios configuran la totalidad de la circulación económica. Es un concepto flujo que no debe confundirse con el de dinero circulante, que es un concepto fondo.

Circulante (*Current*) Se utiliza generalmente para hacer referencia al activo monetario de un país, medible por la circulación fiduciaria o más ampliamente por la oferta monetaria.

|| En contabilidad, calificativo de las partidas de balance cuya rotación es menor al período medio de maduración de la empresa. *Véase* CAPITAL CIRCULANTE.

Circulares (*Circulars*) Disposiciones interpretativas o aclaratorias de las Leyes y demás disposiciones en materia tributaria en España. La facultad de dictarlas corresponde el Ministerio de Hacienda, quien las publicará en el *BOE*. Son de obligado cumplimiento para los órganos de gestión de la Administración Pública.

Circulares del Banco de España (*Bank of Spain circulars*) La nueva Ley de Disciplina e Intervención de las Entidades de Crédito faculta al Banco de España, para el adecuado ejercicio de las competencias que le atribuye dicha Ley y otras relacionadas con las actividades de las entidades de crédito, dictar las disposiciones necesarias para el desarrollo o ejecución de la regulación contenida en las disposiciones generales aprobadas por el Gobierno, siempre que, además, dichas normas le habiliten de modo expreso para ello. *Véase* BANCO DE ESPAÑA.

City (*City*) Es el corazón financiero de Londres, donde se ubica la Bolsa o *Stock Exchange* de Londres.

Clasificación (*Bracketing*) Diferenciación entre los colocadores según su función: *lead manager*, *co-manager*, *underwriter*, *participant* o *selling group member* y los importes de sus compromisos en una operación sindicada.

Clasificado (*Classifield*) Se dice del valor cuyo propietario pretende conservarlo en su cartera para obtener una renta durante largo tiempo.

Cláusula adicional (*Rider*) Cláusula escrita añadida a una póliza de seguro que altera la política de cobertura, plazos o condiciones. En general, algo añadido a un texto.

Cláusula a la orden (*Order clause*) Cláusula incluida en letras de cambio, cheques y pagarés, indicativa de su transmisibilidad por endoso.

Cláusula antidilución (*Antidilution clause*) Es aquella que suele garantizar a los suscriptores de obligaciones convertibles que las condiciones de conversión pactadas no van a ser alteradas por la posterior emisión de títulos de la sociedad que produzca una dilución de los recursos propios que sirvieron de base para fijar las relaciones de conversión o canje. *Véase* DILUCIÓN.

Cláusula de amortización anticipada (*Optional redemption*) Es aquella que permite la amortización prematura de un título a precios y fechas prefijadas. El empréstito puede amortizarse por iniciativa del emisor, *call option*, o por iniciativa del acreedor, *put option*.

Cláusula de insolvencia cruzada (*Cross-default clause*) Cláusula, habitual en los contratos de préstamo, que estipula que el impago de cualquier préstamo por el prestatario será considerado como impago de todos los demás préstamos, a efectos de resolución del contrato. Con esta cláusula se pretende evitar que un emisor dé un trato más favorable a unos prestamistas que a otros.

Cláusula de nación más favorecida (*Most favoured nation clause*) Cláusula de un tratado comercial que obliga a un país a no imponer barreras arancelarias a las importaciones provenientes de un segundo país más altas que las impuestas a las compras de cualquier otro país.

Cláusula de opción sobre divisa (*Currency option clause*) Cláusula incluida en algunos contratos de eurobonos por la que se otorga a los inversores la posibilidad de recibir la amortización del principal y el pago de los intereses en una segunda moneda.

Cláusula de penalización (*Penalty clause*) Cláusula en los contratos de préstamos y de ahorro por la que se prevén penalizaciones en el caso de que no se mantenga el contrato.

Cláusula de protección (*Protective convenant*) Restricciones particulares acordadas con el emisor para proteger los derechos del acreedor.

Cláusula de revisión de tipo de interés (*Interest adjustment rate clause*) Cláusula por la que el tipo de interés se reajusta en períodos concretos a un tipo de interés de mercado.

Cláusula de salvaguardia de garantía (*Negative pledge clause*) Compromiso por parte de un emisor o prestatario de no ofrecer mejor protección a otros prestamistas, por nuevas emisiones o préstamos, sin ofrecer una protección equivalente a los prestamistas actuales.

Cláusula gross-up (*Gross-up clause*) Cláusula que estipula que el deudor tiene que realizar pagos adicionales al acreedor para compensar las retenciones fiscales u otras tasas que reducen los fondos realmente recibidos por el acreedor.

Cláusula multidivisa (*Multicurrency clause*) Cláusula incluida en algunos créditos en divisas que otorgan al prestatario la facultad de elegir entre varias divisas, especificadas de antemano, al comienzo de cada período de interés.

Cláusula pari-passu (*Pari-passu clause*) Aquella que se hace constar en contratos de préstamo o empréstito, por la cual el prestatario asume el compromiso de no otorgar a cualquier nuevo acreedor determinadas garantías o condiciones más beneficiosas, si no se reconocen las mismas a los prestamistas en cuyo contrato figura esta cláusula.

Cláusula restrictiva (*Covenant*) *Véase* GARANTÍA.

Cláusula valor moneda extranjera (*Foreign currency clause*) Cláusula de estabilización monetaria incluida en los contratos por la que el deudor se obliga a pagar al vencimiento una suma en moneda nacional con arreglo a la cotización oficial que tenga una moneda extranjera en los mercados de divisas el día del cumplimiento.

Clawback option (*Clawback otion*) En una oferta pública de venta de acciones, es la opción, ejercitable por el emisor o el vendedor, para trasvasar un número de acciones desde el tramo internacional para su colocación en el tramo nacional.

Clearing bank (*Clearing bank*) Banco de compensación a través del cual se centran las operaciones de compensación de fondos y títulos de los restantes intermediarios financieros. En España, es el Banco de España el que realiza funciones de compensación entre bancos (mercado de regulación monetaria e interbancario, compensación bancaria, títulos, etc.).

Clear market (*Clear market*) Cláusula por la cual un prestatario no puede colocar otra operación similar en el mercado mientras se esté colocando la anterior.

Club de inversión (*Investment club*) Comunidad o sociedad civil de pequeños inversores donde sus componentes realizan aportaciones periódicas con la finalidad de efectuar inversiones en Bolsa.

CNMV *Véase* COMISIÓN NACIONAL DEL MERCADO DE VALORES.

COB *Commission des Operations de Bourse.*

Cobertura (*Hedging*) En los mercados de valores, de divisas y las operaciones de crédito se hace referencia a la cobertura cuando se minimiza un riesgo mediante una operación en la que el riesgo se produce en dirección inversa, por lo que generalmente estas coberturas originan operaciones opuestas en el mercado de futuros u opciones. La cobertura indica el margen de seguridad para el servicio de la deuda. Se expresa como múltiplo o porcentaje de los beneficios del emisor respecto al servicio de la deuda. || Desde el punto de vista bursátil, son los fondos solicitados al cliente por el miembro del mercado para realizar una operación de compra y con el fin de cubrir diferencias que puedan originarse en determinadas operaciones (a plazo, en descubierto, a crédito, etc.). La legislación suele establecer, en estas operaciones, una cobertura mínima, pudiendo la Sociedad Rectora de la Bolsa establecer coberturas superiores a esos límites. || En el mercado de futuros, se entiende por cobertura la adquisición o venta de una posición en el mercado como sustituto para la venta o adquisición de un título en el mercado de dinero. El objetivo de una cobertura en este mercado consiste en que cualquier variación del precio del activo sea controlada por una variación de sentido opuesto en el precio del futuro. *Véase* HEDGING.

Cobertura artificial (*Artificial hedge*) Cobertura en la que se utilizan instrumentos derivados para la eliminación de un determinado riesgo que afecta a las posiciones que se mantienen al contado. *Véase* COBERTURA NATURAL.

Cobertura con cesta (*Basket hedge*) Técnica de cobertura en una cartera con riesgo de cambio mediante la utilización de una cesta compuesta por las tres o cuatro divisas más líquidas, en una proporción tal que la cesta guarde una correlación suficiente con el conjunto de las divisas que se pretende cubrir.

Cobertura corta (***Short hedge***) En el mercado de futuros consiste en el mantenimiento de una posición corta en futuros y larga en el activo financiero con objeto de protegerse contra posibles descensos del precio de este último. Posteriormente el coberturista deseará vender el activo y recomprar los futuros, con lo que cerrará ambas posiciones. Si a lo largo del período el precio del activo desciende más rápido que el del futuro, el coberturista obtendrá una ganancia neta.

Cobertura coste cero (***Zero cost hedge***) Operación por la que un inversor compra una opción *put* contra una cartera y vende una opción *call* sobre la misma cartera, de manera que el coste de las dos transacciones se compensan entre sí (de aquí coste cero). La opción *put* provee la cobertura contra cualquier erosión del valor corriente de la cartera. La opción *call* se utiliza para financiar el coste de la opción *put*.

Cobertura cruzada (***Cross hedge***) En el mercado de futuros, cobertura realizada a base de utilizar contratos de futuros sobre otros activos financieros semejantes. Es el caso más común en operaciones de renta fija.

Cobertura de dividendo (***Dividend cover***) Margen del beneficio total que excede del que se reparte (dividendo), es decir, importe de lo que excede al beneficio repartible.

Cobertura de forward (***Forward cover***) Proceso que consiste en cubrir futuros pagos o cobros, vendiendo en el momento, en el mercado de futuros, la divisa requerida para un cobro o comprando en el momento la divisa requerida para un pago cuyo vencimiento es futuro. Este tipo de coberturas es particularmente útil en mercados de divisas con tipos volátiles.

Cobertura de intereses (***Interest charges coverage***) Ratio que indica el número de veces que el flujo de caja generado por una empresa contiene las cargas financieras a pagar por la misma en un período determinado.

Cobertura delta neutral (***Delta neutral hedge***) Estrategia de cobertura con opciones, en la que el número de opciones necesarias para eliminar el riesgo del activo subyacente es calculado de forma tal que la posición total sea insensible a los movimientos del precio del activo subyacente.

Cobertura directa (*Direct hedge*) Cuando se realiza un contrato de futuros sobre el activo financiero que se posee.

Cobertura larga (*Long hedge*) Adquisición de un contrato de futuros sobre un activo financiero que se pretende poseer en el futuro con el objeto de cubrirse ante cambios inesperados en el precio de dicho activo. También se le llama cobertura comprada.

Cobertura líquida (*Cash hedge*) En el mercado de futuros, cobertura que implica cubrir una posición existente en el mercado de dinero.

Cobertura natural (*Natural hedge*) Técnicas utilizadas por una empresa para reducir por sí misma su exposición a un determinado riesgo, sin recurrir a los mercados financieros. Sería el caso de una empresa que modifica sus posiciones de activo y pasivo o que altera su estructura de cobros y pagos. *Véase* COBERTURA ARTIFICIAL.

Codirector principal (*Co-lead manager*; *Joint lead manager*) Un director de una emisión que participa en algunas de las funciones del *Lead-Manager*. Normalmente tiene una parte en el *praecipium*, pero no lleva el libro de la emisión. *Véase* PRAECIUM.

Codirectores (*Co-managers*) En la organización de una emisión o un préstamo sindicado en los que existe más de un director, *lead manager*, los miembros del grupo asegurador y colocador que comparten un papel relevante se conocen como codirectores.

Coeficiente alfa (*Alpha coefficient*) Coeficiente que indica el riesgo asociado a un valor concreto, debido a sus propias características, en relación con el conjunto del mercado. Se utiliza para la evaluación de la gestión de una cartera en la que se compara el rendimiento obtenido por ésta con el rendimiento obtenido para un determinado parámetro de referencia, como puede ser un índice bursátil. Una alfa positivo indica que el gestor ha obtenido un rendimiento superior al del índice. *Véase* RIESGO ESPECÍFICO.

Coeficiente beta (*Beta coefficient*) Es el coeficiente que indica la volatilidad o riesgo sistemático de la rentabilidad de un título en relación a la variación de la rentabilidad del mercado. Si la beta del título es mayor que uno tiene una volatilidad superior a la del mercado y se denomina agresivo. Si, por el contrario, la beta es menor que uno se le denomina defensivo. *Véase* RIESGO DE MERCADO y VOLATILIDAD.

Coeficiente de caja (*Cash ratio*) Relación mínima que deben mantener las instituciones del sistema bancario entre sus activos líquidos y los depósitos y otros pasivos incluidos en el cómputo del coeficiente. *Véase* ACTIVOS DE CAJA DEL SISTEMA BANCARIO.

Coeficiente de correlación (*Correlation coefficient*) Medida estadística del grado en que están relacionados los movimientos de dos variables.

Coeficiente de garantía (*Capital adequacy ratio*) En términos financieros, relación entre el crédito concedido y el importe estimado de la garantía otorgada. ‖ En el ámbito bancario, relación mínima establecida por la autoridad monetaria entre los recursos propios de una institución financiera de depósito y sus riesgos, como forma de garantizar su nivel de solvencia. *Véase* COEFICIENTE DE RECURSOS PROPIOS.

Coeficiente de inversión obligatoria (*Obligatory investment coefficient*) Porcentaje mínimo de inversiones obligatorias que las instituciones de crédito deben mantener en relación con sus saldos acreedores, en Fondos Públicos y Créditos Especiales. En España este coeficiente ha experimentado un período de gradual reducción, desapareciendo en 1992.

Coeficiente de liquidez (*Acid test ratio*) Relación entre el activo circulante y el pasivo circulante, que indica la capacidad de la empresa de hacer frente a compromisos de pago a corto plazo.

Coeficiente delta (*Delta coefficient*) Representa el cambio que se produce en el valor de una opción debido a un cambio marginal en el valor del activo subyacente y, en consecuencia, la cantidad de nocional utilizado en la opción que tiene que ser comprado (vendido) por el emisor de una opción *call* (*put*) para cubrir el riesgo de elevación del precio del activo. Es la probabilidad de que la opción venza *in the money*. *Véase* DELTA INMUNIZACIÓN.

Coeficiente de recursos propios (*Shareholder's equity coefficient*) Mediante el coeficiente de recursos propios, el Banco de España intenta regular la solvencia de las entidades financieras a través de la obligación de mantener un volumen suficiente de recursos propios en relación con las inversiones realizadas y los riesgos asumidos. *Véase* COMMITTEE ON BANKING REGULATIONS AND SUPERVISORY PRACTICES.

Coeficiente de volatilidad (*Volatility coefficient*) *Véase* COEFICIENTE BETA.

Coeficiente gamma (*Gamma coefficient*) Mide el efecto que la inestabilidad del mercado produce en el valor del coeficiente delta cuando el precio de la acción varía en una unidad.

Coeficiente kappa (*Kappa coefficient*) Indica el cambio en el precio de una opción con respecto a una variación producida en la volatilidad de la acción. Alcanza su valor máximo en la zona *At the money*.

Coeficiente lambda (*Lambda coefficient*) Mide el porcentaje del cambio del precio de la opción ante una variación del 1 por 100 del precio de la acción subyacente. Mide, por lo tanto, la elasticidad precio de la opción respecto al de su acción correspondiente.

Coeficiente rho (*Rho coefficient*) Indica la sensibilidad del precio de la opción debida a los cambios en el tipo de interés libre de riesgo, es decir, mide la cobertura de la opción respecto al tipo de interés.

Coeficiente theta (*Theta coefficient*) Mide la variación en el precio de una opción como consecuencia de una variación en el tiempo que resta para su vencimiento. Es, por lo tanto, una medida del deterioro temporal: un theta positivo es indicativo de una posición cuyo valor aumenta con el paso del tiempo.

CGT United Kingdom capital gains taxation.

Colateral (*Collateral*) Activo que se utiliza como garantía para respaldar un crédito o una emisión de bonos.

Collar (*Collar*) Es un producto financiero inspirado en las opciones sobre tipos de interés. Con objeto de paliar el inconveniente del coste de la prima por adquisición de una opción *call* o *floor*, es posible combinar ambos productos financieros para formar un *collar*, de forma que la prima pagada por la compra de uno de ellos sea reducida por la venta del otro. Es un acuerdo por el que el comprador posee una cobertura contra las subidas de tipos de interés y la obligación de pagar al vendedor del *collar* si el tipo indexado desciende por debajo del *floor*.

Collar coste cero (*Zero cost collar*) Un *collar* en el que el precio del componente vendido es el mismo que el de la parte comprada.

Collar swap (*Collar swap*) Operación de canje de un título a interés fijo por un título a interés flotante el cual devenga un interés máximo y mínimo.

Colocación asegurada (*Underwritten placement*) Emisión de la que se hace cargo un banco o conjunto de ellos, obligándose a colocar la totalidad de los títulos emitidos o comprar los que queden sin suscribir. *Véase* COLOCACIÓN.

Colocación de una emisión de acciones (*Placing*) Método de venta de acciones que consiste en repartirlas entre un número pequeño de instituciones financieras importantes. La colocación puede ser pública o, más frecuentemente, privada. Este sistema de colocación es más barato que una oferta de venta.

Colocación directa (*Direct placement*) Venta de una emisión mediante su colocación en uno o varios inversores institucionales.

Colocación privada (*Private placement*) En los euromercados y en los mercados domésticos, es la forma de indicar que una emisión de bonos, obligaciones, pagarés o cualquier otro tipo de títulos de deuda se adjudica a un número limitado de inversores, incluso a uno solo, en lugar de ofrecerla públicamente. Este procedimiento de colocación privada evita retrasos y costes adicionales, e incluso en algunos países como en EE.UU., se suaviza el cumplimiento de ciertos requisitos legales. *Véase* COLOCACIÓN Y COLOCACIÓN ASEGURADA.

Colocación restringida (*Private loans*) La colocación restringida se produce cuando una emisión se ofrece tan sólo a un círculo de compradores escogidos. Las condiciones de la emisión se adaptan, por lo general, a los requerimientos de los inversores. *Véase* COLOCACIÓN PRIVADA.

Colusión (*Collusion*) Pacto o acuerdo entre dos o más personas físicas o jurídicas, celebrado de forma secreta o fraudulenta, con el ánimo de dañar, perjudicar o engañar a un tercero.

Colusión tácita (*Tacit collusion*) La adopción de una política común por parte de los vendedores sin un acuerdo explícito. *Véase* COLUSIÓN.

Comandita (*Silent partnership*) Sociedad mercantil integrada por socios colectivos y socios comanditarios. Se aplica también para designar la parte de capital que le corresponde a cada uno de los socios capitalistas en esta sociedad.

Comercio bilateral (*Bilateral trade*) Organización de los intercambios internacionales mediante sendos acuerdos directos entre dos Estados.

Comercio de Estado (*State trading*) Aquella parte del comercio exterior que el Estado se reserva para sí. Aquel comercio que se efectúa por los Organismos dependientes del Estado.

Comercio liberalizado (*Liberalized trade*) Tipo de relaciones comerciales internacionales en las que no se establecen contingentes o cupos a la importación o exportación. No significa, en modo alguno, que no existan aranceles ni que la Administración no tenga que autorizar la oportuna licencia.

COMEX *Commodity Exchange*.

Comisión (*Commission*; *Fee*) Honorarios recibidos por los colocadores y por otros agentes que operan en los mercados, en la emisión y compra-venta de valores. Las hay de tipo fijo, pagaderas generalmente al comienzo de la operación, y variables, pagaderas durante la vigencia del préstamo de acuerdo con su evolución.

Comisión bancaria (*Bank commissions*) Remuneración de carácter fijo o variable que cobra un banco por la prestación de servicios. Normalmente las comisiones son un porcentaje de la operación, con una cantidad fija mínima para las operaciones de pequeño volumen.

Comisión de adquisición (***Take-up fee***) Comisión percibida por los bancos aseguradores por cada título de la emisión que se vean obligados a comprar.

Comisión de agencia (***Agency fee***) Retribuye la labor de gestión y seguimiento del préstamo. Es de tipo variable. Suele pagarse anualmente y calcularse en puntos básicos sobre el total del préstamo.

Comisión de aseguramiento (***Underwriting fee***) Es la comisión percibida por los bancos aseguradores en una emisión o una colocación como compensación por su labor, en función de sus compromisos aseguradores.

Comisión de cotización (***Listing fee***) Es la comisión que debe pagar una empresa al organismo regulador de un mercado bursátil para que sus acciones puedan ser cotizadas en él.

Comisión de custodia (***Depositary fee*****;** ***Transfer agent fee***) Comisión que cobra una institución financiera por la custodia y administración de valores mobiliarios. No suele incluir asesoramiento financiero pero sí gestión de cobro de dividendos y primas de asistencia a Juntas.

Comisión de dirección (***Management fee***) Es un componente del coste de un préstamo sindicado. Retribuye la labor de organización del crédito que asume el banco correspondiente. Suele ser de tipo fijo y se paga al comienzo de la operación. En una Oferta Pública de Venta (OPV) de acciones es una comisión que compensa a los directores aseguradores por la estructuración, organización y dirección de la oferta.

Comisión de disponibilidad (***Facility fee***) En un préstamo sindicado es la comisión equivalente a la suma de la comisión de mantenimiento, cargada por los fondos no dispuestos y la comisión de aseguramiento, cargada por los fondos dispuestos efectivamente.

Comisión de mantenimiento (***Commitment fee***) Pago efectuado a un prestamista como remuneración por garantizar la disponibilidad permanente de un préstamo hasta una cierta cantidad. Forma parte del coste de un préstamo sindicado. Es de tipo variable. Es una retribución sobre las cantidades no dispuestas. *Véase* COMISIÓN DE DISPONIBILIDAD.

Comisión de participación (*Participation fee*) Forma parte del coste de un préstamo sindicado. Es de origen fijo y retribuye la mera función de prestamista.

Comisión de venta (*Selling commission*) Comisión pagada a las instituciones financieras que actúan como intermediarios en la colocación de nuevas emisiones.

Comisión Nacional del Mercado de Valores. CNMV (*Spanish Securities and Exchange Commission*) Entidad española de derecho público y con personalidad jurídica propia, creada por la Ley de Reforma del Mercado de Valores de 1988, que tiene entre sus funciones las de ordenación, supervisión e inspección, tanto respecto a los mercados de valores como a la actividad de las personas físicas y jurídicas, que se relacionen con ellos. Está regida por un Consejo, en cuya cabeza hay un presidente nombrado por el Gobierno.

Comisionista (*Broker*) Persona que se emplea en desempeñar comisiones mercantiles. Generalmente su remuneración es proporcional. *Véase* MEDIADOR.

Comisionista de Bolsa (*Stockbroker*) Miembro de una Bolsa que puede asesorar a los inversores así como comprar y vender acciones en nombre de ellos.

Comisión por ruptura (*Break up fee*) Comisión que paga una empresa amenazada de OPA hostil (*véase*) en proceso de negociaciones, en caso de ruptura de éstas. En el supuesto de que haya otra puja superior, es aquella que se paga con el fin de cubrir los gastos que haya realizado el «tiburón financiero».

Comité monetario (*Monetary Committee*) Organo consultivo de las Comunidades Europeas, creado en virtud de lo acordado por el Tratado de Roma, compuesto por dos miembros de la Comisión y dos más por cada uno de los Estados miembros. Su objetivo es fomentar la coordinación de las políticas monetarias de los Estados miembros en la medida necesaria para el funcionamiento del mercado común.

Commercial paper (*Commercial paper*) Activos financieros emitidos por empresas privadas a corto plazo y colocados al descuento en el mercado para hacer frente a su déficit estacional de tesorería o inversiones a muy corto plazo (entre 2 y 720 días). *Véase* EUROCOMMERCIAL PAPER.

Commitment (***Commitment***) Cantidad en la que se compromete un banco a disponer como participación en un préstamo sindicado.

Committee on Banking Regulations and Supervisory Practices Comité del Banco Internacional de Compensación o Banco de Basilea, conocido como Comité de Basilea, Ratios de Basilea o Ratios Cooke. Se ocupa de la supervisión de la banca internacional tomando medidas con el fin de asegurar que los bancos puedan resistir *shocks* financieros, así como evitar discrepancias entre las normativas de los diferentes países. Propone una fórmula, basada en activos sin riesgo para medir una adecuada capitalización de los bancos y establecer los requerimientos mínimos de capital: un ratio del 8 por 100 del capital total por riesgo de activo.

Commodities (***Commodities***) Bienes a granel, como metales, petróleo, granos y alimentos negociados en una Bolsa de *commodities* o en el mercado *spot*.

Compensación bancaria (***Bank clearing***) Simplificación diaria de las bases de las operaciones de cobros y pagos interbancarios consistente, primeramente, en llegar a un saldo total a liquidar por cada entidad bancaria con las demás y, posteriormente, calcular la transferencia neta o liquidación global de la plaza. ‖ Transferencia de cheques del banco en el cual son depositados al banco contra el cual figuran girados, calculando los saldos netos a que den lugar.

Compensación de órdenes (***Orders compensation***) Se dice que las órdenes quedan compensadas cuando son recibidas por los agentes que operan en los mercados de valores, siempre que ambas se refieran a la misma cuantía y a los mismos títulos, es decir, que coincidan la oferta y la demanda.

Compensar (***Compensate***) Extinguir dos o más deudas o créditos recíprocos cuando éstos son de igual naturaleza y cuantía.

Competencia (***Competition***; ***Competence***) En un mercado, la competencia se genera mediante el juego de la oferta y la demanda sobre un determinado valor, o bien, cuya cotización esté admitida en dicho mercado. En general, la competencia no es perfecta, puesto que una serie de circunstancias y reglamentos dosifican o desvirtúan el libre ejercicio de la competencia. *Véase* COMPETENCIA PERFECTA Y COMPETENCIA IMPERFECTA.

Competencia de eliminación (*Cutthroat competition*) Vender a un precio por debajo de los costes con el objetivo de arrojar a los competidores fuera del mercado y entonces subir precios para obtener beneficios de monopolio.

Competencia desleal (*Unfair competition*) Conductas, prácticas y actividades contrarias a las normas de corrección y buenos usos mercantiles, que implican confusión, colusión o denigración y que falsean la libre competencia en el juego de las relaciones económicas.

Competencia imperfecta (*Imperfect competition*) Situación del mercado en la que, al menos un vendedor es lo suficientemente grande como para influir en el precio de un bien, de tal manera que no funcionan correctamente los mecanismos del mercado o de competencia perfecta. En teoría económica, la competencia imperfecta se asocia a cualquiera de los tipos de imperfección del mercado: monopolio, oligopolio, competencia monopolística, etc.

Competencia monopolista (*Monopolistic competition*) En teoría Económica, situación de mercado en la que existe un gran número de vendedores u oferentes con productos parecidos, que son sustitutivos cercanos, pero no perfectos, por lo que cada empresa puede tener una pequeña influencia en el precio del bien.

Competencia perfecta (*Perfect competition*) Mercado con muchos compradores y vendedores, en el cual ningún comprador o vendedor individual ejerce influencia decisiva sobre el precio. Es decir, compradores y vendedores son «aceptadores» de precios, existe un perfecto conocimiento de las condiciones generales del mercado y hay libre movilidad de los recursos productivos.

Cómplice (*Aider*) Persona que ayuda a proporcionar información privilegiada sobre una empresa asediada, con el fin de obtener su control.

Compra apalancada (*Leveraged buy out*) Compra de una empresa mediante un crédito garantizado con los activos de dicha empresa. La devolución del préstamo se realiza con cargo a los flujos de caja futuros de la misma. *Véase* ADQUISICIÓN DE EMPRESAS POR LA DIRECCIÓN.

Compra bootstrap (*Bootstrap adquisition*) Término utilizado en las absorciones de tipo amistoso. Ante una amenaza de OPA hostil (*véase*), la empresa asediada intercambia parte de sus activos por las acciones de los accionistas partidarios de la OPA. A continuación vende el resto de los activos de la empresa a una compañía amiga, consiguiendo así ésta el 100 por 100 de la empresa asediada por una cantidad menor que la que hubiese tenido que pagar en otro caso. La empresa asediada ha financiado parcialmente el proceso de su absorción.

Compra de apoyo al mercado (*Supporting purchase*) Conjunto de adquisiciones realizadas en el seno del mercado financiero con el fin de mantener las cotizaciones de los títulos de una forma artificial, evitando de esta manera una caída en el índice o en el precio de los mismos.

Compra de cobertura (*Short covering*) Operación mediante la cual aquellos que habían vendido previamente un activo en descubierto lo recompran para cubrir su posición.

Compra de intervención (*Intervention purchase*) Operaciones que realizan las Autoridades Monetarias en cada país, cuyo objetivo consiste en equilibrar el mercado, mantener los precios acordes con la política monetaria llevada a cabo y evitar las fluctuaciones de tipos de cambio de la moneda.

Compra de una empresa por sus empleados (*Employees buy out. EBO*) Operación financiera por la que los propios empleados de la empresa toman el control mediante su compra. Cuando la operación se efectúa con apalancamiento se denomina *leveraged employees buyout*, o LEBO.

Compra de una opción de compra sintética (*Long synthetic call*) Compra conjunta de un activo al contado y de una opción de venta referida a dicho activo. De este modo se cubre el riesgo de una posible bajada del precio del activo y, a cambio, los beneficios en caso de subida del mismo se verán reducidos por el coste de la opción de venta.

Compra de una opción de venta sintética (*Long synthetic put*) Venta en descubierto de un activo junto con la compra de una opción de compra referido al mismo. Con ello se cubren las pérdidas derivadas de una posible subida del precio del activo a cambio de que los beneficios en caso de reducción del precio del activo se vean disminuidas por el coste de la opción de compra.

Comprador (*Buyer*; *Payer*; *Taker*) Nombre utilizado para el comprador de una opción *call* o *put*. También puede referirse al tenedor de una opción.

Compraventa con opción (*Put and call option*) Se trata de una operación bursátil a plazo por la que cualquiera de las partes tiene el derecho a exigir la entrega o recepción (dependiendo de donde provenga la solicitud) de un número igual, o múltiplo del mismo, de valores de la misma clase que los expuestos en las condiciones iniciales de la operación, mediante una diferencia a cargo del solicitante por el cambio cotizado para el mismo valor a plazo en firme.

Compromiso bancario de emisión de euronotas (*Euronote facility*) Facilidad crediticia que permite a un prestatario emitir pagarés en el Euromercado, al descuento y con vencimiento a corto plazo, mediante una diversidad de procedimientos de distribución entre inversores potenciales. Incorpora la cobertura de un compromiso a medio plazo del sindicato bancario que asume la colocación del producto, con emisiones por tramos y una rotación de los vencimientos, de conformidad con el plan de disponibilidad de fondos propuesto por el prestatario. Dicho plan es aceptado por el grupo bancario que adquirirá los pagarés que no puedan colocar entre los inversores, a un tipo de descuento prefijado o deduciendo un margen sobre el Libor.

Compromiso asegurador (*Underwriting commitment*) Es el conjunto de derechos y obligaciones que asume un banco asegurador en una emisión en el Euromercado. En una oferta pública de venta (OPV), es el número de títulos al que se obliga a colocar o comprar un asegurador.

Compromiso de colocación (*Back stop agreement*) Crédito de inmediata disposición que acompaña a una emisión en el Euromercado y que sirve como garantía para el caso de que dicha emisión no pudiese colocarse.

Computable (*Computable*) En el ámbito bancario, dícese de las partidas o inversiones que se pueden incluir en los coeficientes legales de las entidades pertenecientes a dicho sector.

Comunidad Económica Europea. CEE (*European Economic Community. EEC*) Unión económica de la que forman parte quince países europeos, incluyendo a España. Se le conoce también como Mercado Común, o por las iniciales CE o UE. Supone la eliminación de los aranceles y otras trabas al comercio de bienes entre sus miembros y la adopción de una tarifa arancelaria común frente a terceros países. La UE está actualmente evolucionando hacia la unión económica y monetaria plena. Junto con la CECA y la CEEA forma las Comunidades Europeas. *Véase* UNIÓN ECONÓMICA Y MONETARIA Y EUROPEA Y UME-II.

Con dividendo (*Cum dividend*) Acciones que se venden con el derecho a percibir el dividendo corriente.

Cóndor (*Condor*) En el mercado de opciones, es un tipo de *spread* basado en la combinación de opciones con cuatro precios de ejercicios distintos al mismo vencimiento. Lo mismo que la mariposa, el cóndor es una estrategia de especulación de volatilidades con bajo riesgo y es muy utilizada en los mercados más desarrollados.

Cóndor comprado (*Long condor*) Es una operación mediante la cual se combina la compra de dos opciones de compra, una con un precio de ejercicio alto y la otra con un precio de ejercicio bajo, y la venta de dos opciones de compra, una con un precio de ejercicio medio alto y otra con un precio de ejercicio medio bajo. Se utiliza cuando se anticipa estabilidad en el precio del activo subyacente. *Véase* CÓNDOR VENDIDO.

Cóndor vendido (*Short condor*) Es una operación mediante la cual se combina la venta de dos *calls*, una con un precio de ejercicio alto y la otra con un precio de ejercicio bajo, y la compra de dos *calls*, una con un precio de ejercicio medio alto y la otra con un precio de ejercicio medio bajo. Se utiliza cuando la previsión es de fuerte volatilidad del mercado. *Véase* CÓNDOR COMPRADO.

Conglomerado (*Conglomerate*) *Véase* CONGLOMERADO EMPRESARIAL.

Conglomerado empresarial (*Company conglomerate*) Conjunto de empresas que actúan en sectores diferentes y que generalmente se ha formado mediante un proceso de fusiones y adquisiciones. Tiene como característica diferenciadora del grupo, que está formado por una compañía *holding* de la que penden diversos grupos empresariales que pertenecen a diferentes subsectores del mismo sector o a diferentes sectores. En el conglomerado la responsabilidad de cada empresa y cada grupo se trata de mantener separada, con objeto de conseguir la eficiencia, de modo que no se diluyan ni el riesgo ni los beneficios. Pese a todo, la estrategia y la planificación del conglomerado son impartidas por la empresa *holding*.

Cono (*Stradle*; *Volatility spread*) Es una de las estrategias clásicas en el mercado de opciones. Consiste en la compra o venta simultánea de un mismo número de opciones *call* y *put* con el mismo subyacente, vencimiento y precio de ejercicio. En el caso del cono comprador, el operador se beneficia de los aumentos de la volatilidad, es decir, de los movimientos significativos del precio del subyacente, con independencia de la dirección de los mismos. La venta de un cono vendedor obtiene los resultados opuestos. Cuando el operador desee construir un cono neutral deberá vender un futuro, vender el subyacente en descubierto o tomar más posición *put* para equilibrar la delta. *Véase* STRANGLE y STRAP.

Consejero (*Director*) Miembro del Consejo de Administración de una empresa. Además de marcar las directrices de la actuación y la política de la empresa en lo relativo a dividendos, fiscalizan la gerencia de la empresa y nombran a los directivos que forman el segundo escalón ejecutivo de la compañía.

Consejo de Administración (*Board of directors*) Grupo de individuos, elegidos normalmente en Junta General por los accionistas de una empresa. Está facultado para llevar a cabo tareas definidas en los estatutos de la empresa como, nombrar a la dirección de la empresa, a los miembros del comité ejecutivo, la emisión de nuevas acciones y el reparto de dividendos.

Consejo Superior de Bolsas (***Committee of the Stock-Exchange***) Organismos de enlace entre el Ministerio de Economía y Hacienda y las Bolsas y Bolsines, para el asesoramiento en materia bursátil.

Consolidación (***Consolidation***) En el lenguaje financiero y referido al crédito, la consolidación es una operación o contrato de crédito o préstamo con el que se renuevan, mediante la amortización simultánea, deudas, créditos o préstamos vencidos o a corto plazo. k Transformación de la deuda a corto plazo en deuda a largo plazo, especialmente cuando se trata de deuda amortizable con vencimiento fijo, donde, ante la imposibilidad del organismo emisor para hacer frente al pago total del empréstito, se procede a la sustitución de la deuda emitida por una nueva emisión. k En contabilidad, operaciones realizadas con el objetivo de elaborar unos documentos contables únicos pertenecientes a un grupo de empresas, entre las que existe una cierta vinculación, eliminando las operaciones comunes o realizadas entre ellas, para así reflejar la situación patrimonial y de rentabilidad del grupo de cara al exterior. *Véase* CONSOLIDACIÓN DE BALANCES.

Consolidación de balances (***Balance consolidation***) Operaciones contables dirigidas a establecer y presentar la situación patrimonial y financiera de un grupo de sociedades relacionadas entre sí por participaciones de capital. *Véase* MÉTODOS DE CONSOLIDACIÓN.

Consorcio (***Pool***) Agrupación de empresarios de un mismo sector con el fin de desarrollar una actividad u operación, diluyendo de esta manera el riesgo de esa operación. Es una figura equivalente a la de *cartel*. k Grupo de intermediarios financieros que garantizan la suscripción total del empréstito en las condiciones previstas en el contrato de emisión, *underwriting group*. *Véase* TRUST.

Consorcio bancario (***Banking consortium***) Agrupación de bancos de carácter temporal con el fin de repartir los riesgos de un crédito de gran volumen. Son muy comunes en el Euromercado y muy activos en préstamos sindicados.

Contabilidad (*Accounting*) La contabilidad es una ciencia de naturaleza económica, cuyo objeto es producir información sobre la realidad económica para hacer posible su conocimiento pasado, presente y futuro, de forma cuantitativa y mediante el uso de un método específico y peculiar como es el método contable. Esta información facilita la toma de decisiones financieras externas y de planificación y control internas.

Contabilidad creativa (*Creative accounting*; *Window dressing*) Artificio contable dirigido a disfrazar la verdadera situación financiera de una empresa.

Contabilidad nacional (*National accounting*) Sistema contable o conjunto de cuentas que permite representar, en términos macroeconómicos, la actividad económica de una nación.

Contango (*Contango*) Coste de diferir la liquidación de un título. Normalmente se añade al precio del título. || En el mercado de futuros, la prima por diferir la próxima entrega, reflejando los costes de mantener una posición física para el período de intervención: almacenamiento, seguro e intereses sobre el valor de la posición.

Contingencia fiscal (*Tax contingency*) Hechos, situaciones, condiciones o conjunto de circunstancias posibles, que, en caso de materializarse en un hecho real, normalmente por la aparición futura de uno a varios sucesos directamente relacionados con la situación inicial, pueden tener una incidencia significativa en el patrimonio empresarial y en las responsabilidades de los administradores.

Contrabono (*Back-bond*) En los Euromercados, se denomina contrabono a aquel que se crea al ejercitar un *warrant*.

Contrapartida (*Counterparty*) Cada uno de los participantes en un contrato de *swap* u otro contrato de cobertura de riesgo.

Contratación asistida por ordenador (*Program trading*) En el ámbito de los mercados financieros, todo tipo de soluciones informáticas o telemáticas en las que la contratación no se realiza de viva voz, sino mediante la transmisión de órdenes e información sobre ofertas de compras y ventas a través de un sistema conocido como «mercado continuo», «bolsa electrónica», etc. Existen diferentes sistemas y modelos de contratación. El utilizado en España, que es el *Sistema CATS*, es un modelo centralizado de contratación mediante la casación de órdenes, que también está implantado actualmente en Toronto, París, Bruselas y Lisboa, caracterizado por establecer en cada momento un único precio por cada valor. Otros sistemas, como los empleados por la Bolsa de Londres, *SEAQ* y el *NASDAQ* de EE.UU., permiten que cada miembro del mercado genere su propio submercado en el que se ofrecen precios de compra y venta, sobre los que pueden cerrarse operaciones con independencia de los precios ofertados por otros intermediarios, por lo que las cotizaciones de un mismo valor en cada momento pueden diferir. Pero éstos no son los únicos sistemas, ya que existen numerosos desarrollos de *software* realizados por las principales compañías dedicadas a la informática y telemática financiera. Estos sistemas de contratación deben estar asistidos por sistemas de información en tiempo real sobre los mercados, bien por estar integrados en los modelos de contratación o accesibles a través de las mismas pantallas o equipos conectados.

Contratación programada (*Program trading*) La contratación programada más conocida por su expresión en inglés, *program trading*, es un sistema informático experto que se encarga del arbitraje entre el mercado de acciones y los mercados de futuros y opciones. Para muchos expertos, este tipo de programa fue el causante directo de las fuertes caídas registradas en el «lunes negro».

Contrato abierto (*Open contract*) Contrato de futuros que no ha expirado ni ha sido compensado con otra operación.

Contrato de aseguramiento (*Underwriting agreement*) Acuerdo entre una empresa emisora de nuevos títulos dirigidos al público y el director asegurador como agente del grupo asegurador. Representa el compromiso del grupo asegurador de comprar los títulos no colocados. En él se detalla el precio de la oferta pública, el margen de aseguramiento incluyendo descuentos y comisiones, los fondos netos que va a recibir el emisor y la fecha de liquidación. *Véase* ACUERDO ENTRE ASEGURADORES, GRUPO ASEGURADOR Y MARGEN DE ASEGURAMIENTO.

Contrato de forward (*Forward contract*) Contrato entre dos partes por el cual se conviene el intercambio de divisas a un tipo de cambio pactado ahora, pero con entrega en una fecha futura determinada. El contrato no implica ningún desembolso inicial, liquidándose la transacción al vencimiento del contrato en un único pago realizado por una de las partes, con el objeto de compensar las oscilaciones del tipo de cambio durante la vida del contrato. La fecha de entrada puede ser especificada en el contrato, *fixed forward contract*, o puede ser elegida por el cliente entre dos fechas futuras convenientemente indicadas, *opción forward*.

Contrato de futuros (*Futures contract*) Contrato estandarizado mediante el cual las partes se obligan a comprar o vender, en una fecha futura, una determinada cantidad de un activo, denominado activo subyacente, a un precio acordado de antemano. Permite a los inversores cubrir el riesgo de los movimientos de precios adversos y a los especuladores respaldar sus previsiones con un alto grado de apalancamiento. El precio del activo se fija en el momento de su realización, pero el dinero es intercambiado por dicho activo en una fecha futura determinada.

Contrato de futuros con vencimiento más cercano (*Nearby contract*) Referencia al contrato de futuros con fecha de vencimiento más próxima.

Contrato de futuros sobre divisas (*Currency futures contract*) Contrato de futuros que permite comprar o vender una cantidad normalizada de una moneda extranjera.

Contrato de futuros sobre índices bursátiles (*Forward agreement about stock market index*) En ellos se fija el precio o nivel que alcance el índice al plazo estipulado en el contrato, realizándose la liquidación por la diferencia entre el precio de compraventa señalado en el contrato y el valor efectivo del índice en la fecha de vencimiento del contrato. Puede deshacerse la posición antes del vencimiento realizando la operación sobre el índice antes del vencimiento de la original, liquidándose al vencimiento la diferencia entre ambas. En este contrato se establece una mínima fluctuación, *tick*, que para los contratos mencionados es de 5/100 de punto.

Contrato de futuros sobre tipos de interés (*Interest rate futures contract*) Contrato de futuros sobre activos financieros cuyo valor depende directamente de los niveles de los tipos de interés.

Contrato de opción (*Option contract*) En los mercados organizados de productos derivados, se denomina así al contrato normalizado a través del cual el comprador adquiere el derecho, pero no la obligación, de comprar (*call*) o vender (*put*) el activo subyacente a un precio pactado (precio de ejercicio) en una fecha futura (fecha de liquidación). Dicho contrato se puede ejercitar sólo en la fecha de vencimiento, opción de estilo europeo, o en cualquier momento antes de la fecha de vencimiento, opción de estilo americano, según establezcan las condiciones generales de cada contrato. Puesto que la liquidación del contrato puede realizarse por diferencias, la obligación de comprar y vender se puede sustituir en ese caso por la obligación de cumplir con la liquidación por diferencias.

Contrato de préstamo (*Loan agreement*) Contrato legal firmado por el prestatario y el prestamista, que regirá la operación durante toda su vida, es decir, hasta la fecha de vencimiento.

Contrato de suscripción (*Subscription agreement*) Contrato entre el prestatario y los directores de una emisión, bajo cuyos términos los directores se comprometen a suscribir o conseguir suscriptores para la emisión en el mercado primario y el prestatario se compromete a emitir los títulos. A este contrato se adjuntan los contratos de aseguramiento y de venta.

Contrato de venta (*Selling agreement*) Contrato celebrado entre los directores de una emisión como agente del prestatario y cada miembro del grupo de venta. Especifica las restricciones impuestas a la distribución inicial de los títulos en las distintas jurisdicciones y los términos bajo los cuales deben ser vendidos. *Véase* GRUPO VENDEDOR.

Contrato marco de swap (*Master swap agreement*) Contrato entre las partes que cubre todos los *swap* negociados entre ellos. *Véase* INTERNATIONAL SWAP AND DERIVATIVES ASSOCIATION (ISDA).

Contravalor (*Countervalue*) Equivalencia en moneda nacional de una suma expresada en moneda extranjera.

Control de cambios (*Foreign exchange control*) Restricciones aplicadas por la autoridad monetaria de un país, o por el banco central, con el objeto de limitar la convertibilidad de la moneda local en otras monedas.

Controller (*Controller*) Miembro del departamento financiero de una empresa encargada de la supervisión de las funciones relacionadas con la generación del excedente económico. Ocasionalmente, adjunto al presidente de una empresa, responsable, en calidad de *staff*, de la planificación y control.

Controles cualitativos o selectivos (*Qualitative controls*) En política monetaria, controles que afectan a la oferta de fondos en mercados específicos o a las condiciones de crédito en ciertos mercados.

Controles cuantitativos (*Quantitative controls*) En política monetaria, controles que afectan a la oferta de fondos y a la cantidad total de dinero en una economía.

Convenio para evitar la doble imposición (*Double taxation agreement*) Son acuerdos firmados entre dos o más países para evitar las distorsiones originadas por la doble imposición fiscal en la ultimación de las diferentes transacciones. Existe una doble imposición en los siguientes supuestos: cuando los Estados gravan a una misma persona por su renta total (sujeción fiscal concurrente); cuando una persona residente en un Estado obtenga rentas en otro Estado y los dos Estados gravan estas rentas o, cuando dos Estados gravan a una misma persona no residente en ninguno de los dos, por las rentas provenientes de uno de ellos. Este es el caso de un no residente que tenga un establecimiento permanente o una base fija en un Estado por medio del cual obtenga rentas en el otro Estado (sujeción parcial concurrente).

Convergencia (*Convergence*) Condición por la cual el precio de un contrato de futuros tiende a igualarse al del precio al contado a medida que se acerca la fecha de vencimiento del contrato.

Conversión (*Conversion*) Sustitución, cambio de unos títulos por otros, produciéndose junto con este hecho una variación de las condiciones económicas y patrimoniales de los mismos. Es la modificación de los derechos y obligaciones que constituyen el contenido de unos valores ya emitidos.

Conversión de Deuda Pública (*Debt conversion*) Reducción de su tipo de interés, con el consentimiento de los poseedores de los títulos, a fin de faciltiar su pago efectivo. Las operaciones de conversión se llevan a cabo cuando la Deuda Pública en circulación ha llegado a cifras tales que el Estado no puede hacer frente, a los tipos iniciales, al pago de los intereses.

Conversión inversa (*Reverse conversion*) Método de arbitraje en opciones que implican la venta del instrumento subyacente y el establecimiento de una posición sintética larga en opciones del instrumento subyacente. Es la compra de una opción de compra y la venta de una opción de venta.

Convertibilidad (*Convertibility*) Carácter de una emisión de títulos por el que puede cambiarse un título por otro de las mismas características o rasgos. La convertibilidad puede tener carácter obligatorio o bien ser a opción del tenedor de títulos. Lo normal es que la convertibilidad se refiera a títulos de renta fija, obligaciones convertibles, para su conversión en acciones. || Referida a una divisa, la posibilidad de operaciones de transformación en otra divisa en virtud del estado legal de ambas. En términos generales, régimen legal de la moneda de un país que autoriza la conversión de la misma en otras monedas.

Convexidad (*Convexity*) Se trata de la segunda derivada del precio de una obligación respecto a su Tasa Interna de Rentabilidad (TIR), dividida por su precio. Esta medida, utilizada conjuntamente con la duración ajustada, proporciona una aproximación más exacta a la elasticidad precio de la TIR de una obligación que, simplemente, la duración. En un instrumento de renta fija, es una medida de la variación de la duración y el precio ante cambios en los tipos de interés. Se dice que un bono tiene convexidad positiva cuando su valor aumenta, al menos en la cantidad que predice la duración, cuando los tipos de interés caen, y se reduce menos cuando los tipos de interés suben. La convexidad positiva es deseable, ya que hace más valiosa una posición después de un cambio de precio de lo que la duración sugiere. || En una posición en opciones, la convexidad es una medida de la forma en que varía el valor de la posición en respuesta a un cambio en la volatilidad o en el precio del instrumento subyacente. Una posición con convexidad positiva (*véase* COEFICIENTE GAMMA) mantiene o aumenta su valor más de lo que predice el coeficiente delta cuando la volatilidad aumenta o cuando los precios varían en un fuerte porcentaje en una dirección u otra. Una posición con convexidad negativa pierde valor en relación con la predicción del coeficiente delta cuando los precios varían en una u otra dirección.

Cooperativa (*Cooperative*) Modalidad asociativa de empresas en la que los socios disponen todos del mismo poder. Los beneficios se reinvierten o se distribuyen entre los socios a título de retorno cooperativo. Todos los socios poseen los mismos derechos. Gozan de un trato fiscal privilegiado.

Cooperativa de crédito (*Credit cooperative*) Es una sociedad con personalidad jurídica propia cuyo objeto social es satisfacer las necesidades financieras de sus socios y de terceros mediante el ejercicio de las actividades propias de las entidades de crédito. Son, pues, entidades de depósito y, por tanto, de crédito, por lo que deben cumplir la normativa que regula a los intermediarios financieros bancarios en general y la específicamente dirigida a ellas. El número de sus socios es ilimitado y la responsabilidad de los mismos por las deudas sociales alcanza el valor de sus aportaciones. En España existen dos tipos de Cooperativas de Crédito: a) Cajas Rurales o Cooperativas de Crédito Agrícola, que tienen carácter rural, pudiendo ser de ámbito local, comarcal o provincial, y b) Cooperativas de Crédito de carácter industrial y urbano.

Coordinador global (*Global coordinator*) En las Ofertas Públicas de Venta (OPV) el banco o bancos que hacen el papel de director global en cuanto a la organización, aseguramiento, colocación y *after market* de la operación. Es el responsable máximo del buen fin de la operación.

Copyright (*Copyright*) Designación anglosajona ampliamente aceptada internacionalmente para denominar los derechos de autor, la propiedad intelectual de una obra o creación científica, literaria, cinematográfica, etc.

Corporación (*Corporation*) Persona jurídica constituida por una agrupación de personas, asociadas para la consecución de un interés común. La característica principal de las corporaciones, por oposición a las asociaciones y fundaciones, es que su constitución no es un acto enteramente libre de sus integrantes, sino que generalmente proviene de una disposición legal o reglamentaria.

Corporaciones financieras (*Financial corporations*) Denominación que se aplica, en general, a las diferentes formas de organización de la banca federada, en las que una entidad, bancaria o no, actúa como sociedad de cartera u *holding* de las participaciones en un conjunto de entidades financieras especializadas.

Correlación (*Correlation*) La tendencia de dos variables, como por ejemplo renta y consumo, a moverse juntas.

Corresponsal bancario (*Banking correspondent*) Entidad bancaria situada en un determinado lugar que presta servicios de banca a entidades no establecidas allí, percibiendo por ello una comisión de corresponsalía.

Corretaje (*Brokerage*) Derecho o comisión que perciben los Agentes y Corredores por su intervención en actos o contratos mercantiles y, en concreto, en los bursátiles.

Corridor (*Corridor*) En el mercado de opciones, es un instrumento construido a partir de *cap* y *floor*. El *corridor* (pasillo) permite al comprador de un *cap* adquirirlo a un nivel, por ejemplo del 10 por 100, durante cinco años y en la misma transacción vender otro *cap* a un nivel superior, por ejemplo del 12 por 100, y con la misma duración. Es un sistema para reducir la prima inicial del *cap* y se utiliza cuando se cree que los tipos de interés van a subir, pero no por encima de un nivel determinado (12 por 100 en nuestro caso).

Corro (***Ring*; *Stock exchange ring***) Lugar donde se efectúan las transacciones de valores en la Bolsa. Con la nueva organización del mercado bursátil, los corros tienden a desaparecer. Reunión de los agentes en el parquet para intercambiar ofertas y demandas. Agrupación de valores para su contratación en el mismo espacio de tiempo (corro bancario, eléctrico, etc.). *Véase* PIT.

Cortar (***Cut***) Cortar el cupón vencido de un título para ejercitar el derecho que representa.

Corto (***Short***) Posición abierta en la que los pasivos exceden a los activos. *Véase* LARGO.

Corto plazo (***Short term***) Deuda financiera con vencimiento inferior a un año. || Período durante el cual algunos de los factores permanecen fijos.

Coste de capital (***Cost of capital***) Tasa de rendimiento que la empresa debe alcanzar para poder remunerar tanto los fondos propios como los ajenos. || En un proyecto de inversión, el valor actual del flujo de caja generado por la misma, descontado al coste de capital. Se encuentra relacionado con el tipo de interés que paga por los recursos ajenos y con el coste implícito de ampliaciones de capital (dividendo a repartir en relación al dinero aportado).

Coste de la deuda (***Cost of debt***) Tasa interna de rendimiento (TIR) a vencimiento de la deuda, normalmente después de impuestos, en cuyo caso irá multiplicado por uno menos el tipo impositivo (de sociedades).

Coste de oportunidad (***Opportunity cost***) Es la opción o alternativa que debe abandonarse para obtener otra cosa. En períodos de alta inflación el mantener dinero presenta un alto coste de oportunidad frente a otros activos.

Coste directo (***Direct cost***) Coste que es directamente atribuible a la producción. *Véase* COSTE INDIRECTO.

Coste efectivo para el emisor (***Issuer effective rate***) Tipo al que resulta una emisión de títulos de renta fija a la entidad emisora. Es un coste distinto al de la propia emisión ya que va incrementado con los gastos a su cargo derivados de la propia salida al mercado, como publicidad, corretajes, comisiones de colocación, aseguramientos, etc.

Coste financiero (***Financial cost***) En general, es el coste que comporta cualquier fórmula de financiación con recursos ajenos. También es el coste que representa el anticipo del cobro de un activo liquidable antes del vencimiento o la concesión de un descuento por pronto pago. El coste financiero en términos absolutos es la cantidad que, por intereses y cualquier otra remuneración por la disposición de liquidez, debe pagarse a quien suministra los fondos. También es cualquier otro gasto derivado de un contrato de financiación.

Coste histórico (***Historic cost***) Coste de un bien por su precio de adquisición. Es su coste original, en contraposición con el coste de reposición o coste ajustado a la inflación.

Coste implícito (***Implicit cost***) El coste de oportunidad imputado por la utilización de un factor de producción que es propiedad del productor.

Coste indirecto (***Indirect cost***) Es el coste que no puede ser atribuido a un producto determinado. *Véase* COSTE DIRECTO.

Coste marginal (***Marginal cost***) Aumento del coste en que incurre una empresa cuando produce una unidad adicional.

Coste medio (***Average cost***) Coste que surge como consecuencia de dividir el coste total por el número de unidades producidas.

Coste privado o interno (***Internal cost***) Es el coste en que incurre aquel que realmente produce, o consume, un bien.

Coste social del monopolio (***Social cost of monopoly***) Es la pérdida neta que experimenta la sociedad como consecuencia de la restricción de la producción por parte del monopolio. Viene medido por la suma de las diferencias entre el valor que conceden los consumidores a cada unidad de producción perdida y su coste marginal de producción.

Coste variable (***Variable cost***) Son aquellos costes que varían en función del volumen de producción o venta. Su representación gráfica puede asimilarse perfectamente a una recta que pasa por el origen. Estos costes variables podrán ser proporcionales, progresivos o degresivos según su variabilidad respecto al volumen de producción.

Cotización (***Quotation* || *Listing***) Cambio alcanzado en una sesión del mercado por una unidad de un bien. || Admisión a cotización en Bolsa de un valor. Si se trata de establecimientos oficiales, como la Bolsa de Comercio, la cotización será oficial.

Cotización bruta (***Flat price***) Precio al que se emite un bono o al que puede ser comprado o vendido en el mercado.

Cotización calificada (***Qualified quotation***) Aquella que, posteriormente a la inclusión en las listas de cotización oficial, se puede conceder a un determinado valor si cumple ciertas condiciones referentes a unos índices mínimos de frecuencia de cotización y de volumen de contratación. A tales títulos se les concede algunas ventajas de orden fiscal. Se opone a la cotización simple.

Cotización por cupón corrido (***Matured coupon quotation***) Cotización que incluye el derecho del comprador a percibir íntegramente el próximo cupón de interés.

Cotización cruzada (***Cross rate***) Cotización de una divisa que se calcula a partir de las cotizaciones de otras dos divisas.

Cotización en firme (***Firm quotation***) En los mercados de divisas o de valores organizados: tipos de interés, tipos de cambio o precios de compra o venta cotizados por un agente o miembro del mercado, que es vinculante para el mismo si se acepta en el momento de la oferta.

Cotización ex cupón (***Clean price***) Precio, cambio o cotización de un título valor negociado en un mercado, en el que no se tiene en cuenta el cupón de más próximo vencimiento, es decir, no se cotizan los intereses corridos del vencimiento del cupón más próximo.

Cotización forward (***Forward rate***) Precio de un activo cuya entrega y pago están fijados para una fecha futura. La expresión se utiliza generalmente para hacer referencia al tipo de cambio de una divisa con entrega aplazada. Normalmente la entrega se hace a uno, tres o seis meses de plazo.

Cotización relativa (*Relative quotation*) Relación entre la cotización de un valor y el índice general bursátil.

Cotización spot (*Spot rate*) *Véase* PRECIO AL CONTADO.

Coyuntura (*Conjuncture*) Situación por la que atraviesa la economía en general y las cotizaciones de la Bolsa en particular, en un momento dado, resultante de la conjunción simultánea de acontecimientos de diversa índole.

Crash bursátil (*Crash*) Denominación que indica la caída vertiginosa de las cotizaciones de la mayoría de los valores de una Bolsa. Este término fue popularizado a raíz de la conocida jornada negra de Wall Street en 1929.

Creador de mercado (*Market maker*) Miembro de un mercado que se compromete a cotizar simultáneamente precio comprador y vendedor en determinada clase de valores. El Banco de España realiza con los creadores de mercado de deuda anotada operaciones de mercado abierto tendentes a estabilizar los tipos de interés.

Crecimiento económico (*Economic growth*) Proceso sostenido a lo largo del tiempo en el que los niveles de actividad económica aumentan constantemente.

Crédito (*Credit*) Entrega de un objeto o una cantidad dineraria a otra persona con el compromiso por parte de ésta de devolverla a su acreedor en un plazo de tiempo convenido junto con los intereses que se produjeran.

Crédito al mercado (*Margin buying*) Modalidad operativa en los mercados de valores por la que el operador sólo desembolsa un porcentaje del total mientras que la otra parte se realiza a crédito. *Véase* MERCADO A CRÉDITO.

Crédito blando (*Soft loan*) Crédito cuyas condiciones de interés resultan muy por debajo de las de mercado, generalmente por estar subvencionados los intereses o por concederse el crédito con fondos gubernamentales que se prestan a tipos inferiores a los de mercado. La agricultura, la innovación tecnológica y la ayuda a los países o regiones más pobres suelen concretarse en créditos blandos.

Crédito cruzado (*Back to back loan*) *Véase* CRÉDITO DE MUTUO RESPALDO.

Crédito de aceptación (*Acceptance credit*) Financiación a corto mediante letras de cambio libradas a cargo de bancos y aceptadas por éstos.

Crédito de cobertura (*Back to back credit*) *Véase* CRÉDITO SUBSIDIARIO.

Crédito de firma (*Guarantee credit*) Crédito en el que el banco no efectúa entrega de fondos al cliente, pero presta garantía por su cuenta.

Crédito de mutuo respaldo (*Back-to-back loan*) Cuando dos instituciones, situadas cada una en un país diferente, acuerdan concederse préstamos de igual valor la una a la otra, cada uno denominado en la divisa de su país de origen y con la misma fecha de vencimiento. Se diferencian de los *swaps* de divisas en que éstos no implican necesariamente la aparición en los balances de partidas relativas a los créditos concedidos.

Crédito documentario (*Documentary credit*) Convenio unilateral para la negociación aseguradada del pago de una transacción relacionada con la compra-venta de mercancías y/o servicios.

Crédito fiscal (*Tax credit*) *Véase* DEDUCCIÓN FISCAL.

Crédito fiscal exterior (*Foreign tax credit*) Un crédito sobre impuestos concedido en un país por impuestos pagados en otro país sobre la misma renta.

Crédito interno (*Internal credit*) Incluye la financiación total concedida a los sectores público y privado residentes por las instituciones que componen el sistema crediticio ampliado por medio de sus oficinas en España. Se incluyen también los fondos que dichos sectores reciban a través del mercado interbancario. Las operaciones con el sistema crediticio ampliado que se incluyen en el crédito interno comprenden los créditos instrumentados en pólizas, efectos o compra de activos con pacto de retrocesión y la adquisición de valores de renta fija y variable, tanto las contratadas en pesetas como en moneda extranjera. La financiación recibida de los mercados monetarios incluye, para el sector público, los pagarés adquiridos en firme por familias y empresas no incluidas en el sistema crediticio ampliado y, para el sector privado, las letras endosadas por las instituciones crediticias en los mercados bursátiles y extrabursátiles y los pagarés de empresa avalados por entidades de depósito.

Crédito multidivisa (***Multicurrency loan***) Crédito que puede ser dispuesto en una o varias divisas, a elección del prestatario. Puede disponerse en tramos denominados en distintas divisas.

Crédito no endosable (***No endorsable credit***) Crédito que no es susceptible de transmisión por endoso, sino que su enajenación se rige por las normas de la cesión ordinaria. Precisa del consentimiento, o al menos la notificación del deudor de esa cesión.

Crédito oficial (***Official credit***) Actualmente el crédito oficial en España tiene un alcance muy limitado, quedando como entidad específica relacionada con el mismo el Instituto de Crédito Oficial (ICO), que actúa como Agente Financiero del Gobierno.

Crédito puente (***Bridging credit***) Crédito a corto plazo para cubrir atenciones transitorias de circulante hasta formalizar la financiación definitiva planteada.

Crédito renovable (***Revolving credit***) Préstamo sujeto a la peculiar condición de que tan pronto como se paga una parte puede ser prestada de nuevo inmediatamente. Un crédito renovable tiene un límite máximo en la cantidad que puede ser prestada, pero no tiene límite en el número de veces que se puede alcanzar dicho límite.

Crédito sindicado (***Syndicated loan***) Los créditos sindicados, también denominados créditos consorciados, son una modalidad especial de operación crediticia caracterizada por la participación conjunta de un grupo de entidades de crédito que concurren en la concesión de un crédito que, por su elevada cuantía u otras características peculiares, precisa la colaboración de una pluralidad de instituciones financieras. Los créditos sindicados, que no tienen una regulación específica en el ordenamiento jurídico español, responden a una necesidad práctica. La operación de sindicación de créditos comienza con la solicitud del crédito al objeto de conseguir la financiación, para lo cual dicha entidad, que actuará como jefe de fila, se encargará de entrar en contacto y tratos preliminares con otros bancos e instituciones financieras y conseguir la totalidad de la suma solicitada. El jefe de fila o líder del crédito sindicado, una vez recibidos los datos del solicitante (identificación, actividad desarrollada, situación patrimonial, garantías personales, etc.) y la modalidad de la operación crediticia requerida (cuantía, plazo, destino, formas de pago, etc.), elabora un informe que facilitará al resto de las entidades con las que pretende colaborar en la operación, grupo de bancos, que reciben el nombre de bancos directores o *managers*, pues su función principal es colaborar, junto a la entidad o entidades jefes de fila, en la actividad de mediación y búsqueda de las entidades interesadas en participar en la concesión del crédito. El crédito sindicado se instrumenta como un contrato de apertura de crédito, por el que la entidad prestamista se compromete a mantener, hasta una determinada cuantía y en las condiciones previamente pactadas con el prestatario, fondos a disposición de éste. En cualquier caso, y pese a la independencia en la posición de cada una de las instituciones, el consorcio de entidades supone una comunidad de riesgos e intereses, lo que implica que, exclusivamente para la concesión del crédito correspondiente y previamente a su concesión, habrá de formarse un sindicato formado por las instituciones paticipantes en el que habrán de nombrarse: uno o más bancos directores, que se encargan de gestionar o administrar el crédito, terminando su función con la concesión de crédito; un banco agente que se encarga de gestionar o administrar el crédito, que lleva las relaciones del sindicato con el prestatario, y los bancos participantes o prestamistas, que son el típico integrante de un sindicato.

Crédito Stand-by (*Stand-by credit*) Acuerdo de apertura de una línea de crédito, generalmente a corto plazo (hasta 12 meses) aunque también se utiliza a medio y largo plazo, condicionado a que existan fondos en el momento de disponer de ellos. Utilizado en el Euromercado, puede considerarse como un paso transitorio a la formalización de otro tipo de créditos sin cláusula de disponibilidad de fondos. *Véase* ACUERDO STAND-BY.

Crédito subasta (*Tender panel loan*) Tanto en los euromercados de crédito como en los mercados nacionales, este tipo de operación se desarrolla especialmente en el ámbito de los créditos colectivos, si bien también puede encomendarse a una sola entidad bancaria por parte de un prestatario para que actúe como agente y mandatario para la obtención de un crédito mediante subasta. Se suele establecer que el crédito-subasta tenga un soporte de una línea de crédito disponible con vencimiento a largo plazo y con condiciones de disposición a la fecha de los vencimientos de las disposiciones del crédito-subasta, de forma que, si en uno de los vencimientos la cantidad sacada de nuevo a subasta no se cubre, el banco o los bancos que actúan de directores principales de la operación y que son los que abrieron la línea de crédito, cubran la parte desierta de la subasta, a un tipo de interés fijo o con un margen sobre el tipo mínimo garantizado en el crédito-subasta o, en otro caso, sobre uno o más tipos de referencia. Este crédito de cobertura se conoce también como crédito subsidiario y fue utilizado inicialmente en las emisiones de pagarés de las empresas norteamericanas, en las que los plazos de vencimiento eran y son usualmente muy cortos para eludir la legislación de emisiones de valores. Finalmente, las entidades de crédito participantes pueden ceder parte de las cuotas tomadas a sus clientes mediante certificados de cesión de crédito, e incluso pueden ofrecer a dichos clientes estas inversiones antes de acudir a la subasta, lo que les permitirá poder obtener los márgenes más beneficiosos.

Crédito subsidiario (*Back to back credit*) En una operación de emisión de pagarés, se denomina así a la línea de crédito concedida por el banco agente a la empresa emisora como respaldo a la emisión. Su finalidad es reforzar la seguridad al tenedor del pagaré de la existencia de fondos para hacer frente al reembolso en la fecha de amortización.

Credit watch (*Credit watch*) Señal de alerta puesta por una agencia de calificación crediticia como anticipo de una mejora o un empeoramiento de la calificación de una entidad.

Crossing (***Crossing***) Compra y venta de títulos por el mismo broker para dos clientes.

Crowding out, efecto (***Crowding out effect***) Se aplica esta expresión para señalar el grado de desplazamiento de las actividades privadas (inversiones, consumo o ambas) por un incremento de la actividad pública, principalmente el aumento del gasto público. En general, suele producirse un incremento de los tipos de interés que reduce el consumo y la inversión privados.

Cruzar (***Matching***) *Véase* CASAR.

Cruzar un cheque (***Cross a check***) Es la acción del librador o el tenedor de un cheque de limitar el pago del mismo a una entidad de crédito en general o bien a una determinada entidad. Consiste en cruzar el documento por medio de dos barras paralelas sobre el anverso, indicando la expresión «banco», «compañía» u otra análoga para la modalidad de cruzado general, añadiendo el nombre de una entidad para el cruzado especial.

Cubrir (***Cover***) Término que indica la recompra de un contrato de futuros previamente vendido en descubierto. Es sinónimo de liquidar una posición vendedora.

Cuenta corriente (***Current account***) Un depósito bancario transferible por cheque.

Cuenta de pérdidas y ganancias (***Profit and loss statement***) Representa el resultado contable obtenido por la empresa en un determinado período de tiempo, a través de la comparación de los ingresos generados en ese período de tiempo y los gastos incurridos en el mismo por las actividades u operaciones realizadas, tanto en operaciones normales como extraordinarias. El período de tiempo puede coincidir con el año natural, formando parte entonces de las cuentas anuales, o bien calcularse con mayor periodicidad como medio de conocer la marcha de la empresa.

Cuenta de resultados (***Income statement***) Muestra los ingresos, los gastos y los beneficios normales de una empresa determinada en un período determinado. *Véase* CUENTA DE PÉRDIDAS Y GANANCIAS.

Cuenta numerada (*Numbered account*) Cuenta bancaria secreta (especialmente en Suiza) de la que casi nadie o nadie en el banco conoce la identidad del titular.

Cuentas a cobrar (*Accounts receivable*) Registros contables provenientes de operaciones de ventas de bienes y servicios. Es un factor clave en el análisis de la liquidez de una empresa.

Cuentas anuales (*Yearly accounts*) Estados contables de su empresa que deberá formular cada empresario al final de cada ejercicio acerca de la situación financiera y patrimonial. Comprenderán el balance, la cuenta de pérdidas y ganancias y la memoria. Estos documentos forman una unidad.

Cuentas a pagar (*Accounts payable*) Registros contables provenientes de las compras de bienes y servicios a los acreedores. Los analistas siguen de cerca la relación entre las cuentas a pagar y las compras como indicador diario para la gestión financiera.

Cuentas directas de Deuda Pública anotada Cuentas de valores que los particulares pueden abrir en el Banco de España para mantener en ellas la deuda del Estado que hayan suscrito directamente, o que traspasen desde una sociedad gestora. No pueden dar lugar a la apertura de cuentas de efectvo en el Banco de España, y el titular debe señalar siempre una cuenta de este carácter en una entidad de depósito, a la que se transfieran los cupones devengados por la deuda o el importe de su reembolso. Para su negociación en el mercado secundario, los valores deben ser traspasados previamente a una entidad gestora. *Véase* ANOTACIONES EN CUENTA.

Cuentas financieras (*Financial accounts*) Depósitos, normalmente a la vista, cuyos saldos se invierten en determinados instrumentos financieros concretos, por ejemplo Deuda del Estado, cuya evolución de tipos de interés determina la rentabilidad de la cuenta.

Cuña (*Hedge*) En el análisis técnico, formación gráfica de los precios parecida a un triángulo, en la que se pueden unir los sucesivos altos y bajos mediante dos líneas convergentes. Suelen ir acompañados de descenso en el volumen y, generalmente, se interpretan como señal de que el movimiento continuará en la dirección contraria a aquella que señala la cuña, una vez que se haya completado la formación de ésta.

Cuota de amortización (***Depreciation rate***) Cada una de las partes en que se divide el importe total a devolver en el caso de una deuda, que queda cancelada al pagar todas las cuotas. || Cada una de las partes en que se deprecia un bien, y cuya suma nos da el total de ese bien.

Cuota de interés (***Interest quota***) Corresponde al pago periódico de fondos que compensa la cesión de capital de una deuda que puede estar representada en títulos.

Cuota de mercado (***Market share***) Proporción de la producción de una industria correspondiente a una empresa o grupo de empresas.

Cuota tributaria (***Tax liability***) Cantidad que un sujeto pasivo debe a la Hacienda Pública por algún tributo. Es el resultado de multiplicar el tipo de gravamen por la base liquidable.

Cupón (***Coupon***) Parte recortable de un título-valor por el que puede ser ejercido el derecho al cobro de dividendos, intereses, primas, suscripción de nuevas acciones en ampliaciones de capitales, etc.

Cupón cero (***Zero coupon***) Un cupón cero es un bono en el que no se realizan pagos de intereses periódicos, sino que se vende al descuento sobre el valor nominal. El comprador del bono recibe un rendimiento por la apreciación gradual del título que se amortiza al valor nominal en la fecha de amortización que se haya determinado. En consecuencia, el rendimiento se genera mediante diferencia entre el importe satisfecho en la emisión y el comprometido a desembolsar al vencimiento. Se define, por tanto, como un activo financiero de rendimiento implícito.

Cupón corrido (***Accrued interest***) Se dice que una obligación tiene cupón corrido cuando ha transcurrido un tiempo desde el último pago de cupón, o desde la fecha de emisión.

Currency conversion facility (***Currency conversion facility***) Facilidad que posibilita la obtención de un préstamo por parte de una empresa a un tipo de interés inferior al de mercado a cambio de darle al prestamista la posibilidad de convertir el principal, en una fecha y tipo de cambio determinados, en una divisa alternativa.

Curva forward (***Forward curve***) Curva de rendimientos que prevalecerá en un momento futuro conforme a los tipos *forward-forward* implícitos en la curva de rendimientos actual.

Curva de Laffer (***Laffer curve***) Relación entre los ingresos fiscales y el tipo impositivo. Indica que, a medida que sube el tipo impositivo, los ingresos fiscales totales aumentan inicialmente, pero que a la larga acaban reduciéndose.

Curva de pendiente negativa (***Negative slope yield curve***) Curva de rendimientos en la que los tipos de interés a corto plazo están por encima de los de largo plazo.

Curva de rendimientos (***Yield curve***) Gráfico que representa los rendimientos de bonos similares, pero con distintas fechas de vencimiento. Como regla general, la curva suele tener pendiente positiva, es decir, los rendimientos a corto plazo son menores que los rendimientos a largo plazo.

Curva de rendimiento swap (***Swap yield curve***) Curva de rendimientos de tipos *swap* en relación a un rango de vencimientos. *Véase* SWAP SPREAD.

Curva de tipos de interés (***Interest curve***) Es la formada por los tipos de interés de los diferentes activos financieros públicos, ordenados de menor a mayor plazo de vencimiento. Cuando los tipos de los instrumentos a corto son superiores a los de largo, se habla de curva de tipos de interés con pendiente negativa, o de curva invertida.

Curva normal (***Normal yield curve***) Curva que tiene una pendiente positiva, reflejando que los tipos de interés a largo plazo son «normalmente» más altos que los de corto plazo. *Véase* CURVA DE PENDIENTE NEGATIVA.

Curva swap (***Swap curve***) Curva que recoge la relación entre los tipos *swap* y los vencimientos. *Véase* SWAP RATE y SWAP SPREAD.

Curva swap cupón cero implícita (***Implied zero coupon swap curve***) Curva para obligaciones cupón cero derivada de la curva de rendimientos, utilizada para valorar *swaps* a tipos de interés fijo.

Cushion bond (***Cushion bond***) Bono con un cupón elevado. Se coloca con una prima moderada ya que incorpora una opción *call* con un precio de ejercicio inferior al que se amortizaría un bono similar que no incorpore dicha opción, es decir, que se amortice a vencimiento. Estos bonos ofrecen una buena protección en mercado a la baja.

Custodia (***Custody***) Guardia, conservación y depósito de títulos valores por parte de una entidad. Las entidades de crédito se dedican a la custodia de títulos valores, obligándose incluso a su administración.

D

Datos de corte transversal Observaciones referidas a un mismo instante o período de tiempo.

Daylight exposure (***Daylight exposure***) Riesgo de fallido de la contrapartida, o del agente de liquidación, durante la liquidación, después de que los fondos o los títulos hayan sido entregados, pero antes de que los correspondientes fondos o títulos hayan sido recibidos.

Day trade (***Day trade***) Compra y venta de una posición durante el mismo día.

Dealer (***Dealer***) Operadores expertos que actúan por cuenta propia en las compras y ventas de títulos y que actúan a la vez como *broker*, es decir, contratando por cuenta de sus clientes.

Débil (***Soft***) Término que describe situaciones del mercado en las que los precios están bajando o, al menos, no están subiendo. *Véase* FIRME.

Debt finance (***Debt finance***) Se trata, en líneas generales, de una operación de crédito o préstamo otorgado por un banco o sindicato de bancos, en las condiciones de garantía que resulten necesarias, dirigido a la reestructuración y/o saneamiento financiero de una empresa.

Deducción fiscal (***Tax credit***) Conceptos previstos en las Leyes o Reglamentos reguladores de cada impuesto que se aplican directamente sobre la cuota tributaria reduciendo ésta y, por tanto, el importe final de la deuda tributaria. Aplicadas las deducciones y, en su caso, los posibles recargos, se obtendrá la deuda tributaria.

Defeasance (*Defeasance*) Operación financiera diseñada para superar las restricciones legales para pagar anticipadamente un bono. Para ello se establece una cartera de bonos sin riesgo, normalmente de Deuda del Estado, que se utilizará para el pago del *cash-flow* prometido a un grupo de acreedores determinados. Dichos *cash-flows* deben ser suficientes para el pago del interés del principal de la deuda en cuestión, asumiendo una tasa de reinversión nula o muy baja. La rigurosidad de los requisitos hacen difícil, si no imposible, incluir bonos del Estado con opciones *call* en la cartera sobre la que se va a aplicar el *defeasance*. || En el *defeasance* económico, el emisor generalmente no es liberado de los términos del contrato. En el *defeasance* legal el emisor de los bonos coloca efectivo o una cartera de Deuda Pública en un fideocomisario y con carácter irrevocable, para beneficio de los deudores de los bonos. La relación entre el emisor y el acreedor es muy rigurosa siendo el primero relevado de las garantías en el contrato.

Defensa comecocos (*Pac-man defense*) Es una estrategia de defensa en la que una empresa que está siendo objeto de una oferta de adquisición hostil trata de evitarla lanzando a su vez ella misma, bien directamente o bien a través de un tercero, una oferta de compra de las acciones de la empresa que está tratando de comprarla.

Defensa joyas de la corona (*Crown jewel defense*) Es una estrategia defensiva puesta en marcha por una empresa para desincentivar una oferta de adquisición hostil de la que está siendo objeto. Consiste en una opción que se da a un tercero amistoso para la adquisición de los activos más valiosos de la empresa y que sólo podrá tener efecto en el caso de que empresa sea objeto de una oferta de adquisición hostil.

Déficit presupuestario (*Budget deficit*) Diferencia negativa entre los ingresos y los gastos presupuestarios. La clasificación genérica del déficit distingue entre el déficit inicial y el déficit de liquidación, según la fase del gasto a que haga referencia. También puede clasificarse según al sector económico al que se refiera: déficit del Estado, de las Corporaciones Locales, de los Organismos Autónomos, Seguridad Social, etc.

Déficit público cíclico o endógeno (*Cyclical budget deficit*) Es aquel que se produce como consecuencia de un declive en la actividad económica privada, con una normativa fiscal y de gasto que hubieran conducido al equilibrio del presupuesto en una situación de plena utilización de los recursos económicos del país. Es el resultado de los efectos de los estabilizadores automáticos. *Véanse* DÉFICIT PRESUPUESTARIO y DÉFICIT PÚBLICO ESTRUCTURAL O EXÓGENO.

Déficit público estructural o exógeno (*Structural budget deficit*) Es aquel que se produce como consecuencia de cambios discrecionales en el gasto público o en los tipos impositivos y que, por lo tanto, subsistiría en una situación de pleno empleo de los recursos económicos del país. *Véanse* DÉFICIT PRESUPUESTARIO y DÉFICIT CÍCLICO O ENDÓGENO.

Déficit público primario (*Primary budget deficit*) Es la necesidad de financiación o déficit total de las Administraciones Públicas con exclusión de las cargas por intereses pagados por el endeudamiento público de períodos anteriores.

Deflación (*Deflation*) Situación depresiva de la economía caracterizada por una desaceleración en la tasa de aumento de los precios, o bien, una caída asociada a una contracción de la oferta monetaria y de crédito, acompañados de una caída en el nivel de producción y un aumento de la tasa de desempleo.

Deflactación (*Deflation*) Deflactar una serie estadística supone transformar una serie valorada a precios corrientes en otra serie valorada a precios constantes, con el fin de poder establecer comparaciones entre períodos. La deflactación se lleva a cabo dividiendo la serie de valores corrientes por un determinado índice de precios, denominado deflactor, que haga desaparecer las alteraciones debidas a los precios corrientes. El deflactor más utilizado es el índice de Laspeyres.

Deflactor del PIB (*Gros domestic product deflator*) Es la relación entre PIB nominal y el PIB real expresada en forma de índice. Es la medida de la inflación más utilizada después del Indice de Precios al Consumo (IPC). La diferencia entre ambos índices se encuentra en los bienes sobre los que se aplica ya que, mientras que el IPC sólo incluye los precios de los bienes adquiridos por el consumidor típico, el deflactor del PNB tiene en cuenta los precios de todos los bienes producidos en la economía.

DEG (***Deg***) *Véase* DERECHOS ESPECIALES DE GIRO.

Delaware (***Delaware***) *Véase* BOLERPLATE.

Delta inmunización (***Delta hedging***) Método que los adquirentes de opciones utilizan basándose en el coeficiente delta para inmunizarse de la exposición a riesgos que supone la toma de opciones, mediante la compra o venta del instrumento subyacente. Por ejemplo, un suscriptor de una opción de compra que ha vendido dicha opción con una delta de 0,5 aplicaría la delta-inmunización comprando un importe del instrumento subyacente igual a la mitad del importe del mismo que debe entregarse en caso del ejercicio de la opción. Una posición delta-neutral se establece cuando el suscriptor se delta-inmuniza completamente. Deja así la posición financiera combinada de opciones y de instrumentos financieros subyacentes inmune a pequeños cambios en el precio de los últimos.

Demanda (***Demand***) Cantidad de un bien a la que puede darse salida a cada precio posible durante una unidad de tiempo determinada y en un mercado dado.

Demanda de dinero (***Money demand***) El dinero no se demanda por sí mismo, no podemos consumir dinero, sino que se demanda por su utilización para el comercio y el intercambio. Las funciones más importantes que cumple el dinero son la de servir de medio de cambio en las transacciones del comercio y el intercambio; también se utiliza como unidad de cuenta con que expresar los precios de los bienes y servicios; y a veces se utiliza como depósito de valor: en este sentido, el dinero es un activo sin riesgos, aunque sometido a la inflación. Estas funciones que se le atribuyen al dinero son a su vez las causas por las que se demanda, es decir, el dinero se demanda por motivo de las transacciones y como activo o depósito de valor.

Demerger (***Demerger***) Escisión de activos de una empresa generando otra nueva, proporcionando a los accionistas nuevas acciones a cambio de las viejas o una participación en la nueva empresa.

Deport (***Deport***) Es la operación inversa al *report* y una modalidad de la operación doble. Se denomina *deport* a la operación financiera por la que un inversor vende unos títulos al contado durante un plazo de tiempo, terminado el cual vuelve a comprarlos, esta vez a un precio inferior al de enajenación. A la diferencia entre los dos precios o beneficio obtenido se le denomina *deport*. *Véase* REPORT.

Depositarios de instituciones de inversión colectiva Instituciones financieras a quienes compete, junto con la sociedad gestora cuya actuación deben igualmente supervisar, la emisión de los certificados de participación en los fondos de inversión así como el depósito y la custodia de los activos financieros del patrimonio de aquéllos y la realización de los oportunos reembolsos a los partícipes. Pueden ser depositarios los bancos, las cajas de ahorros, las cooperativas de crédito, y las sociedades y agencias de valores, si bien la tesorería del fondo debe estar siempre materializada en una entidad de depósito.

Depositary Trust Company (DTC) Empresa de compensación y liquidación de valores mediante un sistema computerizado. Está situada en Nueva York.

Depósito a la vista (***Demand deposit***) Depósito bancario que puede ser retirado y transferido mediante cheque, mediante cajero automático, etc., sin previo aviso a la entidad depositaria. Forma parte del agregado M1 u Oferta Monetaria.

Depósito a plazo (***Time deposit***) Cuenta abierta en una institución financiera en la cual se depositan fondos remunerados a un cierto tipo de interés y por un determinado plazo. Generalmente se establece una penalización si el depositante decide retirar los fondos antes de la fecha acordada. Suele producir intereses más elevados que el depósito a la vista.

Depósito bancario (***Bank deposit***) Fondos confiados a una entidad bancaria por un depositante, con derecho del banco a poder disponer de los mismos y con la obligación de atender la disposición de efectivo que haga el depositante por cuenta propia a favor de un tercero.

Depósito de garantía (***Margin***) Cantidad de dinero que debe ser depositada por los compradores y por los vendedores de contratos de futuros, y por los vendedores de opciones, como garantía del cumplimiento de sus respectivos compromisos. Estos depósitos están remunerados a tipos de interés de mercado y se pueden realizar en metálico o, en algunas bolsas de opciones, consignando títulos de Deuda Pública. En general, las cámaras de compensación sólo exigen depósitos a los vendedores, si bien algún mercado como el *LIFFE (London International Financial Futures Exchange)* exige también garantías a los compradores.

Depósito de mantenimiento (***Maintenance margin***) En algunos mercados de futuros, el nivel mínimo que pueden alcanzar los fondos en una cuenta de futuros antes de que el intermediario exija su reposición al cliente. Suele ser del 75-80 por 100 de la cantidad exigida en el depósito inicial.

Depósito de valores (***Deposit of securities***) Consiste en la entrega de títulos a una entidad financiera para que administre los valores (cobro de intereses o dividendos, ampliación de capital, venta de derecho, etc.) y los custodie.

Depósito en eurodivisa (***Euromoney deposit***) Depósito en un banco no localizado en el país en cuya moneda está denominado el depósito. Así, marcos alemanes depositados en Londres son euromarcos.

Depósito inicial (***Initial margin***) Es la cantidad inicial de dinero que debe depositar el comprador o vendedor de un contrato de futuros en el momento de tomar una posición. Suele estar fijada entre el 2 y el 20 por 100 del valor total del contrato, y su cuantía mínima viene fijada por los propios organismos que regulan los mercados. *Véase* DEPÓSITO DE MANTENIMIENTO.

Depósito interbancario transferible Depósito interbancario transformable en instrumentos negociables con las características de emisión a la par por una entidad concreta, con un tipo de interés explícito y prefijado, a plazo entre uno y doce meses, y materializados en anotaciones en cuenta registradas en el Servicio Telefónico del Mercado de Dinero.

Depósito nocturno (***Night safe***) Depósito de seguridad en un banco en el que los clientes pueden depositar dinero por las noches y los fines de semana y en general cuando los bancos están cerrados.

Depreciación (***Depreciation* || *Devaluation***) Reducción del valor de un activo. Tanto en la contabilidad de las empresas como en la contabilidad nacional, la depreciación es la estimación en pesetas del grado en que se ha agotado o gastado el equipo de capital en el período de que se trate. La depreciación del capital tiene tres causas posibles: a) el uso de un bien de capital lo deteriora gradualmente (cuanto mayor es el uso durante un período, mayor es la depreciación); b) el propio tiempo puede desgastar gradualmente un bien de capital, independientemente de que se utilice o no, y c) la mejora de la tecnología (mejores máquinas) puede reducir el valor de las existentes al quedar éstas obsoletas. Denominado también consumo de capital. || Disminución de valor de una divisa en relación con otra u otras.

Depresión (***Depression*; *Slump***) Situación en que se halla una economía o un sector productivo y que se caracteriza por un descenso profundo y continuado de la actividad y una reducción del nivel de empleo. Se corresponde con una de las fases del ciclo económico. *Véase* CICLO ECONÓMICO.

Derecho bursátil (***Stock exchange law***) Conjunto de normas legales que rigen y condicionan el desarrollo del mercado de valores o bursátil. Derecho regular de la actividad de negociación y transacciones de títulos y valores en las Bolsas de Comercio, carácter de los agentes mediadores, etc. La principal normativa en la materia en España es la Ley del Mercado de Valores.

Derecho comunitario (***Community law***) Ordenamiento jurídico propio, integrado en el de los Estados miembros de la Comunidad Económica Europea y aplicable a sus ciudadanos, diferente al sistema jurídico internacional y al derecho propio de cada uno de los Estados. El derecho comunitario está integrado por los Tratados Constitutivos y sus modificaciones posteriores (derecho originario) y por los Reglamentos, Directivas y Decisiones (derecho derivado), por los Tratados y Convenios internacionales firmados por la Comunidad con terceros países o por los Estados miembros entre sí por el derecho consuetudinario comunitario y por los principios generales del Derecho.

Derecho de asignación preferente Derecho inherente a la condición de accionista de una sociedad a suscribir un número de acciones nuevas en una ampliación de capital liberada, proporcional al valor nominal de la acción que posee. Su valor teórico se calcula de la misma manera que el Derecho de suscripción preferente. *Véase* VALOR TEÓRICO DEL DERECHO DE SUSCRIPCIÓN PREFERENTE.

Derecho de suscripción preferente (*Right issue*; *Preemptive right*) Derecho inherente a la condición de accionistas de una sociedad a suscribir un número de acciones nuevas en una ampliación de capital no liberada, proporcional al valor nominal de las acciones que poseen. El derecho de suscripción es transmisible y fiscalmente genera en el transmitente: a) un aumento de patrimonio por la venta de los derechos en el caso de que las acciones no coticen en Bolsa, y b) si las acciones cotizan en Bolsa o van a cotizar en el plazo de dos meses, el importe recibido reducirá el valor de coste de las acciones antiguas hasta el límite de valor de coste cero, a partir del cual el exceso será considerado incremento de patrimonio para el transmitente. *Véase* VALOR TEÓRICO DEL DERECHO DE SUSCRIPCIÓN PREFERENTE.

Derecho financiero (*Public finance law*) Disciplina que tiene por objeto el estudio sistemático de las normas que regulan los recursos económicos que el Estado y los demás Entes Públicos pueden emplear para el cumplimiento de sus fines, así como el procedimiento jurídico de percepción de los ingresos y ordenación de los gastos y pagos que se destinen al cumplimiento de los servicios públicos.

Derecho fiscal (*Tax law*) El Derecho fiscal es una rama del Derecho financiero que regula las relaciones entre el Tesoro público y los contribuyentes a través del establecimiento de impuestos, tasas, contribuciones especiales, multas, recargos o cualquier otro tipo de sanciones pecuniarias, así como la fórmula, procedimiento, plazos y vencimientos de los mismos. En España esta materia es competencia exclusiva del Estado si bien algunas Comunidades Autónomas, como Navarra, tienen cierta autonomía en cuanto a su ejecución.

Derecho foral (***Local law***) El Derecho Foral, también llamado Derecho Civil Especial, por contraposición al Derecho común, es aquel que rige en determinados territorios de la geografía española y que se aparta en ciertos aspectos del régimen general, particularmente en materia sucesoria y de régimen económico matrimonial.

Derecho tributario (***Fiscal law***) Es una rama del Derecho Financiero y recoge el conjunto de normas que se refiere a los ingresos tributarios.

Derechos ad valorem (***Ad valorem duty***) Derechos de aduanas establecidos como un porcentaje sobre el valor del artículo.

Derechos Especiales de Giro. DEG (***Special drawing rights. SDR***) Cuentas creadas por el FMI para incrementar la cantidad de reservas internacionales de los gobiernos nacionales. Los DEG pueden utilizarse para cubrir déficit en balanza de pagos.

Derivados (***Derivatives***) Término general para denominar a los activos financieros que se derivan de otros activos financieros. *Véase* INSTRUMENTOS DERIVADOS.

Desaceleración (***Slowdown***) Reducción del ritmo de crecimiento de una economía que puede implicar el inicio de una depresión o contracción de la economía (fase descendente del ciclo económico). *Véase* CICLO ECONÓMICO.

Descontar (***Discount***) En Derecho Mercantil, abonar al contado una letra de cambio u otro efecto mercantil antes de su vencimiento, con la rebaja correspondiente por el importe del anticipo en concepto de interés. || En el ámbito bursátil, ajustar a la baja las cotizaciones de un valor tras el pago de dividendos o puesta en acción de los derechos de suscripción.

Descontar una noticia (*Discounting the news*) Acción mediante la cual los inversores compran o venden un activo, empujando su precio al alza o a la baja, en anticipación de una noticia o un desenlace esperado pero que aún no ha tenido lugar.

Descontar dividendos o derecho (*Discount dividend*) En Bolsa se dice que una acción ha descontado dividendo o ha descontado derecho cuando se produce la primera cotización, generalmente en baja, en la fecha del vencimiento de dicho dividendo o del derecho de suscripción.

Descubierto (*Overdraw*) Se denomina venta al descubierto a la operación que consiste en vender a plazo valores que no se tienen, con la esperanza de poder comprarlos en un momento más cercano a un precio inferior. El descubierto es el conjunto de ventas a plazo efectuadas por especuladores que carecen de títulos para entregarlos.

Descuento (*Discount*) Procedimiento para calcular el valor presente de uno o más pagos futuros, aplicando un tipo de interés || En terminología bancaria, proceso de préstamos a los bancos comerciales u otras instituciones financieras por parte del banco central. || Operación financiera por la cual se deduce, a un capital situado en el futuro, una cierta cantidad en el momento inicial, constituyendo dicha cantidad el precio de la operación para el demandante de fondos, y la rentabilidad para el oferente de fondos.

Descuento a plazo (*Forward discount*) Cuando el tipo de cambio *spot* de una moneda es menor que el tipo de cambio a plazo. *Véase* PREMIO A PLAZO.

Descuento comercial (*Commercial discount*) Operación por la que la banca adelanta a su tenedor el importe de letras de cambio, cheques, talones, etc., representativos de operaciones comerciales, previo endoso de los mismos y a cambio de una comisión.

Descuento comercial, cálculo El descuento comercial es el interés del nominal de una deuda, calculado por el tiempo que va desde el momento en el que se determina el descuento hasta el vencimiento, al tipo anual acordado. La fórmula es la siguiente:

$$D_c = \frac{N\,t\,i}{B}$$

$$D_c = N - E$$

donde:
D_c = Descuento comercial.
N = Nominal.
t = Tiempo hasta el vencimiento.
i = Tipo de interés.
B = Base de cálculo.
E = Efectivo.

Descuento financiero (*Financial discount*) Se trata de operaciones de crédito realizadas por las entidades de crédito, que se instrumentan en una o más letras de cambio aceptadas por el prestatario o un tercero y que la entidad de crédito descuenta.

Desdoble (*Stock split*) Supone la separación de la acción y el derecho de suscripción en la ampliación de capital. Se dice que una acción se desdobla cuando, comenzada una ampliación de capital, la acción tiene su propio valor, si bien disminuido, y otro valor distinto el derecho de suscripción, que cotiza separadamente de la acción a la que pertenece.

Deseconomías de escala (*Diseconomies of scale*) Situación en la que aumenta el coste unitario al aumentar la capacidad de producción. Esta situación no es la más corriente, pues, por lo general, los costes disminuyen al aumentar la capacidad, dando lugar a las denominadas economías de escala. *Véase* ECONOMÍAS DE ESCALA.

Deseconomías externas (*External diseconomies*) Denominadas también externalidades negativas, consisten en que los costes de una actividad se difunden a otras personas sin que reciban por ello ninguna compensación. Por ejemplo, la contaminación que producen las industrias químicas origina un deterioro en el medio ambiente que sufren todos los habitantes del entorno sin que reciban por ello ninguna compensación. *Véase* ECONOMÍAS EXTERNAS.

Desembolso (***Outlay***) Suma de dinero gastada en un proyecto particular.

Desestacionalizar (***Seasonally adjustment***) Eliminación de los factores estacionales de una serie histórica con el fin de poner de relieve sus componentes cíclicos o tendenciales.

Desgravación fiscal (***Tax allowance***) Porción de renta que queda sustraída a la acción impositiva y que supone una reducción o exención total en un impuesto, o la devolución de su importe en el supuesto de que ya se hubiera pagado.

Desgravar (***Reduce the tax on***) Conseguir la disminución de la Base Imponible basándose en algún hecho aceptado por la Administración Tributaria.

Desintermediación (***Disintermediation***) Proceso por el cual las empresas obtienen capitales emitiendo directamente sus títulos en vez de hacerlo por la vía de la financiación bancaria.

Deslizamiento (***Slide***) En argot de los mercados bursátiles o de divisas, variación negativa y sostenida de las cotizaciones de un valor o moneda.

Desnacionalización (***Privatisation***) Supone la venta de las acciones de sociedades anónimas en poder del Estado o entidades públicas a personas privadas. *Véase* PRIVATIZACIÓN.

Despido con una compensación en metálico (***Golden handshake***) Suma importante de dinero pagada a un empleado como compensación por ser obligado a dejar su trabajo o jubilarse anticipadamente.

Después de mercado (***After market***) Período que media entre la asignación de una emisión al sindicato de bancos y el pago de la misma, generalmente dos semanas. || La negociación de los títulos inmediatamente después de una emisión o una colocación, cuando aún no se ha disuelto el sindicato de bancos.

Desregulación (***Deregulation***) Tendencia a disminuir las restricciones y trabas legales a la actividad de los intermediarios financieros. Este proceso presenta una serie de ventajas e inconvenientes. Entre las ventajas se encuentran las nuevas oportunidades de negocio creadas y la mayor discrecionalidad en la toma de decisiones. Entre los inconvenientes se encuentra la amenaza de los nuevos competidores surgidos por la desregulación y los riesgos específicos que la misma conlleva. De cualquier forma, la tendencia de la autoridad se dirige a garantizar la solvencia de las entidades y proteger los derechos del consumidor.

Desviación típica (*Standard deviation*) Medida estadística de la dispersión de un grupo de valores numéricos en relación con la media. Se calcula tomando las diferencias entre cada número del grupo y la media aritmética, elevándolas al cuadrado y sumándolas, con lo que se obtiene la varianza. La desviación típica se obtiene calculando la raíz cuadrada de la varianza.

Deuda amortizable (*Amortizable debt*; *Dated debt*) Es una de las formas más comunes de financiación y captación de recursos del Estado, las Administraciones Territoriales y otros Organismos Públicos. La característica principal de la deuda amortizable, a diferencia de la perpetua, es el compromiso del emisor a su amortización, esto es, al reembolso a los suscriptores del nominal y los intereses de los títulos al término de los plazos establecidos.

Deuda del Tesoro (*Treasury debt*) Deuda Pública cuyo plazo de reembolso es inferior a 18 meses, emitida en el mercado interno y cuyo producto se destina a satisfacer necesidades transitorias de caja o para cumplir fines de política monetaria.

Deuda desgravable (*Tax deductible public debt*) Tipo de emisiones de Deuda Pública que se realizaban en España, que permitían la posibilidad de aplicarlas como deducción en el Impuesto sobre la Renta como partida desgravable.

Deuda exterior (*External debt*) Es el endeudamiento contraído por las unidades residentes frente a no residentes. Incluye los pasivos en moneda extranjera y en pesetas materializados en créditos y títulos normalmente negociables, que suponen la obligación del pago de intereses y la devolución del principal, de acuerdo a un plan de amortizaciones. Las unidades residentes reciben directamente los fondos del exterior o bien por intermediación de las entidades delegadas residentes.

Deuda no garantizada (*Unsecured debt*; *Debenture*) Deuda que no tiene garantía sobre los activos específicos en caso de quiebra o incumplimiento del emisor.

Deuda perpetua (***Perpetual debt***) Es la Deuda Pública consolidada, es decir, aquella en la que el suscriptor percibirá los intereses pactados, pero no recuperará el nominal suscrito. La Deuda Pública perpetua puede ser denunciable o no denunciable. La Deuda denunciable se caracteriza porque el Estado emisor está facultado para, a su conveniencia, denunciar el empréstito y restituir el capital. La Deuda no denunciable es la Deuda perpetua en sentido estricto en la que ni el Estado ni los suscriptores o adquirentes pueden solicitar el reembolso del nominal.

Deuda prioritaria (***Senior debt***) Préstamos y títulos de deuda que tiene prioridad frente al resto de deuda y del capital, en caso de liquidación de la sociedad. Incluye préstamos bancarios y de otras instituciones financieras, pagarés de empresa, bonos, obligaciones u otra deuda no considerada subordinada.

Deuda Pública (***Public debt***) Es el recurso del Estado al ahorro privado para la financiación de sus propios gastos. Se trata de un título de crédito, expresivo de un activo financiero para su poseedor, de renta fija, y con un vencimiento determinado. La Deuda Pública es emitida por el Estado y/o las Administraciones Públicas Territoriales.

Deuda Pública anotada Activos financieros de renta fija emitidos por el Estado u otros Entes públicos que tienen el carácter de meras referencias contables. En la actualidad, la mayoría de los instrumentos de Deuda Pública adoptan esa forma. *Véase* CUENTAS DIRECTAS DE DEUDA PÚBLICA ANOTADA.

Deuda Pública exterior (***External national debt***) Títulos de Deuda Pública en poder de no residentes.

Deuda simple (***Straight debt***) Deuda que no incorpora la opción de ser convertida en acciones. Deuda no convertible.

Deuda subordinada (***Subordinated debt; Junior debt***) Emisiones de títulos de renta fija que conservan características inferiores a las emisiones normales: a) su preferencia de cobro es posterior a la de los acreedores comunes; b) no se le reconoce el derecho de amortización anticipada; c) no puede adquirirse ni por el emisor ni por entidades pertenecientes a su grupo, y d) podrá ser convertible si es emitida por bancos. En general, toda aquella deuda que, por acuerdo, está subordinada a la deuda simple.

Deuda tributaria (*Tax debt*) Es la cantidad total a pagar por el sujeto pasivo a la Hacienda Pública por la exacción de un tributo. Está constituida por la cuota y, en su caso, también por los recargos exigibles legalmente sobre las bases o las cuotas, el interés de demora, el recargo por aplazamiento o prórroga, el recargo de apremio y las sanciones pecuniarias.

Devaluación (*Devaluation*) Operación financiera realizada por decisión de la Autoridad Monetaria de un país, por la que se procede a reducir el valor de la cotización de la moneda propia frente a las extranjeras, es decir, que, a partir de devaluación, habrá que pagar más unidades monetarias nacionales para adquirir una unidad monetaria extranjera. Los efectos de la bajada del tipo de cambio son similares a los producidos por una depreciación. Lo que diferencia ambas operaciones es el agente que las lleva a cabo: el mercado deprecia, el Gobierno devalúa.

Devaluaciones competitivas (*Competitive devaluations*) Devaluaciones sucesivas de una moneda buscando obtener una ventaja competitiva en el comercio exterior por ese medio.

Devengo del impuesto (*Accrued tax*) Nacimiento de la obligación de pago.

DGTPF Dirección General del Tesoro y Política Financiera.

Día a día (*Overnight*) Colocaciones de liquidez inmediata a las que normalmente se les aplica el tipo *fixing*.

Día de aviso (*Notice day*) En aquellos contratos de futuros en los que esté así establecido, fecha en la cual, o a partir de la cual, los inversores que mantienen posiciones compradoras de dichos contratos pueden ser avisados de que se les va a hacer entrega del activo subyacente.

Día de cierre (*Closing day*) Fecha en que los valores emitidos son entregados, contra pago de su importe, por los miembros del sindicato que participan en la oferta.

Día de impacto (*Impact day*) Día en que se anuncian los detalles y características de una nueva emisión.

Día de pago (*Payment date*) En una emisión, fecha en la que los miembros del sindicato pagan al director de la emisión por su adjudicación de títulos. || Fecha de liquidación en la negociación en el mercado secundario.

Día hábil (***Business day***) En los euromercados, cuando dos mercados relacionados están abiertos como día de negociación. Por ejemplo, en relación con el dólar, cuando Londres y Nueva York están abiertos a la negociación.

Diamante (***Diamond***) En el análisis técnico, formación gráfica que tiene lugar cuando las cotizaciones fluctúan considerablemente, asemejando la figura de un rombo o diamante. Se suele interpretar como un aviso del fin de una tendencia alcista.

Días de bono (***Bond days***) En los mercados de eurobonos y en algunos otros domésticos, se denomina así al número de días transcurridos entre dos fechas de devengo.

Dientes de sierra (***Zig-zag diagram***) Se dice que las cotizaciones originan dientes de sierra cuando, sin excesivas alzas o bajas, van subiendo y bajando alternativamente de forma que, reflejadas en un gráfico, asemejarían los dientes de una sierra.

Diferencial descubierto (***Uncovered currency differential***) El diferencial descubierto de una moneda respecto a las divisas del Euromercado a igual plazo viene dado por la diferencia de intereses entre las respectivas monedas. Dicho diferencial es, a su vez, un buen indicador de descuento, si el diferencial es positivo, o del premio, si el diferencial es negativo, en el mercado *forward* al plazo elegido.

Diferencial de tipo de interés (***Interest rate differencial***) Diferencia en el tipo de interés ofrecido por dos monedas para operaciones con el mismo vencimiento.

Diferencial horizontal (***Horizontal spread***) Operación que consiste en la venta de una opción y la adquisición simultánea de otra más lejana en el tiempo, ambas con el mismo precio de ejercicio.

Diferencial oferta demanda (***Bid-offer spread***) Diferencia entre el precio más bajo al cual un vendedor ofrecerá sus mercancías o servicios y el precio más elevado que está dispuesto a ofrecer el comprador.

Diferencial temporal (***Time spread***) Operación que consiste en la venta de una opción y la adquisición simultánea de otra más lejana en el tiempo, ambas con el mismo precio de ejercicio. Es un Diferencial Horizontal (*véase*).

Diferencial vertical (*Vertical spread*) Consiste en la adquisición y la emisióin simultánea de opciones con diferentes precios de ejercicio, lo que permite al inversor tomar una posición en opciones sobre divisas que le proporcionen un riesgo y un rendimiento definidos.

Dilución (*Dilution*) Disminución que se produce en el valor de las acciones en circulación al emitir una empresa nuevas acciones a la par o a un precio inferior al valor de mercado de las acciones previamente en circulación. En este caso, las reservas, aunque siguen siendo de la misma cuantía, han de repartirse entre mayor número de acciones, por lo que el valor de cada una de ellas es menor.

Dilución total del beneficio por acción (*Fully diluted earning per share*) Corrección del beneficio por acción al asumir el ejercicio de *warrants* y opciones sobre acciones, así como la conversión de los bonos convertibles y las acciones preferentes, es decir, todos los títulos que incorporan un efecto dilución potencial. En realidad, es la minoración del beneficio por acción que se obtendría al computar todos los potenciales ejercicios de conversión de títulos en acciones. *Véase* DILUCIÓN.

Dinero (*Money position*) Medio de pago aceptable utilizado de manera generalizada para la compra de bienes y servicios, || Palabra empleada en Bolsa para indicar que en el momento de la contratación (en el corro) había mayor demanda de un título que oferta. Equivale a demanda de un valor y representa el volumen de dinero en demandas de compra que al final de la jornada quedan sin poder ejecutarse.

Dinero a la vista (*Call money*) *Véase* CALL MONEY.

Dinero bancario (*Credit money*) Dinero creado por los bancos, en un proceso de expansión múltiple del crédito.

Dinero caliente (*Hot money*) Fondos que se mueven con rapidez de un centro financiero a otro, con fines especulativos para aprovechar las diferencias de cambio y los tipos de interés.

Dinero caro (*Tight money*) Situación en la que los tipos de interés son elevados y es difícil obtener préstamos.

Dinero de curso legal (*Legal tender*) Conjunto de monedas y billetes emitidos por el banco central de cada país, sin incluir los cheques, y que es admitido para el pago de deudas.

Dinero especulativo (*Hot money*) *Véase* DINERO CALIENTE.

Dinero fiduciario (*Fiduciary money*) Dinero emitido por el banco central de cada país, como los billetes actuales, que no posee ningún valor intrínseco, pero que es de curso legal por decreto del Gobierno. El dinero fiduciario se acepta por el público en general en la medida que espere que sea aceptado como pago. Actualmente todo el dinero utilizado es dinero fiduciario.

Dinero legal (*Legal money*) Medio de pago creado por el Estado, declarado por ley como medio oficial de pagos y con poder liberatorio de deudas *Véasea* DINERO FIDUCIARIO.

Dinero mercancía (*Commodity currency*) Bienes que en las sociedades primitivas hacían la función de dinero y que tenían valor por sí mismos.

Dinero negro (*Black money*) Expresión que hace referencia al dinero incontrolado fiscalmente.

Director de emisión (*Lead manager*) Es el banco director de una emisión de bonos, de un préstamo sindicado o de una oferta pública de venta de acciones (OPV). En una emisión de bonos es responsable de la coordinación, distribución y documentación. Es el que lleva los libros de demanda y es el responsable de la selección de los codirectores (*co-managers*), de seleccionar a los aseguradores y de nombrar al grupo de vendedores. En un préstamo sindicado es el que obtiene el mandato para poner en marcha el préstamo y trata directamente con el prestatario, con cuyo consentimiento pone los términos del acuerdo de préstamo y organiza la sindicación.

Director principal (*Lead manager*) *Véase* DIRECTOR DE EMISIÓN.

Disclosure (*Disclosure*) Requerimiento de la Securities and Exchange Commission y las Bolsas de EE.UU. para que las empresas publiquen toda la información, positiva o negativa, que pueda tener influencia sobre una decisión de inversión.

Discriminación de precios (*Price discrimination*) La venta del mismo bien o servicio a precios distintos a compradores diferentes o en mercados distintos cuando no existe para ello justificación por diferencias de costes, tales como los transportes.

Disponibilidad (*Facility*) *Véase* FACILIDAD.

Disponibilidades líquidas. M3 (*Liquid availability*) Agregado monetario formado por la oferta monetaria ampliada (M2) más los depósitos a plazo en el Sistema Crediticio, más los depósitos a plazo de otras instituciones financieras en el Sistema Bancario, excluidos los correspondientes a los Establecimientos Financieros de Crédito.

Disposición (*Drawdown*) Utilización de una línea de crédito bancario mediante un préstamo.

Dispuesto (*Disposed*) Parte del crédito otorgado que ha sido efectivamente utilizado, en contraposición con el que aún permanece disponible en la cuenta. Representa el saldo deudor que mantiene el prestatario frente a la entidad prestamista.

Distribución binomial (*Binomial distribution*) Distribución de probabilidad en la que la variable sólo puede adoptar dos posibles resultados.

Distribución de Poisson (*Poisson distribution*) Distribución binomial aplicada frecuentemente cuando se trata de calcular la probabilidad de que un suceso, que es en sí mismo poco probable, ocurre un número determinado de veces cuando el número de observaciones tomadas es muy elevado. Se utiliza especialmente en el análisis de colas.

Distribución normal (*Normal distribution*) Distribución de probabilidad típica de muchos fenómenos aleatorios. Su aplicación permite realizar predicciones sobre las probabilidades de dichos fenómenos. La distribución nomal queda perfectamente definida conociendo su media y su desviación típica.

Dpa Dividendo por acción.

Diversificación de riesgos (*Diversification of risks*) Con referencia a las inversiones en Bolsa significa que hay que distribuir las colocaciones de dinero en valores de sectores diversos, de forma que el posible desenvolvimiento desfavorable de alguno de ellos no repercuta sobre toda la cartera del inversor.

Dividendo (*Dividend*) Parte del beneficio líquido total conseguido por una sociedad mercantil y que, en la medida que acuerde el órgano administrativo y apruebe la Junta General, constituye la base de reparto entre los accionistas según el número de acciones que posean y en que esté dividido el capital social. Los dividendos se configuran como la retribución a los accionistas o propietarios de la empresa, o dicho de otro modo, la forma de remunerar el capital propio de la empresa.

Dividendo activo (*Activ dividend*) *Véase* DIVIDENDO.

Dividendo a cuenta (*Interim dividend*) Parte del dividendo activo que la empresa paga anticipadamente a cargo de los beneficios del ejercicio que está transcurriendo.

Dividendo complementario (*Extra dividend*) La Junta General Ordinaria, al aprobar la aplicación del resultado y fijar definitivamente el dividendo a abonar a los accionistas, acordará el pago del dividendo complementario cuando ya se hubieran abonado cantidades a cuenta.

Dividendo en acciones (*Stock dividend*) El reparto del dividendo puede coincidir con una operación de capital. En este caso, los valores de reparto de beneficio y de ampliación pueden ser los mismos, con lo que se trataría de un aumento del capital liberado con cargo a beneficios. También puede darse el caso de una ampliación de capital en parte con cargo a beneficios y en parte con desembolso en efectivo. Asimismo, pueden provenir de reparto de acciones procedentes de la autocartera de la sociedad. Implica una reducción de reservas y un aumento del capital social. *Véase* EMISIÓN DE ACCIONES LIBERADA.

Dividendo final (*Final dividend*) Dividendo pagado por una empresa después de terminar el ejercicio financiero. Se aprueba por la Junta General de Accionistas a propuesta de la dirección de la empresa.

Dividendo pasivo (*Stock assesment; capital call*) Parte del capital suscrito y no desembolsado cuyo pago es requerido por la sociedad, de una sola vez o de manera fraccionada, a los accionistas.

Divisa (*Foreign currency*) Comprende tanto los billetes de bancos extranjeros como los saldos bancarios denominados en moneda extranjera. Son derechos sobre el extranjero como: cheques, letras, giros, saldos de cuentas corrientes, etc., expresados en moneda extranjera y pagaderos en el exterior. Es un concepto más amplio que el de moneda extranjera.

Divisa base (*Base currency*) Unidad de una divisa para expresar el valor mediante el cual es indicado el de otra divisa.

Divisa convertible (*Convertible currency*) Divisa que puede ser libremente convertida a otras divisas sin ninguna restricción de control de cambios.

Divisa débil (*Soft currency*) Es la divisa perteneciente a un país de economía subdesarrollada o a un país con una situación política inestable.

Divisa exótica (*Exotic currency*) Divisa cuya negociación es poco frecuente en los mercados internacionales.

Divisa forward (*Forward currency*) Es la compra o venta de una divisa en un momento determinado, pero cuya entrega y pago se llevará a cabo en un momento posterior. *Véase* DIVISA SPOT.

Divisas admitidas a cotización en el mercado español A partir del 20 de febrero de 1991, y en virtud de lo dispuesto en la Circular 1/1991, de 22 de enero, cualquier divisa podrá ser libremente cotizada en el mercado español por las Entidades Registradas en el Banco de España para actuar por cuenta propia e intermediar operaciones en el sector exterior. No obstante, sólo serán objeto de cotización por el Banco de España las siguientes: dólar USA, marco alemán, franco francés, libra esterlina, lira italiana, franco belga y luxemburgués, florín holandés, corona danesa, libra irlandesa, escudo portugués, dracma griego, dólar canadiense, franco suizo, yen japonés, corona sueca, corona noruega, marco finlandés, chelín austríaco, dólar australiano, dólar neozelandés y ECU.

Divisa spot (*Spot currency*) Se trata de una divisa *forward*, cuyo plazo de entrega está definido a dos días después de realizarse el acuerdo de compra y venta. *Véase* DIVISA FORWARD.

DJIA *Dow Jones Industrial Average.*

DJUA *Dow Jones Utility Average*.

Doblar (*Make double*) En términos bursátiles, prorrogar una operación pactada a plazo durante un período más.

Doble (*Double*) Hacer una operación doble es vender al contado y comprar simultáneamente a plazo, y viceversa. También se utiliza como sinónimo de *report*, o premio que paga un especulador para prorrogar su operación de una liquidación a otra. Cuando la operación doble es a favor del dinero, hay *report*. Por otra parte, cuando es a favor del papel hay *deport*. Véase DEPORT y REPORT. Según el Reglamento de Bolsas español, las operaciones de dobles consisten en la compra al contado o a plazo de valores al portador, y en la reventa simultánea a plazo y a precio determinado a la misma persona, de títulos de la misma especie. Su propiedad se transfiere al comprador, quien queda obligado a devolver otros títulos de la misma especie, excepto cuando se haya hecho constar en las pólizas que la propiedad de los mismos títulos, cuya numeración se expresa, sigue siendo del vendedor-comprador al plazo fijado. Estas operaciones podrán renovarse por uno o por varios plazos sucesivos, pero sin perder sus características y con expedición de nuevas pólizas y abono de corretajes, y se podrán realizar solamente sobre los valores de cotización calificada que determine el Ministerio de Economía y Hacienda.

Doble hora bruja (*Double witching hour*) Cuando dos clases de opciones y futuros vencen al mismo tiempo. Por ejemplo, cuando los contratos de opciones y futuros sobre índices bursátiles vencen al mismo tiempo, normalmente el tercer viernes de cada mes, impulsando a los arbitrajistas a liquidar sus posiciones. *Véase* TRIPLE HORA BRUJA.

Doble imposición (*Double taxation*) Existe cuando un hecho imponible se somete dos veces a tributación. Existen mecanismos para atenuar este defecto. *Véase* CONVENIO PARA EVITAR LA DOBLE IMPOSICIÓN.

Documento de invitación (*Invitation document*) Documento enviado a los probables miembros del sindicato por el director de la operación (*lead manager*) describiendo la emisión en el mercado primario, invitándole a participar en el aseguramiento y/o en la colocación de dicha emisión.

Dolar index (*Dolar index*) Es una cesta de divisas compuesta por el marco (20,8 por 100), yen (13,6), franco francés (13,1 por 100), libra esterlina (11,9 por 100), dólar canadiense (9,1 por 100), lira (9 por 100), florín holandés (8,3 por 100), franco belga (16,4 por 100), corona danesa (4,2 por 100) y el franco suizo (3,6 por 100). La ponderación de cada divisa en la cesta es la cifra que figura entre paréntesis. Internacionalmente, cotiza en el Finex con las siglas DX.

Domicilio fiscal (*Fiscal residence*) En el caso de personas físicas será el de su residencia habitual. Para personas jurídicas, el de su domicilio social, siempre que esté efectivamente centralizada en él su gestión administrativa y la dirección de sus negocios. En otro caso se atenderá al lugar en que radiquen dicha gestión y dirección.

Downgrade (*Downgrade*) Reducción del nivel de calificación crediticia. *Véase* AGENCIA DE CALIFICACIÓN CREDITICIA y CALIFICACIÓN DE SOLVENCIA.

Down raid (*Down raid*) Compra de un gran número de acciones en la Bolsa, a veces como preludio de una oferta pública de adquisición (OPA). Se denomina así porque las compras se realizan a menudo por varios intermediarios (*brokers*) a la apertura del mercado.

Downtick (*Downtick*) Operación financiera realizada a un precio menor que la anterior con un mismo título.

Doy Término usual en el *parquet* para expresar la oferta.

DTB *Deutsche Termin-Borse.*

DTC *Véase* DEPOSITARY TRUST COMPANY.

Due diligence (*Due diligence*) Su significado literal es el de diligencia debida. Consiste en un concienzudo examen de una empresa realizado por el potencial director de una nueva emisión de títulos de una empresa (asegurador), o por otra compañía que intenta tomar su control. El propósito de estas diligencias es la comprobación de que la realidad de una empresa se ajusta verdaderamente a la información que ella da de sí misma, así como el uso que piensa hacer de los fondos que obtenga. Normalmente, se realiza a la vez que se prepara la documentación para una nueva emisión o colocación pública.

Dumping (***Dumping***) Operación consistente en vender los bienes de exportación a uno o varios países a un precio inferior al practicado en el interior o en otros países destinatarios de la exportación. Constituye una forma de competencia desleal.

Duopolio (***Duopoly***) Denominación de mercado imperfecto, caso particular de oligopolio, en el que sólo existen dos vendedores o productos.

Duopsonio (***Duopsony***) Caso particular de oligopsonio en el que sólo existen dos compradores en el mercado.

Duración (***Duration***) En el argot de los Euromercados y los mercados domésticos de emisiones de deuda, la duración es una medida de la longitud temporal de un título que tiene en consideración los pagos periódicos del cupón. Matemáticamente, es el vencimiento medio ponderado de todos los pagos realizados al tenedor por el emisor, cupones más reembolso del principal, calculado mediante la igualación de los valores actuales descontados de los pagos. Por tanto, dicha duración es inferior al plazo establecido para la cancelación de todos los títulos que se han ido amortizando por períodos, o del principal íntegro. La excepción son los bonos cupón cero, en el que el vencimiento medio no existe porque sólo hay un pago de reembolso de principal a la fecha establecida para cancelar la deuda. En este caso, la duración es igual al vencimiento. La duración de una obligación se relaciona con la sensibilidad de su precio ante las variaciones de la rentabilidad.

Duración modificada (***Modified duration***; ***Adjusted duration***) Es la medida del porcentaje de variación en el precio de un bono que provoca una variación de un punto básico en su rendimiento. Es, por tanto, una medida de la volatilidad del precio de un bono en respuesta a pequeñas variaciones en los tipos de interés.

Duration risk management (***Duration risk management***) Se refiere a la utilización de la duración modificada para un grupo de activos y/o pasivos financieros con el objetivo de cuantificar y controlar la exposición al riesgo de los tipos de interés a largo plazo.

E

EBT *Earning before tax.*
ECM *European Common Market.*
Econometría (*Econometrics*) Parte de la Economía que, mediante la utilización de los métodos estadísticos, realiza modelos matemáticos para el estudio y la estimación de las relaciones entre las variables económicas cuantitativas más importantes.
Economía (*Economics*) Ciencia que estudia la manera de emplear recursos productivos escasos y limitados susceptibles de usos alternativos para satisfacer necesidades humanas, tanto presentes como futuras, así como su distribución para su consumo entre los diferentes miembros de la sociedad. La Economía debe resolver las tres cuestiones básicas de qué se produce, cómo se produce y para quién (producción, distribución y consumo).
Economía abierta (*Open economy*) Economía que mantiene relaciones comerciales con otros países, mediante exportaciones e importaciones de bienes de consumo y de capital.
Economía cerrada (*Closed economy*) Economía sin transacciones con otras economías.
Economía del lado de la oferta (*Supply side economics*) Teoría que se basa en el estudio de las variables que condicionan la oferta agregada o producción potencial. Los resultados de ese estudio convienen en que las elevadas tasas impositivas sobre las rentas del trabajo y el capital desincentivan el esfuerzo laboral y el ahorro, por lo que la reducción de tales tarifas implicará un aumento de la producción total e, indirectamente, aumentará los ingresos fiscales.
Economía de mercado (*Free market economy*) En sentido estricto, aquella economía en la que los precios y cantidades que

se negocian se determinan mediante la libre concurrencia de la demanda y la oferta en el mercado.

Economía financiera (*Financial economics*) Parte de la Economía que trata del estudio de la teoría de los mercados financieros. Incluye la teoría de los mercados eficientes; la teoría de selección de carteras de valores y el modelo de valoración de activos; la teoría que analiza los conflictos de intereses y asimetría en la información disponible entre los participantes en la propiedad de la empresa, tanto accionistas como acreedores, así como respecto a los gestores de la misma; la teoría de valoración de opciones que estudia la valoración de derechos contingentes, es decir, de activos cuya rentabilidad depende de los precios de otro u otros activos; y la teoría de finanzas de empresa que, aunque relacionada de forma directa con las anteriores, tiene su propio campo específico, que se centra fundamentalmente en el estudio de tres áreas: las decisiones de inversión, la estructura de financiación y la política de dividendos.

Economía mixta (*Mixed economy*) Economía en la cual el mercado privado y el Gobierno comparten las acciones en lo referente a qué, cómo y para quién debe producirse.

Economía sumergida (*Black economy*; *Hidden economy*) Se trata de un amplio concepto que engloba muy diferentes actividades con trascendencia económica, que tienen como elemento común el escapar al control de cualquier clase de procedimientos o mecanismos fiscalizadores y contables que utiliza el Estado. Es evidente que la economía sumergida es sólo posible si hay un Estado que interviene en el sistema económico, y también es evidente que no hay ningún Estado que no ejerza múltiples funciones de intervención, especialmente a través de las normas fiscales, de ordenación, supervisión y limitación de las actividades y de exigencias de origen y finalidad múltiple.

Economías de escala (*Economies of scale*) Es un sentido económico, las economías de escala se producen cuando al aumentar el tamaño de la planta y la producción disminuye el coste medio de fabricación, es decir, se trata de una función de producción en la que al aumentar los factores, la producción total aumenta más que proporcionalmente. *Véase* DESCONOMÍAS DE ESCALA.

Economías externas (*External economies*) También denominadas externalidades positivas, consisten en que los beneficios de la realización de una actividad se difunden a otras personas sin que les suponga ningún coste adicional a las mismas. *Véase* DESECONOMÍAS EXTERNAS.

Economic value added. EVA (*Economic value added. EVA*) Medida del beneficio antes de intereses y después de impuestos, menos el valor contable de la empresa, multiplicado por el coste promedio de los recursos.

ECU (*European Currency Unit*) Unidad monetaria europea formada por una cesta ponderada y ajustable de cada una de las monedas de los países de la Unión Europea. Desempeña las funciones de unidad de cuenta para las operaciones del Sistema Monetario Europeo, de instrumento de pago entre las autoridades monetarias de la Unión y de activo de reserva. En la tercera y última fase de la unión económica y monetaria será sustituida por el Euro como moneda única europea. *Véase* UME-11.

EFC Establecimiento Financiero de Crédito.

Efectivo en manos del público (*Cash held by public*) Total de billetes y moneda metálica en circulación, es decir, total de circulación fiduciaria menos las existencias en caja de la banca, cajas de ahorro, cooperativas y crédito oficial.

Efecto a la orden (*Promissory note*) Promesa incondicional de pago, emitida y firmada por el deudor, comprometiéndose a pagar una cierta suma, a vencimiento especificado, y a favor de una persona determinada, o al portador.

Efecto cartera de la Deuda Pública Se deriva de la conexión entre el volumen de deuda y tipos de interés, y consiste en la necesidad de aumentar éstos para inducir al sector privado a mantener una mayor proporción de Deuda Pública en las carteras de activos. Se debe fundamentalmente al aumento de la oferta de obligaciones y bonos del Estado.

Efecto cascada (*Cascade effect*) Es el que tiene lugar en los impuestos que se aplican cada vez que se realiza una transacción sobre el importe total.

Efecto desplazamiento o expulsión *Véase* CROWDING OUT, EFECTO.

Efecto Fisher (*Fisher effect*) El efecto Fisher parte de la base de que lo que busca el inversor es la rentabilidad real como criterio para tomar decisiones. Esta se calcula como diferencia entre la rentabilidad nominal y la tasa de inflación. Según Fisher, en una situación de equilibrio, la rentabilidad real entre distintos países ha de ser igual, es decir, el inversor debe ser indiferente a colocar sus capitales en los distintos países, pues sus rendimientos serán los mismos; si esto no fuese así, los mercados de capitales provocarían un reajuste hasta igualar los tipos de interés reales.

Efecto sustitución (*Substitution effect*) La variación en la cantidad demandada de un bien, como consecuencia de un cambio en su precio relativo, cuando el efecto renta real causado por la variación del precio se ha eliminado.

Efectos públicos (*Government securities*) Títulos de Deuda Pública, representativos de créditos contra el Estado o instituciones afines. También se llama así a los valores emitidos por gobiernos extranjeros. *Véase* DEUDA PÚBLICA.

Eficiencia (*Efficiency*) Uso eficaz de los recursos económicos disponibles. La eficiencia global se consigue al situar la economía en la frontera de posibilidades de producción. || En teoría de mercado de capitales, situación en que las cotizaciones o precios de los activos financieros incorporan toda la información disponible acerca de los mismos.

Eficiencia económica (*Economic efficiency*) Cuando se produce al menor coste. *Véase* EFICIENCIA.

Eficiencia técnica (*Technical efficiency*) Condiciones productivas que proveen el máximo producto con los recursos y la tecnología disponibles. Es necesaria, pero no implica que se produzca al menor coste.

Ejecución (*Compliance*) Cumplimentación en la Bolsa de una orden de compra o venta de valores mobiliarios.

Elasticidad (***Elasticity***) Término de frecuente utilización en Economía para expresar el grado de respuesta que se produce en una variable económica ante cambios porcentuales pequeños en otra variable.

Elasticidad precio de la demanda (***Price elasticity of demand***) Se define como la variación porcentual en la cantidad demandada, dividida por la variación porcentual en el precio. Mide el grado en el que la cantidad demandada responde a las variaciones del precio de mercado, manteniéndose lo demás constante.

Elasticidad precio de la oferta (***Price elasticity of supply***) Grado de respuesta o sensibilidad de la cantidad ofrecida de un producto ante variaciones en el precio de dicho bien. El cálculo se realiza mediante la división entre la variación porcentual de la cantidad ofrecida y la variación porcentual del precio del bien en cuestión.

Elasticidad precio cruzada de la demanda (***Crossed elasticity of demand***) Grado de sensibilidad o de respuesta de la demanda de un bien ante variaciones en los precios de otros bienes.

Elasticidad renta de la demanda (***Income elasticity of demand***) Mide el grado de sensibilidad que la demanda de un producto tiene respecto a variaciones en la renta de los consumidores. El cálculo del coeficiente de elasticidad renta se realiza mediante la relación entre la variación porcentual de la cantidad demandada y la variación porcentual de la renta del consumidor.

Elasticidad unitaria (***Unit elasticity***) Elasticidad de valor igual a uno. Si una curva de demanda tiene una elasticidad unitaria, el ingreso total permanece constante cuando el precio cambia. En una curva de oferta con elasticidad unitaria el ingreso total permanece constante cuando el precio cambia.

Elusión fiscal (***Avoidance of tax***) Comportamiento del contribuyente que renuncia a disponer de una capacidad económica que pueda estar sujeta a gravamen.

Embargo (***Attachement***) Intervención judicial, a instancia de parte interesada, de los bienes pertenecientes al deudor, con el fin de ejecutar un acuerdo o resolución precedente tomado por la autoridad.

Emisión (***Issue***) Creación de nuevos títulos por el organismo emisor a consecuencia de un empréstito (emisión de obligaciones) o de un aumento de capital (emisión de acciones nuevas). Supone la introducción o colocación en el mercado de valores mobiliarios. La emisión puede ser: a) a la par, *at par issue*, cuando el suscriptor ha de entregar a la empresa el valor nominal del título; b) con prima, *above par issue*, cuando el desdembolso para la suscripción es superior al valor nominal, y c) liberada o gratuita, *scrip issue*, cuando en el caso de una ampliación de capital la suscripción de las acciones nuevas no requiere desembolso alguno, puesto que se realiza con cargo a reservas de libre disposición de la empresa. También puede ser parcialmente liberada. La emisión de nuevas acciones trae consigo el ejercicio del derecho de suscripción preferente de los antiguos accionistas, los cuales pueden ejercitarlo directamente y suscribir los títulos, o enajenarlo a su valor teórico o bursátil, en cuyo caso podrá suscribir la persona que lo adquiera.

Emisión abierta (*Flotation*; *Floatation*) En el argot de los mercados de valores se refiere a una emisión de acciones o títulos de deuda o de activos financieros, que se ha ofrecido al público en un mercado organizado, y en la que todavía se admiten peticiones por no haber llegado la fecha de cierre. También se distingue así a un tipo de emisión de eurodepósitos a interés flotante, en el que la aceptación de ofertas se mantiene abierta «hasta cuando sea conveniente», si bien la emisión tiene un importe total determinado previamente.

Emisión cerrada (*Closed issue*) Se dice de aquella emisión en la que ya ha transcurrido el plazo de emisión o ya se han suscrito todos los títulos, es decir, ya no se puede suscribir ninguno más.

Emisión comprada (*Bought deal*) Procedimiento de emisión mediante el cual el jefe de fila o director principal, actuando en su propio nombre o conjuntamente con los codirectores de la emisión, se compromete a suscribir una emisión completa de valores en unas condiciones fijas acordadas, especialmente en cuanto al cupón y al precio específico de emisión. Emisión de eurobonos cuyos términos y condiciones son asegurados por el *Lead Manager* de la operación.

Emisión competitiva (*Competitive bid*) Emisión de eurobonos en la cual la elección de los bancos aseguradores se realiza mediante un sistema de subasta, consistente en que los agentes hagan sus ofertas sobre la emisión, resultando satisfechas según su relación coste-eficacia.

Emisión cubierta (*Covered issue*) Tanto en las emisiones sacadas a subasta competitiva en una fecha o un período de suscripción, como en aquellas otras ofrecidas al público con un plazo de suscripción a un tipo fijo de interés, se dice que la emisión está cubierta cuando se han hecho peticiones de compra por igual o mayor cantidad de acciones que el volumen de títulos ofertados en la emisión.

Emisión de acciones liberada (*Scrip issue*) Aquella emisión en la cual los suscriptores no tienen que realizar ningún desembolso, puesto que éste se realiza con cargo a reservas de libre disposición para la empresa. También puede ser parcialmente liberada, es decir, que parte de la emisión deba ser desembolsada por el suscriptor, mientras que la otra parte va con cargo a reservas. *Véase* DIVIDENDO EN ACCIONES.

Emisión pública (*Public issue*) Emisión de nuevos títulos vendidos directamente al público.

Emisión sin amortización anticipada (*Bullet issue*) Emisión de bonos de renta fija sin cláusula de constitución de un fondo de amortización o de rescate que reduzca la vida media de la emisión a un período inferior a su vencimiento nominal.

Emisor (*Issuer*) La persona física o jurídica de carácter público o privado que emite valores o activos financieros como un medio de captar recursos externos en calidad de préstamos, emisiones o ampliaciones de capital. En el caso de las sociedades, realizan la formación inicial de su capital social o las futuras ampliaciones mediante emisiones públicas de acciones.

Emisores en serie y a la medida Creación y puesta en circulación de instrumentos financieros, con unas características genéricas establecidas por el emisor y con colocación entre el público (en serie), o con unas características específicas predeterminadas por los suscriptores entre quienes se colocan en firme (a la medida) como puede ser el caso de ciertas emisiones de pagarés de empresa.

Employees Stock Ownership Plan. ESOP Programa realizado por una empresa para sus empleados con el propósito de incentivarlos para que compren sus acciones.

Empresa multinacional (*Multinational corporation*) Es aquella que conserva establecimientos en diferentes países, siendo por tanto más correcto hablar de empresa supranacional, en tanto en cuanto su ámbito de aplicación va más allá de un solo país.

Empresa de responsabilidad limitada (*Close corporation*) Empresa poseída por dos o más personas que tiene la forma jurídica de sociedad anónima.

Empresa de servicios públicos (*Public utility*) Empresa suministradora de servicios públicos como agua, gas, electricidad, telecomunicaciones, etc. Normalmente explotan un monopolio natural en régimen de arrendamiento.

Empresa de utilidad pública (*State owned utility*) Una empresa que es la única oferente de un bien o servicio esencial en un área y que es controlada por el Estado.

Empréstito (*Debenture loan*) Forma de captación de recursos ajenos por parte del Estado y de las empresas, emitiendo obligaciones, bonos, pagarés, etc., que el público en general suscribe como medio de inversión de sus capitales y ahorros. Las empresas logran así préstamos a medio y largo plazo con los que financiar nuevas inversiones, o a corto y medio plazo para atenciones de tesorería. Los inversores, a su vez, consiguen un interés como remuneración de esa inversión.

Empréstito con lotes (*Lots loan*) Es un empréstito en el que la empresa emisora decide reembolsar los títulos que cada año se amorticen, repartiendo además una cantidad determinada. Bajo estos supuestos nos podemos encontrar con dos situaciones: a) la empresa decide distribuir una cantidad fija todos los años en concepto de lote, por lo que la anualidad se compondrá de la suma de la cuota de amortización, cuota de intereses y el importe fijo del lote, y b) la empresa decide distribuir una cantidad determinada en concepto de lote, pero diferente para cada año. En este caso, si la empresa quiere dedicar una cantidad constante para atender el servicio completo del empréstito (amortización, intereses y lotes), deberá añadir a la anualidad necesaria para atender el pago de intereses y amortización del nominal, la anualidad necesaria para atender el pago de los lotes.

Empréstito de obligaciones (*Bond issue*) Cuando la empresa, en vez de dirigirse a un único proveedor de recursos financieros, como es el banco, lo hace colocando obligaciones directamente a una multiplicidad de ahorradores, se trata de una emisión de un empréstito de obligaciones. Estas obligaciones son títulos que representan una parte alícuota del total de la deuda, que puede presentar formas muy diferentes en cuanto a condiciones de reembolso, el interés de la utilización de esos recursos, etc.

Empréstito indiciado (*Indexed loan*) Emisiones de obligaciones u otra clase de deudas, cuyo reembolso o forma de remuneración se afecta de unos coeficientes o índices que tienen en cuenta el efecto de la devaluación o depreciación de la moneda. Normalmente los índices de referencia son: el índice de precios al consumo, el tipo de interés interbancario, un tipo de interés bancario o un índice de Bolsa.

EMS *European Monetary System.*

EMTN *Euro Medium-Term Notes.*

Encaje (*Reserve requirement*) El dinero en caja y los saldos en depósitos bancarios a la vista que son mantenidos para atender obligaciones de tesorería, tanto por parte de las empresas como por las entidades crediticias (materializadas, en este caso, en el coeficiente de caja). *Véase* ACTIVOS DE CAJA DEL SISTEMA BANCARIO.

En dinero (*In the money*) Situación en la que una opción tiene un valor intrínseco positivo.

Endoso (*Endorsement*) Declaración escrita, generalmente al dorso de un documento extendido «a la orden de», mediante la cual el poseedor o titular del mismo, endosante, transmite sus derechos a otra persona, endosatario.

Endoso en blanco (de la letra y del pagaré) (*Blank endorsement*) Endoso en el que no se designa al endosatario o en el que sólo aparece la firma del endosante. De este modo el documento circula como título al portador, y los tenedores del título no quedan obligados cambiariamente. Las entidades de crédito apoyan la libre circulación de las letras en blanco como simples títulos al portador, porque de esta manera no refuerzan con su firma los créditos.

Endosante (*Endorser*) Persona que firma el endoso de un título de crédito a favor de otra que lo acepta, y que por ese acto adquiere el título.

Endosar (*Endorse*) Ceder a tercero un documento de crédito a la orden mediante la fórmula del endoso.

Endosatario (*Endorsee*) Persona a cuyo favor se realiza un endoso, a quien se transmite un título de crédito a la orden mediante la fórmula del endoso, y que por ese acto se convierte en el legítimo titular del mismo.

Endowment (*Endowment*) Producto del mercado hipotecario inglés que combina un crédito hipotecario a muy largo plazo y un seguro de vida.

Entero (*Point*) Unidad en la que se miden los cambios de los valores, que representa el 1 por 100 del nominal de un título. En Bolsa equivalía al 1 por 100 del valor nominal de los títulos.

Entidad de Crédito de Ambito Operativo Limitada. ECAOL *Véase* ESTABLECIMIENTOS FINANCIEROS DE CRÉDITO. EFC.

Entidad de Factoring (*Factoring entity*) Se trata de una modalidad que forma parte de los Establecimientos Financieros de Crédito. Dentro del registro de éstos, se determina como Entidad de *Factoring* aquella que incluya en sus estatutos, como objeto principal, la realización de las operaciones de gestión de cobro de créditos y de anticipos de fondos sobre los mismos.

Entidad de financiación (*Financing entity*) Bajo esta denominación se reunían una serie muy dispar de instituciones que realizaban funciones de intermediación en los mercados monetarios y financieros. Constituían un mercado paralelo al mercado de crédito tradicional. Actualmente se engloban en los Establecimientos Financieros de Crédito (*véase*).

Entidad gestora por cuenta de terceros Constituye un subgrupo de los titulares de cuenta de la Central de Anotaciones, de quienes se exigen unos requisitos más restrictivos que los aplicados a aquéllos, y que pueden mantener en sus cuentas tanto anotaciones de su propia cartera como de sus clientes o de terceros.

Entrega (*Delivery*) En el mercado de futuros, la liquidación de una posición vencida mediante la entrega física de los instrumentos financieros correspondientes.

Entrega del más barato (*Cheapest to deliver*) Los bonos futuros se cotizan sobre la base de un bono nocional. Sin embargo, la entrega exige que se haga en bonos normales en circulación. Los contratos de futuros en bonos especifican los bonos en circulación que pueden ser utilizados para la liquidación. No todos los bonos seleccionados tienen el mismo precio. En consecuencia, los vendedores de futuros tratarán de encontrar el más barato para la entrega en la liquidación del contrato.

Entrega física (*Physical delivery*) Liquidación de un contrato de futuros mediante recibo o la oferta de un instrumento financiero.

Envilecer (*Vilificate*) En el campo financiero y monetario, depreciar el valor de la moneda nacional en relación al resto de las divisas más fuertes, a consecuencia de una situación de crisis inflacionaria en el interior o una acusada revalorización de las monedas del mercado internacional.

Envolventes (*Envelopes*) En el análisis técnico bursátil, se trata de dos líneas paralelas y simétricas a la media móvil que encierran el área de representación de los precios. Si la media móvil representa el centro de la tendencia, las envolventes representan los puntos de máxima y mínima divergencia de la tendencia.

Equilibrio (*Equilibrium*) Situación en la cual no existe tendencia alguna al cambio.

Equilibrio financiero (*Financial equilibrium*) Situación de equilibrio patrimonial en la que el disponible más el realizable debe ser igual o mayor que el exigible a corto plazo, es decir el activo líquido debe ser mayor o igual que el pasivo a corto.

Equivalencia financiera (*Financial equivalence*) Se dice que dos capitales financieros son equivalentes y, por tanto, indiferentes, cuando son sustituibles por coincidir las proyecciones de ambas en un mismo punto temporal de referencia.

Erario público (*Treasury*) Denominación del Tesoro Público. Lo constituyen los recursos financieros del Estado y sus Organismos, o sea, dinero, valores y créditos.

Escasez (*Shortage*) La cuantía en que la cantidad ofrecida es menor que la demandada al precio prevaleciente; lo opuesto a excedente.

Escisión (*Spin-off split*) Es la operación contraria a la de fusión. Por ella, una empresa segrega sus distintas actividades con el fin de maximizar el valor de las partes por separado o para evitar el contagio de situaciones negativas.

Escritura (*Deed*; *Public deed*) Documento en el que las partes hacen constar algún convenio, pacto, obligación, etc., que surge entre ellos, de lo cual da fe el notario.

Escritura de Constitución (*Memorandum of Association* [*UK*]; *Certificate of Incorporation* [*USA*]; *Charter*) Documento constituido por la carta constitucional y el certificado de constitución de una empresa en EE.UU. que le da existencia legal. Incluye información como el nombre de la empresa, objeto, número de acciones autorizadas, y número e identidad de los consejeros. Así pues, el poder de la empresa procede tanto de las leyes estatales como de las estipulaciones de la escritura. *Véase* CARTA CONSTITUCIONAL.

Escudo fiscal (*Tax shelter*) Método utilizado por los inversores para evitar o reducir sus responsabilidades fiscales legalmente. Para ello utilizará elementos como la depreciación de activos inmobiliario o de equipamiento, o bien la deducción de activos agotables como exploraciones de gas y petróleo.

ESOP Employee Stock Ownership Plan.

Espaclear (*Espaclear*) La Agencia de Valores Espaclear, S. A. es una sociedad anónima creada en España para ofrecer el servicio de compensación y liquidación a los operadores que negocian títulos de renta fija de emisores privados. Se trata de un sistema de entrega contra pago en el que los títulos, en el caso de que los haya, permanecen, desde su emisión hasta su vencimiento, en una entidad de crédito designada por Espaclear, y las ventas y compras de dichos títulos se hacen a través de anotaciones en cuenta.

Especialista (***Specialist***) Categoría de miembro de la Bolsa de Nueva York que se especializa en una o varias acciones para las cuales actúa atendiendo las órdenes de compra o venta de otros *brokers* y operando por cuenta propia. Su principal función es dotar de liquidez al mercado.

Especulación (***Speculation*; *Venture***) Compras y ventas que tienen por objeto conseguir beneficios de las variaciones de la cotización de los bienes, títulos-valores o créditos sobre los que se realice. Es ilícita cuando la alteración de los precios es controlada por el operador, por actuar en régimen de monopolio, alterar las cotizaciones o por provocar escasez dolosamente. Es similar al arbitraje en tanto en cuanto que también pretende conseguir beneficios por diferencias de cotización, pero mientras que en la especulación se basa en diferencias de precios en el tiempo, el arbitraje se basa en las diferencias de precios en las distintas plazas.

Especulador (***Speculator*; *Stag***) Persona que compra o vende a corto plazo, con intención de vender o recomprar en el futuro, buscando un beneficio en las respectivas diferencias. Cumple la función niveladora de cambios. || Persona que solicita títulos de una nueva emisión cuya demanda se espera que sea superior a la oferta, con la intención de vender los títulos adjudicados el primer día de negociación.

Especulador de Bolsa (***Scalper***) En general, especulador que realiza operaciones cuasi-ilegales o ilegales para obtener un beneficio rápido e irrazonable. || Asesor de inversiones que toma una posición en un título antes de recomendarlo, con el fin de venderlo cuando haya subido el precio como consecuencia de su recomendación. || Intermediario que, en contra de las reglas éticas establecidas, añade un margen excesivo, por encima o por abajo, en una operación.

Esposas doradas (***Golden handcuffs***) En el argot de fusiones y adquisiciones, técnica consistente en reforzar la participación de la gerencia y su continuidad en la empresa.

Estabilización (*Stabilization*) Proceso por el cual un director de una nueva emisión interviene en el mercado para evitar un descenso excesivo en el precio. Puede hacerse de dos formas o de una combinación de ambas: a) el director puede sobreasignar títulos, quedándose corto por cuenta del sindicato y acudiendo al mercado secundario a comprar; b) tomando una posición larga por cuenta del sindicato y distribuyéndolo entre los miembros del sindicato o, más usualmente, vendiendo títulos en el mercado secundario. En ambos casos se proporciona un soporte al precio de mercado del título colocado. Para este tipo de actuaciones se pone un límite de tiempo específico después del cual se liquida la posición.

Estabilizador automático (*Automatic stabilizer*) Fenómeno generado en la Economía que tiende a reducir la amplitud de las fluctuaciones. Por ejemplo, la captación de impuestos tiende a reducirse durante la recesión y a aumentar durante el auge, disminuyendo las variaciones del ingreso disponible y de la demanda agregada (por tanto, los impuestos son un estabilizador fiscal automático).

Establecimientos Financieros de Crédito. EFC En España es una nueva modalidad de entidad financiera, que ha sustituido a las antiguas Entidades de Crédito de Ambito Operativo Limitado (ECAOL). Las EFC integran las actividades de: préstamo y crédito, factoring, arrendamiento financiero (*leasing*), emisión y gestión de tarjetas de crédito; concesión de avales y garantías, etc. No pueden captar fondos en forma de depósitos aunque sí pueden emitir valores con un plazo superior a un mes. Son entidades supervisadas y controladas por el Banco de España.

Estacionalidad (*Seasonality*) Evolución de una variable que se repite en una misma época durante todos los años. Así, serán productos estacionales aquellos que se vean afectados por esta situación, como por ejemplo los paraguas, etc.

Estacionariedad (*Stationarity*) Características de determinadas series en las que no se aprecia ninguna tendencia. Las series estacionarias poseen una media y una varianza aproximadamente constantes en el tiempo.

Estadística bursátil (***Stock exchange statistic***) La aplicación de la estadística a la Bolsa como método de investigación ha permitido el conocimiento de las variaciones de las magnitudes bursátiles en relación con la misma magnitud en otro período considerado como base. La aplicación de la ciencia estadística a los mercados de valores aporta un conocimiento más profundo de los mismos. Los instrumentos estadísticos más utilizados en la Bolsa son los índices (*véase* ÍNDICES BURSÁTILES), pero no sólo se analizan las cotizaciones de los valores, sino que estadísticamente se estudian la capitalización bursátil, emisiones y colocaciones de títulos, volúmenes de contratación, etc., lo que permite un análisis técnico de la evolución del mercado.

Estado de origen y aplicación de fondos (***Funds flow statement; Source and application of funds***) Estado de cambios en la posición financiera de una empresa detallando las causas de los flujos de recursos hacia dentro y fuera de la misma.

Estampillar (***Stamp***) Acción de marcar los títulos con un cajetín o sello, indicador de nuevas características como: desembolso de dividendos pasivos, distinto valor nominal, pago de dividendo activo, etc. *Véase* SELLADO DE ACCIONES.

Estancamiento económico (***Stagnation; Economic slowdown***) Período prolongado de crecimiento cero, desempleo, etc.

Estanflación (***Stagflation***) Estancamiento en el nivel de producción de un país que provoca un aumento progresivo de los niveles de paro, a la vez que un aumento generalizado de precios. Es decir, se produce recesión más inflación.

Estatutos sociales (***Articles of Association* [*UK*]; *Bylaws* [*USA*]**) Reglas por las que se rige la gestión interna de una empresa. Se establecen en el momento de la constitución de la empresa. Pueden ser modificados por los propios consejeros. Cubren aspectos como la elección de los consejeros, el nombramiento de los comités ejecutivo y financiero, las obligaciones de los ejecutivos y las formas en que se pueden transferir las acciones. *Véase* ESCRITURA DE COSNTITUCIÓN Y CARTA CONSTITUCIONAL.

Esterilización (***Sterlizing***) Un flujo monetario, o de reservas exteriores, se esteriliza cuando las autoridades monetarias emprenden medidas de mercado abierto para cancelar los efectos automáticos del citado flujo sobre la oferta monetaria de un país.

Estimación directa (*Direct estimation*) Es un método de determinación de bases imponibles basado en los datos consignados en los correspondientes documentos o soportes materiales o físicos y comprobados por la Administración.

Estimación indirecta (*Indirect estimation*) Es un método de determinación de bases imponibles que aplica la Administración cuando, por falta de presentación de declaraciones, no puede conocer los datos necesarios para la estimación completa de las bases imponibles, o cuando los sujetos pasivos ofrezcan resistencia, excusa o negativa a la actuación inspectora o incumplan sustancialmente sus obligaciones contables.

Estimación objetiva singular (*Objective evaluation*) Es un régimen de determinación de bases imponibles. Se aplica a actividades de media y pequeña dimensión. Las bases imponibles estimadas son presuntas ya que se evalúan en función de índices.

Estocástico (*Stochastic*) Sinónimo de aleatorio. Dícese de todo lo que es imprevisible en su origen o variación. ‖ Indicador técnico que trata de detectar las condiciones de sobrecomprado/sobrevendido en el precio de un valor. Se basa en la observación de que, cuando la cotización sube, los precios de cierre tienden a aproximarse a los máximos del período y, cuando baja, se acercan a los mínimos del período.

Estrecho (*Tight*) Se dice que un mercado bursátil es relativamente estrecho cuando: a) el número de sociedades que cotizan es muy reducido en relación con el número de sociedades existentes, y b) las sociedades que cotizan tienen un volumen anual de contratación reducido respecto del capital admitido a cotización, o cuando es reducido el número de sesiones que han logrado cotizar en relación con el total anual de sesiones.

Estructura del mercado (*Market structure*) Características que determinan el comportamiento de las empresas en un mercado, como, por ejemplo, el número de empresas, las posibilidades de establecer acuerdos entre las empresas, grado de concentración, etc.

Eurex (*Eurex*) Sistema informático utilizado en el Euromercado para la negociación y liquidación de títulos.

Euribor (*Euribor*) Tipo de interés interbancario del Euro en el futuro mercado europeo UEM-11. Sustituirá a los tipos interbancarios nacionales con la desaparición de sus monedas en favor del Euro. *Véase* MIBOR.

Euro (*Euro*) Moneda única oficial de los países que formarán parte de la Unión Económica y Monetaria Europea, UME-11. Entrará en vigor el 1 de enero de 1999. Dichos países serán: Alemania, Austria, Bélgica, España, Finlandia, Francia, Holanda, Irlanda, Italia, Luxemburgo y Portugal. Entre el 1 de enero de 1999 y el 1 de enero del 2002, los ciudadanos de la Unión podrán abrir cuentas bancarias en euros y pagar en dicha moneda con sus tarjetas de crédito o cheques. Entre el 1 de enero y el 30 de junio del año 2002 se pondrán en circulación los billetes y monedas en euros. El 1 de julio de ese mismo año se retirarán los billetes y monedas nacionales, quedando el euro como única moneda legal. *Véase* EMU-11.

Euroacciones (*Euroshares*) Acciones emitidas en una eurodivisa y cuya colocación se realiza en los mercados internacionales.

Eurobono (*Eurobond*) Título-valor de una emisión de deuda negociable, emitido al portador, realizada y colocada en el exterior y denominada en una divisa convertible. En la gran mayoría de las emisiones se establece un tipo de interés fijo o margen fijo sobre el Libor. También pueden emitirse en varias monedas, teniendo el inversor, en ese caso, la opción de recibir el principal o los intereses en una de las monedas de la emisión elegida por él. Los emisores de estos mercados tienen que gozar de una solvencia muy elevada, encontrándose entre ellos: los Estados con emisiones soberanas, organismos estatales o internacionales, bancos de primera fila y empresas multinacionales o grandes empresas nacionales. Estos bonos son adquiridos por particulares que mantienen fondos fuera del control monetario del país en donde tienen fijada su residencia o que están autorizados a invertir en el mercado exterior, así como bancos y compañías multinacionales que están autorizados a operar en los mercados *off-shore* o paraísos fiscales. Se suelen cotizar en mercados de valores organizados.

Euroclear (*Euroclear*) Se trata de uno de los sistemas de compensación para transacciones del mercado de eurobonos. Euroclear tiene contratos con otros bancos depositarios en mercados financieros clave de todo el mundo. Estos depositarios ofrecen a Euroclear un servicio de custodia y, generalmente, sirven de agente de pagos de los valores. También pueden redepositar los valores con sistemas de compensación domésticos, como el *Depositary Trust Company* de Nueva York, o el *Kassenverein* en Alemania. Un servicio de compensación y liquidación de valores es un sistema de liquidación que provee simultáneamente un intercambio de valores y efectivo en la fecha de liquidación que se acuerde. Compradores y vendedores pueden enviar sus instrucciones de liquidación al centro de operaciones de Bruselas por *swift*, télex o correo. En la fecha de liquidación, los valores se transfieren por entrada en libros de la cuenta de valores del vendedor a la cuenta de valores del comprador. De forma simultánea se transfiere el efectivo, en la moneda pactada, mediante la entrada en libros de la cuenta de efectivo del comprador a la cuenta de efectivo del vendedor. Mediante este sistema no tiene lugar ningún movimiento físico de valores o efectivo.

Eurocommercial paper (*Eurocommercial paper*) Instrumentos del Euromercado a muy corto plazo, generalmente emitidos al descuento, a uno, tres o seis meses, y que se renuevan constantemente. Su emisión está asegurada. En esencia, este activo financiero es muy similar al *commercial paper* del mercado estadounidense, pero existen diferencias significativas, entre las que se incluyen: la inferior dimensión del mercado, el plazo y también la no calificación del emisor en numerosas ocasiones, si bien son intermediados por numerosas entidades bancarias en la colocación, lo que implica que la calidad de los emisores es del máximo nivel. Las euronotas están aseguradas, *underwritten*, por uno o más bancos de inversión, que adquirirán el papel en caso de no acudir inversores, o, en su defecto, concederán una línea de crédito al prestatario. Estas emisiones están dirigidas a inversores institucionales y a profesionales. Las emisiones se suelen realizar mediante subasta (*tender panel*).

Eurocréditos (*Eurocredits*) Créditos o préstamos bancarios a medio o largo plazo otorgados por un sindicato de bancos en eurodivisas.

Eurodivisa (*Eurocurrency*) Dinero bancario a la vista colocado en cuentas de bancos extranjeros o domésticos, pero en oficinas situadas en el extranjero y cuya disponibilidad no está sujeta a restricciones de disposición de control de cambios o fiscales. Cada divisa se conoce con el nombre de la moneda, al que antepone el prefijo «euro», por ejemplo: eurodólares, eurofrancos, europesetas, etc. || Fondos en divisas fuertes (marco alemán, franco suizo, florín holandés, franco francés, yen, libra) de libre disposición (convertibles), como los eurodólares, que se emplean en el Euromercado y que están disponibles a la vista en el mercado monetario internacional.

Eurodólares (*Eurodolars*) Fondos en dólares depositados en bancos fuera de EE.UU. y de libre disposición, es decir, no sujetos a autoridades monetarias. Generalmente constituidos en depósitos de cien mil dólares o mayores importes y a la vista o a plazos de uno, tres, seis o doce meses, o en certificados de depósito negociables. Estos fondos se emplean en el Euromercado.

Euroemisión (*Euro issue*) Es una emisión realizada normalmente por un sindicato de bancos internacional, consistente en una oferta pública o colocación privada de eurotítulos entre inversores de diferentes países.

Eurolista (*Eurolist*) Lista de acciones de las sociedades más importantes que cotizan en los países miembros de la UE, que, según el proyecto de la Bolsa de París, constituiría el núcleo del mercado bursátil integrado europeo a partir de la entrada en vigor del Acta Unica. Contempla la vigencia de los mercados bursátiles nacionales ahora existentes, ya que serían de su competencia y caerían bajo su normativa particular la cotización, negociación, compensación y liquidación de las mencionadas acciones.

Euromercados (*Euromarkets*) Constituyen una de las principales categorías de los mercados financieros internacionales. Son mercados de crédito en los que los depósitos son aceptados, y los préstamos concedidos sobre cualquier divisa libremente convertible depositada en una entidad bancaria fuera de su país de origen.

Euronotas *Véase* EUROCOMMERCIAL PAPER.

Euronotas a medio plazo (*Euro medium term notes*) Instrumentos de deuda emitidos a un plazo de amortización entre un mes y treinta años y bajo un programa en el que participan uno o más *dealers*. Se suelen emitir con un cupón fijo y un plazo que se ajusta exactamente a las necesidades del inversor. Se emiten al portador y se cotizan en las Bolsas de Londres y Luxemburgo. Se liquidan a los siete días naturales. La compensación se hace a través de Euroclear y Cedel. *Véase* MEDIUM TERM NOTES.

Europagarés (*Euronotes*) *Véase* EUROCOMMERCIAL PAPER.

Europesetas (*Europesetas*) Pesetas que circulan fuera de España. || Emisiones de valores en pesetas colocadas en el extranjero.

Evasión de capitales (*Capital flight*) Salida de fondos de un país al margen de la legalidad cambiaria.

Evasión fiscal (*Tax evasion*) Es el intento por parte del sujeto pasivo de evitar el pago de un impuesto. Puede ser: a) evasión ilegal; contrabando, fraude fiscal; b) evasión legal: huida hacia paraísos fiscales, disminución de actividades sometidas a gravamen.

Ex-cupón (*Ex-coupon*) Expresa que un valor se cotiza o transfiere sin el cupón del próximo vencimiento. Habitualmente se aplica a cualquier clase de valor que pague rendimientos mediante cupones periódicos.

Ex-derecho (*Ex-right*) Apelativo de la acción que no conserva el derecho preferente de suscripción, bien por haber sido ejercitado, bien por haber sido vendido a otro accionista. Las acciones cotizan ex derecho desde el comienzo de la suscripción de las nuevas acciones, cotizándose por separado la acción y el derecho de suscripción.

Ex-dividendo (*Ex-dividend*) Calificativo de las acciones que ya no tienen derecho al dividendo. Tiene significado equivalente al de ex-cupón, si bien aquí la valoración del cupón, si no hay anuncio oficial de la cuantía del dividendo, se realiza en función de los resultados conocidos de la empresa y de la restante información sobre la posible cuantía del dividendo próximo a pagar, tomando también en cuenta las pautas seguidas por la sociedad emisora en los ejercicios precedentes, y la evolución de la misma, situación general y perspectiva de los negocios. Naturalmente, si se conoce la cuantía del próximo dividendo la determinación de la cantidad a rebajar del cambio inmediato anterior a la fecha es bien sencilla y será función de la proporción del tiempo transcurrido desde el devengo anterior en relación con el tiempo total a que corresponde el dividendo.

Exención (*Exemption*) Situación especial por la que se libera o exceptúa a una persona del deber, carga, gravamen u obligación generalmente en virtud de una ley.

Existencias (*Stocks*) Se consideran existencias los bienes muebles e inmuebles adquiridos por la empresa con la finalidad de incorporarlos a los bienes producidos o de destinarlos a la venta sin transformación.

Exonerar (*Exonerate*) Liberar a alquien de algún gravamen o eximirle de alguna obligación.

Exótico (*Exotic*) Instrumento financiero que incorpora características no generales o inusuales en los mercados financieros.

Expansión (*Expansion*) Fase del ciclo económico en la que la producción y el empleo se incrementan.

Expectativas (*Expectation*; *Prospect*) Creencias sobre la marcha futura de determinadas variables, tales como precios, tipos de interés, etc.

Exportación de capital (*Capital export*) Adquisición de activos extranjeros por residentes de un país.

Exportaciones (*Exports*) Es el conjunto de bienes y servicios producidos en un país, pero que son consumidos en otro diferente.

Exportaciones netas (*Net exports*) Exportaciones, menos importaciones.

Exposición (*Exposure*) Riesgo de cambio o riesgo de interés inherentes en las operaciones financieras sin la adecuada cobertura.

F

Facilidad (*Facility*) Acuerdo de disponibilidad de un préstamo o un empréstito. ‖ En el argot de los Euromercados se designa así a un acuerdo formal entre el emisor de eurovalores a corto plazo (europagarés o certificados de depósitos) y el grupo o sindidato de bancos suscriptores que, por dicho acuerdo, se compromete a adquirir los títulos a un interés estipulado durante la vida del título y hasta su vencimiento en cualquier caso, esto es, aun cuando no se emita o coloque. *Véase* LÍNEA DE CRÉDITO.

Factor de conversión (*Delivery factor*; *Conversion factor*) Coeficiente que permite determinar la relación entre un bono nocional que sirve de base para la negociación de un contrato de futuros y el correspondiente bono entregable.

Factoring (*Factoring*) Operación financiera que consiste en la cesión a un factor, empresa *factoring*, de créditos comerciales contra sus clientes, a cambio de un importe convenido en términos relativos en un contrato, con o sin unos márgenes de variación (un descuento sobre el nominal de los créditos en función de las características, más una retención sobre el volumen de crédito vivo), o disposición discrecional hasta un límite en función de créditos cedidos. El factor realiza una tarea de evaluación técnica de riesgos, una labor de gestión de cobros, unas tareas administrativas y una función de financiación mediante la apertura de crédito al cedente. El *factoring* es sin recurso cuando el factor se hace cargo de la facturación impagada, y con recurso cuando es la empresa la que se hace cargo de los impagados.

Factura (*Invoice*) Lista de bienes y servicios recibidos, que sirve como documento.

Facturación (*Turnover*) Cifra de ventas de una empresa durante un período o ejercicio económico, una vez deducidos los impuestos que gravan la explotación.

Fallido (*Default*) Incapacidad de pagar los intereses y/o el principal de un préstamo de acuerdo con los términos del contrato.

Fallos del mercado (*Market failures*) Situaciones de imperfección en el sistema de precios de mercado que impiden la eficiente asignación de los recursos. Ejemplos de estas imperfecciones son las economías externas y la competencia imperfecta. (*Véanse.*)

Fannie Mae (*Fannie Mae*) Nombre que se da a los títulos emitidos por la Federal National Mortgage Association (FNMA) de EE.UU.

FAS *Financial Accounting Standard.*

FASB *Financial Accounting Standards Board.*

Fecha de cierre (*Closing date*) *Véase* DÍA DE CIERRE.

Fecha de conversión (*Conversion date*) Fecha estipulada en una emisión de bonos convertibles para que los tenedores puedan ejercer la opción de conversión. En una emisión puede establecerse más de una fecha de conversión.

Fecha de ejercicio (*Exercise date*) Fecha después de la cual ya no se puede ejercitar una opción.

Fecha de emisión (*Issue date*) En una emisión de títulos, fecha a partir de la cual se devengan intereses. Normalmente coincide con la fecha de pago o de entrada de los fondos.

Fecha de entrada en vigor (*Effective date*) En general, fecha en la que se hace efectivo un acuerdo. || Fecha en la cual puede comenzar una oferta registrada en la Securities and Exchange Commission, normalmente 20 días después del *prospectus*.

Fecha de entrega (*Delivery date*) El día en que deben entregarse los títulos correspondientes a un contrato de futuros vencido.

Fecha de lanzamiento (*Launch date*) Fecha en la que se envían oficialmente los télex o faxes de invitación a los miembros del sindicato para participar en una emisión.

Fecha de liquidación (*Settlement date*) En los mercados de valores, la fecha en la que se liquida una transacción, es decir, la fecha en la que se efectúan los pagos y se entregan los títulos. La diferencia exacta entre la fecha de la operación y la fecha de la liquidación varía mucho de un mercado a otro, siendo conveniente conocerla antes de realizar operaciones en un mercado.

Fecha de liquidación de operaciones en el Euromercado (*Settlement date in the Euromarket*) Normalmente, la fecha de liquidación es a los siete días de la fecha de operaciones en los eurobonos y a los dos días después de la fecha de la operación en los eurodepósitos.

Fecha de liquidación de un contrato de futuro o de opción (*Settlement date of a future or option contract*) Día en el que se liquida un contrato de futuro o de opción. La fecha de liquidación vendrá establecida en las condiciones generales de cada contrato.

Fecha de negociación (*Trade date*) En el argot de los mercados de valores, la fecha en la que se realiza o se ejecuta una transacción. Es independiente de la fecha de liquidación de la misma.

Fecha de pago (*Due date*) La fecha en la cual una deuda u obligación resulta exigible. Si el deudor falla en el cumplimiento del pago, se dice que existe incumplimiento.

Fecha de pago del cupón (*Coupon date*; *Coupon due date*) Fecha en la que debe ser pagado el cupón.

Fecha de reembolso (*Redemption date*) Fecha en la que un emisor está obligado a pagar el principal y los intereses acumulados de un título a su tenedor.

Fecha de registro (*Record date*) Ultima fecha en la cual un tenedor de un título tiene que estar registrado en una empresa para tener derecho a percibir un dividendo o un cupón. También se le suele llamar fecha de corte o *cutting date*.

Fecha de vencimiento (*Maturity date*; *Expiry date*) Fecha de devengo de cupón y del principal de un empréstito. En los mercados de opciones y futuros, es el último día en el que el tenedor de un derecho puede comprar o vender al emisor una cierta cantidad de títulos con arreglo a las condiciones estipuladas con antelación. Es la fecha a partir de la cual un contrato de futuros o una opción son nulos. La fecha de vencimiento vendrá establecida en las condiciones generales de cada contrato.

Fecha ex-dividendo (*Ex-dividend date*) Fecha a partir de la cual una acción, su precio, va sin dividendo (*ex-dividend*). Típicamente es unas tres semanas antes de que se pague el dividendo a los accionistas reconocidos.

Fecha valor (*Value date*) Es la fecha a partir de la cual se acumulan los intereses. Ordinariamente, coincide con la fecha de liquidación, ya que las transacciones se negocian, normalmente, con la fecha valor en día laborable. En las operaciones de divisas al contado, *spot*, la fecha valor es dos días laborables después de la fecha de cierre de la operación.

Fechas rotas (*Broken dates*; *Broken period*; *Odd dates*) Término que se refiere a las operaciones a plazo en los mercados de divisas o a los contratos a plazo sobre tipos de interés, FRAS, que se acuerdan para plazos distintos a los habituales del mercado.

FED *Véase* SISTEMA DE LA RESERVA FEDERAL.

Fed Funds *Véase* FEDERAL FUNDS.

Federal funds (*Federal funds*) Fondos depositados por los bancos comerciales de EE.UU. en los bancos de la Reserva Federal. Además, los bancos pueden prestarse fondos federales entre ellos a un día, al tipo de interés de dichos fondos.

Federal Reserve Open Market Committee. FOMC Comité de la Reserva Federal de EE.UU. que establece y ejecuta la política monetaria, encargándose asimismo de realizar las operaciones de mercado abierto. Normalmente se reúne cada seis semanas con el fin de dar indicaciones para la intervención en el mercado abierto. Publica un informe el viernes siguiente a cada reunión.

Festones En el análisis técnico bursátil, formación de consolidación consistente en una serie de platillos que se suceden con una ganancia al final de cada uno de ellos. La duración de los platillos oscila entre cuatro y siete meses y la ganancia al final se estima entre un 10 y un 15 opor 100.

FGD *Véase* FONDO DE GARANTÍA DE DEPÓSITOS.

Fiador (*Guarantor*) Persona que, en virtud de un contrato, asume la responsabilidad de cumplir con una obligación de otra persona, en caso de que ésta no cumpla. *Véase* AVALISTA Y GARANTE.

FIAMM *Véase* FONDO DE INVERSIÓN EN ACTIVOS DEL MERCADO MONETARIO.

Fianza (*Bail*) Obligación constituida subsidiariamente para asegurar el cumplimiento de otra, obligación principal, contraída por un tercero.

Fiat money (*Fiat money*) Expresión inglesa con la que se hace referencia al dinero de curso forzoso, que viene amparado por la garantía del Estado dentro de su territorio. *Véase* DINERO FIDUCIARIO.

FIBOR (*Frankfurt Interbank Offered Rate*) Precio del dinero en el Mercado Interbancario de Frankfurt. Interés al que los principales bancos ofrecen en Frankfurt depósitos en eurodivisas a otros bancos a un vencimiento determinado. También existen intereses *Fibid* y *Fimean*. *Véase* LIBID Y LIMEAN.

Fiduciario (*Fiduciary*) Un individuo o una institución al que se le otorga poder para actuar en nombre de otro.

Fifty fifty (*Fifty fifty*) Expresión inglesa con la que se hace referencia a que en cualquier tipo de reparto o distribución se estará al 50 por 100.

Fijación de precios basados en la competencia (*Competence price fixing*) Este método se suele utilizar en mercados competitivos en los que existe una empresa líder. Los precios por este método se basarán en la política de igualar los precios del líder, o mantener una diferencia determinada por encima o por debajo de los mismos.

Filial (*Affiliate*; *Subsidiary*) Dos empresas son filiales cuando una de ellas, Empresa Matriz, tiene mayoría de votos sobre la otra, Filial, o bien ambas son subsidiarias de una tercera empresa. Una empresa se considera subsidiaria cuando la Matriz es propietaria de más del 50 por 100 de los votos. Una Subsidiaria es por definición una Filial, si bien, preferentemente el término se aplica cuando existe control mayoritario sobre ella.

Filing (*Filing*) Presentación de la documentación requerida oficialmente a un programa de emisiones o a una operación financiera en el Registro de la institución pertinente (Bolsa de valores u Organismo regulador como la CNMV en España o SEC en EE.UU.) con el fin de obtener la autorización para poder emitir en el mercado correspondiente.

FIM *Véase* FONDO DE INVERSIÓN MOBILIARIA.

Financiación (*Financing*) Fuentes de recursos de que dispone la empresa, tanto propios como ajenos, detallados en el pasivo y materializados como inversiones en el activo. La clasificación de la financiación se realiza dependiendo de que sean fondos aportados por los propietarios de la empresa, tanto inicial como sucesivamente, así como los beneficios retenidos, en el caso de recursos propios; o recibidos de personas distintas a los propietarios, que sólo mantienen interés en la empresa por la rentabilidad de sus préstamos, es decir, son simplemente acreedores, si se trata de recursos ajenos.

Financiación básica Comprende los recursos propios y la financiación ajena a largo plazo de la empresa destinados, en general, a financiar el activo permanente y a cubrir un margen razonable, según la actividad, del circulante. Se incluyen también los ingresos a distribuir en varios ejercicios, acciones propias y otras situaciones transitorias de la financiación básica.

Financiación de proyecto (*Project financing*) El objetivo de la financiación de proyecto es el de conseguir la financiación requerida con el mínimo compromiso sobre los activos de la empresa. Se trata de aislar el proyecto del resto de las actividades de la empresa, de manera que el propio proyecto sea garante de la financiación. No se basa, pues, en la garantía de terceros, ya que el único respaldo sería el cumplimiento de las expectativas de éxito que se tengan sobre el mismo.

Financiación Mezzanine (*Mezzanine finance*) Consiste en otorgar facilidades crediticias a largo plazo con garantía de títulos de propiedad de la sociedad financiada. La rentabilidad de estas operaciones, al igual que sucede con los bonos de baja calificación, *junk bonds*, es mucho más elevada que la deuda ordinaria, normalmente varios puntos porcentuales sobre *Libor*. Otra alternativa es la financiación con garantía de emisión de acciones preferentes o deuda subordinada convertible, ya que al aportar una tasa de retorno fija la hace más atractiva a los prestamistas. Se trata, pues, de una financiación intermedia entre la deuda principal y los recursos propios.

Financiar (*Finance*) Operación consistente en dotar de recursos monetarios u otros medios de pago a una unidad económica.

Firme (*Firm* || *Strong*) En el argot de los mercados financieros internacionales y domésticos organizados, con esta palabra se hace referencia a una orden incondicional de comprar o vender un título o instrumento cotizado en el mercado de que se trate, que puede ser ejecutada sin confirmaciones adicionales, en cualquier momento durante un período de tiempo de común acuerdo. || Término utilizado para calificar situaciones de los mercados en que las cotizaciones se mantienen sólidamente y con tendencia al alza. *Véase* DÉBIL.

Físicos (*Physicals*) Un contrato de opciones sobre títulos que requiere el aporte materializado del instrumento financiero subyacente.

Fixing (*Fixing*) Es el cambio de una moneda en relación a las demás, que publican cada día los bancos centrales. Suele tomarse como base para determinar el tipo de cambio en las operaciones de compraventa de divisas.

Flat (*Flat*) Comisión, calculada como un porcentaje del principal de una emisión de títulos, pagadera de una sola vez, normalmente en el momento de la emisión. También se le denomina *front end fee*. || Se dice así, de una curva de rendimientos o de tipos de interés entre cuyos plazos corto y largo no hay apenas diferencia.

Flip-flop bond (*Flip-flop bond*) Bono que se puede convertir en otro tipo de instrumento de deuda a discreción del inversor y que posteriormente puede convertirse fácilmente de nuevo en la forma original de la inversión.

Floating rate notes. FRN (*Floating rate notes. FRN*; *Floater*) Títulos negociables a medio y largo plazo emitidos a tipos de interés variable referenciados, normalmente, al Libor más un diferencial o *spread*. Constituyen una derivación de los pagarés de empresa, *commercial paper*, y el esquema de su emisión requiere prácticamente el mismo tratamiento. El factor *rating* del emisor, unido a las características y rentabiliad de los títulos, determinará su mayor o menor aceptación en los mercados internacionales. Las instituciones bancarias suelen intervenir en estas operaciones conforme a las prácticas de mercado, es decir, como simples intermediarios, garantizando la emisión, asegurando la colocación, etc. Existen otras estrategias de emisión que responden básicamente a las siguientes modalidades:

Guaranteed FRN: emisiones garantizadas por un tercero, normalmente una institución financiera.

Secured FRN: emisiones aseguradas con asignaciones sobre su importe respecto a las obligaciones del emisor.

Redeemable FRN: emisiones en las que se otorga facultad al emisor para la recompra de los títulos en condiciones previamente establecidas.

FRN's con warrants: emisiones con opciones, para el inversor, para adquirir acciones sobre la sociedad emisora.

Floor (*Floor*) Instrumento financiero que cubre el riesgo de que el tipo de interés baje de un determinado nivel mínimo prefijado, a cambio del pago de una prima. El comprador se asegura de que la contraparte, normalmente un banco, se hará cargo de la diferencia entre el mínimo garantizado y el valor del índice elegido en la fecha de comparación.

Floortion (*Floortion*) Opción sobre un floor. *Véase* CAPTION.

Flotación libre (*Free floating*) Situación en la cual el tipo de cambio se determina por las fuerzas del mercado, sin intervención de los bancos centrales o de los gobiernos.

Flotación sucia (*Dirty floating*) Intervenciones en los mercados internacionales de cambios por parte de las autoridades monetarias de un país cuya divisa se encuentra, en teoría, en situación de flotación libre.

Flowback (*Flowback*) Efecto por el que las acciones de una empresa que cotiza en Bolsas extranjeras acaban retornando al país de origen de la empresa.

Fluctuación (*Floating*) Diferencia entre el valor en un momento dado de una magnitud o variable y su media. || En el análisis técnico bursátil, movimientos continuados de alzas y bajas de un mercado.

Fluctuaciones erráticas (*Random fluctuation*) Sucesión de cotizaciones sin tendencia evolutiva o concreta.

Flujo (*Flow*) Término que se utiliza en el lenguaje financiero para designar un caudal de ingresos o de salidas de disponibilidades líquidas por cualquier hecho o conjunto de cuentas de una agente o un conjunto de agentes económicos.

Flujo circular de la renta (*Circular flow of income*) Flujo de pagos de las empresas a las familias a cambio de trabajo y otros servicios productivos y flujo de pagos de las familias a las empresas a cambio de bienes y servicios.

FMI *Véase* FONDO MONETARIO INTERNACIONAL.

FNMA Federal National Mortgage Association.

Folleto de emisión preliminar (*Preliminary prospectus*) Folleto preparado por el director principal de una emisión junto con el prestatario y distribuido en la fecha de emisión. Contiene todos los detalles relevantes acerca de los títulos del emisor, si bien no incluye alguno de los términos definitivos de la emisión. Lógicamente está sujeto a revisión. En EE.UU. se le denomina *red herring*. *Véase* FOLLETO DE EMISIÓN y RED HERRING.

Folleto de emisión (*Prospectus*; *Offering circular*) Es un documento que informa sobre la situación de la empresa y sus perspectivas, o sobre las condiciones de una determinada emisión que se va a realizar y que es preceptivo en determinados casos, como la realización de una emisión de bonos o de acciones o la solicitud de admisión a cotización. Este prospecto ha sido regulado por directivas de la UE para uniformarlo y es requisito imprescindible para emisiones de oferta pública en el mercado de valores español.

FOMC *Véase* FEDERAL OPEN MARKET COMMITEE.

Fondo de amortización (*Sinking fund*) En general, depósito de dinero o de títulos, realizado periódicamente por un prestatario conforme a las condiciones del crédito o de la emisión de deuda a largo plazo, para rescatar la totalidad o una parte de uno u otro. Estas operaciones son típicas de los mercados americanos.

Fondo de capital riesgo (*Risk capital fund*) Patrimonio afecto a la promoción o fomento de sociedades no financieras mediante la participción temporal en su capital.

Fondo de comercio (*Goodwill*) Conjunto de elementos no materiales que contribuyen al valor de un establecimiento comercial. En el momento de la venta, el *goodwill* se calcula mediante baremos empíricos sobre el beneficio anual, volumen de negocios, etc., y factores correctores determinados a partir de cálculos sobre la evolución previsible de la clientela.

Fondo de dinero (*Money market mutual fund*) Es un fondo de inversión con cuentas mutuas en las que los participantes entregan cantidades de dinero efectivo para su colocación en activos propios del mercado monetario y cuya característica es la de una elevada liquidez. Suelen calcular diariamente su rendimiento, que normalmente reinvierten o liquidan por períodos anuales. El partícipe puede retirar la totalidad o parte de sus aportaciones y rendimientos mediante cheques contra cuentas ligadas al fondo.

Fondo de Garantía de Depósitos (*Deposit Guarantee Fund*) Institución financiera cuya función primordial es la de garantizar la recuperación, al menos hasta un límite, de los depósitos efectuados en el caso de emergencia de una grave crisis en algunas de las entidades de depósitos. Son instituciones asociadas a las entidades de depósitos. En España existe un Fondo por cada uno de los grandes grupos en los que se dividen las entidades de depósitos (bancos, cajas de ahorro y cooperativas de crédito).

Fondo de inversión (*Mutual funds* [*USA*]; *Unit trust* [*UK*]; *Investment fund*) Institución de inversión colectiva constituida por un patrimonio materializado en una cartera de activos financieros, sin finalidades de participación mayoritaria o toma de control en los correspondientes emisores, que se encuentra afecto a una pluralidad de inversores y bajo la custodia de un depositario. Se gestiona y administra por una sociedad gestora al objeto de conseguir los mayores rendimientos para sus partícipes dentro de una adecuada diversificación de riesgos. Las diferentes formas que pueden adoptar estos fondos de inversión provienen de la especialización en los activos financieros constituidos de su patrimonio.

Fondo de inversión en activos del mercado monetario. FIAMM (***Money market mutual fund***) *Véase* FONDO DE DIENRO.

Fondo de inversión mobiliaria. FIM Fondo de inversión cuyo patrimonio está constituido por activos financieros en el más amplio sentido, tanto de renta fija como variable, siempre que éstos coticen o se negocien en mercados organizados. En la práctica, y atendiendo a las especializaciones concretas configuradas por las correspondientes sociedades gestoras, pueden encontrarse fondos: de renta fija (inversiones exclusivas en instrumentos de este carácter); mixtos de renta fija (inversiones mayoritarias en renta fija); mixtos de renta variable (inversiones mayoritarias en títulos de estas características), y de renta variable (inversiones exclusivas en activos financieros de renta variable, salvo las cuotas de liquidez, materializadas transitoriamente en activos monetarios).

Fondo de maniobra (***Working capital***) Está formado por la parte de los recursos permanentes, cualquiera que sea su procedencia, necesarios para realizar de manera continuada las operaciones corrientes de la empresa, tanto de la explotación como ajenas a ella. El fondo de maniobra sería, por tanto, la parte del activo circulante financiada por recursos a largo plazo; o dicho de otro modo, la diferencia entre el activo y pasivo circulante. Hablando del ciclo corto, o del ciclo del capital circulante, el fondo de maniobra será la parte de los recursos que habrá que mantener materializados en inversiones circulantes para que se desarrolle sin problemas el proceso dinero-bien-dinero. Es sinónimo de Capital Circulante. (*Véase.*)

Fondo de pensiones (*Pension fund*) Institución de inversión colectiva, con la característica distintiva de canalizar el ahorro de sus participantes hacia la cobertura de las necesidades económicas de la población retirada, como sistema de previsión complementario de las prestaciones obligatorias de jubilación. Son patrimonios creados con el objeto exclusivo de dar cumplimiento a los planes de pensiones adscritos a ellos. Estos planes, a su vez, definen los derechos de las personas a cuyo favor se constituyen, a percibir rentas o capitales por jubilación, supervivencia, orfandad o invalidez, así como las obligaciones de contribución a los mismos y las reglas de constitución y funcionamiento del patrimonio afecto al cumplimiento de los derechos. Hay distintas modalidades de fondos de pensiones: individuales (promovidos por una entidad financiera y de los cuales son partícipes sus clientes), asociados (una asociación es la promotora y los partícipes son sus socios) y de empleo (convenios de previsión social entre una empresa y sus trabajadores). Asimismo, cabe distinguir entre fondos internos y externos.

Fondo de protección (*Hedge fund*) Consorcio privado de capital, normalmente estructurado en forma de sociedad, con un director de inversiones. Son conocidos por sus posiciones agresivas en un amplio rango de instrumentos. El nombre proviene de su capacidad, a veces excepcional, para estar cortos de activos.

Fondo de recompra (*Purchase fund*) Fondo especial destinado a la compra de bonos en el mercado secundario para proceder a su posterior amortización.

Fondo Monetario Internacional. FMI (*International Monetary Fund. IMF*) Institución creada en 1944 para mantener la estabilidad de los tipos de cambio entre las diferentes monedas y suministrar la liquidez necesaria a los países miembros.

Fondos de renta fija (*Fixed income funds*) Fondos de inversión mobiliaria en los que toda su cartera está formada por títulos de deudas con intereses fijos o variables.

Fondos de renta variable (*Variable yield funds*) Fondos de inversión mobiliaria, cuya cartera está formada por títulos que representan participaciones en capital de riesgo.

Fondos garantizados Producto financiero, derivado de los Fondos de Inversión que, sin perder las ventajas fiscales de éstos, incorpora el conocimiento previo de la rentabilidad a obtener.

Fondos propios (*Stockholder's equity*) Fondos constituidos por el capital, las reservas y los resultados pendientes de aplicación. Forman parte del pasivo del balance y tiene la característica de su no exigibilidad, puesto que son aportaciones realizadas por los accionistas propietarios de la empresa y los beneficios generados por la misma.

Fondos públicos (*Public funds*) *Véase* DEUDA PÚBLICA.

Fondtesoro (*Treasury's fund*) Denominación genérica de los fondos de inversión en Deuda del Estado español, surgidos a iniciativa del Tesoro. Instrumentan, desde julio de 1990, convenios de colaboración del Tesoro con una serie de sociedades gestoras de instituciones de inversión colectiva que cumplan una serie de requisitos, mediante los cuales se añade al tratamiento fiscal, sumamente favorable en materia de plusvalías de los fondos, el apoyo publicitario institucional y la posibilidad para las gestoras de utilizar los logotipos representativos del Tesoro público y de sus productos, como contrapartida de una inversión prácticamente exclusiva en títulos de Deuda Pública.

FOREX (*Forex*) *Véase* MERCADO DE CAMBIOS.

Forfaiting (*Forfaiting*) Es una operación desarrollada en el mercado internacional que tiene su antecedente en el descuento de efectos avalados. Se trata de efectos a medio y largo plazo en divisas avaladas por bancos de primera fila que el librador negocia con cláusula «sin mi responsabilidad» y que los bancos tomadores mantienen en su cartera o ceden en el mercado.

Formación bruta de capital (*Gross capital formation*) Inversión real en construcción, bienes de equipo y material de transporte, más variación de existencias.

Forward (*Forward*) Referido a operaciones de compra-venta de divisas, toda operación de vencimiento superior a dos días. Las operaciones al contado se liquidan a un tipo de cambio al contado o *spot* y las operaciones a plazo, es decir, contratadas en una fecha, pero materializadas en una fecha futura, se liquidan a un tipo de cambio a plazo o *forward*. La diferencia entre ambos se denomina premio o descuento de las monedas y se expresan generalmente en porcentajes anuales por capitalización simple. La estrecha relación de los mercados monetarios con los de divisas implica que el premio o descuento de una divisa frente a otra compensa, por regla general, las diferencias en los tipos de interés existentes entre ambas divisas.

FOX London Futures and Options Exchange.

FRA (*Forward rate agreement*) *Véase* ACUERDO SOBRE TIPOS DE INTERÉS FUTUROS.

Fraption (*Fraption*) Es una opción sobre un acuerdo de tipos de interés futuro (FRA).

Fraude fiscal (*Tax fraud*) Ocultación de datos u omisión de declaraciones al objeto de disminuir o eliminar la carga tributaria. Es una forma ilegal de evasión fiscal.

FRB Federal Reserve Board.

Frecuencia de contratación (*Trading frequency*) Es la relacion existente entre el número de días que cotiza en el mercado un determinado valor y el número de días hábiles de dicho mercado.

Free rider (*Free rider*) Persona a la que no se puede excluir del disfrute de los beneficios de un proyecto, pero que no paga nada, o una cuantía pequeña, para cubrir sus costes. Jugador de futuros.

Freno fiscal (*Fiscal drag*) La tendencia al aumento en la recaudación de impuestos obstaculizando el crecimiento de la demanda agregada necesaria para alcanzar y mantener el pleno empleo. Este término se utilizó con más frecuencia en la década de los años sesenta.

FRN *Véase* FLOATING RATE NOTES.

Front office (*Front office*) Conjunto de operaciones de negociación de una institución financiera. Es la parte opuesta a la función de administración y liquidación, denominada Back Office. *Véase* BACK OFFICE.

Fuera de campo (*Out of range*) Expresión bursátil que se aplica a las órdenes de Bolsa cuyo límite no encaja dentro de los cambios cotizados.

Fuera de dinero (*Out of the money*) Cuando una opción se encuentra en la situación en la que no tiene ningún valor intrínseco y, por tanto, su ejercicio entrañaría una pérdida. En el caso de una opción de compra, el precio de ejercicio de una opción «fuera de dinero» es superior al precio del activo subyacente. Cuando se trata de una opción de venta, el precio de ejercicio es inferior al precio del activo subyacente.

Fuera del mercado (*Out from the market*; *Away from the market*) En el lenguaje de los mercados de valores, expresión que se refiere a una orden en la que se establece un límite y que a causa del mismo no es posible ejecutar, bien porque la oferta de compra marca un precio inferior al de mercado o porque la oferta de venta marca un precio superior al que rige en el mercado.

Fuera de sesión (*After hours*) Operaciones de compraventa realizadas con el mercado de valores oficial cerrado. Este tipo de operaciones se considera como ejecutadas al día siguiente.

Fuerza de ventas (*Sales force*) Nombre dado al conjunto de personas de un banco cuya emisión es la colocación de títulos u otras operaciones financieras (*salespeople* [*UK*] o *sales persons* [*USA*]).

Función de consumo (*Consumption function*) Es la función que relaciona el consumo total con el nivel de renta. Aparte de la renta, existen otras variables que influyen en el consumo de la colectividad, como la riqueza, la renta permanente o del ciclo vital, factores sociales, las expectativas de ahorro futuro, etc.

Función de producción (*Production function*) Relación técnica entre el producto máximo que puede obtenerse y las diferentes combinaciones de factores para un estado de conocimientos tecnológicos dado.

Fundamentales (*Fundamentals*) En el negocio de tipos de cambio, los factores que son aceptados como base para la formación del valor relativo de una moneda, como son: inflación, crecimiento, balanza comercial, déficit público y tipos de interés.

Fundamentalista (*Fundamentalist*) Un inversor que toma sus decisiones de inversión basándose en el análisis de los datos fundamentales de una empresa, antes que en las condiciones bursátiles o los factores técnicos, se dice que es fundamentalista. *Véase* FUNDAMENTALES.

Funding (*Funding*) *Véase* CAPTACIÓN DE FONDOS.

Fungible (*Fungible*) En el lenguaje financiero y económico, en general, característica de determinados bienes y valores que consiste en la equivalencia entre elementos individuales de una determinada especie, de modo que se pueden intercambiar unos por otros por ser de la misma calidad y cantidad. Intercambiable.

Fusión (*Merger*) Proceso de unión de dos o más empresas bajo un único control mediante compra, intercambio de acciones u otros medios. Una fusión horizontal agrupa empresas competidoras. Una fusión vertical aúna empresas que son proveedoras de clientes entre sí. Una fusión de conglomerado se hace entre empresas que no guardan entre sí ninguna relación.

Fusión defensiva (*Defensive merger*) Fusión de dos empresas como estrategia defensiva frente al intento de adquisición hostil de una de ellas por un tercero.

Fusión horizontal (*Horizontal merger*) Fusión entre dos empresas con actividades similares, que puede perseguir la generación de economías de escala o una ampliación de mercado. *Véase* FUSIÓN VERTICAL.

Fusión por absorción (*Merger by absorption*) Es un tipo de fusión en el que una de las empresas que van a unirse conserva su personalidad jurídica, en tanto que las demás empresas fusionadas integran sus patrimonios con ella.

Fusión vertical (*Vertical merger*) Fusión entre dos empresas que desempeñan sus actividades en distintas fases del ciclo productivo, siendo una suministradora o cliente de la otra. *Véase* FUSIÓN HORIZONTAL.

Fusiones y adquisiciones (*Mergers and acquisitions. M&A*) Actividad desarrollada por algunos bancos de inversión y sociedades de valores que se dedican a la prestación de servicios de intermediación en la compraventa de empresas.

Futuros, contratos de (***Futures contract***) Contrato negociado en un mercado organizado, en el que se establece la compraventa de un instrumento financiero en una fecha futura y a un precio fijo. Todos los términos del contrato están normalizados, por los que sólo se negocia su precio. Las posiciones de los dos participantes se registran en la cámara de compensación, que pasa a ofrecer contrapartida a ambos y a garantizar el buen fin de las operaciones. Los participantes deben constituir depósitos en garantía, que se actualizan diariamente.

Futuros financieros (***Financial futures***) En la normativa reglamentaria en España se definen los futuros financieros como contratos a plazo sobre valores, préstamos o depósitos, índices u otros instrumentos de naturaleza financiera, que tengan normalizados su importe nominal, objeto y fecha de vencimiento y que se negocien y transmitan en un mercado organizado cuya sociedad rectora los registre y liquide, actuando como compradora ante el miembro vendedor y como vendedora ante el miembro comprador. El objetivo de los contratos de futuros inicialmente es de cobertura de riesgos y, por consiguiente, los relativos a futuros financieros tienen por objeto cubrir riesgos de precio o rendimiento de activos y valores financieros. En la actualidad existen numerosos mercados sobre futuros financieros en los que se negocian muy diversos contratos para cobertura de riesgos, pero en los que no sólo operan los gestores de recursos financieros que deben buscar y mantener la relación óptima de riesgo y rendimiento/coste para sus colocaciones y demandas de fondos, sino que también acogen a inversores especulativos que encuentran en estos mercados organizados posibilidades de beneficio actuando como contrapartes de los agentes que buscan cobertura o dilución del riesgo.

Futuros sobre divisas (***Currency futures***) *Véase* CONTRATO DE FUTUROS SOBRE DIVISAS.

Futuros sobre índices bursátiles (***Stock index futures***) *Véase* CONTRATO DE FUTUROS SOBRE ÍNDICES BURSÁTILES.

Futuros sobre tipos de interés (***Interest rate futures***) *Véase* CONTRATO DE FUTUROS SOBRE TIPOS DE INTERÉS.

FX *Foreign exchange.*

FXA (***Forward exchange agreement***) *Véase* ACUERDO SOBRE TIPOS DE CAMBIO FUTUROS.

G

GAAP *Véase* PRINCIPIOS DE CONTABILIDAD GENERALMENTE ACEPTADOS.

Gallardete (***Pennant***) En el análisis técnico, formación gráfica, consistente en una serie de recuperaciones y alzas máximas convergentes que asemejan la figura de un gallardete o banderín. Se suelen interpretar como figuras de continuación de la tendencia. *Véase* BANDERINES.

Ganancia de capital (***Capital gain***) Existe ganancia de capital cuando el precio de venta de un activo financiero es superior al precio de compra.

Gap (***Gap***) Término inglés cuya traducción viene a significar una situación preocupante de vacío, retraso o distancia en un fenómeno económico o social importante. También se suele utilizar para expresar la diferencia entre el valor efectivo de una variable y su valor potencial. || En el análisis técnico bursátil, figura que se produce cuando en un gráfico de barras el precio más alto de un período está por debajo del más bajo del período siguiente. Esta figura puede ser tanto de continuación como de vuelta o inversión, según el momento del ciclo en el que se produce.

Gap de duración (***Duration gap***) Es la diferencia entre la duración de una cartera de activo y sus pasivos asociados.

Gap del PNB (***Gross national product gap***) *Véase* BRECHA DEL PNB.

Garante (***Guarantor***) Persona que presta la garantía por cuenta del obligado o deudor principal. *Véase* AVALISTA Y FIADOR.

Garantía (***Covenant; Undertaking***) Compromiso que los prestatarios están obligados a cumplir durante la vigencia de la operación financiera contratada. Las estipulaciones que recogen estos compromisos suelen referirse a la limitación del nivel de endeudamiento de la empresa, a la limitación en la distribución de dividendos, inclusión de la cláusula pari-passu, etcétera. El incumplimiento de estos compromisos puede constituir causa de resolución de contrato. En general, son compromisos que hacen figurar en un contrato las partes contratantes de un acuerdo financiero para proteger sus intereses.

Gasto público (*Public expenditure*) Gastos que realiza el Estado en bienes y servicios. Junto con los impuestos, son los elementos principales en las que se instrumentaliza la política fiscal del Estado.

Gastos amortizables (*Deferred charges*) Son gastos cuya proyección económica excede los límites de un ejercicio. Su amortización se realizará según la mejor opción respecto a su vida útil y los beneficios esperados. También se les conoce con el nombre de activo ficticio o cargas diferidas. Se consideran gastos amortizables los de establecimiento, los de carácter financiero y, en su caso, los de investigación y desarrollo cuando se trate de proyectos a amortizar por haber resultado inviable después de haber sido capitalizados.

Gastos de constitución (*Initial expenser*) Se consideran como gastos de constitución y modificación de sociedades y de ampliación de capital los necesarios para la realización de tales operaciones societarias, entendiéndose por tales los de otorgamiento de escritura, impuestos e inscripción en el Registro Mercantil y los inherentes a la emisión e inscripción de los títulos representativos del capital y, en su caso, los precisos para obtener la cotización en Bolsa.

Gastos de custodia (*Custody expenses*) Aquellos gastos ocasionados como consecuencia de la conservación de depósitos, ya sean de valores o de otras clases.

Gastos deducibles (*Deductible expenditures*) Son aquellos que se deducen de los ingresos computables al objeto de determinar la base imponible de un impuesto.

Gastos de emisión (*Flotation costs*) Son los originados por la propia emisión de títulos valores: impuestos, corretajes, comisiones de colocación, estudios y aseguramiento, publicidad, etc.

Gastos de formalización de deudas Gastos de emisión y modificación de valores de renta fija y de formalización de deudas, entre los que se incluyen los de escritura pública, impuestos, confección de títulos y otros similares.

Gastos de primer establecimiento (*Start up expenses*) Son los gastos necesarios hasta que la empresa inicie su actividad, entre los que se incluirán, los honorarios, gastos de viajes y otros para estudios previos de naturaleza técnica y económica, publicidad de lanzamiento y captación, adiestramiento y distribución del personal hasta el inicio de la actividad.

Gastos financieros (*Financial expenses*) Son los gastos incurridos por la empresa, normalmente referidos a un período, como remuneración o coste de mantener recursos ajenos en lugar de propios, es decir, los gastos financieros miden el coste del pasivo exigible de la empresa.

Gestión de activos y pasivos (*Asset and liability management*) Es una técnica de gestión global del balance de una entidad financiera que pone especial énfasis en el estudio de las interrelaciones entre las partidas de activo y pasivo, así como de la sensibilidad de éstas ante las variaciones de los tipos de interés.

Gestión de cartera (*Portfolio management*) Conjunto de actividades tales como la administración, asesoramiento y ejecución de órdenes sobre acciones y valores que componen la cartera de un inversor, realizadas por un intermediario en nombre del cliente. El gestor de carteras puede actuar bien con amplia libertad, si así lo ha establecido con el cliente, o dentro de las condiciones pactadas con el mismo. Los beneficios o pérdidas de la cuenta corresponden al inversor, mientras que el intermediario recibe una comisión que puede consistir en una cantidad fija periódica, un porcentaje del patrimonio administrado, un porcentaje del beneficio obtenido, o una combinación de las mismas. La gestión de carteras puede llevarse a cabo por Sociedades de Valores y Bolsa, Agencias de Valores y Bolsa, Sociedades de Valores, Agencias de Valores, Bancos, Cajas, Cooperativas de Crédito y Sociedades Gestoras de Carteras.

Gestión de cobro (*Collection management*) En el ámbito bancario, operación por la que el banco se hace cargo del cobro futuro de un efecto sin adelantar ningún importe en concepto de descuento.

Gestión de patrimonios (*Financial asset management*) Actividad realizada por las entidades gestoras de patrimonio consistente en la administración y gestión de carteras de valores mobiliarios de sus clientes, asesoramiento en temas financieros y en la colocación de emisiones públicas y privadas.

Gestión del riesgo (*Risk management*) Procedimiento para neutralizar o minimizar el riesgo de cambio o el riesgo de tipos de interés de una cartera o de un balance, mediante la utilización de las técnicas financieras adecuadas.

Gestión de riesgo de tipos de cambio (*Foreign exchange exposure management*) Conjunto de estrategias adoptadas y de acciones realizadas por las empresas para minimizar las posibilidades de afrontar pérdidas en las transacciones en las que están implicados los tipos de cambio.

Gestión de tesorería (*Cash management*) Gestión de la liquidez por parte de las entidades bancarias que puede tener un doble alcance: cubrir sus necesidades residuales de financiación o gestionar sus excedentes de liquidez a corto plazo, *funding*, o bien realizar, además, tomas de posición en el mercado de dinero con el objetivo estricto de generar beneficios, *trading*.

Gestor de carteras (*Asset manager*) Persona o entidad responsabilizada de gestionar los riesgos y el beneficio de una cartera de títulos. *Véase* GESTIÓN DE CARTERA.

Gilt (*Gilt*) Se denominan así los valores equiparables al oro. Son casi exclusivamente los bonos de la Deuda Pública en el mercado británico o garantizados por el Gobierno y denominados en libras esterlinas. Es una abreviación de *gilt edged security*. (Véase.)

Gilt edged security (*Gilt edged security*) Títulos, acciones o bonos, de una empresa que ha demostrado durante un buen número de años que es capaz de generar suficientes beneficios para pagar dividendos e intereses con gran seguridad. Este término se utiliza para calificar a los bonos en el mismo sentido que *Blue Chip* para las acciones.

Giro (*Draft*) Instrumento mercantil utilizado para el pago o liquidación de las transacciones.

Globalización (*Globalization*) La globalización hace mención a dos fenómenos: a) proceso de integración de los mercados financieros a lo largo de todo el mundo, y b) tendencia a la eliminación de las fronteras entre los diferentes tipos de intermediarios financieros. La globalización obliga a los intermediarios a mejorar sus sistemas de información de los mercados extranjeros, planteándose dos posibles estrategias: la especialización en segmentos específicos del negocio financiero y la adopción de un sistema de servicios financieros completos, es decir, la conversión en conglomerados financieros.

Good delivery (*Good delivery*) Aplicado a un título significa que cumple todos los requisitos para poder ser transferido y entregado al comprador, el cual viene obligado a aceptarlo.

Goodwill *Véase* FONDO DE COMERCIO.

Goteo (*Dropping*) En sentido figurado, dícese de la bajada continua y constante, pero de escasa cuantía, de la cotización de un valor de Bolsa.

Grados de libertad (*Degrees of freedom*) Es el número efectivo de observación de datos en que se basa una estimación. Es un concepto distinto del correspondiente al número de observaciones realizadas. En general, el número de grados de libertad es el número mínimo de observaciones que han de realizarse para poder reconstruir la población, conociendo el tamaño de ésta.

Gravamen (*Burden*) Carga u obligación que pesa sobre una persona o un bien. En el primer caso se trata de un gravamen personal y se asemeja bastante a una obligación como la impuesta por el donante o testador a sus donatarios y causahabientes; en el segundo se trata de un gravamen real, más propiamente un derecho real limitativo de la propiedad o de garantía. ‖ En Derecho fiscal, se refiere al tipo impositivo que se aplica para cada hecho imponible.

Green Book (*Green Book*) Publicación que recoge detalladamente los requisitos necesarios para la admisión a cotización oficial en EE.UU. *Véase* YELLOW BOOK.

Green shoe (*Green shoe*) En una oferta pública de acciones, es la opción, garantizada a los aseguradores (por el emisor en caso de una primera colocación, o por el vendedor en caso de una colocación de acciones en circulación), de la compra de acciones por encima de la cifra comprometida en el aseguramiento, al precio de venta al público menos el margen bruto. La cifra máxima comprometida suele ser del 15 por 100 de la oferta.

Gross spread (*Gross spread*) En una oferta pública de acciones, las comisiones totales que obtiene el grupo asegurador. Representa la diferencia entre el precio de oferta al público y el precio pagado por el asegurador a los emisores (en caso de acciones nuevas) o los vendedores (caso de acciones en circulación). Tiene tres componentes: comisión de aseguramiento, comisión de dirección y la comisión de ventas.

Grupo asegurador (*Underwriting group*) Asociación temporal de bancos de inversión con el objeto de poner en circulación una emisión de títulos. Opera bajo un Acuerdo entre Aseguradores (*véase*). Compran los títulos al emisor para revenderlos posteriormente al público a un precio mayor. La diferencia de precios es el Margen de Aseguramiento. *Véase* MARGEN DE ASEGURAMIENTO, ACUERDO DE ASGURAMIENTO y ACUERDO ENTRE ASEGURADORES.

Grupo de empresas (*Corporate group*) Conjunto de empresas unidas por lazos de propiedad común en las que, generalmente, existe una sociedad matriz que, directa o indirectamente, controla participaciones mayoritarias en el resto de las empresas.

Grupo de venta (*Selling group*) En terminología de mercado, generalmente aceptada, aquellos miembros pertenecientes a un sindicato de una nueva emisión que no son directores ni aseguradores, pero que participan en la colocación. Sus miembros reciben una comisión de venta por cada título que suscriben. En términos legales, también estarían incluidos en dicho grupo los directores y aseguradores.

H

Hábitat preferente (***Preferred habitat***) *Véase* TEORÍA DE LA SEGMENTACIÓN DE MERCADOS.

Hacer honor (***Honour***) Aceptar o pagar un cheque o una letra de cambio en el momento debido.

Hasta la cantidad de (***Up to the amount off***) Orden de Bolsa con limitación en el número de títulos o de numerario, más allá de la cual abandona la operación.

Hasta la fecha (***Until date***) Orden de Bolsa que se limita temporalmente a una fecha concreta hasta la cual, e incluida ésta, se realiza determinada operación.

Hedging (***Hedging***) Operación típica de cobertura de los mercados de futuros por medio de la cual se fija el precio de un activo cotizado en dichos mercados mediante un contrato de futuros, cubriéndose así de la posible variación de precio en el plazo en meses a que se hubiera concertado la operación. Existe una diversidad de operaciones, pero todas ellas se encontrarán en uno de los dos grupos siguientes: *buying hedge* o *hedge de compra* y *selling hedge* o *hedge de venta*. Es una estrategia inversora que consiste en combinar las diferentes alternativas: en acciones, opciones, compra y venta de posiciones a largo plazo, etc., con el fin de cubrirse de los riesgos derivados de las fluctuaciones de precios. Un *hedge portfolio* es una cartera realizada con una combinación de inversiones a largo y a corto plazo, de manera que se reduzca el riesgo inherente a la inversión.

Hecho imponible (***Taxable event***) Es el presupuesto de naturaleza jurídica o económica fijado por la Ley para configurar cada tributo y cuya realización origina el nacimiento de la obligación tributaria.

Hiperinflación (***Hyperinflation***) Proceso de rápido crecimiento de los precios. Es un desequilibrio económico tan importante que podría llegar a colapsar la economía. *Véase* TASA DE INFLACIÓN.

Hipoteca (*Mortgage*) Derecho de prenda inscrito en el Registro de la Propiedad sobre un bien inmueble. También pueden hipotecarse bienes muebles. Sin necesidad de desplazar su posesión, los bienes hipotecados están afectados al pago de la obligación que garantizan.

Hit (*Hit*) Aceptar una oferta.

Holding (*Holding*) Empresa que, teniendo su activo formado en su totalidad o en su mayor parte por acciones de otras sociedades, realiza actividades financieras de control y gestión del grupo de empresas en el que ejerce su dominio. Son sociedades que no ejercen por sí la industria ni el comercio, sino que su objeto es la posesión de acciones de otras empresas, teniendo así el control de las mismas.

Host bond (*Host bond*) Emisión de Eurobonos acompañada de warrants.

Hueco de agotamiento (*Exhaustion gap*) En el análisis técnico bursátil, el que se forma al final de una etapa de avance o descenso rápido.

Hueco de continuación o fuga (*Runaway gap*) En el análisis técnico bursátil, el que aparece en mitad de etapas de avance o descenso rápido en los precios.

Hueco de mercado (*Market gap*) Expresión que hace referencia al desabastecimiento de las necesidades de un mercado, y que puede dar lugar a la entrada de una empresa para cubrir esta oportunidad. Se trata de un nicho de mercado.

Hueco de ruptura (*Breakaway gap*) En el análisis técnico bursátil, el que aparece cuando el precio rompe una pauta o figura.

Hung up (*Hung up*) Término utilizado para describir la posición de un inversor cuyas acciones o bonos han reducido su valor por debajo de su precio de compra, lo que implicaría una pérdida en caso de ser vendido.

I

IBCA Limited Es una de las principales agencias de calificación de riesgos con sede en el Reino Unido e implantada en numerosos países, entre ellos España. Tiene una destacada especialización en el establecimiento periódico de *rating* de entidades bancarias de todo el mundo, pero actuando en la calificación de riesgos de toda clase de emisores.

IBEX 35 *Véase* ÍNDICE IBEX 35.

IBF *Véase* INTERNATIONAL BANKING FACILITY.

ICO Instituto de Crédito Oficial.

IFR Indice de Fuerza Relativa.

IGAE Intervención General de la Administración del Estado.

IGBM *Véase* ÍNDICE GENERAL DE LA BOLSA DE MADRID.

Ilíquido (*Illiquid*) Se dice del título que no tiene una negociación activa en el mercado.

Ilusión monetaria (*Monetary illusion*) Se dice que los individuos tienen ilusión monetaria si su comportamiento se altera cuando hay un cambio proporcional en los precios, rentas monetarias o en los activos y pasivos, medidos en términos monetarios.

IME *Véase* INSTITUTO MONETARIO EUROPEO.

IMF *Véase* FONDO MONETARIO INTERNACIONAL.

Imponible (*Taxable*) Susceptible de ser gravado tributariamente de acuerdo con la Ley.

Importación de capital (*Import of capital*) Venta de activos a no residentes.

Importaciones (*Imports*) Conjunto de bienes y servicios que son comprados y consumidos por un país, el importador, pero que no han sido producidos por él, sino adquiridos a otro país diferente, el exportador.

Imposición (*Taxation* ‖ *Deposit*) Carga, gravamen, obligación, especialmente cuando se trata de impuestos o tributos. ‖ Entrega de efectivo realizada por un cliente a una entidad bancaria de acuerdo con unas condiciones reglamentadas de antemano.

Impuesto ad valorem (***Ad valorem tax***) Impuesto recaudado como porcentaje del precio o valor de una posesión.

Impuesto sobre sociedades (***Corporation tax***; ***Corporate income tax***) Impuesto directo que grava el beneficio bruto de las empresas después de intereses y amortizaciones con un tipo único. En España es el 35 por 100.

Impuesto en cascada (***Cascade tax***) Impuesto acumulativo que grava los productos en cada una de las fases del proceso productivo.

Impuesto específico (***Specific tax***) Impuesto que consiste en una cantidad fija de dinero por unidad de bien o servicio.

Impuesto negativo sobre la renta (***Negative income tax***) Es un impuesto sobre la renta a la inversa, que implica pagos gubernamentales a los individuos y familias con bajos niveles de renta (cuanto menor sea ésta, mayor será el pago del Gobierno).

Impuesto progresivo (***Progressive tax***) Impuesto que capta un porcentaje del ingreso cada vez mayor, a medida que el ingreso aumenta.

Impuesto regresivo (***Regressive tax***) Impuesto que capta un porcentaje cada vez menor del ingreso a medida que éste aumenta.

Impuesto retenido en origen (***Withholding tax***) Cualquier impuesto retenido antes de que el sujeto pasivo disponga del ingreso o del capital al que se aplica el impuesto. Son atractivos para los gobiernos porque reducen el potencial de evasión de impuestos. Los acuerdos de doble imposición suelen asegurar que los sujetos pasivos no tributen dos veces por la misma base imponible.

Impuesto sobre actividades económicas (***Economic activities tax***) Es un tributo directo de carácter real, cuyo hecho imponible está constituido por el mero ejercicio en territorio nacional de actividades empresariales, profesionales o artísticas, se ejerzan o no en local determinado y se hallen o no especificadas en las tarifas del impuesto. Es un impuesto de carácter municipal.

Impuesto sobre bienes inmuebles (*Real estate tax*) Es un tributo directo de carácter real cuyo hecho imponible está constituido por la propiedad de los bienes inmuebles de naturaleza rústica y urbana sitos en el respectivo término municipal, o por la titularidad de un derecho real de usufructo o de superficie, o de la de una concesión administrativa sobre dichos bienes o sobre los servicios públicos a los que estén afectados. Grava el valor de los referidos inmuebles.

Impuesto sobre el consumo (*Consumption tax*) Impuesto de carácter indirecto cuyo hecho imponible es el consumo de bienes y servicios en general o de algunos de ellos en particular.

Impuesto sobre el patrimonio (*Personal wealth tax*) Es un impuesto directo, de naturaleza personal, que somete a tributación el patrimonio neto de los sujetos pasivos. Es de aplicación en todo el territorio español, sin perjuicio de los regímenes especiales aplicables en el País Vasco y Navarra y sin perjuicio de los Tratados y Convenios Internacionales suscritos por España.

Impuesto sobre el valor añadido. IVA (*Value added tax. VAT*) Es un impuesto de naturaleza indirecta que recae sobre el consumo y grava las entregas de bienes, prestaciones de servicios e importaciones actuando sobre el valor incorporado en cada fase de la producción y distribución de los bienes.

Impuesto sobre la renta de las personas físicas. IRPF (*Income tax*) Es un tributo directo, personal, sintético ya que grava la renta total del contribuyente, con la sola excepción de los contribuyentes por obligación real, y progresivo, es decir, grava al contribuyente en función de su capacidad económica.

Impuesto sobre las ventas (*Sales tax*) Impuesto indirecto sobre bienes y servicios, finales o intermedios, en el momento en que se venden. *Véase* IMPUESTO SOBRE EL VALOR AÑADIDO.

Impuesto sobre transmisiones patrimoniales y actos jurídicos documentados Bajo esta denominación se regula un tributo de naturaleza indirecta que grava tres realidades diferentes, como son las transmisiones patrimoniales onerosas, las operaciones societarias y los actos jurídicos documentados.

Impuestos directos (*Direct taxes*) Atendiendo a la relación entre el objeto del impuesto y la capacidad tributaria, son impuestos directos los que gravan una manifestación inmediata y duradera de la capacidad tributaria del contribuyente, que se manifiesta de una forma directa. Desde el punto de vista económico, son directos los impuestos cuando recaen directa y definitivamente sobre una persona, sin que el obligado al pago pueda recuperar su importe mediante la traslación impositiva. En cuanto a su administración, son impuestos directos el Impuesto sobre la Renta de las Personas Físicas y el Impuesto sobre Sociedades, que gravan la renta de las personas físicas o jurídicas, bajo el principio de capacidad de pago, de forma proporcional o progresiva, el Impuesto sobre el Patrimonio y el Impuesto sobre Sucesiones y Donaciones.

Impuestos especiales (*Special taxes*) Son una modalidad dentro de la imposición indirecta que grava el consumo o el uso de ciertos artículos.

Impuestos indirectos (*Indirect taxes*) Según la relación entre un objeto y la capacidad tributaria, son impuestos indirectos los que gravan una capacidad transitoria del contribuyente, que se manifiesta de forma indirecta, tomando como referencia situaciones pasajeras, tales como el consumo o la circulación y tránsito de los bienes. En sentido económico, son impuestos indirectos aquellos en los que se produce la traslación del impuesto, esto es, el sujeto pasivo está facultado para repercutirlos sobre terceras personas. Atendiendo a su administración, aquellos impuestos que se devengan por la realización de determinados actos, que no responden a períodos fijos ni a listas predeterminadas, lo que hace imposible la formación de padrones o registros de contribuyentes. Entre los impuestos indirectos pueden citarse los que gravan el consumo (IVA), la producción o tráfico de determinados productos (tabacos, alcoholes) y el Impuesto sobre Transmisiones.

Incidencia de un impuesto (*Tax incidence*) Es la cuantía de la carga impositiva finalmente pagada por los distintos individuos o grupos.

Incumplimiento (*Event of default*) Se denomina así al evento en el que el prestatario incumple con algunas de las condiciones especificadas en cada una de sus emisiones de títulos, tales como impago, no cumplir con la cláusula de salvaguardia de garantía, cláusula de insolvencia cruzada, liquidación, etc.

Indemnización (***Indemnity***) Compromiso para proteger a una persona contra circunstancias especiales, particularmente contra pérdidas financieras.

Indenture (***Trust deed*** **[*UK*];** ***Indenture*** **[*USA*])** Contrato legal que gobierna las relaciones entre emisor y tenedor de un título. Establece los términos y condiciones bajo los cuales se prestan y se amortizan los títulos y tiene en cuenta la posibilidad de modificar el acuerdo en el futuro.

Indenture trustee (***Indenture trustee***) Contrato por el que el fideocomisario, nombrado por el emisor, representa los intereses de los inversores en una emisión determinada. *Véase* TRUSTEE.

Indeterminación (***Indetermination***) Supone la variabilidad de las expectativas que componen la síntesis bursátil del inversor.

Indicador anticipado (***Leading indicator***) Una serie temporal que alcanza el cambio de tendencia (depresión, auge) antes que la economía como un todo.

Indicadores de coyuntura (***Short-term indicators***) Cuando se habla de indicadores de coyuntura se está haciendo referencia a un conjunto de números índices: precios, producción, empleo, salarios, comercio exterior, etc., seleccionados convenientemente para, en primer lugar, obtener una idea aproximada de cómo está evolucionando la economía de un país en el período considerado y, en segundo lugar, poder analizar a corto plazo determinados aspectos de la misma.

Indice (***Index***) Es un cálculo estadístico basado en las variaciones de un grupo determinado de precios de acuerdo con un determinado criterio de ponderación. Generalmente, el número índice se expresa como un porcentaje del valor que tenía en el año base.

Indice CAC 40 (***CAC 40 index***) Es el Indice de la Bolsa de París. Tiene base 1.000 en 1987. Está formado por los 40 valores más representativos de dicha Bolsa. Sobre él se negocian futuros en el Marché a Terme International de France (MATIF) y opciones en el mercado MONEP.

Indice Commerzbank (***Commerzbank index***) Principal índice del mercado de valores alemán que tiene su sede en la Bolsa de Frankfurt.

Indice DAX (***DAX index***) Indice de la Bolsa de Frankfurt, que tiene base 1.000 en 1987. Está formado por los 30 valores más negociados y con mayor capitalización bursátil de dicha Bolsa. Sobre él se negocian contratos de opciones y futuros en el Deutsche Termin-Borse (DTB).

Indice de cotización de acciones de la Bolsa de Madrid (***Madrid Stock quotation index***) El índice diario se confecciona del modo siguiente: para cada valor seleccionado se elabora un índice comparando el cambio de cada día con el del día anterior; a estos efectos se utiliza el cambio de cierre observado, corregido por las ampliaciones de capital realizadas y por los dividendos teóricamente devengados en función de los previstos para el conjunto del año. A partir de estos índices individuales, se elaboran los índices de grupo, ponderando los de los valores que lo integran por el cociente entre su valor bursátil y el del total de los valores del grupo recogidos en la muestra, al cierre del año precedente. A continuación se ponderan los índices del grupo así calculados para obtener el general. La ponderación de cada grupo viene determinada por el cociente entre el valor bursátil de todas las acciones de valores del grupo admitidas a cotización en la Bolsa de Madrid, estén o no incluidas en la selección del índice, y el valor bursátil de la totalidad de acciones admitidas a cotización en la misma. Los valores bursátiles también son los correspondientes al cierre del año precedente y las ponderaciones resultantes se mantienen invariables a lo largo de todo el año para el que se calcula el índice. Los índices mensuales corresponden al último día bursátil del mes.

Indice de frecuencia (***Frecuency index***) Relación que existe entre el número de sesiones en que un título es objeto de cotización en un período de tiempo determinado y el número de sesiones hábiles en ese período de tiempo.

Indice de fuerza relativa (***Relative strenght index. RSI***) Agrupación estadística de movimientos de precios de instrumentos financieros con el objetivo de obtener índices que se mueven en un rango de 0 a 100. Genera señales de compra y venta e indicaciones de sobrevendido y sobrecomprado. Además, señala área de no confirmación. Es un indicador de tipo técnico. Compara las ganancias de los períodos de subida con la de los períodos de bajada.

Indice de precios de consumo. IPC (*Consumer price index. CPI*) Promedio ponderado de los precios de los bienes y servicios consumidos por las familias, como por ejemplo el calculado en España por el Instituto Nacional de Estadística.

Indice de precios industriales. IPRI (*Producer Price Index*) Este índice es elaborado por el Instituto Nacional de Estadística para todo el territorio español. Es un índice calculado por la fórmula de Laspeyres, con año base 1990, por lo que la cesta de productos representados en el índice se refiere al citado año. Mide la evolución de los precios en la primera fase de la comercialización de productos, es decir, en la fase de venta a los precios de productor sin incluir impuestos indirectos, y se refiere sólo a productos industriales, fabricados en el interior del país y vendidos, asimismo, en el mercado interior.

Indice o ratio de volatilidad (*Volatility ratio*) En relación con las variaciones de los precios en los mercados de valores y en cualquier mercado organizado, el índice de volatilidad es una medida del cambio del precio relativa a un determinado lapso de tiempo:

$$\frac{\text{precio superior} - \text{precio inferior}}{\text{precio inferior}}$$

Este coeficiente o índice de variación será, naturalmente, negativo si los precios han descendido, y positivo si los precios han aumentado. Para tomar el índice en porcentaje basta multiplicar el resultado del quebrado anterior por 100.

Indice de volumen de contratación (*Trading volumen index*) Relación existente entre el volumen nominal de una sociedad contratado en Bolsa y el capital social de la compañía.

Indice Dow Jones (*Dow Jones index*) Se trata de los más antiguos y conocidos índices bursátiles, publicado por el *Wall Street Journal* de EE. UU. Existen tres índices *Dow Jones*:

— *Dow Jones Industrial Average (DJIA).*
— *Dow Jones Transportation Average (DJTA).*
— *Dow Jones Utility Average (DJUA).*

El más conocido es el *Dow Jones Industrial Average*, consistente en una media aritmética simple no ponderada de los precios de treinta acciones industriales. Su composición ha variado con frecuencia para tratar de mejorar su representatividad. El *Dow Jones Transportation Average* incluye valores de compañías de ferrocarriles, transporte aéreo y por carretera. En el *Dow Jones Utility Average*, se incluyen valores de compañías de electricidad y de gas. Se puede formular un cuarto índice *Dow Jones* a través de la combinación de los tres anteriores, dando una idea de la evolución del mercado de forma más global.

Indice FIBV de la Bolsa de Madrid Como consecuencia de un acuerdo con la Federación Internacional de Bolsas de Valores, la Bolsa de Madrid viene confeccionando el llamado índice FIBV desde 1985, con periodicidad mensual. Se trata de un índice de rendimientos puesto que, además de las modificaciones en el precio de las acciones, tiene en cuenta los pagos de dividendos, ampliaciones de capital, primas de asistencia a juntas y cualesquiera otras remuneraciones que puedan derivarse de la inversión en acciones. El índice se calcula como cociente entre el valor final del período de las acciones, es decir, el número de acciones por su precio, más el valor de los dividendos pagados en ese mismo período, más el valor de los derechos de suscripción de las ampliaciones acaecidas, más las primas de asistencia a juntas, más cualquier otro ingreso ocurrido en el período, dividido por la suma del valor inicial del período de las acciones, más las nuevas admisiones por ampliación a su precio de coste. Uno de los problemas en el cálculo del índice es la estimación de los dividendos pagados. Dada la flexibilidad de cálculo otorgada por la FIBV, la Bolsa de Madrid integra los dividendos brutos.

Indice Financial Times 100 (*Financial Times 100 Index*) Es el Indice de Bolsa de Londres. Tiene base 1.000 en 1983. Está formado por los 100 valores de mayor ponderación de dicha Bolsa. Sobre él se negocian contratos de futuros en la *London International Financial Futures Exchange (LIFFE). Véase* ÍNDICE FOOTSIE.

Indice Footsie (*Footsie Index*) Indice medio ponderado de los cien principales títulos negociados en la Bolsa de Londres. Es el nombre popular de FT-SE 100 Index (Financial Times Stock Exchange 100 stock index). Empezó con un nivel de 1.000.

Indice FT-SE 100 (*FT-SE 100 Index*). *Véase* ÍNDICE FOOTSIE.

Indice General de la Bolsa de Madrid. IGBM (*Madrid stock exchange general index*) Tiene base 100 en 31 de diciembre de 1985 y es publicado diariamente en el Boletín Oficial de Cotización. La fórmula utilizada para el índice de la Bolsa de Madrid es la de Laspeyres y para establecer los cálculos se opera con cerca de 100 valores seleccionados para cada sector por el mayor volumen de capitalización de las acciones admitidas a cotización de cada sociedad, por lo que representa más del 80 por 100 de la capitalización bursátil. *Véase* ÍNDICE DE COTIZACIÓN DE ACCIONES DE LA BOLSA DE MADRID.

Indice IBEX 35 (*IBEX 35 index*) Indice oficial del mercado continuo de las Bolsas españolas, con base 3.000 en 1989, formado por las 35 acciones más líquidas negociadas en dicho mercado. Cubre en torno al 80 por 100 de la capitalización bursátil y del volumen efectivo contratado. Su correlación con el índice de la Bolsa de Madrid es cercano al 100 por 100. Sobre este índice se negocian contratos de futuros y opciones en el Mercado Español de Futuros Financieros, MEFF, que es la entidad encargada de gestionar el mercado de opciones y futuros sobre el Ibex-35, junto con la Cámara de Compensación y Liquidación. La cotización de las opciones y futuros se deriva del valor del activo subyacente o Ibex-35. Se calcula y publica en tiempo real durante toda la sesión de negociación, desde las 10 hasta las 17 horas.

Indice Largo Normal de la Bolsa de Madrid Este índice se viene publicando desde 1973 por la Bolsa de Madrid, teniendo su base a 31 de diciembre de 1940, tomando como datos los del índice normal anual, y obteniéndose, además del índice general largo, el índice de cada uno de los sectores que se utilizan en el índice general. El índice del sector de inversión arranca desde 1946. La mecánica del cálculo del índice largo normal es la misma que la seguida para el total, salvando el supuesto de reinversión de dividendos con que se calcula este último. *Véase* ÍNDICE LARGO TOTAL DE LA BOLSA DE MADRID.

Indice Largo Total de la Bolsa de Madrid El cálculo de este índice, con base en 31 de diciembre de 1940, como el índice largo normal, lo inició la Bolsa de Madrid en 1977, calculándose sólo valores del mismo por sectores y general a fin de mes y publicándose en la memoria anual de la Bolsa. Se diferencia del índice largo normal en que tiene en cuenta la reinversión de dividendos. *Véase* ÍNDICE LARGO NORMAL DE LA BOLSA DE MADRID.

Indice Nikkei 225 (*Nikkei 225 stock average index*) Es el Indice de la Bolsa de Tokio, con base en el año 1947. Está formado por los 225 valores más contratados en dicha Bolsa. Sobre dicho índice se negocian contratos de futuros en la *Osaka Stock Exchange (OSE).*

Indice Ordinario de la Bolsa de Nueva York (*New York common stock index. NYSE index*) Es un índice compuesto, integrado por todos los valores que cotizan en la Bolsa de Nueva York, ponderados según su capitalización bursátil. Su base es 50 en 1965.

Indice Standard & Poor's 100 (*Standard & Poor's 100 index*) Es un índice bursátil con base 100 en 1983, elaborado por la agencia de calificación crediticia *Standard & Poor's.* Está compuesto sobre 100 empresas sólidamente implantadas en el mercado, *blue chips.* Sobre él se negocian opciones en el *Chicago Board of Trade (CBOT).*

Indice Standard & Poor's 500 (*Standard & Poor's 500 index*) Es un índice de la Bolsa de Nueva York con base en 1943 elaborado por la agencia de calificación de riesgos Standard & Poor's. Está formado por los 500 valores más representativos de dicha Bolsa. Sobre él se negocian contratos de futuros y opciones en el *Chicago Board of Trade (CBOT).*

Indices bursátiles (*Stock exchange index*) Los índices bursátiles tratan de mostrar la evolución de los precios de los valores cotizados en un mercado por un promedio generalmente ponderado a los volúmenes de capitalización y también, en algunos casos, de contrataciones. Es decir, se busca una medida de la tendencia general de precios. Es evidente que los valores con mayor volumen de capitalización, al ser considerada ésta como elemento de ponderación, influyen en el valor del índice y, por tanto, el movimiento de sus precios tiende a arrastrar al de los que tienen menos peso en el índice o incluso no figuran en el mismo. Los índices generales que se utilizan para informar sobre la evolución global de los precios en los mercados al contado u ordinarios de las bolsas suelen, en muchos casos, considerar correcciones por rendimientos y ampliaciones de capital y en algunos casos se obtienen sobre la base de un gran número de valores. Para los contratos de futuros y opciones sobre índices se toman índices que se alejen lo más posible de cualquier factor subjetivo y se aproximen todo lo posible a la representación de la evolución de los valores con mayor nivel de liquidez.

Indices bursátiles. Corrección por ampliación de capital Es evidente que en una ampliación de capital, en la que el precio de emisión es inferior al que en ese momento tienen las acciones en circulación en el mercado, origina un descenso de la cotización de las acciones después de la ampliación si los restantes factores que determinan el precio bursátil se supone que permanecen invariables. Pero este descenso es sólo un efecto de dilución del mayor valor de las acciones viejas entre éstas y las nuevas, por lo que el accionista no pierde, tanto si acude a la ampliación como si vende sus derechos de suscripción, puesto que tratará de percibir por ellos el descenso del valor de sus acciones antiguas, que se transfiere a las nuevas como consecuencia de la dilución. Por ello, el descenso de cotización, si influye en el índice, desvirtúa el valor de capitalización de las acciones. Esto se puede corregir aplicando un coeficiente de corrección al índice diario.

Indices bursátiles. Corrección por rendimientos En las cotizaciones bursátiles influyen los dividendos esperados. Por consiguiente, a medida que transcurre el ejercicio económico, las cotizaciones tienden a incrementarse en la parte proporcional que corresponda por dividendos devengados. Naturalmente, si en los índices no se considera este factor de variación de las cotizaciones, los mismos acusarían una tendencia ascendente que no se corresponde con un incremento del valor del capital. Por tanto, debe establecerse un procedimiento de rectificación. Esta rectificación sólo puede realizarse por una estimación, que usualmente consiste en suponer que el dividendo del año en curso será igual al del año precedente.

Indices de liquidez (*Liquidity indexes*) Estos índices o ratios se utilizan en el análisis financiero de las empresas, estudiando el riesgo financiero de las mismas e indicando la capacidad de atender los compromisos a corto plazo. Los ratios más utilizados son: *Indice de liquidez o de solvencia a corto plazo*, en el que se compara el activo circulante con el pasivo circulante e informa sobre el valor de los bienes a los que la firma puede recurrir para hacer frente a sus deudas a corto plazo; *Acid-test ratio*, que es la relación entre el activo circulante menos las mercancías, y el pasivo circulante. Se trata de un ratio de situación financiera a muy corto plazo, puesto que sólo tiene en cuenta los elementos activos muy cercanos a la fase de cobro y, por tanto, para transformarse en liquidez; *Posición defensiva*, que es la relación que informa del tiempo que la empresa puede sobrevivir aplicando estrictamente los activos líquidos y cuasilíquidos que posee, sin recurrir a fondos procedentes de ventas u otras fuentes. Este período de tiempo se calcula dividiendo el activo circulante menos las existencias, entre los gastos operativos diarios.

Indice de valor (*Value index*) Son números índices que miden los cambios que, con relación al tiempo, experimenta la magnitud valor de un conjunto de bienes y servicios. Estos números índices expresan, por tanto, los cambios que conjuntamente se producen al paso del tiempo en los precios y en las cantidades.

Indices sintéticos de valores (*Stock composite index*) Son índices obtenidos en función de otros índices y generalmente se calculan ponderados.

Indiciación (*Indexation*) Mecanismo mediante el cual los precios o los pagos de un contrato se ajustan para reflejar las variaciones del índice de precios. Los convenios laborales son el ejemplo más importante.

Indiciar una deuda (*Index a debt*) Vincular la cuantía de los intereses usualmente a un índice de precios o cualquier otro signo de valor. A veces también se vincula el valor de devolución de la deuda a uno de los índices mencionados.

Inelástica (*Inelastic*) Se dice que la demanda o la oferta de un bien o servicio es inelástica cuando las cantidades demandadas u ofrecidas no varían ante cambios en los precios.

Inflación (*Inflation*) Crecimiento continuo y generalizado de los precios de los bienes y servicios a lo largo del tiempo.

Inflación de costes (*Cost-push inflation*) Es la inflación que se origina en el lado de la oferta del mercado. La inflación de costes es causada por la elevación en el precio de los factores de producción que provoca un desplazamiento ascendente de la curva de oferta.

Inflación de demanda (*Demand-pull inflation*) Inflación producida por el lado de la demanda ante aumentos en la cantidad deseada que hace subir precios. En una situación de pleno empleo, con ocupación total de los factores productivos, un crecimiento de la demanda se traduce en un alza de precios.

Inflación de precios administrados (*Administred prices inflation*) También conocida como inflación reptante. Se denomina así por el hecho de que está contenida mediante medidas generalmente administrativas de control de los precios.

Inflación de salarios (*Wage-inflation*; *Wage-push inflation*) Es la inflación que viene originada por una subida de salarios nominales por encima de los incrementos de productividad y de la subida de precios ya consolidada desde la anterior subida de salarios.

Inflación estructural (*Structural inflation*) Subida de precios motivada por desajustes de carácter estructural en la Economía. Este proceso puede presentarse a pesar de existir capacidad producida sin emplear.

Inflación reptante (***Creeping inflation***) *Véase* INFLACIÓN DE PRECIOS ADMINISTRADOS.

Inflación subyacente (***Underlying inflation***) Refleja la evolución del Indice de Precios al Consumo (IPC) depurándolo de aquellos componentes que dependen en menor cuantía de la evolución de las condiciones de costes internos de la economía. La inflación subyacente se evalúa excluyendo los precios de las materias primas energéticas importadas y de productos internos no elaborados.

Inflar la Bolsa (***Churning***) Hacer operaciones sobre un determinado valor para dar la impresión de actividad en el mercado.

Info quote (***Info quote***) En la negociación en el mercado de divisas, un precio dado sólo a efectos de información.

Información confidencial (***Insider information***) Información a la que tienen acceso personas por su posición en la empresa o por desempeñar actividades relativas con la misma y que no está disponible para el público en general. Normalmente, la información se refiere a condiciones que pueden afectar el precio de los títulos de la empresa.

Información financiera (***Financial information***) El flujo de salida de la información financiera tiende a mejorar la comunicación entre la empresa y los accionistas e inversores potenciales, mejorando el conocimiento de la situación empresarial para facilitar la obtención de créditos y la creación de contratos. También está dirigida a la toma de decisiones por parte de los directivos internos. Esta información, concretada en una serie de cuentas y estados con periodicidad anual, o incluso menor, debe cumplir unos requisitos, como forma de proteger a los usuarios de esta información del correcto contenido de la misma, y cumplir además los principios contables generalmente aceptados para proporcionar una imagen fiel del patrimonio de la empresa.

Información privilegiada (***Insider trading***) Se aplica a cualquier información restringida o pública que aún no haya sido suficientemente difundida, relativa a uno o varios valores o al mercado bursátil en su conjunto, que permita a sus poseedores obtener ganancias frente al mercado por anticiparse en sus tomas de posición frente a la reacción posterior de éste, una vez que sea conocida tal información con carácer general.

Information memorandum (*Information memorandum*) Documento emitido por un banco organizador de una operación financiera que incluye información detallada acerca de la operación y que contiene, a su vez, información relevante sobre el prestatario.

Informe de auditoría (*Auditor's statement*) Carta del auditor a la empresa y sus accionistas o inversores en el que certifica la utilización de los métodos adecuados para la confección de los estados financieros.

Infravalorado (*Undervalued*) Título cuyo precio de mercado es más bajo de lo que se deduce del análisis de sus fundamentos. *Véase* SOBREVALORADO.

Ingeniería financiera (*Financial engineering*) Es la parte de la gestión financiera que trata de la combinación de instrumentos de inversión y financiación en la forma más adecuada para conseguir un objetivo preestablecido. Sus características básicas son: la existencia de un objetivo, como puede ser la disminución de un riesgo; la combinación de instrumentos; la conjunción de operaciones que, aisladamente pueden ser consideradas de inversión y financiación; operaciones a medida e internacionalización de las operaciones.

Ingreso marginal (*Marginal revenue*) Ingreso adicional que obtendría una empresa si vendiera una unidad más de producto.

Ingreso medio (*Average revenue*) Ingreso total dividido por el número de unidades vendidas.

Ingreso total (*Total revenue*) Entradas totales provenientes de la venta de un producto. El precio por la cantidad vendida.

Ingreso de explotación (*Operating income*) Se puede definir como la venta efectuada en un período y como consecuencia de la actividad típica de la empresa. Por su comparación con los gastos de explotación se obtiene el resultado neto de explotación, también llamado funcional, sin tener en cuenta cualquier otro resultado ajeno o extraordinario de la explotación.

Ingresos atípicos (*Untypical revenue*) Beneficios que obtiene la empresa, de naturaleza extraordinaria, por operaciones que no constituyen su actividad típica de explotación.

Ingresos financieros (*Financial incomes*) Son ingresos que no se corresponden con la actividad normal que desarrolla la empresa, sino más bien con los ingresos extraordinarios surgidos como consecuencia de actividades que no se realizan con asiduidad y como consecuencia de operaciones financieras, como pueden ser los intereses de las cuentas corrientes y, en general, el mantenimiento de cualquier activo financiero que no se corresponda con la actividad típica de explotación de la sociedad.

Iniciados (*Insiders*) Son personas que, por medio de informaciones privilegiadas, vedadas a otros inversores, pueden obtener beneficios importantes que rompen el principio de igualdad de oportunidades y, por tanto, el equilibrio que debe presidir cualquier inversión a riesgo. Las denominadas operaciones de iniciados son vigiladas y sancionadas en los mercados de valores internacionales. *Véase* INFORMACIÓN PRIVILEGIADA.

Inmovilizado (*Fixed and other non current assets*) Bienes y derechos de una empresa que componen su activo fijo que ésta utiliza para la realización de sus actividades y que normalmente permanecen bajo la misma forma durante largo tiempo.

Inmovilizado financiero (*Financial fixed assets*) Activos financieros que no se utilizan en la actividad productiva de la empresa, al menos directamente, cuya duración trasciende el ejercicio económico, pero que no son amortizables puesto que su valor no se incorpora al proceso productivo. Los elementos que lo integran son todos aquellos que constituyen inversiones financieras permanentes realizadas en otras empresas: participaciones, acciones, obligaciones y créditos a largo plazo en empresas filiales o del grupo que se consideran inversiones permanentes.

Inmovilizado inmaterial (*Intangible asset*) Partida del activo que comprende elementos que presentan, en general, las siguientes características: son activos intangibles, aunque a veces se materializan en títulos o anotaciones en registros públicos (patentes, marcas, etc.) o en disposiciones legales (concesiones administrativas). Se reconocen como tales cuando se trata de una operación económica que dé lugar a un desembolso. Su duración es superior al año. Son amortizables contablemente.

Inmovilizado material (*Tangible fixed asset*) Son bienes utilizados en la actividad permanente y productiva de la empresa, cuya vida útil está determinada y va más allá de un ejercicio económico. Son elementos patrimoniales tangibles, tanto muebles como inmuebles, que aparecen en el activo del balance minorados por la amortización llevada a cabo hasta ese momento, deduciendo igualmente de su valor las subvenciones de capital obtenidas para la financiación de dichos elementos.

Inmunización (*Inmunization*) Es una técnica para asegurar el rendimiento de una cartera de renta fija en un período dado, frente a las fluctuaciones de los tipos de interés. Dicho rendimiento está compuesto por tres elementos: la percepción periódica de cupones, la reinversión de dichos cupones y la variación del precio de mercado de los títulos que componen la cartera. Solamente los dos últimos elementos comportan incertidumbre, y, por tanto, son susceptibles de una gestión que reduzca su variabilidad. La inmunización de una cartera se basa en el análisis de la sensibilidad de los activos que la componen frente a variaciones en los tipos de interés. El teorema fundamental de la inmunización de carteras es que se puede garantizar el rendimiento inicial de una cartera de renta fija seleccionando una cartera cuya duración coincida con el horizonte de inversión del inversor.

Inmunización activa (*Active inmunization*) Es una estrategia consistente en aceptar riesgos controlados de forma que se garantice la obtención de un rendimiento mínimo recomponiendo la duración de la cartera de renta fija según las variaciones que se esperen en los tipos de interés. En caso de esperarse una subida, se trataría de acortar la duración de la cartera para aprovechar la rentabilidad derivada de la reinversión. Si se espera una bajada de interés, el objetivo sería recomponer la cartera para que su duración exceda a la del horizonte de inversión. *Véase* INMUNIZACIÓN PASIVA.

Inmunización contingente (*Contingent inmunization*) Es una estrategia consistente en garantizar un rendimiento mínimo algo inferior al rendimiento corriente del mercado, pero al mismo tiempo tratar de obtener beneficios extraordinarios asumiendo un riesgo controlado. Para ello se establece el horizonte temporal de la inversión y el valor actual objetivo de la cartera. Al contrario que en la inmunización pasiva, se considera la posibilidad de alargar o de acortar la duración de dicha cartera a medida que se van abonando los flujos, según que se prevea una bajada o una subida de tipos de interés, respectivamente. La rentabilidad que se obtenga por encima del tipo de actualización permite realizar una gestión activa de la cartera, mientras que si las previsiones resultan equivocadas, la gestión de la cartera debe volverse pasiva. *Véase* INMUNIZACIÓN PASIVA.

Inmunización pasiva (*Passive inmunization*) Es una estrategia cuyo objetivo es que la duración de la cartera de renta fija coincida con el horizonte de inversión. Cada vez que se produce un pago, se reinvierte de inmediato a tipos de mercado y de forma que no se altere la duración del conjunto de la cartera. *Véase* INMUNIZACIÓN ACTIVA.

Input (*Input*) Término inglés utilizado para designar a todos aquellos productos y servicios, incluyendo la energía, que son introducidos en el proceso productivo y que, una vez transformados y combinados, dan lugar a los productos terminados (*Outputs*). ‖ Conjunto de dispositivos y señales que permiten introducir información en un sistema.

Institucionalización (*Institutionalization*) Es un proceso mediante el cual los mercados financieros están cada vez más dominados por las grandes instituciones financieras a cargo de gestores profesionales.

Institutional pot (*Institutional pot*) La parte de un aseguramiento de una operación financiera que ha sido asignada para atender la demanda de los principales inversores institucionales.

Instituciones de crédito (*Credit entities*) Es el agregado compuesto por el Banco de España, otras instituciones monetarias y determinados auxiliares financieros. Dentro de las instituciones monetarias, se incluyen las entidades de crédito: Bancos, Cajas de Ahorros, Cooperativas de Crédito, Fondos de Garantía de Depósitos y Establecimientos Financieros de Crédito, además de otros intermediarios financieros como: Instituto de Crédito Oficial, Sociedades y Agencias de Valores y Entidades de Inversión Colectiva de carácter financiero. Entre los auxiliares financieros, cabe destacar: Fondos de Regulación del Mercado Hipotecario, Sociedades de Garantía Recíproca, Servicios de Compensación y Sociedades Gestoras.

Instituto Monetario Europeo (*European Monetary Institute*) Según lo previsto en el Tratado de la Unión Económica y Monetaria firmado en Maastricht, es una institución con personalidad jurídica propia, que se creó y entró en funcionamiento al inicio de la segunda fase de la unión económica y monetaria, el 1 de enero de 1994, como consecuencia del inicio de la segunda fase del Plan Delors para la Unión Monetaria Europea. Actúa como supervisor del Sistema Monetario Europeo y del desarrollo y utilización del ECU, así como garante de la cooperación entre los bancos centrales nacionales y de la coordinación de las políticas monetarias de los Estados miembros hasta su conversión en el Banco Central Europeo, en la tercera fase de dicha unión, dentro del Sistema Europeo de Bancos Centrales, SEBC, en 1999.

Instrumentos de política monetaria (*Monetary policy instruments*) Conjunto de instrumentos utilizados por los Bancos Centrales para la ejecución de la política monetaria. En España los principales son: el Coeficiente de Caja, las Operaciones de Mercado Abierto, las Subastas de Certificados de Depósito del Banco de España y el Sistema de Apoyo en última instancia o «segunda ventanilla».

Instrumentos derivados (*Derivative instruments*) Son aquellos productos financieros que confieren un derecho e implican una obligación referida a un activo al contado, denominado activo subyacente. El término generalmente hace referencia a los contratos de futuros o a plazos, las opciones y los *swaps*.

Integración horizontal (*Horizontal integration*) La unión de empresas que están en líneas de negocio similares.

In the money (*In the money*) En el argot de los mercados de opciones se utiliza esta expresión en inglés, que puede traducirse por posición en dinero y define una situación en la que una opción tiene un valor intrínseco positivo.

Interbancario (*Interbank*) *Véase* MERCADO INTERBANCARIO DE DEPÓSITOS y MERCADO INTERBANCARIO DE DIVISAS.

Intercalario (*Intercalary interest*) Calificativo que se aplica a los dividendos o intereses que una empresa paga a una determinada clase de acciones durante el espacio de tiempo que media entre el desembolso de los títulos y la puesta en funcionamiento de la parte de su explotación que ha sido financiada con dichos títulos.

Interés (*Interest*) Es el rendimiento de un capital establecido en proporción al importe de éste y al tiempo mediante el cual se transfiere el mismo mediante préstamo. ‖ Pago por el uso del dinero. ‖ Retribución de los valores de renta fija que pagan las entidades emisoras por el uso del dinero.

Interés abierto (*Open interest*) Es el saldo vivo del número de contratos de futuros en un momento determinado. Es igual al número de posiciones compradoras o al número de posiciones vendedoras, pero no a la suma de los dos. El aumento de interés abierto suele interpretarse como señal de que la tendencia imperante en el mercado sigue con fuerza.

Interés acumulado (*Accrued interest*) Interés devengado y no pagado.

Interés compuesto (*Compound interest*) *Véase* TIPO DE INTERÉS COMPUESTO.

Interés corrido (*Running interest*) Parte del interés que corresponde al espacio de tiempo transcurrido desde el último pago efectuado por vencimiento, hasta la fecha de adquisición de los valores que dan derecho a ese pago de intereses.

Interés implícito (*Implicit interest*) Rendimiento estipulado al descuento en ciertos activos financieros, como los pagarés bancarios, de empresas o Letras del Tesoro. || También, la remuneración de fondos por medio de intereses en especie o por servicios que se dan sin cargo.

Interés minoritario (*Minoritary interest*) Intereses de los accionistas que, en términos de balance consolidado, poseen menos de la mitad de las acciones de una empresa. En el balance consolidado de empresas con filiales participadas al 100 por 100, los intereses minoritarios se muestran en cuentas separadas como un pasivo con un plazo de amortización indefinido. En la cuenta de resultados el beneficio de las acciones minoritarias se deduce para obtener el resultado neto consolidado.

Intermediario financiero (*Financial intermediary*) Instituciones que movilizan el ahorro de la economía ejerciendo una tarea de mediación entre los prestamistas o ahorradores últimos y los prestatarios o personas que acuden al crédito como forma de ampliar sus tenencias de activos reales. Dentro de los intermediarios financieros se distingue entre: a) intermediarios financieros bancarios, que crean dinero bancario por la aceptación de algunos de sus pasivos para ser utilizados como medios de pago, y b) intermediarios financieros no bancarios, que se limitan a prestar con cargo a sus propios recursos, desarrollando una tarea estrictamente mediadora.

International Banking Facility. IBF (*International banking facility. IBF*) Nombre con el que se designa una especie de zona franca de controles e impuestos de operaciones bancarias internacionales en la ciudad de Nueva York, que fue autorizada a fines de 1981 y permite a los bancos norteamericanos tener en dicha plaza oficinas que realicen *in situ* operaciones típicas de los euromercados, iniciando así la competencia con otras plazas financieras, especialmente la de Londres, en la que se gestan la mayoría de las operaciones de euroemisiones y eurocréditos.

International Security Identification Number. ISIN Números de identificación de seguridad que se incorpora a los títulos que están integrados en los sistemas de liquidación y compensación de CEDEL y EUROCLEAR con el fin de acelerar los procesos de liquidación de las transacciones. Son asignados por la International Organisation for Standardisation. Los números incluyen el código de identificación del país, un número base asignado por la agencia de numeración pertinente y un dígito de control.

International Swap and Derivatives Association. ISDA (*International Swap and Derivatives Association. ISDA*) Asociación compuesta por los principales intermediarios en el mercado de *swaps*. Fue creada en 1984 y entre sus objetivos está la normalización de la terminología y las documentaciones de las operaciones de *swaps*, así como el desarrollo del mercado secundario.

Interpolación (*Interpolation*) Estimación de un número intermedio desconocido entre números conocidos. Es una manera de aproximación al precio o al rendimiento de un bono utilizando tablas de bonos que no proporcionan el rendimiento neto de cada cantidad invertida a cada tipo de interés y para cada plazo de amortización. Se basa en la asunción de que ante un determinado porcentaje de cambio en el rendimiento se producirá el mismo porcentaje de cambio en el precio. Aunque dicha suposición no es totalmente exacta, el error es suficientemente pequeño como para ignorarlo.

Intervención (*Intervention*) Operaciones de mercado abierto tanto en los mercados monetarios nacionales como en los mercados de divisas. || Mediación con fe pública.

Inversión (*Investment*) Utilización de una parte de la producción corriente para aumentar el stock de capital.

Inversión bruta (*Gross investment*) Gastos en nueva planta y equipo más la variación neta de inventarios.

Inversión colectiva (*Collective investment*) Colocación de fondos en la Bolsa por un grupo de personas físicas o jurídicas (sociedades de cartera, fondos de inversión, etc.), para obtener un beneficio diversificando los riesgos.

Inversión de cartera española en el exterior (*Spanish portfolio investment abroad*) Son inversiones de personas físicas o jurídicas residentes en España en títulos cotizados en Bolsas Internacionales. Estas inversiones son libres y no precisan verificación administrativa previa.

Inversión directa (***Direct investment***) Inversión realizada por las empresas extranjeras en empresas del sector productivo de un país, en contraposición a la inversión de cartera.

Inversión extranjera en España (***Foreign investment***) Son las inversiones realizadas en España por las personas extranjeras privadas, físicas o jurídicas, cualquiera que sea su residencia, y por los españoles residentes en el extranjero. Puede ser directa, de cartera, en inmuebles o en otras formas de inversión.

Inversión extranjera de cartera (***Foreign portfolio investment***) Son las inversiones que tienen por objeto: 1) la adquisición de acciones, admitidas o no a cotización en Bolsa, siempre que no constituyan inversiones directas; 2) la adquisición de fondos públicos, títulos privados de renta fija o participaciones de fondos de inversión mobiliaria o entidades de inversión colectiva, y 3) la adquisición en Bolsa de letras, pagarés y otros efectos de comercio admitidos a negociación. En la normativa española de inversiones se da total libertad a este tipo de operaciones.

Inversión extranjera directa en España (***Foreign direct investment***) Es la inversión que pretende realizarse mediante: 1) la participación de una sociedad española que permita al inversor extranjero la influencia efectiva en la gestión o control de dicha sociedad; 2) la de sucursales o establecimientos de sociedades extranjeras o explotaciones que realicen personas físicas no residentes; 3) la concesión a sociedades españolas de préstamos de duración superior a 5 años con el fin de mantener o establecer vínculos económicos duraderos, y 4) la reinversión de beneficios obtenidos por el inversor extranjero con el fin de mantener vínculos económicos duraderos.

Inversión financiera (***Financial investment***) Inversión realizada en activos financieros cuya tenencia tiene relación con el ejercicio del control o influencia sobre otras empresas y/o con la obtención de intereses, dividendos y plusvalías derivados de dicha inversión. || Colocación de dinero.

Inversión indirecta (***Indirect investment***) La inversión que se realiza a través de una sociedad o fondo de inversión.

Inversión inducida (*Induced investment*) Inversión adicional motivada por un aumento en el producto nacional.

Inversión institutional (*Institutional investment*) Inversión financiera llevada a cabo por entidades con un volumen importante de recursos ajenos o reservas.

Inversión neta (*Net investment*) Inversión bruta menos su depreciación o amortización.

Inversor (*Investor*) Persona que realiza operaciones de compraventa simplemente para colocar sus activos con el fin de rentabilizarlos o de conseguir liquidez.

Inversor institucional (*Institutional investor*) Institución, como Compañías de Seguros, Fondos de Pensiones, Sociedades de Inversión, etc., que realiza inversiones significativas reuniendo los pequeños ahorros de otros y actuando colectivamente en su nombre. *Véase* MINORISTA.

Investment grade (*Investment grade*) Los bonos calificados Baa o mejor por Moody's, o BBB, o mejor por Standard and Poor's son conocidos generalmente como Investment Grade Security. En EE.UU., estos títulos son computables para los bancos de inversión bajo regulación de la banca comercial. *Véase* MOODY'S INVESTOR SERVICE y STANDARD & POOR'S CORPORATION.

Iota (*Iota*) Es el cambio en la prima de una opción en relación con la variación de los tipos de interés.

IPA *Issuing and Paying Agent.*

IPC Indice de Precios al Consumo.

IPMA *International Primary Market Association.*

IPO *Véase* INITIAL PUBLIC OFFERING.

IRPF Impuesto sobre la Renta de las Personas Físicas.

IRR *Internal Rate of Return.*

Irreivindicable (*Irrecoverable*) Característica de que gozan los títulos negociados en Bolsa, en virtud de la cual el comprador de los títulos no puede ser desposeído de ellos en el caso de que el vendedor no fuera legítimo poseedor de los que ha transmitido.

ISBN *International Standard Book Number.*

ISDA *Véase* INTERNATIONAL SWAP AND DERIVATIVES ASSOCIATION.

ISIN *Véase* INTERNATIONAL SECURITY IDENTIFICATION NUMBER.

Isla (*Island*) En los gráficos de precios, barra representativa de un período, que ha quedado aislada de la que le precede y la que le sigue por sendos huecos. Las islas suelen interpretarse como signos de reversión de tendencia.

ISO *International Organization for Standardization.*

IVA *Véase* IMPUESTO SOBRE EL VALOR AÑADIDO.

J

Jefe de fila (*Lead manager*) *Véase* DIRECTOR DE EMISIÓN.

Jobber (*Jobber*) Es un miembro de pleno derecho de la *London Stock Exchange*, que opera por cuenta propia relacionándose con los *brokers*, sin operar directamente con los compradores y vendedores últimos.

Joint venture (*Joint venture*) Es un contrato de asociación temporal para realizar una determinada actividad entre dos o más socios que suscriben un compromiso de negocio, con aportación de los medios necesarios, como instalaciones, equipos financiación, etc. Se ponen en práctica, generalmente, por razones de mayor beneficio o posibilidades de financiación, o consecución de objetivos que, sin el efecto sinérgico de la asociación, no podrían alcanzarse. Su naturaleza es la de una sociedad mercantil irregular.

Junta General de Accionistas (*Annual shareholder's meeting*; *Annual stockholder's meeting*) Reunión de accionistas, debidamente convocados al efecto para deliberar y decidir por mayoría sobre determinados asuntos de su competencia, previamente determinados en el orden del día. Se constituye como uno de los órganos de la sociedad, de carácter necesario aunque no permanente, cuya función principal es la expresión de la voluntad social.

Junta General Extraordinaria (***Extraordinary shareholder's meeting***; ***Extraordinary stockholder's meeting***) La Ley de Sociedades Anónimas española, en el artículo 96, delimita la Junta General Extraordinaria, por oposición a la ordinaria, estableciendo al respecto que «toda Junta que no sea la prevista en el artículo anterior tendrá la consideración de Junta General Ordinaria». Así pues, es aquella que no tiene fecha determinada para su celebración, que puede o no puede ser convocada, a voluntad de los administradores sociales, y que es normalmente utilizada para la adopción de acuerdos especiales o que requieren cierta urgencia que no permiten la demora hasta la celebración de la Junta General Ordinaria.

Junta General Ordinaria (***Ordinary shareholder's meeting***; ***Ordinary stockholder's meeting***) Es la que necesariamente se habrá de convocar al menos una vez por año, dentro de los seis primeros meses del ejercicio social. Ante el supuesto de incumplimiento por parte de los administradores sociales de la convocatoria de la Junta, los socios se encuentran legitimados para instar la convocatoria judicial de la misma.

K

Killer bees (***Killer bees***) Personas que ayudan a una empresa a defenderse de una oferta de adquisición hostil. Normalmente, son banqueros que desarrollan estrategias para hacer menos atractivo el objetivo de adquisición.

L

Laffer, teoría de (***Laffer's theory***) Esta teoría sostiene que una reducción de los tipos impositivos conduce a medio plazo a una elevación de los ingresos mediante la recaudación de impuestos como consecuencia de los efectos expansivos de la liberación de rentas. El nivel máximo de recaudación fiscal se consigue cuando la tasa impositiva es adecuada y resulta soportable por los contribuyentes.

Laissez faire (*Laissez faire*) Traducido estrictamente significa «dejad hacer». Expresión utilizada por los fisiócratas franceses y, después, por Adam Smith, que significa la ausencia de intervención del Gobierno en la actividad económica del país.

Largo (*Long*) Posición abierta en la que los activos exceden a los pasivos. *Véase* CORTO.

Largo plazo (*Long term*) En Microeconomía, el largo plazo representa el tiempo en el que es posible la entrada en una industria de nuevos competidores y en el que es posible modificar el stock de capital existente. En Macroeconomía, se designa por largo plazo el período en el que todas las variables económicas se han adaptado a las nuevas circunstancias del entorno. En la actividad financiera y según los mercados a que se haga referencia, el concepto de largo plazo varía sobre el establecido a efectos de Microeconomía y Macroeconomía en términos generales. Especialmente en las emisiones de deuda se distingue entre medio plazo, 2 a 5 años, y largo plazo, entre 5 o más años, pero todo ello sin una adscripción rígida de la expresión a un espacio temporal. De todas formas, los plazos superiores al año son considerados en numerosas normativas como largo plazo, y para la calificación de emisiones por las agencias de *rating* igualmente se diferencia entre deuda a corto, hasta un año, y deuda a largo, a más de un año.

Lavado de cupón (*Coupon washing*) Compra temporal de títulos de Deuda Pública o privada por parte de inversores no residentes a los inversores residentes con el fin de evitar la aplicación de la retención fiscal sobre los intereses, beneficiándose ambos de dicho efecto fiscal. *Véase* LAVADO DE DIVIDENDO.

Lavado de dividendo (*Dividend washing*) Operación realizada sobre los dividendos a pagar por una empresa con el fin de evitar la retención fiscal. *Véase* LAVADO DE CUPÓN.

Lay-way (*Lay-way*) Anticipo a cuenta de una obligación de pago y en general referido al pago anticipado.

LBO *Leveraged buy-out* (*véase*).

Lead manager (*Lead manager*) Director de emisión. Director principal. Jefe de fila. *Véase* DIRECTOR DE UNA EMISIÓN.

Leads and lags (*Leads and lags*) Situaciones de adelanto (*leads*), o retraso (*lags*), en los cobros y pagos internacionales, motivados por expectativas devaluadoras de la moneda de un país. Estos adelantos y retrasos en los cobros y pagos producen alteraciones en los flujos monetarios, de modo que, para conocer la situación real de lo que está aconteciendo en esas cuentas exteriores, se hace necesaria la existencia de un registro especial que, en España, se denomina Registro de Caja.

League table (*League table*) Son tablas que muestran los nuevos préstamos o emisiones que cada banco ha realizado en el Euromercado o en el mercado norteamericano. En general, se estima que cuanto más alto se esté en la tabla, especialmente en la de *lead manager*, que lleva los libros de demanda, mayores oportunidades tendrá de ganar nuevos mandatos.

Leasing double-dip (*Double-dip leasing*) Una operación de leasing que obtiene importantes incentivos fiscales de dos fuentes normalmente situadas en dos países.

LEBO *Leveraged Employee Buy-Out.*

Letra de cambio (*Bill of exchange*) Documento cambiario con carácter ejecutivo por el que el librador ordena al librado que pague una cantidad en fecha y lugar determinados a favor del tenedor del documento. La letra de cambio ha de extenderse sobre papel timbrado correspondiente a su cuantía; es susceptible de endoso y negociable y se le considera un título de valor a la orden.

Letra del Tesoro (*Treasury bill*) Activo financiero emitido por el Estado español al descuento a plazos iguales o inferiores a dieciocho meses, por el procedimiento de subasta y materializado exclusivamente en anotaciones en cuenta en la central de anotaciones del Banco de España. *Véase* BILLS.

Letras cruzadas (*Windbill*) Fórmula de emisión de papel de colusión en el que dos o más personas o entidades se aceptan papel recíprocamente, de manera que los descuentos de uno de los libradores sirve para atender al pago de los efectos que a su cargo giran los otros participantes. El riesgo se incrementa notablemente porque este recurso es difícil de cortar por la pérdida de confianza entre los que toman parte en esta forma de falsedad en el negocio cambiario.

Leveraged buy out. LBO (*Leveraged buy out. LBO*) Adquisiciones de empresas financieras mediante la emisión de deuda aprovechando para el pago la capacidad de endeudamiento de la sociedad comprada mediante la obtención de créditos garantizados con los activos de la propia empresa que se adquieren. Este tipo de operaciones proliferaron enormemente en la década de los ochenta, debido en gran medida al desarrollo de los mercados de capitales, sobre todo en EE. UU. La favorable legislación para el endeudamiento existente en dicho país permite a las empresas la deducción fiscal por el pago de intereses de la deuda y no concede estos beneficios a la distribución de dividendos. Además de este importante incentivo, la aparición de los *junk bonds* o bonos basura (*véase*) sirvió de herramienta fundamental para llevar adelante las grandes compras de empresas.

Ley de la oferta y la demanda (*Law of supply and demand*) Ley que enuncia que, en condiciones de competencia perfecta, el precio de equilibrio se desplazará de manera que la cantidad que los compradores deseen adquirir sea exactamente igual a la que los vendedores desean producir y colocar.

Ley de una moneda (*Fineness*) Es la cantidad de metal fino o grado de pureza de metal que caracteriza a una moneda con valor intrínseco.

LGP Ley General Presupuestaria.

Liberada (*Released*) Denominación que se aplica a la acción dispensada, total o parcialmente, del desembolso de su valor nominal. *Véase* ACCIÓN LIBERADA.

Liberalismo (*Liberalism*) Doctrina económica que defiende el libre juego de las fuerzas del mercado, restringiendo la intervención del Estado a cuestiones mínimas indispensables, de modo que cada individuo, al buscar su propio interés, hace posible el bienestar general.

Libertad de entrada (*Freedom to entry*) La ausencia de barreras que obstaculicen o imposibiliten el que entre una nueva empresa en un sector industrial.

Libertad de movimientos de capital (*Free movement of capital*) La libre circulación de capitales constituye uno de los pilares del Mercado Unico Europeo, y se basa en la liberalización de las balanzas de pagos por cuenta corriente, en la armonización de las políticas de tipos de cambio y en la liberalización de las balanzas de capitales de sus miembros.

Libid (*Libid*) *Véase* TIPO DEMANDADO EN EL MERCADO INTERBANCARIO INTERNACIONAL DE LONDRES. *Véase* LIBOR.

LIBOR (*London Interbank Offered Rate*) Tipo de interés de referencia para el supuesto de intereses variables. Está constituido por una media de los tipos de interés del mercado interbancario de Londres aplicado a los préstamos a plazo determinado en el mercado internacional de dinero y fijado con carácter vinculante para todos los bancos intervinientes. Este tipo de interés sirve como base para muchas operaciones de financiación, especialmente en el Euromercado. *Véase* LIBID.

Librado (*Drawee*) Persona física o jurídica a cuyo cargo se libra la letra de cambio, a quien se dirige el mandato de pago. Tratándose de cheque, el librado necesariamente ha de ser un banco.

Librador (*Drawer*) Persona que extiende una letra de cambio. Es quien ordena el mandato de pago al librado, con responsabilidad de pago si la obligación no es satisfecha.

Librar (*Drawn*) Ordenar mediante documento mercantil a una persona que pague una cantidad de dinero o entregue ciertas mercancías por cuenta de otra llamada ordenante. Expedir letras de cambio, cheques, pagarés, libranzas y otras órdenes de pago, a cargo de uno que tenga fondos a favor del librador.

Libre comercio (*Free trade*) Situación en la cual no existen aranceles ni ninguna otra barrera que limiten el comercio entre países.

Libre competencia (***Free competence***) Principio económico basado en la ley de la oferta y la demanda, como factores que por sí solos regulan el mercado. La libre competencia es la situación en la que la iniciativa privada, en conjunción con estos principios económicos, va a determinar la situación de equilibrio del mercado.

Libre de cargas (***Unencumbered***) Se dice de un activo sobre el que se tiene la propiedad y no está sujeto a ninguna restricción legal sobre la misma, como por ejemplo una hipoteca.

Libro (***Book***) Sumario de posiciones en divisas mantenido por un *dealer* o una sala de cambios. Si la vida media de la posición es menor que la vida media de la parte de activo, el banco o la institución se dice que tiene una posición corta y por tanto tiene el libro abierto. *Véase* LIBRO ABIERTO y LIBRO CERRADO.

Libro abierto (***Mismatched book***) Cuando las posiciones largas y cortas de un inversor no se complementan entre ellas y que por tanto podrían producir pérdidas o beneficios debido a los cambios en las curvas de rendimientos. *Véase* LIBRO CERRADO.

Libro cerrado (***Matched book***) Cuando los vencimientos medios de los activos de un inversor igualan a los vencimientos medios de sus pasivos, no habiendo por tanto riesgo de pérdidas entre movimientos en las curvas de rendimiento. *Véase* LIBRO ABIERTO.

Libro de acciones (***Share book***) Las acciones, cuando estén representadas mediante títulos, sean éstas nominativas o al portador, deberán encontrarse numeradas correlativamente y extenderse en libros talonarios, según se indica en la Ley de Sociedades Anónimas española.

Libro de inventarios y balances (***Inventory and yearly accounts record***) El Código de Comercio español establece que el libro de inventarios y balances se abrirá con el balance inicial detallado de la empresa. Al menos trimestralmente se transcribirán, con sumas y saldos, los balances de comprobación, así como el inventario de cierre del ejercicio y las cuentas anuales.

LIFFE (***London International Financial Futures Exchange***) Bolsa Internacional de Futuros Financieros de Londres.

Lift (***Lift***) En el argot de los euromercados significa aceptar una oferta de bonos a un precio determinado.

Ligeramente estructurado (***Lightly structured***) Se dice de los instrumentos financieros con cupón fijo o flotante que cambian una o varias veces durante su vida y que varían en relación directa con un *benchmark.*

Limean (***Limean***) Media aritmética del Libid y del Libor.

Límite (***Limit***) Tope que se fija como nivel máximo o mínimo de cotización al que se está dispuesto a comprar o vender.

Línea característica (***Characteristic line***) Línea que representa la relación entre las rentabilidades esperadas de una acción o cartera y la rentabilidad esperada del mercado. Su pendiente es el *coeficiente beta* (*véase*).

Línea de crédito (***Credit facility***; ***Line of credit***) Compromiso de un banco o de otro prestamista de dar crédito a un cliente hasta un límite determinado a petición de éste, del que puede disponer automáticamente en el período de vigencia. *Véase* FACILIDAD.

Línea de crédito sobre un programa global de títulos (***Global note facility***) Línea de crédito por la que el compromiso de aseguramiento a medio o largo plazo de los bancos que la conceden, respalda tanto las emisiones en el mercado de EE.UU. como en el Euromercado. Si el emisor no consigue renovar títulos en el mercado americano, desencadenará la emisión en el Euromercado a través de los dealers del programa.

Línea de resistencia (***Succesive average line***) En el análisis técnico bursátil, línea que se obtiene al unir dos o más máximos en un gráfico. La ruptura confirmada de la cotización más allá de la línea de resistencia es una señal de compra.

Línea de soporte (***Backing line***) En el análisis técnico bursátil, línea que se obtiene al unir dos o más mínimos en un gráfico. La ruptura confirmada de la cotización por debajo de la línea de soporte es una señal de venta.

Línea de tendencia (***Trend line***) Línea que geneeralmente se forma uniendo los máximos de los precios de un valor si se trata de una tendencia bajista y los mínimos de dicho precio en el caso de una tendencia alcista. Sirve para explicar las tendencias en un gráfico y para identificar niveles de soporte o niveles de resistencia.

Liquidación (*Settlement* || *Liquidation*) Cálculo y resultado de una operación sobre títulos-valores, de crédito o de cualquier otro bien o valor. || En el mercado de futuros, cierre de una posición abierta mediante la ejecución de una operación contraria, lo que elimina la obligación de hacer entrega del activo subyacente en la fecha de vencimiento del contrato de futuros. || El proceso de cerrar una empresa, vendiendo sus activos, pagando a los acreedores y repartiendo el resto entre sus accionistas o propietarios.

Liquidar (*Clear*; *Settle*) Consumar una operación financiera mediante la entrega de los títulos en la forma debida al comprador y el pago de los fondos al vendedor.

Liquidez (*Liquidity*) Se trata de la capacidad que tienen los activos para convertirse en dinero efectivo en cualquiera de sus formas: en caja, en bancos o en títulos monetarios exigibles o de corto vencimiento, de una forma rápida y que no ocasione ninguna merma de valor en el patrimonio de la empresa. Se trata también del criterio de clasificación de los activos en el balance de situación, colocándose de mayor a menor liquidez o al contrario, dependiendo del plan general del país en cuestión; en España, como en el resto de países pertenecientes a la UE, se ordena el activo de menor a mayor liquidez. Los ratios de liquidez estudian el riesgo financiero, es decir, la capacidad de las empresas de atender sus compromisos a corto plazo.

Llevar los libros (*Run the books*) Tener la responsabilidad sobre la documentación, sindicación, pago y entrega en una emisión de títulos. El director que realiza esta función es el *lead-manager*.

LMBO *Leveraged Management Buy-Out*.

LMV Ley del Mercado de Valores.

Loan stock (*Loan stock*) Expresión británica para un empréstito u obligación. El emisor por lo general es una empresa industrial.

Lock up period (*Lock up period*) Período de tiempo durante el cual un emisor se compromete a no emitir nuevos títulos del mismo tipo al que se hace referencia. Se suele incluir en el contrato de aseguramiento de la emisión.

Loophole (*Loophole*) Manera legal de evitar impuestos aprovechando la propia ley.

Loro Término con el que se expresa la equivocación sufrida al contratar los valores en el corro.

Lote (*Lot*) Cuantía que se paga a algunas obligaciones seleccionadas por sorteo de entre las reembolsadas cada período. || Unidad básica de negociación en el mercado de futuros y de opciones.

Lote incompleto (*Odd lot*) Transacción de acciones en un número inferior al mínimo permitido normalmente en el mercado. La compra o venta de estos paquetes suele ser más costosa que la de los grandes paquetes. *Véase* MERCADO DE PICOS EN EL SISTEMA DE INTERCONEXIÓN BURSÁTIL.

Lotes en el mercado continuo de las Bolsas españolas En el llamado Mercado de Lotes del Sistema de Interconexión Bursátil se tiene que negociar por unidades de lotes. Estos tendrán carácter invariable para cada sesión y serán conjuntos indivisibles de 25, 50 o 100 títulos, según que el precio de cada título, en función del cierre de la sesión anterior, esté, respectivamente, por encima de 5.000 pesetas, comprendido entre 1.001 y 5.000 pesetas, o por debajo de 1.001 pesetas. El cálculo, según los siguientes supuestos se realizará: 1) al comienzo de cada sesión; 2) cuando se devengue un dividendo o se inicie una ampliación de capital, y 3) cuando se incorpore un valor al Sistema de Interconexión Bursátil.

LSE *London Stock Exchange*.

LTD *Limited British Corporation*.

Lucha por la mayoría de votos (*Proxy fight*) Forma de obtener el control de una empresa persuadiendo a otros accionistas para que deleguen su voto en el interesado en la Junta General de Accionistas.

Lunes Negro (*Black Monday*) Expresión con la que se conoce el 19 de octubre de 1987, fecha en la que se produjo una fuerte caída de la Bolsa, interpretada posteriormente como pánico financiero más que como desastre económico. La razón de la brusca caída fue la sobrevaloración de los precios de las acciones en términos de ingresos previstos y dividendos, dando como resultado un ajuste muy rápido a tal sobrevaloración.

Luxibor (***Luxibor***) Tipo de interés ofrecido en el Mercado Interbancario de Luxemburgo para depósitos denominados en marcos.

M

M_1 Cantidad de dinero o medios de pago según la definición de efectivo, es decir, billetes y monedas, más depósitos a la vista poseídos por el público, excluyendo los que mantienen el Gobierno, el Banco de España y los bancos comerciales. *Véase* OFERTA MONETARIA.

M_2 Cantidad de dinero definida como M_1 más depósitos de ahorro.

M_3 Definición más amplia de cantidad de dinero: M_2 más depósitos a plazo. *Véase* DISPONIBILIDADES LÍQUIDAS.

M_4 Cantidad de dinero definido como M_3, más otros activos líquidos en manos del público. *Véase* ALP'S.

M & A *Mergers and Acquisitions.*

Macroeconomía (***Macroeconomics***) Estudio del conjunto de agregados económicos, tales como empleo total, tasa de desempleo, producto nacional y tasa de inflación entre otros.

Major Market Index. MMI (***Major Market Index. MMI***) Indice bursátil, con base 200 en 1983, elaborado por el *American Stock Exchange* y formado por 20 valores *blue chips* cotizados en *Wall Street*. Se calcula sumando los precios de los títulos que lo componen y dividiendo la suma por un divisor constante. Se utiliza como activo subyacente de contratos de opciones del citado mercado y en el CBOT.

Malversación (***Defalcation***) Delito consistente en la inversión o aplicación de caudales ajenos a usos distintos de aquellos a los que están destinados.

Mancomunada y solidariamente (*Jointly and severaly*) En el contexto de una garantía en la cual hay más de un garante, este término se refiere a la responsabilidad de cada uno de los garantes para cubrir su propio incumplimiento y el de cada uno de los otros. Los aseguradores de una emisión en el Euromercado asumen esta cláusula en relación con la suscripción y el pago de la emisión.

Mandato (*Mandate*) Autorización a un banco, por parte de un prestatario, para que ponga en marcha un préstamo sindicado o una emisión de títulos en función de unos términos acordados. El banco hará, pues, la función de director de la emisión. *Véase* DIRECTOR DE UNA EMISIÓN.

Manipulación (*Manipulation*) Alteración del curso normal de la oferta y la demanda del mercado mediante artificios como operaciones ficticias, depresión o estímulos artificiales de los cambios, etc.

Mano invisible (*Invisible hand*) Término acuñado por Adam Smith que expresa la idea de que la búsqueda del interés personal conduce al logro del equilibrio de la sociedad como un todo. *Véase* LIBRE COMPETENCIA.

Maquillaje (*Window dressing*) Expresión utilizada para designar las operaciones realizadas por las empresas para controlar la cotización de un valor. Es una técnica utilizada habitualmente en el cierre del trimestre o del ejercicio.

Margen (*Spread* || *Margin*) Puntos o fracciones de punto de un tipo de interés o de una comisión establecido a favor de una de las partes. En los Euromercados y, en general, en todos los mercados financieros nacionales o internacionales, en relación con emisiones de obligaciones, bonos, depósitos, así como créditos y préstamos en los que se fijan los intereses en relación a tipos de referencia, el margen es el diferencial de interés, expresado en puntos base (centésima parte de un punto entero), que se añade o se resta al tipo de interés de referencia estipulado (Mibor o Libor a tres meses, por ejemplo) para establecer el tipo de interés bruto que debe pagarse o percibirse por una deuda o un depósito durante el tiempo que abarque el período de revisión estipulado. || En sentido general, beneficio que se puede obtener entre el precio de compra y el de venta, con significado equivalente a plusvalía en las operaciones de valores.

Margen alligator (*Alligator spread*) En los mercados de opciones se designa así la posición de margen de opción en la que no se obtienen beneficios debido a los costes de la operación.

Margen bruto (*Gross margin*) Diferencia entre el precio de venta y el de coste, considerando en éstos los costes variables acumulados y no las amortizaciones e impuestos. En general, el margen o beneficio bruto obtenido en cualquier transacción bien por cuenta propia, bien como intermediario, sin considerar costes o cesiones de comisiones o beneficios. || Referido a emisiones de deudas y créditos sindicados internacionales o domésticos gestionados y suscritos por sindicatos bancarios o por una sola entidad financiera, es el porcentaje global que incluye las comisiones por gestión y suscripción. También el importe total por estos conceptos.

Margen de aseguramiento (*Underwriting spread*) Diferencia entre la cantidad pagada al emisor de los títulos por la distribución primaria (compra del asegurador al emisor) y la venta en oferta pública. El tamaño del margen dependerá del tamaño de la oferta, la potencia financiera del emisor, el tipo de título y el tipo de deuda (subordinada, corriente, etc.). *Véanse* ACUERDO DE ASEGURAMIENTO, GRUPO ASEGURADOR y ACUERDO ENTRE ASEGURADORES.

Margen de explotación (*Operating margin*) Escalón intermedio de la cuenta de resultados analítica que se obtiene como resultado de restar al margen ordinario los gastos de explotación, es decir, gastos generales, de personal, tributos y amortizaciones.

Margen de intermediación (*Intermediation margin*) Primer escalón de la cuenta de resultados analítica de bancos y cajas de ahorros formado como diferencia entre productos (crédito, inversión de valores y colocaciones en otros intermediarios financieros) y costes financieros (depósitos, financiación de otros intermediarios financieros y empréstitos). También suele denominarse margen financiero.

Margen ordinario (*Ordinary margin*) Escalón intermedio de la cuenta de resultados analítica de bancos y cajas de ahorros que resulta de añadir al margen de intermediación el importe neto de otros productos ordinarios.

Mariposa (*Butterfly spread*) Estrategia de opciones que tiene limitados el riesgo y el beneficio potencial, construido mediante un *spread* alcista y un *spread* bajista con la misma fecha de vencimiento. Hay tres precios de ejercicio implicados. El más alto se utiliza en el *spread* alcista y los más bajos en el *spread* bajista. Esta estrategia se puede construir sintéticamente utilizando *calls* o *puts*. Una mariposa perfecta tiene cero de prima neta. En cualquier caso, los resultados de la posición al vencimiento son idénticos.

Mariposa comprada (*Long butterfly*) Estrategia que combina la compra de dos opciones de compra (*calls*), una con un precio de ejercicio alto y la otra con un precio de ejercicio bajo, y la venta de dos opciones de compra con un precio de ejercicio medio. Se utiliza cuando se anticipa la estabilidad del precio del activo subyacente cerca de su nivel actual. Los potenciales beneficios y pérdidas están limitados. *Véase* MARIPOSA VENDIDA.

Mariposa vendida (*Short butterfly*) Estrategia que combina la venta de dos opciones de compra (*calls*), uno con un precio de ejercicio alto y el otro con un precio de ejercicio bajo, y la compra de dos *calls* con un precio de ejercicio medio. Esta estrategia trata de anticipar una alta volatilidad en el precio del activo subyacente. Las pérdidas y los beneficios potenciales están limitados. *Véase* MARIPOSA COMPRADA.

Markdown (*Markdown*) Cantidad detraída del precio de venta cuando un cliente vende títulos a un *dealer* en el mercado OTC (*Over the counter*). La NASD (*véase*) estableció un 5 por 100 como referencia razonable. || Ajuste a la baja del precio de los títulos por parte de los bancos y otros intermediarios, basado en la caída de las cotizaciones del mercado. || Reducción en el precio de venta minorista original, el cual fue determinado añadiéndole un porcentaje, llamado *markon*, al coste de una mercancía. *Véase* MARKUP.

Marketing (***Marketing***) Conjunto de técnicas y medidas referentes al estudio del mercado, su distribución y comportamiento.

Markup (***Markup***) Es la diferencia o margen entre el precio que un *dealer* pagó por un título y el precio al que los vendió a un cliente minorista. *Véase* MARKDOWN.

MATIF (***Matif***) Mercado de futuros de instrumentos financieros de París fundado en 1986.

Mayday (***Mayday***) Referencia al día 1 de mayo de 1975, en el que se inició el Big Bang de la Bolsa de Nueva York.

MBI Management Buy-In.

MBO Management Buy-Out.

MEDAS *Véase* MEDIADORES DE DEUDA PÚBLICA.

Media (***Mean***) En estadística, el valor medio de una distribución.

Mediador (***Broker***) Entidad que interviene en los mercados financieros propiciando el acuerdo entre las partes, pero sin tomar posiciones por cuenta propia y sin asumir otros riesgos que los que puedan derivarse de errores en su operatoria. Un mediador ciego es aquel que tiene entre sus funciones garantizar el anonimato de las partes contratantes, como es el caso de los mediadores entre negociantes de deuda anotada.

Mediadores de Deuda Pública. MEDAS (***Interdealers brokers***) Sociedades, constituidas en el mercado español como Agencias de Valores, cuya misión consiste en facilitar la red informática de negociación a los creadores de mercado y demás entidades que actúan en el mercado de Deuda Pública Anotada. Cierran las operaciones asegurando el anonimato de las partes.

Media móvil (***Moving average***) Método estadístico utilizado para atenuar las oscilaciones del precio, de modo que resulte más fácil la detección de tendencias. Se calcula sumando a un precio un número determinado de precios anteriores y dividiendo la suma por el número total de precios considerados. *Véase* MEDIA MÓVIL SIMPLE.

Media móvil simple (***Simple moving average***) En el análisis técnico bursátil, la cotización que se obtiene de dividir la suma de las cotizaciones de un valor entre el número de observaciones. Habida cuenta de que la media móvil es una versión allanada de la tendencia, se convierte en un área de soporte y resistencia y, por tanto, su ruptura advierte de un cambio en la tendencia, de manera que los cruces confirmados de la cotización de abajo a arriba son señales de compra, y de arriba a abajo son señales de venta. La elección del número de sesiones a incluir en la medida móvil dependerá de la tendencia que deseemos analizar. Para movimientos cortos, basta con medias de 20 a 50 días, para los movimientos intermedios serán necesarias medias de 200 a 300 sesiones.

Mediana (*Median*) El elemento central de una distribución, es decir, la mitad de los elementos están por encima de la mediana y la otra mitad por debajo.

MEFF (*Meff*) Mercado Español de Futuros Financieros.

Memoria anual (*Annual report*) La memoria anual, junto al balance y la cuenta de pérdidas y ganancias, forman lo que la Ley de Sociedades Anónimas española denomina cuentas anuales, que deberán ser elaboradas por los administradores sociales en el plazo de tres meses desde el cierre del ejercicio social, que, salvo pacto en contrario, se entiende finalizado el 31 de diciembre de cada año. Esta memoria anual deberá ser sometida a la aprobación de la Junta General de Accionistas, que necesariamente deberá celebrarse en los seis primeros meses de cada ejercicio. Además, dentro del mes siguiente a la aprobación de las cuentas anuales, deberá procederse a su depósito en el Registro Mercantil. La memoria anual, junto al resto de los documentos de las cuentas anuales, deben ser redactados con claridad y mostrar la imagen fiel del patrimonio social y la situación financiera de la sociedad, sin que estén permitidas conductas enmascaradas de las pérdidas o exageradoras de los éxitos y beneficios.

Mercado (*Market*) Lugar teórico donde se produce el encuentro organizado y continuo de ofertas y demandas. || Estado de la oferta y la demanda.

Mercado abierto (*Open market*) *Véase* OPERACIONES DE MERCADO ABIERTO.

Mercado a crédito (*Credit market*) En 1981 se reguló en España el crédito al comprador y al vendedor en operaciones bursátiles al contado; con este nuevo sistema de operar en la Bolsa se permite al inversor adquirir valores sin disponer del importe total de la compra, o vender sin necesidad de poseer los títulos objeto de la transacción. El inversor deberá entregar a su agente una cobertura que será como mínimo el 25 por 100 del importe de la operación y cumplir una serie de requisitos que la regulación establece. Actualmente la garantía ha sido ampliada hasta el 35 por 100 del total de la compra-venta a crédito.

Mercado a plazo (*Forward market*) Mercado formado por todas aquellas operaciones en las que la entrega del activo objeto de la transacción se realiza en una fecha futura aplazada.

Mercado activo (*Active market*) Se aplica cuando en el mercado de determinados bienes se realizan frecuentes operaciones.

Mercado alcista (*Bull market*) Situación del mercado caracterizada por la expectativa de la subida de las cotizaciones.

Mercado al contado (*Spot market*) En las Bolsas o centros de contratación de mercancías o títulos valores, el mercado de contado es el que comprende las operaciones de compraventa de cumplimiento inmediato o a uno o dos días fecha de la contratación.

Mercado amplio (*Broad market*) Dícese del mercado que no está restringido a una sola clase de ofertas, sino que éstas son amplias y variadas.

Mercado bajista (*Bear market*) Situación de un mercado que se caracteriza por una tendencia de caída de precios y volúmenes de contratación.

Mercado bulldog (*Bulldog market*) Mercado de emisiones a largo plazo de Estados y empresas, establecido en Londres y cuyo mercado secundario es institucional.

Mercado bursátil de renta fija (*Stock exchange fixed income*) Mercado organizado no oficial puesto en marcha en España en octubre de 1991 por la Sociedad Rectora de la Bolsa de Madrid con la participación de todas las Bolsas españolas, en el que se negocian títulos de renta fija, tales como Deuda Pública no anotada, bonos, obligaciones, pagarés de empresa y títulos hipotecarios del sector privado. Su funcionamiento se basa en un sistema electrónico de contratación por pantalla, en la existencia de creadores de mercado y en la operatoria de mercado continuo.

Mercado competitivo (*Competitive market*) Situación del mercado en el que existe un gran número de oferentes y demandantes que comercian con bienes homogéneos y, por lo tanto, sustituibles, y en el que ningún actuante tiene poder o influencia para determinar el precio de mercado, es decir, es una situación de competencia perfecta.

Mercado Común (*Common market*) Unión aduanera con varios elementos adicionales, tales como libre movimiento de los factores productivos.

Mercado Común Europeo. MCE (*European Common Market. ECM*) Expresión utilizada en lenguaje coloquial y de forma inadecuada por referirse únicamente a una parte de la integración europea, para designar a las tres Comunidades Europeas. En Parlamento ha recomendado el uso de la expresión Comunidad Europea ante cualquier otra.

Mercado continuo bursátil español (*Spanish stock continuous market*) Sistema de contratación bursátil asistido por ordenador que permite la realización de operaciones durante un período de tiempo mayor que el de la contratación tradicional por corros celebrado en el parquet. En el caso español, su implantación y desarrollo se fundamentan en el Sistema de Interconexión Bursátil previsto en la Ley de Reforma del Mercado de Valores de 1988. Se suele denominar con las siglas CATS, *Computer Assisted Trading System*, y es similar al utilizado previamente por la Bolsa de Toronto. Ofrece, durante cada jornada de contratación, dos sesiones: una de preapertura, en la que no se cruzan operaciones, entre 9 y 10 de la mañana, y otra abierta continuada entre las 10 y las 17 horas.

Mercado de activos de caja Mercado de dinero propiamente dicho, en el que se incluyen las intervenciones del Banco de España y el mercado interbancario privado. *Véase* MERCADO INTERBANCARIO DE DEPÓSITOS.

Mercado de cambios (*Foreign exchange market. FOREX. Fx*) Mercado donde se compran y se venden divisas entre instituciones financieras.

Mercado de capitales (*Capital market*) Es aquel en el que se negocia con capitales a medio y largo plazo, en préstamos o empréstitos, así como en compraventa de acciones y participaciones en sociedades mercantiles. La Bolsa es un mercado de capitales institucionalizado, aunque también se realicen operaciones con activos monetarios y cuasimonetarios, esto es, con activos de elevada o total liquidez y otra serie de productos derivados como futuros y opciones.

Mercado de compradores (*Buyer's market*) Se caracteriza por una oferta superior a la demanda en forma tal que el curso de los cambios favorece a los compradores.

Mercado de depósitos (*Deposits market*) En general es el mercado del sector bancario en el que las entidades pertenecientes al mismo ofertan condiciones para el depósito de dinero en cuentas a la vista y a plazo bajo diferentes modalidades.

Mercado de derechos (*Rights market*) Mercado creado para la compra, venta y cotización de los derechos de suscripción preferentes.

Mercado de derivados (*Derivative market*) Se denomina así a un mercado en el que se negocian contratos basados en valores subyacentes, pudiendo ser éstos materias primas, activos, valores financieros y ficticios basados en los activos reales. Un mercado derivado puede operar con opciones, futuros u opciones sobre futuros.

Mercado de Deuda Pública anotada (*Public debt book-entry market*) Mercado referido a la emisión y negociación de los instrumentos públicos que adoptan esa forma. En él participan el Tesoro como principal emisor, el Banco de España como agente y gestor de la Central de Anotaciones en Cuenta, los inversores finales y una diversidad de intermediarios que actúan, bien como negociantes tomando posiciones propias, o bien, como intermediarios puros. En lo relativo al mercado secundario, cabe diferenciar dos submercados: el de las operaciones entre titulares de cuentas y el de aquellas que se realizan entre los terceros no titulares y las entidades gestoras que deben canalizarlas. En el primer caso, mercado entre titulares, se distinguen, a su vez, dos escalones: núcleo del mercado o de negociación ciega a través de una red informática ofrecida por un número reducido de mediadores autorizados, mediadores de deuda o *medas*, que garantiza el anonimato de las partes en el proceso de cotización y negociación, en el que los participantes, creadores de mercado y aspirantes a creadores de mercado, se comprometen a garantizar la liquidez del sistema. Por otra parte está el resto del mercado entre titulares, al que tiene acceso la totalidad de éstos, en el que ya se identifican las partes contratantes, y que está soportado exclusivamente por el Servicio Telefónico del Mercado de dinero.

Mercado de dinero (*Money market*) *Véase* MERCADO MONETARIO.

Mercado de divisas al contado en España (*Foreign exchange spot market in Spain*) Mercado de compra y venta de divisas al contado, es decir, operaciones con valor hasta dos días como máximo, en cuyo tiempo se inician y liquidan. Se trata de un mercado libre, pero reglado y de carácter exclusivamente interbancario en el que operan, por lo tanto, las entidades de crédito registradas y el Banco de España.

Mercado de emisiones (*Issue market*; *Primary market*) También denominado mercado primario, es aquel en el que participan las personas físicas o jurídicas que, cumpliendo los requisitos legales, ponen en circulación un conjunto homogéneo de valores negociables como forma de obtención de financiación a través de las suscripciones efectuadas en los destinatarios de la oferta.

Mercado de euroacciones (*Euroshares market*) Mercado en el que las compañías multinacionales o de primera fila de los países industriales colocan emisiones de nuevas acciones a través de grupos bancarios que las ofrecen a sus clientes. Estos a su vez pueden negociar o adquirir estas acciones en los principales mercados bursátiles en los que están admitidas a cotización, o a través de un mercado internacional, como, por ejemplo, los sistemas operativos y de liquidación de las Bolsas de Nueva York y de Londres, ya que una de las condiciones para el auge de este mercado es la agilidad en la ejecución de órdenes y en la liquidación.

Mercado de eurocréditos (*Eurocredit market*) Es un mercado que permite negociar créditos sindicados, destinados a financiar el déficit de la balanza de pagos de un país y/o inversiones de capital de empresas y organismos públicos y privados. Las negociaciones son llevadas a cabo por un banco o grupo de bancos a los que se le denomina *lead managers* y los tipos de interés se expresan en forma de un margen o *spread* sobre el tipo de referencia; los tipos de referencia más utilizados son el Libor en dólares a seis meses y el *Prime Rate*.

Mercado de euroemisiones (*Euroissue market*) Cabe distinguir entre euro-obligaciones o *eurobonds* y obligaciones extranjeras. En el primer caso se trata de títulos denominados en una euromoneda y emitidos fuera del país en el que rige la moneda de denominación; normalmente se colocan en varios mercados internacionales por grupos o sindicatos de bancos o intermediarios. En el segundo caso son emisiones que se realizan en un determinado país, denominadas en la moneda del país, por un emisor extranjero, negociándose y colocándose principalmente en el mercado del país en cuestión.

Mercado de futuros (*Futures market*) Es aquel en el que se negocian contratos de futuros sobre diversos activos. Se definen los contratos que en ellos se operan como aquellos en que las partes intervinientes en los mismos se obligan a comprar o vender activos reales o financieros en una fecha futura y determinada de antemano a un precio pactado en el momento de la firma del contrato. Existen cuatro clases de contratos de futuros: futuros de índices bursátiles, futuros de divisas, futuros de tipos de interés y futuros de tipo de interés de eurodólares.

Mercado de lotes en el sistema de interconexión bursátil (*Blocks market in the stock market interconection system*) Constituye la modalidad principal del Sistema de Interconexión Bursátil en el que la prioridad de cierre de operaciones viene determinada por el precio y, en caso de igualdad de precios, por la prioridad temporal en la introducción de las propuestas. Estas deben efectuarse como mínimo por un lote o múltiplo de lote.

Mercado de opciones (*Options market*) Mercado en el que se negocian los contratos de compra o venta a un determinado precio de un valor o producto específico y cotizado en dicho mercado, en el de contado y, en algunos casos en el de futuros, una vez transcurrido un plazo. Existen mercados de opciones sobre materias primas, fondos públicos y valores mobiliarios en general, tipos de interés e índices de cotización en Bolsa. El mercado de opciones, en los que éstas aparecen como activo financiero susceptible de contratación se inició en 1973 en el *Chicago Board Options Exchange (CBOE).*

Mercado de órdenes (*Order driven*) Un sistema bursátil en el cual los precios reaccionan a las órdenes.

Mercado de picos en el sistema de interconexión bursátil De acuerdo con las normas de la Sociedad de Bolsas, se negocian en este mercado, subordinado a la existencia de precio de la apertura en el mercado de lotes, las cantidades inferiores a la unidad de lote, aplicándose los mismos criterios de precios y prioridad temporal de dicho mercado. Todas las propuestas se introducen con precio limitado y se ejecutan total o parcialmente ante la aparición de propuestas de signo contrario, sin que en ningún caso se pueda variar en más de un 5 por 100 el precio máximo o mínimo negociado en el mercado de lotes, hasta ese momento. Los operadores pueden, adicionalmente, escoger de entre las posiciones manifiestas en el mercado, aquellas que por su volumen y precio satisfagan su posición, siempre dentro de los límites de precio establecidos en el párrafo anterior.

Mercado de renta fija de la AIAF (*Fixed rate market of the AIAF*) Mercado secundario español organizado, no oficial y de ámbito nacional, de la Asociación de Intermediarios de Activos Financieros (AIAF), reconocido por Orden del 1 de agosto de 1991, en el que se negocian títulos de renta fija, excepto títulos convertibles, utilizando como soporte de las transferencias un sistema electrónico de contratación por pantalla *Reuter*. Se trata de un mercado dirigido por precios y con estructura de creadores de mercado, cuya supervisión compete a la Comisión Nacional del Mercado de Valores.

Mercado de renta variable (*Variable yield market*) Mercado cuyo objetivo es la contratación de valores de renta variable como las acciones, participaciones en fondo de inversión, etc.

Mercado desregulado (*Over the counter market*) *Véase* MERCADOS OTC.

Mercado de valores Término general referido a la negociación organizada de títulos a través de diferentes mecados bursátiles incluido el *over the counter*. Los títulos negociados son: acciones ordinarias, acciones preferentes, bonos, bonos convertibles, derechos de suscripción y *warrants*. En un sentido más general puede incluir también otras mercancías (*commodities*). *Véase* MERCADO DE VALORES, CLASIFICACIÓN.

Mercado de valores, clasificación Bajo esta denominación se incluyen los mercados correspondientes a valores emitidos a medio y largo plazo, tanto de renta fija como variable, en España. La ley 24/1988 establece la siguiente clasificación de dichos mercados:

1. Primario.
2. Secundarios oficiales.
   - 2.1. Bolsa de valores.
   - 2.2. Mercado de Deuda Pública representada en anotaciones en cuenta.
   - 2.3. Otros mercados de ámbito estatal y referentes a valores representados mediante anotaciones en cuenta.

El mercado primario engloba la apelación a los mercados mediante la emisión de valores de los agentes económicos diferenciados por sectores institucionales que caracterizan modalidades de emisión e instrumentos, de acuerdo con factores tales como: la fiscalidad, el plazo, la finalidad y la negociabilidad. *Véase* MERCADO DE VALORES.

Mercado de valores extraoficial (*Over the counter market*) *Véase* MERCADOS OTC.

Mercado de valores informatizado Se trata del mercado de valores basado en medios informáticos no sólo para la liquidación y depósito de títulos, sino también para la contratación. Requiere terminales informáticos en los distintos operadores que concurren en un ordenador central en el que se reciben las órdenes de compra y venta de todos los operadores, determinando un precio único temporal, facilitando la liquidación de las operaciones por compensación, permitiendo una información completa del mercado bursátil en tiempo real, concentrando las operaciones y haciendo más líquidos los títulos.

Mercado de vendedores (*Seller's market*) Se denomina mercado de vendedores a la situación económica en la que por determinadas razones, los productores y vendedores se encuentran en una situación favorable para la fijación del precio de los artículos. Se contrapone al mercado de compradores, donde el efecto es el contrario.

Mercado eficiente (*Efficient market*) En sentido estricto, aquel en el que el precio o cotización de los títulos oscila alrededor de su valor intrínseco, siendo éste el valor actual neto de todos los cobros y pagos esperados por el poseedor del título hasta su vencimiento o cesión, actualizados a un tipo de descuento ajustado al riesgo de título. En sentido general, y teniendo en cuenta la información disponible, se aplica a la característica de un mercado de asegurar la ejecución de todas las operaciones a un precio cercano al de referencia preexistente con mínimos costes, y a que, una vez ejecutadas dichas operaciones, su compensación y liquidación se realiza rápidamente y con garantía para las partes.

Mercado estrecho (*Narrow market*) Mercado financiero cuya oferta de activos es escasa.

Mercado extraterritorial (*Offshore market*) Término aplicado en los mercados financieros no sujetos al control de ninguna autoridad monetaria nacional e internacional. También se denomina así a las plazas financieras en los que están autorizados a establecerse los bancos y agentes financieros sin que les afecten las normas que existen para los residentes.

Mercado gris (*Gray market*) Mercado electrónico instantáneo previo a la oferta pública de una emisión de obligaciones. En dicho mercado sólo pueden participar los intermediarios financieros, lo que les permite tomar posiciones comprando y vendiendo a precios preestablecidos antes de que el público pueda hacerlo.

Mercado hipotecario (*Mortgage market*) Regulado en España en 1981, este mercado tiene por objeto favorecer la realización, por el conjunto de organismos que practican el crédito hipotecario, de préstamos al sector inmobiliario. El modelo adoptado intenta crear un circuito de realimentación al permitir, mediante la emisión de títulos hipotecarios, refinanciar hasta el 90 por 100 de los préstamos concedidos que respaldan dichos títulos. Los títulos que se emiten pueden ser de tres clases: cédulas hipotecarias, bonos hipotecarios y participaciones hipotecarias.

Mercado interbancario de depósitos (*Interbank deposit market*) Mercado telefónico en el que se desarrollan las operaciones de depósito, operaciones de dobles, etc., entre las entidades financieras de un país. Entre sus principales funciones se encuentran la cobertura de necesidades de liquidez para la cobertura del coeficiente de caja, la colocación de excedentes líquidos de las entidades financieras, así como trasvasar recursos entre entidades para financiar activos. El tipo de interés de estas operaciones se toma a menudo como referencia para fijar las condiciones en otros tipos de operaciones. Ejecuta, compensa y liquida sus operaciones a través del Servicio Telefónico del Mercado de Dinero.

Mercado interbancario de divisas (*Interbank exchange rate market*) En el mercado interbancario de divisas las Entidades Registradas efectúan las operaciones de compra y venta necesarias para cubrir las peticiones de sus clientes en la realización de cobros y pagos en el exterior, las de arbitraje de contado o a plazo para beneficiarse de las diferencias de cotización y las necesarias para, al final de la jornada, nivelar su posición en moneda extranjera según los límites marcados por el Banco de España, todas ellas a los cambios resultantes del cruce entre oferta y demanda.

Mercado líquido (*Liquid market*) Mercado en el que hay un gran número de compradores y vendedores dispuestos a negociar cantidades significativas con pequeñas diferencias de precio.

Mercado monetario (*Money market*) Se trata de una serie de mercados paralelos e interrelacionados, esencialmente por el nivel de los tipos de interés, en el que se contratan diferentes activos de gran liquidez y nulo o muy bajo riesgo, por importes muy elevados en cada operación. Dentro de este concepto hay que distinguir entre mercados de dinero, de dobles con Letras del Tesoro y Deuda del Estado y un mercado de regulación monetaria.

Mercado negro (*Black market*) Mercado en el que las ventas se realizan a un precio superior al máximo legal.

Mercado no oficial (*Non official market*) *Véase* MERCADOS OTC.

Mercado no oficial organizado (*Non official market*) Sinónimo de Mercado no oficial. *Véase* MERCADOS OTC.

Mercado perfecto (*Perfect market*) Dentro de los mercados financieros, las condiciones que determinan la perfección de los mismos son: a) todos los operadores disponen de información completa sin costes; b) los precios de los activos financieros son independientes del comportamiento particular de oferentes y demandantes, y c) los costes de transacción son nulos. El ideal de mercado perfecto no existe en la realidad y la contrastación empírica de los mercados se dirige hacia el cumplimiento de algunas propiedades, como son: la eficiencia, profundidad, amplitud y flexibilidad.

Mercado plano (*Flat market*) Mercado en el que no se detecta ninguna tendencia predominante.

Mercado primario (*Primary market*) Mercado donde se negocian títulos de nueva emisión. *Véase* MERCADO DE EMISIONES.

Mercados derivados de Deuda Pública anotada Son los mercados organizados en los que, en íntima comexión con el mercado de deuda anotada, se negocian futuros y opciones sobre bonos nocionales convertibles en anotaciones en cuenta sobre Deuda Pública. En el caso del mercado de futuros, se distingue entre miembros liquidadores (plenos, simples o propios, según la capacidad de operar por cuenta propia y por cuenta de clientes no liquidadores, miembros o no del mercado) y no liquidadores.

Mercados de valores paralelos (*Paralell markets*) Son aquellos mercados que se realizan al margen de los mercados organizados o bursátiles y que no tienen una publicidad oficial de los precios o que los títulos que se negocian en ellos carecen de requisitos o condiciones para ser contratados específicamente.

Mercado secundario (*Secondary market*) Mercado en el que se negocian los títulos previamente emitidos, títulos de «segunda mano», en cuya negociación el dinero que se recibe en contraprestación del título no va a parar a la sociedad emisora. La Ley del Mercado de Valores, en su artículo 59, faculta al Gobierno para que, a propuesta de la Comisión Nacional del Mercado de Valores español, se regule la organización y funcionamiento de los mercados secundarios oficiales de valores. Dicha regulación se ajustará a los principios establecidos en la Ley del Mercado de Valores para las Bolsas de Valores y el Mercado de Deuda Pública en Anotaciones en Cuenta. *Véase* MERCADOS FINANCIEROS.

Mercados financieros (*Financial markets*) Mercados cuyo objeto de negociación lo constituyen activos financieros, bien en el momento de su emisión (mercados primarios), o bien cuando, una vez en circulación, son objeto de transmisiones sucesivas (mercados secundarios). Los agentes mediadores en estos mercados pueden actuar exclusivamente por cuenta ajena, *brokers*, o asumiendo también riesgos por cuenta propia, *dealers*. || Designación general de un conjunto de mercados que tienen como materia prima el dinero y los diversos activos y disponibilidades líquidas, valores mobiliarios y otras formas de activos financieros. Una característica esencial de estos mercados es el grado de institucionalización y organización que alcanzan, aunque para ser eficientes no todos precisan organización institucionalizada o formalizada.

Mercados OTC (*Over the counter markets*) Mercados libres que no están oficialmente regulados ni poseen una ubicación física concreta, y donde se negocian valores financieros directamente entre sus participantes. La negociación se realiza normalmente por teléfono o por ordenador. El principal mercado no oficial de acciones en el mundo es el *National Association of Security Dealers Automated Quotation, NASDAQ*, en Estados Unidos. En estos mercados, aun cuando pueden existir acuerdos de procedimientos, no existe un órgano de compensación y liquidación que intermedie entre las partes y garantice el cumplimiento de las obligaciones convenidas por las mismas. Son mercados propios de agentes económicos de gran solvencia y para volúmenes muy altos de negociación. No existe la normalización de contratos, cerrándose cada operación mediante un convenio o contrato particular entre las partes. No obstante, son numerosos los mercados *OTC* tanto para la contratación de materias primas, como para productos financieros, divisas y valores. *Véase* MERCADOS FINANCIEROS.

Mesa (*Desk*) Parte de una institución financiera que se ocupa de un grupo específico de operaciones, transacciones o instrumentos, normalmente en términos de negociación/precio. El conjunto de las mesas forman lo que se denomina Front Office (*véase*).

Método de Caja (*Cash Basis*) Método contable que reconoce los ingresos cuando son recibidos y los gastos cuando son pagados. *Véase* PRINCIPIO DE DEVENGO.

Métodos de consolidación (*Consolidation methods*) Son aquellos que se emplean para la formulación de las cuentas consolidadas, de forma que éstas reflejen la imagen fiel del patrimonio, de la situación financiera y de los resultados del grupo. En función del tipo de control que se ejerza se aplicará uno de los tres métodos siguientes: Método de integración global para sociedades del grupo; Método de integración proporcional para las sociedades multigrupo y Procedimiento de puesta en equivalencia para las sociedades asociadas, las dependientes y aquellas sociedades multigrupo a las que no se aplique la integración proporcional.

Método de integración global (*Global integration method*) Se aplica exclusivamente en la consolidación de la sociedad dominante con las sociedades dependientes, donde existe un control exclusivo. Consiste en la integración en el balance de la sociedad dominante de todos los activos y pasivos de las sociedades dependientes, así como en la cuenta de pérdidas y ganancias de la primera, la de todos los ingresos y gastos de las segundas, después de haber realizado las homogeneizaciones previas y las eliminaciones pertinentes. Se utiliza en sociedades que forman un grupo. *Véase* MÉTODOS DE CONSOLIDACIÓN.

Método de integración proporcional (*Proportional integration method*) Consiste en incluir en las cuentas consolidadas los activos y pasivos, así como la cuenta de pérdidas y ganancias de las sociedades multigrupo, en un porcentaje igual al de la participación en el capital social de cada una de ellas, una vez realizadas las homogeneizaciones previas y las eliminaciones pertinentes. Se aplica a las sociedades multigrupo. *Véase* MÉTODOS DE CONSOLIDACIÓN.

Método de Monte Carlo (*Monte Carlo method*) Es un modelo de simulación aplicado a la evaluación de inversiones en condiciones de riesgo. Calcula la distribución de probabilidades de los posibles resultados de una inversión, para lo cual obtiene los valores muestrales de la población mediante una sucesión de números aleatorios. Dichos valores muestrales se utilizan para la estimación de diversos parámetros de la variable aleatoria del modelo estudiado.

Método deductivo (*Deductive method*) Método de estudio e investigación que toma como punto de partida ciertas premisas o principios admitidos universalmente como ciertos y válidos, a partir de los cuales llegan a establecerse consecuencias, efectos y aplicaciones particulares. El método deductivo supone derivar de lo general a lo particular. *Véase* MÉTODO INDUCTIVO.

Método inductivo (*Inductive method*) Por oposición al método deductivo, que parte de premisas generales para lograr unas respuestas a casos particulares, el método inductivo implica el estudio de los fenómenos y elementos concretos para conseguir posteriormente, una vez examinados los resultados obtenidos, unas consecuencias generales que expliquen las relaciones entre ellos y formular unos postulados generales que resulten de aplicación a todos ellos, lo que supone llegar a determinar las reglas a las que obedecen. *Véase* MÉTODO DEDUCTIVO.

MIBOR (*Madrid Interbank Offered Rate*) El Mibor es un tipo de interés devengado por los depósitos interbancarios en el mercado interbancario de Madrid. La negociación de los depósitos, se realiza a través del Servicio Telefónico del Mercado de Dinero del Banco de España, STMD, directamente entre los participantes en el mercado o a través de los mediadores autorizados. Abarca una variedad considerable de plazos, desde el día a día hasta vencimientos superiores a un año. No puede hablarse de un Mibor exclusivo, por lo que habrá tantos como plazos a los que se concierten operaciones. Diariamente el Banco de España, por diversos medios y, entre ellos el Boletín de la Central de Anotaciones, informa sobre los importes negociados a cada plazo del día a día hasta un año y de los tipos Mibor medio ponderado, máximo y mínimo de la sesión. Desaparecerá con la introducción del Euro como moneda única de la Europa de los once, UME-11, siendo sustituido por el Euribor como tipo de interés interbancario. *Véase* EURIBOR.

Microeconomía (*Microeconomics*) Parte de la teoría económica que estudia el comportamiento de las unidades económicas tales como los consumidores, las empresas y las industrias, y sus interrelaciones.

Middle office (*Middle office*) Parte de una institución financiera en la que se desarrolla la función de valoración y control del riesgo, especialmente en aquellos en los que se negocian productos derivados.

Miembro del mercado (*Seat on the exchange*) En el lenguaje de los mercados de valores, divisas, futuros, etc., se designa así a una entidad o parte física que puede actuar en el mercado, bien por cuenta propia o bien por cuenta ajena, con arreglo a las normas legales y los reglamentos del mercado.

Miembro liquidador (*Clearing member*) Categoría de intermediarios adheridos a un mercado de futuros y opciones a través de los que debe realizarse la compensación y la liquidación de los contratos derivados. *Véase* CÁMARA DE COMPENSACIÓN Y LIQUIDACIÓN.

Mínimo (*Minimum*) Límites del nivel de cotización a que se está dispuesto a vender.

Minorista (*Retail investor*) Inversor que compra títulos en nombre propio. Normalmente, adquieren acciones u otros instrumentos financieros en cantidades menores que los denominados inversores institucionales (*véase*).

Minusvalía (*Capital loss*) Pérdida de capital. Disminución del valor de un bien o derecho que se exterioriza con ocasión de su enajenación.

Moda (*Mode*) En estadística, valor que más se repite en las observaciones.

Modelo (*Model*) Descripción simplificada de una serie de relaciones económicas imaginarias, explicada por gráficos, ecuaciones, palabras o alguna combinación de los mismos.

Modelo binomial de valoración de opciones (*Binomial option pricing model*) Modelo desarrollado en 1979, que puede ser aplicado tanto a opciones europeas como americanas y que se basa en el principio de que el precio del activo subyacente varía siguiendo un proceso binomial multiplicativo.

Modelo de Black-Scholes de valoración de opciones (*Black-Scholes option pricing model*) Modelo dado a conocer por Fisher Black y Myron Scholes en 1973, formulado inicialmente para opciones europeas sobre acciones y bajo los supuestos de mercado perfecto y ausencia de transacción o información.

Modelo de valoración de precios de activos (*Capital asset pricing model. CAPM*) Modelo según el cual en un mercado eficiente el rendimiento esperado de cualquier activo o valor, deducido según el precio al que se negocia, es proporcional a un riesgo sistemático. Cuando mayor es dicho riesgo, definido por su sensibilidad a los cambios en los rendimientos del conjunto del mercado, es decir, el coeficiente *beta*, mayor es la prima de riesgo exigida por los inversores y mayor es, por tanto, su rendimiento. La teoría implica que, por medio de la diversificación, se puede reducir la parte no sistemática del riesgo total de una cartera, mientras que el riesgo sistemático, determinado por el propio mercado, es imposible de reducir. *Véanse* TEORÍA DE LA SELECCIÓN DE CARTERA y MODERNA TEORÍA DE LA CARTERA.

Moderna teoría de la cartera (*Modern portfolio theory*) Teoría propuesta por Markowitz en la cual los inversores buscan maximizar su rentabilidad a la vez que minimizan el riesgo asumido. La teoría sostiene que el riesgo total para un rendimiento dado de una cartera bien diversificada es menor que el de cada una de las acciones que conforman dicha cartera tomadas individualmente ya que, mediante la diversificación, se puede eliminar el riesgo específico de las acciones, permaneciendo solamente el riesgo sistemático que depende del comportamiento del mercado en su conjunto. *Véase* MODELO DE VALORACIÓN DE PRECIOS DE ACTIVOS Y TEORÍA DE LA SELECCIÓN DE CARTERAS.

Momentum (***Momentum***) Tasa de aceleración de una economía, de precios o de volumen de negocio, etc. Una economía con elevada tasa de crecimiento y con probabilidad de continuar haciéndolo se dice que tiene mucho impulso o *momentum*. En Bolsa, los analistas técnicos estudian el *momentum* de las acciones a través de las tendencias de los gráficos de precios y volúmenes.

Moneda (***Coin*; *Currency***) Signo representativo del precio de las cosas para hacer efectivos los contratos y cambios. || Conjunto de signos representativos del dinero circulante en cada país.

Moneda corriente (***Current Money***) Partida que, por ley, debe aceptarse para el pago de una deuda.

Moneda débil (***Soft currency***) Moneda cuyo cambio es poco estable con tendencia a depreciarse a consecuencia del bajo nivel de reservas, desequilibrios estructurales en la balanza de pagos, alta inflación, etc.

Moneda de reserva (***Reserve currency***) Moneda mantenida por un banco central con carácter permanente como reserva de la liquidez internacional.

Moneda fuerte (***Hard currency***) Divisa que se cotiza al alza en el mercado internacional de cambios, debido, en gran parte, a una balanza de pagos favorable, estabilidad en los precios del país, etc.

Monetarismo (***Monetarism***) Cuerpo de pensamiento que tiene sus raíces en la economía clásica y que rechaza la mayor parte de las enseñanzas de la teoría general de Keynes. De acuerdo con el monetarismo, la cantidad de dinero es factor determinante de la demanda agregada. La economía es fundamentalmente estable si el crecimiento de la oferta monetaria es estable. Por tanto, las autoridades económicas deben seguir una norma para el crecimiento estable de la cantidad de dinero. Muchos monetaristas también creen que los efectos de la política fiscal sobre la demanda agregada son débiles, a menos que estén acompañados por cambios en la cantidad de dinero, y que el Gobierno interviene demasiado en la economía.

Monetización de la Deuda (*Debt monetization*) Método de financiación del déficit público a través del aumento del dinero en circulación. Un Gobierno puede financiar el déficit público de tres maneras diferentes: a) mediante la emisión de Deuda Pública, b) aumentando los impuestos y, por tanto, los ingresos, y c) creando dinero, que es la más dañina para la economía, por el efecto que produce sobre la inflación el aumento de la masa monetaria.

Monopolio (*Monopoly*) Mercado en el que sólo hay un vendedor. El empresario monopolista tiene la capacidad para determinar el precio.

Monopolio bilateral (*Bilateral monopoly*) Estructura de mercado en la cual existe un solo vendedor, monopolista y un solo comprador, monopsonista.

Monopolio de demanda (*Demand monopoly*) *Véase* MONOPSONIO.

Monopolio de emisión (*Issuing monopoly*) Cuando se concede en exclusiva la puesta en circulación de billetes a una entidad financiera, generalmente el Banco Central. En España, el monopolio de emisión está concedido al Banco de España desde 1874.

Monopolio de oferta (*Supply monopoly*) Situación del mercado, de un producto o servicio, en la que se enfrenta a un solo vendedor con muchos compradores.

Monopolio natural (*Natural monopoly*) Empresa o industria cuyo coste medio por unidad de producción disminuye al aumentar ésta, lo que implica que una única empresa es capaz de producir toda la oferta necesaria y, además, de una forma más eficiente que dos o más empresas, por lo que constituye un monopolio por la naturaleza de la industria.

Monopsonio (***Monopsony***) Situación del mercado, de un producto o servicio, en la que se enfrenta un solo comprador con muchos vendedores.

Moody's Investor Service (***Moody's Investor Service***) Agencia, de nacionalidad norteamericana, para la clasificación crediticia. Esta agencia tiene cuatro calificaciones de *rating* para el corto plazo, esto es, para deudas hasta un año, matizadas como sigue:

P-1 = Alto grado de solvencia.
P-2 = Fuerte capacidad de pago.
P-3 = Capacidad satisfactoria, pero con presencia de factores de vulnerabilidad.
N-P = Evaluación que informa sobre una capacidad de pago a la que no se puede asignar el nivel P-3.

Por otra parte, tiene hasta 16 calificaciones para el largo plazo, es decir, para las deudas con plazo de emisión superior a un año:

Aaa = Calidad óptima de solvencia a largo plazo.
Aa1, Aa2, Aa3, A = Calificaciones que van de alta calidad a buena calidad, matizándose entre ambas al asignar los símbolos intermedios.
Baa1, Baa2, Baa3 = Calidad satisfactoria, de mayor a menor firmeza entre el primero y el último símbolo y que, en todo caso, incluye una advertencia de que un cambio de circunstancias puede afectar a la calidad del riesgo.
Ba1, Ba2, Ba3 = Se atribuye a las empresas con moderada seguridad, pero con mayor exposición de la estabilidad de su solvencia frente a factores adversos.
B1, B2, B3 = Los tres valores con calidad en descenso significan, en cualquier caso, una seguridad reducida y una vulnerabilidad mayor de la solvencia.
Caa = Determina que se detecta e identifica una vulnerabilidad en la solvencia a largo plazo.

Ca = Se asigna cuando se comprueba la existencia de retrasos en los pagos de deudas precedentes.

C = Se considera que existen pocas posibilidades de reembolso.

Mora *Véase* INCUMPLIMIENTO.

Moratoria (*Moratorium*) Aplazamiento o prórroga para hacer frente a una deuda del contribuyente con la Administración.

Moroso (*Defaulter*) Persona deudora que se retrasa en el cumplimiento de su obligación, que incurre en mora.

Movilización de activos financieros Operaciones en las que se venden determinados títulos valores o títulos de crédito negociables, de forma incondicional (venta en firme) o con carácter temporal (venta con pacto de recompra).

Movimiento primario (*Primary movement*) En el análisis técnico bursátil, es el mercado alcista o bajista importante con una duración mínima de doce meses.

Movimiento secundario (*Secondary movement*) En el análisis técnico bursátil, interrupción de un movimiento primario con una duración que oscila entre tres semanas y quince días.

Movimiento terciario (*Tertiary movement*) En el análisis técnico bursátil, interrupción de un movimiento secundario con una duración que oscila entre menos de tres semanas y dos o tres días.

MTNs *Medium Term Notes.*

Muestra aleatoria (*Random sample*) Una muestra escogida entre un número grande de observaciones, de manera que cada una de éstas tenga igual probabilidad de resultar elegida.

Multiplicador (*Multiplier*) Término utilizado en Macroeconomía para indicar el cambio producido en una variable inducida debido a cambios unitarios en una variable externa. En términos analíticos y para el caso de una economía, el multiplicador vendrá dado por el cambio en la Renta Nacional de equilibrio dividido por la variación en la demanda de inversión u otra variable, como los gastos gubernamentales, la recaudación impositiva o las exportaciones.

Multiplicador de *cash flow* (*Cash flow multiplier*) En el análisis bursátil, cociente entre la cotización de una acción y el *cash flow* por acción. Cuando su valor es alto indica que la acción está sobrevalorada y viceversa.

Multiplicador monetario (*Credit multiplier*) Es el número de unidades monetarias en que puede incrementarse la oferta monetaria como resultado de un aumento en una unidad de las reservas de las instituciones financieras depositarias.

Muralla china (*Chinese wall*) Conjunto de restricciones que impiden los flujos de información dentro de un conglomerado de empresas como medio para evitar un conflicto de intereses, como por ejemplo entre la división de fusiones y adquisiciones y la de posicionamiento en el mercado de renta variable.

Muy fuera en dinero (*Deep out of the money*) Situación en la que el precio de mercado del subyacente de una opción es muy inferior a su precio de ejercicio, en el caso de un *call*, o muy superior al mismo, en el caso de un *put*.

N

Nacionalización (*Nationalization*) Adquisición y gestión de las empresas por parte del Estado. *Véase* PRIVATIZACIÓN.

NAF Nivel de Apalancamiento Financiero.

NAO Nivel de Apalancamiento Operativo.

NASD (*National Association of Security Dealers*) Asociación de agentes intermediarios bursátiles de EE.UU. Su función es el desarrollo y cumplimiento de las reglas de buena conducta propias y de las agencias gubernamentales entre sus asociados, así como proveer a éstos y al mercado de ciertos servicios.

NASDAQ (*National Association of Security Dealers Automated Quotations*) Es considerado como el tercer mercado mundial en términos absolutos, por detrás sólo de Tokio y de Nueva York. La *National Association of Securities Dealers (NASD)* introdujo el *Automated Quotation System* en 1974 por el que las negociaciones fuera de de Bolsa se realiza por teléfono. El *NASDAQ* es una Bolsa electrónica. Cuando el vendedor o comprador contacta con el *broker*, las operaciones se ejecutan de dos maneras: el creador de mercado compra o vende su propio stock al mejor precio o, si no es un creador de mercado, accede a las ofertas y demandas de los creadores y casa las órdenes. Desde 1987 está conectada con el *Stock Exchange Automated Quotation (SEAQ)*.

Negociabilidad (***Marketability***) Facilidad con la que un activo puede ser vendido a un precio dado. || Capacidad para negociar grandes volúmenes sin causar movimientos significativos en el precio.

Negociante de deuda anotada Entidad gestora de deuda anotada que, a cambio de determinados compromisos de presencia en los mercados primario y secundario de deuda, tiene acceso a la red ciega de cotización y contratación servida por los mediadores entre negociantes de deuda anotada o *brokers ciegos*. *Véase* BROKER CIEGO.

Neto (***Net***) Después de la deducción de comisiones y/o impuestos. *Véase* BRUTO.

Netting (***Netting***) Compensación de transacciones entre dos partes liquidándolas por la diferencia neta. Necesita de apoyo legal con el fin de evitar el efecto *cherry picking*. *Véase* CHERRY PICKING.

Neutralidad del dinero (***Veil of money concept***) El dinero es neutral si un cambio en la cantidad de dinero influye únicamente en el nivel general de precios sin afectar a los precios relativos o al nivel de renta y producción.

New York Stock Exchange. NYSE (***New York Stock Exchange,. NYSE***) Es el principal centro bursátil de EE. UU., situado en Nueva York. Opera todos los días hábiles de forma ininterrumpida de 9,30 a 16, hora local.

NIBOR (***New York Interbank Offered Rate***) Tipo de interés interbancario de Nueva York.

NIF (***Fiscal identity number; VAT Registration Number***) Número de Identificación Fiscal.

Nikkei 225 Stock Average (***Nikkei 225 Stock Average***) Indice de la Bolsa de Tokio, cuya base es 1947. Está compuesto por 225 valores seleccionados entre los de mayor contratación y participación en carteras institucionales. Está ponderado en función de los precios de los valores que lo forman y ajustado mediante un divisor corrector para tomar en consideración las operaciones de ampliación. Sirve de soporte a contratos de opciones y futuros introducidos en septiembre de 1988 por la *OSE (Osaka Securities Exchange)* y para contratos de futuros sobre índices en otros mercados.

Nivel de apalancamiento financiero (*Financial leverage level*) Ratio que mide el porcentaje de variación que experimentaría el beneficio neto de una empresa ante una variación dada en su beneficio de explotación.

NAF = Variación porcentual del beneficio neto / Variación porcentual del beneficio antes de intereses e impuestos (BAIT).

Cuanto mayor es el ratio, mayor es el efecto que tienen las cargas fijas derivadas del endeudamiento de la empresa sobre los resultados disponibles para el accionista y mayor es el riesgo financiero de la empresa.

Nivel de resistencia (*Resistance level*) Nivel de precios a partir del cual, por razones de índole histórica o psicológica, las cotizaciones tenderán a reaccionar a la baja o a iniciar una fase de consolidación. Generalmente, se considera que cuantas más veces el precio repite un alto sin conseguir superarlo, más fuerte es la resistencia y más importante será el movimiento que se producirá si finalmente consigue superarlo. *Véase* NIVEL DE SOPORTE.

Nivel de soporte (*Support level*) Nivel de precios a partir del cual la demanda tiende a aumentar, sosteniendo así la cotización. Su origen puede ser histórico, psicológico o de otra índole. *Véase* NIVEL DE RESISTENCIA.

No acumulativo (*Non cumulative*) Pérdida de derecho a recibir un pago. Por ejemplo, un dividendo sobre acciones preferentes, si no se efectúa en el momento o ejercicio previsto. *Véase* ACUMULATIVO.

Nocional (*Notional*) *Véase* PRINCIPAL NOCIONAL.

NOF Número de operación financiera.

No preamortizable por el emisor (*Non callable*) Emisión en la cual el prestatario no dispone de la opción de amortización antes de su vencimiento.

No residente (*Nonresident*) En el orden fiscal, y a efectos del Impuesto sobre la Renta de las Personas Físicas español, el límite temporal que marca la diferencia entre un sujeto pasivo residente y un no residente es la permanencia de un residente en el territorio nacional durante más de ciento ochenta y tres días en un año natural, aunque también se toma como referencia para la conceptuación de la no residencia el que el sujeto pasivo tenga su núcleo principal o la base de sus actividades empresariales, profesionales o intereses económicos radicados en el extranjero.

Nota (*Note*) Promesa, escrita por el prestatario, de pagar una cantidad de dinero en una determinada fecha y en un determinado sitio, a su portador. La diferencia con un bono está normalmente en el plazo, ya que la nota se suele emitir a corto plazo (pagarés, etc.).

Notas a medio plazo (*Medium term notes*) Instrumentos de deuda con un rango de amortización entre nueve meses y treinta años ofrecido a través de un programa en el que participan uno o más dealers. Normalmente se emiten a tipo de interés fijo y el plazo de amortización se adapta exactamente a las necesidades de los inversores. Se emiten tanto en emisiones públicas registradas como en emisiones privadas sin registrar. *Véase* EURO MEDIUM TERM NOTES.

Notas estructuradas (*Structured notes*) Son productos de inversión compuestos típicamente por un activo de renta fija más un instrumento derivado. El instrumento de renta fija suele ser un pagaré, un bono, una obligación, etc., y como elementos derivados se utilizan los *forwards*, *opciones*, *collars* y otros derivados.

Note issuance facility (*Note issuance facility*) También llamado NIF. Es una referencia general utilizada para describir un acuerdo a medio plazo que permite a los prestatarios emitir títulos a corto plazo, típicamente a tres o seis meses. Un grupo de bancos pujan por el papel sujeto a un tipo de interés máximo. Normalmente hay un grupo de bancos que garantiza la disponibilidad de fondos comprando el papel no vendido o mediante una línea de crédito *standby*.

Novación (*Novation*) Acuerdo para reemplazar una parte de un contrato. La novación modifica derechos y obligaciones y requiere el consentimiento de las partes. ‖ Reemplazo de una deuda u obligación por otra nueva.

NPV Net Present Value.

Nuda propiedad (*Remainder state*) Derecho perteneciente al propietario de un bien sobre el que recae un derecho de usufructo, uso o habilitación. Situación jurídica del nudo propietario.

Nuevo sistema de liquidación (*New clearing system*) Sistema de compensación y liquidación implantado en España en 1973. Su característica especial consiste en considerar como fungibles, es decir, sustituibles por otros, los títulos-valores objeto de una operación bursátil y en el correspondiente depósito. El nuevo sistema se implanta bajo el principio de voluntariedad, y una pieza angular del mismo es la *referencia técnica* que los agentes y entidades adheridas harán constar en los resguardos de depósito que expidan, relativos a los valores incluidos en el sistema de custodia y que deberá asignarse también a los de su cartera.

Numerario (*Cash*) Es lo mismo que dinero en efectivo, cantidad de dinero físico. Más concretamente, los medios de pago conformados por billetes y monedas de curso legal.

Número índice (*Index number*) Un número índice es aquel estadístico o medida estadística que permite comparar los cambios o variaciones relativas que, con respecto al tiempo o al espacio, experimenta una magnitud simple o una magnitud compleja. Se denomina período base o de referencia al período inicial, en tanto que el período que se compara recibe el nombre de período actual o corriente.

Números negros (*In the black*) Situación de beneficios, es decir, de ingresos mayores que los gastos. *Véase* NÚMEROS ROJOS.

Números rojos (***In the red***) Situación de pérdidas, es decir, de ingresos inferiores a los gastos. Véase NÚMEROS NEGROS.

NYFE New York Futures Exchange.

NYSE (***New York Stock Exchange***) *Véase* NEW YORK STOCK EXCHANGE.

O

Obligación (***Bond; Debenture***) Valor mobiliario que representa una parte alícuota de un empréstito contraído por la entidad emisora y que confiere a su propietario, fundamentalmente, el derecho a percibir un interés fijo y a obtener la devolución del principal. Puede ser simple o garantizada, con prima o sin prima, nominativa o al portador, a interés fijo o a interés variable, cupón implícito, cupón explícito, cupón simple, convertible, etc.

Obligación a tipo de interés variable (***Floating rate bond***) Obligación con cupón cuyo interés varía en línea con el tipo de interés de mercado. Son atractivas para prestatarios con expectativas de reducción de tipos de interés.

Obligación al descuento (***Deep discount bond***) Título de renta fija que incorpora un cupón periódico y se vende a un precio bajo la par. Generalmente se refiere a obligaciones cuyos precios se han reducido en el mercado secundario, debido a que las rentabilidades de mercado se han incrementeado en relación con los niveles existentes en el momento de la emisión.

Obligación al portador (***Bearer bond***) Obligación cuya transmisión se realiza por cesión simple de los títulos de un tenedor a otro.

Obligación canjeable (***Convertible bond***) *Véase* BONO CANJEABLE.

Obligación con pago aplazado (***Partly paid bond***) Obligación en la que parte del precio de compra es diferido, pagándose el resto en uno o más plazos posteriormente. Si el inversor no desembolsa la cantidad aplazada en la fecha establecida, el bonista pierde sus derechos en favor del emisor.

Obligación con prima (*Premium bond*) Obligación vendida por encima de la par.

Obligación convertible (*Convertible bond*) *Véase* BONO CONVERTIBLE.

Obligaciones del Estado (*Government bonds*) *Véase* BONOS DEL ESTADO.

Obligación garantizada (*Guaranteed bond*) Título representativo de un préstamo en que la obligación de pago está reforzada con un derecho de garantía real o personal como hipoteca, aval, etc.

Obligación hipotecaria (*Mortgage bond*) En el ámbito financiero, las obligaciones hipotecarias son las emitidas por sociedades mercantiles e instituciones financieras que se encuentran respaldadas por títulos hipotecarios. Las obligaciones garantizadas con títulos hipotecarios son una manifestación más de la movilización de los préstamos hipotecarios de una entidad que, como primer paso, emite títulos hipotecarios y, posteriormente, por el procedimiento de la titulación con la garantía de dichos títulos, emite otros valores que coloca entre los inversores.

Obligación indiciada (*Indexed bond*) Obligación en la que la tasa de interés y/o el precio de reembolso son fijados en la emisión en relación con determinado índice, como el índice general de precios, un índice bursátil, etc.

Obligacionista (*Bondholder*) Titular o propietario de obligaciones, ya sea por suscripción en la emisión o por compra posterior. Los obligacionistas se agrupan en el denominado sindicato de obligacionistas, para velar por sus intereses.

Obligación participativa (*Profit-sharing debenture*) Es una obligación que, además del cupón o interés normal, tiene una prima extra que afecta, bien al propio interés, al reembolso o a ambos, que está relacionada con los beneficios de la empresa emisora.

Obligación perpetua (*Irredeemable bond*) Aquella en la que el emisor no establece una fecha de amortización específica. Normalmente tiene las características de las emisiones a más largo plazo. Los intereses variables van ligados al tipo de interés básico de algún mercado y/o incentivados con una retribución adicional sobre beneficios, ventas u otro concepto significativo del Balance o de la Cuenta de Resultados.

Obligación privilegiada (*Preference bond*) Aquella que, en concurrencia con otras, denominadas comunes, tiene un derecho preferente de cobro, aunque su fecha de emisión sea posterior. Este derecho de prelación de las obligaciones privilegiadas se fundamenta en las especiales características, en la función social del crédito que representan, etc. Entre ellas pueden citarse: las obligaciones hipotecarias, las pignoraticias, las deudas tributarias, las derivadas de créditos laborales, etc.

Obligación simple (*Simple bond*) Empréstito sin garantías particulares para el acreedor. Dícese de la obligación que no mantiene ninguna peculiaridad especial en cuanto a su forma de determianción de intereses, forma de pago, de amortización, etc.

Obligación subordinada (*Subordinated bond*) Título intermedio entre las acciones y las obligaciones, que se emite a largo plazo y cuya rentabilidad es en una parte fija y, en otra, variable en función de los resultados del emisor, que puede incluirlas, al menos en parte, dentro de sus recursos propios.

OCDE Organización de Cooperación y Desarrollo Económico.

Oferta (*Offer*) En el lenguaje de los mercados financieros, el precio o el rendimiento que desea recibir el vendedor o un miembro del mercado que actúa por cuenta propia o de un tercero para vender un título o un producto financiero determinado.

Oferta agregada (*Aggregate supply*) Conjunto de bienes y servicios que las empresas estarían dispuestas a producir en un determinado período de tiempo con unas condiciones dadas de: los factores, el estado de la tecnología y el nivel de precios existentes.

Oferta monetaria (*Money supply*) En sentido amplio, una cantidad de dinero en circulación de una economía. En sentido estricto, la oferta monetaria o M_1, está formada por el dinero efectivo en manos del público más los depósitos a la vista del sector privado en el sistema crediticio, más los depósitos ordinarios de otras instituciones financieras en el Banco de España.

Oferta pública de adquisición. OPA (*Takeover bid*; *Tender offer*) Procedimiento por el cual una persona física o jurídica ofrece públicamente a los accionistas de una sociedad la posibilidad de comprarles sus acciones en condiciones determinadas, con el fin de asumir el control de dicha sociedad. En España, las ofertas públicas están reguladas en la Ley 24/1988, de 18 de julio, y el RD 1.197/1991, de 26 de julio.

Oferta pública de adquisición hostil. OPAH (*Hostile takeover bid*) Son ofertas de adquisición de acciones realizadas por los llamados tiburones o *raiders* por un precio muy superior al de cotización en el mercado, con objeto de forzar a los accionistas que controlan la sociedad a adquirir las acciones que poseen los oferentes, que previamente habían ido adquiriendo en el mercado discretamente a precios muy inferiores. Naturalmente tienen que seleccionar empresas en las que la capitalización bursátil es baja en comparación con los valores contables y el resto del mercado. Es frecuente que estas operaciones las financien con los denominados bonos basura.

Oferta pública de venta de valores. OPV (*Secondary public offering. SPO*) Cuando se ofrecen al público valores que no se califiquen como de emisión o valores emitidos con una antelación superior a dos años, se dice que nos encontramos ante una oferta pública de venta. Normalmente los títulos se colocan a través de un sindicato. Cuando una sociedad pretende su admisión a cotización debe cumplir determinados requisitos, entre los que se encuentran el demostrar que existen al menos cien accionistas. Si no los tiene, o no puede demostrar su existencia, o pretende aumentar la liquidez de sus títulos mediante la ampliación del número de accionistas, recurre a una oferta pública de venta. *Véase* SALIDA A BOLSA y OFERTA PÚBLICA DE VENTA DE VALORES INICIAL.

Oferta pública de venta de valores inicial (*Initial public offering. IPO*) Operación que consiste en la introducción a cotización, por primera vez, en Bolsa de las acciones de una empresa, mediante una oferta pública de venta. *Véase* SALIDA A BOLSA Y OFERTA PÚBLICA DE VENTA DE VALORES.

Offering circular (*Offering circular*) Folleto de. *Véase* FOLLETO DE EMISIÓN.

Offshore (*Offshore*) En relación con la imposición, cada emplazamiento en el que los niveles de impuestos o la regulación de operaciones públicas son suficientemente favorables para atraer a prestatarios y prestamistas de los principales centros financieros.

Oligopolio (*Oligopoly*) Designa una situación de compentencia imperfecta, caracterizada por una oferta en manos de un reducido número de oferentes. Toman sus decisiones sobre precio y producción, no sólo por la situación de la demanda, sino también por las decisiones de sus competidores. En situaciones oligopolísticas son clásicos los acuerdos respecto al precio de los productos para evitar la competencia entre ellos.

Oligopsonio (*Oligopsony*) Situación de competencia imperfecta en la que en el mercado existe un reducido número de compradores, quienes actúan de acuerdo para fijar las condiciones de compra. Si existen dos compradores se denomina duopsonio, y si sólo existe uno se denomina monopsonio.

All or nothing option (*All or nothing option*) *Véase* OPCIÓN DIGITAL.

Omega (*Omega*) Medida de tercer orden del cambio en el precio de una opción. Representa el cambio producido en la delta de la opción cuando cambia el precio del subyacente en una unidad.

OM Orden Ministerial.

One touch all or nothing option (*One touch all or nothing option*) Una *put one touch* paga una cantidad predeterminada si el índice va por debajo del precio de ejercicio durante toda la vida de la operación. Una *call one touch* paga una cantidad predeterminada si el índice va por encima del precio de ejercicio durante toda la vida de la operación. En ambos casos, el pago será todo o nada, es decir, binario. *Véase* ALL OR NOTHING OPTION.

OO AA Organismos Autónomos.

OPA *Véase* OFERTA PÚBLICA DE ADQUISICIÓN.

OPAH *Véase* OFERTA PÚBLICA DE ADQUISICIÓN HOSTIL.

Opción (*Option*) Instrumento que confiere a su comprador o tenedor el derecho, pero no la obligación, de comprar (en el caso de una opción de compra o *call*) o vender (en el caso de una opción de venta o *put*), un volumen determinado de activo, denominado subyacente, dentro de un período dado de tiempo (en el caso de una opción americana) o, al vencimiento (en el caso de una opción europea), a un precio específico (precio de ejercicio o *strike*). El comprador de la opción paga al vendedor una prima por tal derecho a comprar o vender.

Opción americana (*American option*) En los mercados de opciones, *put* u opción de venta, o *call* u opción de compras, que puede ejercerse en cualquier momento antes de su término o fecha de vencimiento.

Opción asiática (*Asiatic option*) Es una opción europea cuyo precio de ejercicio se determina al vencimiento, según el precio promedio del activo subyacente o de otro activo tomado como referencia durante un período determinado. Se suele utilizar cuando se desea cubrir una serie de flujos del mismo importe y de periodicidad constante. Su precio es menor que el de las opciones europeas clásicas. *Véase* OPCIÓN EUROPEA.

Opción Bermuda (*Bermuda option*) Opción de compra (*call*) o venta (*put*) durante un determinado número de veces en el futuro, de un activo subyacente específico, a un precio acordado. También se le llama *quasi-american option*.

Opción Boston (*Boston option*) Opción sintética compuesta de una opción y un contrato de compraventa a plazo en divisas, *forward*. La prima va implícita en el tipo de cambio *forward*.

Opción con barrera (*Barrier option*; *Extinguish option*; *Trigger option*) Opción, *put* o *call*, que se desactiva, *opción out* o *knock out*, o se activa, *in* o *knock in*, cuando el activo subyacente alcanza un determinado precio. Así, una opción con *knock out* existe sólo mientras el subyacente está por encima de un determinado precio, desactivándose en el momento en que lo toque. Por otra parte, una opción con *knock in* se activará cuando el subyacente alcance un determinado precio. El precio de este tipo de opciones suele ser menor que en las opciones convencionales. Se suelen aplicar en el mercado de divisas. Son más utilizadas en las opciones de tipo europeo. *Véase* OPCIÓN.

Opción coste cero (*Zero cost option*) Es una variante de un futuro sintético que permite al inversor igualar una posición mediante *calls* y *puts* con el fin de que la prima a pagar sobre la posición larga iguale la prima a recibir sobre la posición corta.

Opción de compra (*Call option*) Es un instrumento financiero que confiere el derecho de comprar el activo subyacente durante un período dado y a un precio determinado.

Opción de compra con barrera máxima (*Down and out call*) Es una opción de compra cuyo propietario no podrá ejercerla si el precio del activo subyacente supera un valor mínimo predeterminado. *Véase* OPCIÓN CON BARRERA y OPCIÓN DE VENTA CON BARRERA MÍNIMA.

Opción de compra con barrera mínima (*Down and in call*) Es una opción de compra cuyo propietario sólo podrá ejercerla si el valor del activo subyacente rebasa un valor mínimo predetermiando. *Véase* OPCIÓN CON BARRERA y OPCIÓN DE VENTA CON BARRERA MÁXIMA.

Opción de divisas (*Currency option*) Opción que da a su tenedor la facultad de comprar o vender una cantidad determinada de moneda extranjera a un precio especificado y a una fecha determinada. El vendedor de la opción asume la obligación de comprar o vender la moneda al precio estipulado y a una fecha determinada en el caso de que el tenedor de la opción la ejerza.

Opción de venta (*Put option*) Es un instrumento financiero por el que se confiere a su tenedor el derecho de vender el activo subyacente durante un período determinado y a un precio convenido.

Opción de venta con barrera máxima (*Up and out put*) Es una opción de venta cuyo propietario no podrá ejercerla si el precio del activo subyacente supera un valor máximo determinado. *Véase* OPCIÓN CON BARRERA Y OPCIÓN DE COMPRA CON BARRERA MÍNIMA.

Opción de venta con barrera mínima (*Up and in put*) Es una opción de venta cuyo propietario sólo podrá ejercerla si el valor del activo subyacente supera un valor mínimo determinado. *Véase* OPCIÓN CON BARRERA y OPCIÓN DE COMPRA CON BARRERA MÁXIMA.

Opción digital (*Digital option*; *Binary option*) Opción cuyo precio es una cantidad fija, es decir, que no depende del precio del activo subyacente.

Opción escalera (*Ladder option*) Contrato que prevé que cuando el instrumento subyacente alcance cierto nivel programado aumenten los pagos en movimientos de dientes de sierra.

Opción europea (*European option*) Opción que puede ejercitarse únicamente en su fecha de vencimiento.

Opción sintética (*Syinthetic option*) Combinación de contratos de futuros y opciones que, tomados en conjunto, permiten obtener un perfil de riesgo idéntico al de una opción determinada.

Opción vencida (*Lapsed option*) Opción que ha sobrepasado la fecha de vencimiento y que, por tanto, ya no es negociable ni ejercitable.

Open up (*Open up*) Ensanchar el margen entre oferta y demanda.

Operación (*Transaction*; *Deal*; *Bargain*) Proceso de compra o venta de títulos.

Operaciones a crédito (*Margin transactions*) Operaciones en la que un comprador o vendedor de títulos bursátiles sólo tiene que desembolsar un porcentaje de lo contratado, prestándole el resto la sociedad de intermediación a través de la que opera.

Operación a diferencia Aquellas en las que no se liquida la operación entregando los respectivos totales, papel y dinero, sino que se conviene en entregar sólo las diferencias que resultan entre los precios pactados y las que resultan en el momento del vencimiento de la operación en el mercado. Estas operaciones tienen un elevado componente especulativo. No aparecen reguladas en el Reglamento de Bolsas español.

Operaciones al contado (*Spot transactions*) Son aquellas en las que la entrega de los títulos y el pago del precio se realizan en el acto, o, como máximo, se liquidan a dos días hábiles en relación a la fecha en que se comprometieron o anotaron en libros. Se aplica a operaciones de Bolsa, divisas, compras en mercados organizados de valores, productos o metales.

Operaciones al contado en el mercado de divisas (*Spot operations in the foreign exchange market*) Son aquellas en las que una divisa se intercambia por otra a un precio determinado, con la obligación de ambos participantes de entregar las respectivas divisas no más tarde de dos días hábiles después de haberse efectuado la operación. Los sábados no son considerados días hábiles. *Véase* OPERACIONES A PLAZO EN EL MERCADO DE DIVISAS.

Operaciones a plazo (*Forward transactions*) Son aquellas operaciones bursátiles en las que el cambio del valor o título por metálico se realiza en el plazo establecido por los contratantes de mutuo acuerdo.

Operaciones a plazo en el mercado de divisas (*Forward operations in the foreign exchange market*) Cualquier operación en el mercado de divisas que implique la entrega de esas divisas en un plazo superior al de dos días hábiles después de haberse efectuado la operación. Raramente, el precio de la divisa al contado coincide con el precio a plazo. En esa disparidad influyen dos factores: a) la diferencia de los tipos de interés de las respectivas divisas, y b) la tendencia a la baja o al alza de esas mismas divisas. *Véase* OPERACIONES AL CONTADO EN EL MERCADO DE DIVISAS.

Operaciones condicionales Son aquellas operaciones bursátiles a plazo en las que una de las partes se reserva el derecho de modificar alguna de sus condiciones mediante el pago de una compensación de acuerdo con su naturaleza. El Reglamento de Bolsas español regula tres clases: con opción, con prima y a voluntad.

Operaciones con liquidación especial La característica de estas operaciones es que se liquidan, no en forma normal con la entrega de determinada cantidad de papel, previo pago de determinada suma de dinero en el momento convenido, sino con alguna particularidad.

Operaciones con opción (*Option dealing*) Son operaciones a plazo condicionales en las que el comprador o el vendedor, mediante una diferencia a su cargo respecto al cambio cotizado por el mismo valor a plazo en firme, adquieren el derecho a exigir la entrega o la recepción de una cantidad de valores de la misma clase, igual o múltiples en número a los que son objeto de la operación inicial. *Véase* OPERACIONES CONDICIONALES.

Operaciones con prima Operaciones a plazo condicionales en las que el tomador de la prima puede abandonar el contrato en cualquiera de las sesiones de Bolsa mediante el abono del importe del mismo. *Véase* OPERACIONES CONDICIONALES.

Operaciones de compraventa con pacto de recompra. REPOS (*Repurchase agreement operations*) También denominadas operaciones temporales, de dobles o repos, son aquellas por las que dos partes acuerdan una compraventa simple al contado de valores, acompañada del compromiso firme de deshacer la operación en una fecha fija, o antes de una determianda fecha, y a un precio fijo o resultante de la aplicación al precio inicial del tipo de interés pactado. El comprador en la operación inicial no puede vender los valores ni cederlos temporalmente a un plazo que venza con posterioridad a la fecha pactada para la segunda operación del repo.

Operaciones de mercado abierto (*Open market operations*) Se trata de uno de los instrumentos con que cuenta la Autoridad Monetaria para cumplir sus objetivos de control. Son las operaciones realizadas por el banco central de cada país comprando o vendiendo Deuda del Estado a corto plazo con el fin de aumentar o drenar liquidez del sistema, así como para influir en las reservas bancarias, la oferta monetaria y los tipos de interés. Si el banco central quiere aumentar la oferta monetaria, comprará títulos y dará dinero a cambio; si quiere reducir la cantidad de dinero en el sistema, venderá títulos y recibirá dinero a cambio.

Operaciones de mercados secundarios oficiales de valores (*Securities official secondary market operations*) La Ley de Mercado de Valores español indica que tendrán la consideración de operaciones de un mercado secundario oficial las transmisiones mediante compraventa de los valores admitidos a negociación en dicho mercado. Las mencionadas operaciones deberán realizarse con la participción obligatoria de, al menos, una entidad que ostente la condición de miembro del correspondiente mercado, sin lo cual serán nulas de pleno derecho.

Operaciones de voluntad Operaciones a plazo en las que, aunque las condiciones del contrato son inalterables, las partes pueden llevar a cabo sus operaciones cualquier día de los que restan hasta el plazo señalado, si bien avisando con 24 horas de antelación. El ejercicio por una de las partes del derecho a liquidar la operación con anterioridad al término fijado suele implicar el pago de una prima a cargo de la parte que adelante el cumplimiento.

Operaciones en firme (*Firm operations*) Operaciones en las que el plazo y condiciones del contrato quedan determinados de antemano, sin posibilidad de modificación. Pueden ser al contado o a plazo.

Operaciones fuera de balance (*Off balance sheet activities*) También llamadas cuentas de orden o especiales, se refiere a todas aquellas operaciones que no son registradas en el balance de situación de las empresas y que no afectan de manera inmediata y directa al patrimonio de la entidad que las realiza, pero que sí entrañan riesgo. Entre ellas se encuentran todas las formas de avales y garantías que pueden otorgar las entidades de depósito o financieras a sus clientes.

Operaciones invisibles (*Invisible transactions*) Se denominan operaciones invisibles o transacciones invisibles aquellas relacionadas con el tráfico internacional sin movimiento físico de mercancías, tales como las prestaciones de servicios, las transferencias unilaterales sin contrapartida, los pagos de intereses, los viajes al extranjero, las operaciones de seguros, etc.

Operador (*Trader*) Persona que actúa en los mercados financieros por cuenta propia o ajena, comprando y vendiendo valores u otros activos con el fin de obtener un beneficio.

Opinión legal (*Legal opinion*) Afirmación de legalidad escrita por una entidad autorizada.

Optimización de cartera (*Portfolio optimisation*) Proceso de selección de títulos en una cartera con el fin de maximizar o minimizar determinados aspectos definidos por el inversor, tales como: rendimiento; cupón, duración; convexidad y coste de una cartera. Está sujeto a restricciones tales como créditos, diversificación, plazo y duración.

OPV *Véase* OFERTA PÚBLICA DE VENTA DE VALORES.

Ordago (*Greenmail*) Adquisición de un paquete de acciones minoritario amenazando con presentar una oferta de adquisición sobre la mayoría del capital, pero que en realidad oculta una intención de venta de ese paquete a un precio superior al de adquisición. Consiste en obligar a la dirección de la empresa a comprar el paquete de acciones a un valor superior al de su cotización. La empresa se defenderá, bien aconsejando a los pequeños inversores que no vendan, bien comprando ese paquete de acciones a un precio superior. El personaje que actúa de esa manera es conocido en los ámbitos bursátiles como tiburón. Es un tipo de OPA (*véase*) fraudulenta.

Orden abierta (*Open order*) En relación con las operaciones en los mercados de valores, es una orden de compra o de venta que se mantiene hasta su cumplimiento u orden expresa de cancelación.

Orden de cierre (*At the close order*) Orden que debe ejecutarse, en un Mercado de Valores, sólo al precio de cierre de la sesión. Si no se ejecuta se considera cancelada.

Orden al precio de apertura (*At the opening order*) Orden de compra o venta de títulos al precio de apertura del mercado. Si no se ejecuta en el momento de la apertura se cancela inmediatamente.

Orden al precio del mercado (*At the market order*; *Market order*; *At best order*) Son aquellas que se introducen sin marcar límite de precio, siendo ejecutadas al mejor del lado contrario en el momento de introducción en el mercado. Naturalmente, el operador puede conocer cuáles son los precios ofrecidos antes de introducir la orden. Si al mejor precio no hay contrapartida suficiente para cubrir la orden, la ejecución se realiza en forma parcial. El resto quedará en cola, limitado al precio al que ya hubo cruce, en espera de ser ejecutado cuando haya oferta al mismo precio. Este tipo de fijación de precio sólo se admite en las órdenes para el Mercado de Lotes en el Mercado Continuo español.

Ordenante (*Applicant*) Persona física o jurídica que expide una orden.

Orden con límite (*Limit order*) Orden para la que se establece un precio máximo de compra o un precio mínimo de venta. *Véase* ÓRDENES DE BOLSA.

Orden con volumen oculto Tipo de orden bursátil que se introduce mostrando al Sistema Informático sólo una parte del volumen a negociar. Una vez ejecutado el volumen mostrado, el resto se considerará, a todos los efectos, como propuestas de nueva introducción de carácter asimismo oculto. Este tipo de propuestas tiene validez sólo para la sesión del día en que son introducidas. *Véase* ÓRDENES DE BOLSA.

Orden chartista (*On stop order*) Es un tipo de órdenes que se caracterizan porque, a su entrada en el mercado, se condicionan a que se efectúe alguna negociación al precio marcado por la misma o por encima si la orden es de compra, o por debajo si es de venta. A su vez, se admiten dos modalidades: limitada a un precio, con lo cual, tras realizarse la negociación al precio indicado en la orden, la orden chartista entra en el mercado y si hay contrapartida se negocia y, en otro caso, la orden o la parte no cruzada quedan en espera, limitada a ese precio hasta poder ser negociadas. Finalmente, las órdenes chartistas limitadas a un intervalo de precios, además de señalar el precio al que se debe realizar una negociación para que la orden entre en el mercado, se fija un límite por encima del cual no se puede negociar, si la orden es de compra o por debajo del cual no se puede negociar si la orden es de venta. Sólo se permiten en el Mercado de Lotes en el Mercado Continuo español. *Véase* ÓRDENES DE BOLSA.

Orden de ejecución inmediata (*Fill or kill order*) En los mercados de valores, divisas, materias primas o productos derivados, una orden que tiene que ejecutarse o cancelarse de forma inmediata. Se trata de una mezcla de una orden todo o nada y una orden *inmediata or cancel*. El intermediario al recibir ese tipo de orden, la lleva al mercado de forma inmediata y ha de ejecutarla íntegramente o no se ejecuta, ya que no es posible una ejecución inmediata parcial. Este tipo de orden no es muy habitual en el mercado español, es incompatible con el sistema de caja y de contrapartida y sólo se puede ejecutar en el Sistema de Corros o en el Mercado de Lotes dentro del Mercado Continuo. *Véase* ÓRDENES DE BOLSA.

Orden de ejecución mínima Si se introduce en el Mercado de Lotes, la condición de ejecución mínima se interpreta como exigencia de que al menos se negocie el volumen indicado al dar la orden. Una vez ejecutado el volumen mínimo, las siguientes ejecuciones se efectúan en unidades de lotes, en función de las posibles contrapartidas. Si no se cumpliera la condición citada, la orden no sería aceptada por el mercado. Si la orden se da para los Mercados de Picos y Términos Especiales, para cumplimentar la orden se admiten negociaciones parciales de una cantidad mínima especificada al introducir la orden y las negociaciones deberán realizarse en cantidades que coincidan con la cantidad mínima especificada o sean múltiplos de ella. *Véase* ÓRDENES DE BOLSA.

Orden del día (*Day order*) En un mercado organizado, una orden dada para que sea ejecutada durante la sesión de operaciones del día para el que se da, y si no es posible cumplimentarla se cancela automáticamente. *Véase* ÓDENES DE BOLSA.

Orden de mercado (*At best order*) **Véase** ORDEN AL PRECIO DE MERCADO. *Véase* ÓDENES DE BOLSA.

Ordenes de Bolsa (*Stock-exchange orders*) Comunicaciones utilizadas entre los miembros de la Bolsa de Valores para la negociación de los mismos. Al dar la orden debe especificarse lo siguiente: a) si la orden es de compra o de venta. Si la orden ya ha sido dada, pero todavía no negociada por la totalidad o por una parte, puede ser modificada o cancelada; b) indicar los valores objeto de la orden; c) número de títulos que se desea comprar o vender; d) tipo de orden, y e) plazo de validez. Según el precio que se desee formalizar la operación existen tres clases de órdenes: a) a la apertura; b) limitadas, y c) de mercado. Según los requisitos exigidos para el cumplimiento de la orden, existen: a) todo o nada; b) ejecución mínima, y c) chartista. Las posibilidades según el plazo de vigencia son: a) para un día (para la sesión en que se hayan introducido); b) hasta la fecha (especificada al introducir la orden), y c) hasta su cancelación. En los dos últimos tipos de plazos de vigencia, la fecha tope de validez de la orden es el último día del mes en curso. Por el volumen de títulos las órdenes se distinguen en: a) órdenes de lotes, que son las que coinciden con los títulos que forman una unidad o múltiplo de unidades de lote, tal como lo definen las normas y que pueden introducirse para los Mercados de Lotes y de Términos Especiales; y b) órdenes de Picos, que son las que abarcan un volumen de títulos inferior a la unidad de lote establecida para el valor de que se trata. Según las normas, sólo pueden darse en el Mercado de Picos. También se diferencian las órdenes por el precio en: a) a la apertura, que son las que se introducen durante la preapertura sin especificar precio, lo que significa que se desea negociar al precio de apertura al que abra el valor, y b) limitadas, que son las que se introducen especificando un precio límite, de forma que no se pueden negociar por encima de este precio, si se trata de una orden de compra, o por debajo, si fuera de venta. Finalmente, se diferencian por señalar el precio, las de Mercado, que son las que se introducen sin marcar límite de precio, siendo ejecutadas al mejor precio al lado contrario, en el momento de su introducción en el mercado. La diferenciación de las órdenes por las condiciones comprende las siguientes variedades: a) Todo o Nada, orden en la que el volumen fijado en la misma debe ser ejecutado en una única negociación, no admitiéndose negociaciones parciales; b) las órdenes de Ejecución Mínima, con diferentes reglas según el mercado de que se trate. Si la condición de la orden es *Chartista*, denominadas igualmente *On Stop*, se caracterizan porque a su entrada en el mercado se condicionan a que se efectúe alguna negociación al precio marcado por la misma, o por encima si la orden es de compra, o por debajo si la orden es de venta.

Orden limitada (*Limited order*) En los mercados bursátiles y en general en los mercados financieros o de materias primas organizados, se designa así a una orden de compra o de venta, condicionada a que se cumplimente exclusivamente por un precio máximo igual al límite especificado o por un precio más favorable. En consecuencia, si es de compra el precio mejor que el límite tendrá que ser inferior a éste, y si la orden es de venta el precio mejor que el límite tendrá que ser superior al marcado. Esta orden limitada será ejecutada si hay suficientes títulos disponibles a ese precio, o a mejor precio, en el lado opuesto del mercado. En el caso de que no haya títulos suficientes en el lado opuesto del mercado, la orden será ejecutada parcialmente, quedando el resto en lista de espera. Si no existe contrapartida, la orden queda en cola en espera de ser ejecutada cuando haya títulos disponibles a ese precio o mejor. *Véase* ÓRDENES DE BOLSA.

Orden mantenida Es una orden bursátil que, aceptando ser ejecutada en el día de su introducción al máximo de variación permitido se mantiene para el día siguiente por la parte no ejecutada, a un precio que no exceda de la variación máxima permitida para ese día.

Orden por lo mejor (*At best order*) *Véase* ORDEN AL PRECIO DE MERCADO.

Orden on stop (*On stop order*) *Véase* ORDEN CHARTISTA.

Orden stop-loss (*Stop-loss order*) Orden de cerrar una posición en caso de que el precio de un título alcance un determinado nivel a partir del cual su posición incurriría en pérdidas. *Véase* ÓRDENES DE BOLSA.

Orden todo o nada (*All or none order*) Orden de Bolsa por la que el intermediario ha de ejecutar la operación por su totalidad o no ejecutarla, durante el plazo de vigencia de la orden. La ejecución parcial no es posible, salvo que el intermediario se arriesgue a realizarla con el peligro de quedarse sin completar la orden. En el caso de que el tiempo para ejecutar la orden no fuera su plazo de vigencia, sino de forma inmediata, se trataría de una orden *fill or kill*, una orden de compra o venta inmediata. Este tipo de órdenes es incompatible con el sistema de caja y el de contrapartida, siendo posible su realización sólo en el Sistema de Corros o en el Mercado continuo. *Véase* ÓRDENES DE BOLSA.

Origen y aplicación de fondos, estado de (*Statement of changes in financial position*; *Funds statement*) Estado financiero que muestra la variación global sufrida sólo por flujos externos por parte de los componentes del fondo de maniobra y del capital circulante. Nos presenta una visión dinámica de la evolución económico-financiera de las empresas. Mediante la comparación de los balances, uno inicial, en el que ya esté representada la distribución de los resultados del ejercicio, y otro final, en el que aún no se haya procedido a esa distribución, podemos llegar, por diferencia de sus respectivos componentes, a determinar las fuentes de financiación utilizadas y el empleo que se les ha dado.

Oscilador (*Oscillator*) Nombre genérico de un conjunto de indicadores técnicos que tienen en común su forma de representación gráfica en forma de líneas que oscilan en torno a un punto central. Se suele utilizar para detectar situaciones de sobrecomprado o sobrevendido y para estudiar posibles divergencias en el precio. Los osciladores aventajan a las medias móviles y a las líneas de resistencia en que dan las señales con antelación a éstas.

OTC (*Over the counter*) *Véase* MERCADOS OTC.

Our terms (*Our terms*) Forma de cotizar una divisa en el mercado europeo que consiste en expresar el número de unidades de esa divisa por dólar de EE.UU.

Output (*Output*) Término inglés utilizado para referirse a los productos finales que se desprenden de cualquier tipo de proceso.

Outward switching (*Outward switching*) Salidas de capital mediante la compra de moneda extranjera contra moneda local.

Over allotment option *Véase* GREEN SHOE.

Overhang (***Overhang***) Volumen significativo de títulos que en caso de salir al mercado provocaría un movimiento a la baja en su precio. Ejemplo de *overhang* sería el caso de un movimiento bajista producido por un paquete mantenido en poder del Estado o de una institución grande, que anuncia una colocación en el mercado secundario. Es un movimiento bajista del precio del título ya que inhibe a los inversores a su compra.

Overnight position (***Overnight position***) Posición de un *broker* o un *dealer* en un título al final de la sesión diaria de negociación. Posición de un día.

P

Pacto de recompra (***Repurchase agreement***) Acuerdo que se ofrece al comprador de un instrumento financiero, de recomprárselo dentro de un plazo determinado, de forma que éste recupere el importe originalmente pagado. *Véase* OPERACIONES DE COMPRAVENTA CON PACTO DE RECOMPRA.

Pagaré (***Promissory note***) Título o documento que contiene la promesa pura y simple por la que una persona o entidad se obliga a pagar en una fecha futura una cantidad determinada en pesetas o en moneda extranjera. Tiene carácter mercantil cuando procede de una operación comercial, siendo en este caso similar a la letra de cambio.

Pagaré a tipo de interés flotante con tope máximo (***Capped floating rate note. Capped FRN***) Un título emitido con un límite superior en el interés del cupón. Este tipo de emisión implica que el prestamista limita la posibilidad de obtener un beneficio por encima del interés máximo pactado, aunque los tipos de interés del mercado superen dicho tope.

Pagaré bancario (***Bank bill***) Es aquel en que el firmante del mismo y obligado al pago es una institución financiera. A cambio de una cantidad depositada, el banco se compromete en una determinada fecha contra la entrega del pagaré a restituir una cantidad que comprende el principal invertido más los intereses acumulados. El método de cobro de intereses es al descuento, es decir, con rendimiento implícito.

Pagaré de empresa (*Commercial paper*) Fórmula de financiación a corto plazo de las empresas con ventajas de coste y flexibilidad en el ajuste de tesorería. Es una promesa de pago, no asegurada, por un importe fijo (en la que se incluyen los fondos prestados y los intereses) en una fecha futura y en un lugar determinado. El pagaré se respalda sobre la solvencia general del emisor y sobre la de un tercero que se compromete a abonar el importe en caso de insolvencia. Son colocados, bien directamente, bien por una emisión bancaria que interviene abriendo una línea de crédito subsidiario, de forma que se asegura la amortización de los títulos al vencimiento, siempre que tal línea siga vigente. Existen dos tipos de emisiones, según consista en pagarés de tipo seriado con importes fijos, y pagarés a la medida para grandes inversores, con los que se negocia el importe, plazo y tipo de rentabilidad. El método de adquisición de estos títulos es al descuento o tirón. El rendimiento es implícito y está sometido a retención fiscal.

Pagarés del Tesoro (*Treasury notes*) Es un instrumento mercantil mediante el cual el Estado español se compromete a pagar al beneficiario una suma de dinero en una fecha determinada de vencimiento fijado en el mismo documento. Como en los demás pagarés, la rentabilidad se obtiene por la diferencia entre el precio de adquisición del pagaré y la cantidad global que percibirá el inversor en la fecha de su vencimiento, que será la que marque el valor nominal del pagaré. El método de adquisición de estos títulos es al tipo de descuento o tirón. El rendimiento obtenido por estos activos no está sometido a retención ni a obligación de información. Actualmente no se emiten.

Pago en efectivo (*Cash settlement*) Entrega de títulos contra pago cuando la fecha de liquidación es la misma que la fecha de negociación. ‖ Liquidación de derivados no con entrega física del subyacente sino mediante pago, replicando la ventaja de una transacción física más el derivado. Así, una opción con pago en efectivo pagará la diferencia entre el precio de ejercicio y el precio de mercado abierto del subyacente, siendo este último mayor que el primero, replicando la compra de un activo al precio de ejercicio y su venta en el mercado abierto.

Pago retrasado (*Overdue payment*) Incumplimiento del pago en la fecha debida.

Paid in capital (*Paid in capital*) Capital recibido de los inversores a cambio de acciones. Se distingue del capital generado por retención de beneficios. Incluye el valor nominal y la prima de emisión de acciones.

Panel de licitación (*Bidding panel*) Modalidad de licitación de una emisión en el Euromercado en la que la adjudicación de títulos se realiza a aquellos agentes de colocación que mejor oferta presenten al emisor.

Panel de subasta (*Tender panel*) En relación con las euronotas, un grupo de entidades que son invitadas a hacer propuestas para obtener papel en una subasta abierta (aseguradores y, adicionalmente bancos y *dealers*). Las notas son adjudicadas a los peticionarios en un orden secuencial a partir de la oferta más competitiva hasta la colocación completa.

Panel de subasta continuo (*Continuous tender panel*) Es un sistema de colocación de pagarés en el que existe una entidad, *manager*, que se responsabiliza de la colocación de los pagarés al nivel de rendimiento más bajo que permita el mercado. Para cada tramo de pagarés, la entidad *manager* fija un tipo de rentimiento, *strike offering yield*, y se forma un grupo de subasta, cuya sesión se mantendrá hasta que el papel quede colocado. En el supuesto de que queden pagarés sin vender, se adjudicarán a prorrata entre los aseguradores al nivel máximo de rendimiento del papel previamente suscrito.

Panel de subasta estándar (*Standard tender panel*) Es un sistema de distribución de pagarés mediante subasta en el que los agentes que intervienen en la misma, *tender panel*, presentan sus ofertas para la adquisición de una cuota para cada uno de los tramos en que se instrumenta la emisión. El panel se adjudica en relación con las mejores ofertas, menor nivel de rendimiento, que propicie el coste financiero más bajo para el emisor.

Papel (*Paper position*) Referido a valores mobiliarios con cotización de Bolsa, indica la existencia de ofertas de venta de títulos que no encuentran comprador, señalando una fase bajista. || Cantidad de títulos en órdenes de venta que al final de una sesión de Bolsa quedan pendientes, sin contrapartida. || También hace referencia a los títulos en general que se negocian en el mercado.

Papel comercial (*Commercial paper*) *Véase* COMMERCIAL PAPER.

Papel comercial respaldado mediante carta de crédito (*Letter of credit-backed*) En el mercado de papel comercial de EE.UU. se realizan a menudo emisiones respaldadas por un contrato bancario o carta de crédito en virtud de la cual al tenedor del papel se le pagará al vencimiento directamente o, en caso de incumplimiento del emisor, a través del banco que suscribe la carta de crédito.

Paracaídas de estaño (*Tin parachute*) Es un plan diseñado por una empresa que teme ser objeto de una adquisición hostil, consistente en ofrecer beneficios y compensaciones a todos los empleados que pierdan su empleo a causa de dicha adquisición. El propósito de ese plan es hacer menos atractiva la empresa como posible objetivo de una adquisición hostil. *Véase* PARACAÍDAS DORADO.

Paracaídas dorado (*Golden parachute*) Compensaciones en forma de indemnizaciones o pensiones que se fijan los ejecutivos para resarcirse del posible perjuicio que les cause el hecho de que su empresa sea objeto de una adquisición hostil. *Véase* PARACAÍDAS DE ESTAÑO.

Paraíso fiscal (*Tax haven*) Se denomina así a determinados países, generalmente pequeños, donde la presión fiscal es inferior a la media de otros países. Este hecho permite atraer capitales de aquellos países con mayor nivel impositivo y fomentar así la actividad financiera. Algunas islas del Caribe, como Islas Cayman, han conseguido atraer cifras enormes de recursos financieros, normalmente en dólares, en depósitos bancarios. Con ello los depositantes y las empresas no sólo consiguen reducir sus impuestos en su país de origen, sino que además están sujetos a menos regulaciones, así como a una mayor privacidad de sus negocios financieros. Existen unos 50 paraísos fiscales esparcidos por todo el mundo.

Parallel loans (*Parallel loans*) Se trata de préstamos que las empresas multinacionales realizan entre sí, bien directamente o con la intervención de instituciones bancarias.

Paridad (*Parity*) En lenguaje bancario y bursátil, igualdad entre el valor nominal y el efectivo de títulos valores. En el lenguaje monetario, valor fijado para una moneda en relación con otra o conjunto poderado de otras, pudiendo ser fija o flotante.

Paridad de conversión (*Conversion parity*) En la fecha de conversión de una emisión de bonos u obligaciones convertibles, es el precio o cotización al que debe venderse en el mercado un bono convertible para que el producto obtenido sea igual al que se conseguiría vendiendo en el momento de la conversión las acciones que se recibirían a cambio del bono u obligación convertible.

Paridad de intereses (*Interest parity*) En el mercado de divisas, una moneda se considera en paridad de intereses con otra cuando la diferencia entre sus tipos de interés respectivos es igualado por los márgenes del tipo de cambio *forward*, es decir, por el premio o el descuento entre ambas monedas.

Paridad del poder adquisitivo. PPA (*Purschasing power parity. PPP*) Esta teoría defiende que las fluctuaciones en los tipos de cambio de las monedas se deben a las variaciones en los niveles de precios relativos de los diferentes países. Según la Teoría de la Paridad del Poder Adquisitivo, el tipo de cambio existente entre dos países vendrá dado por el cociente entre lo que valdría una determinada cesta de bienes en cada uno de los países. El diferencial de inflación entre dos países señala la variación prevista en el tipo de cambio. Es más válida a largo plazo que a corto, donde influye más el diferencial de tipos de interés.

Parquet (*Trading floor*) Recinto, rodeado de una barandilla, en el salón de contratación de la Bolsa y a la vista del público, donde los agentes de Bolsa se reúnen para concertar las operaciones de cuya ejecución están encargados.

Parrilla de paridades (***Parity gried***) Conjunto de los tipos de cambio bilaterales de las monedas del Sistema Monetario Europeo, que corresponden a los límites máximos y mínimos de una banda de fluctuación dentro de la cual se pueden mover las monedas que lo integran.

Parte alicuanta La parte que no mide exactamente a su todo. Por ejemplo: 5 es parte alicuanta de 11.

Parte alícuota (***Aliquot part***) La parte que mide exactamente a su todo. Por ejemplo: 4 es parte alícuota de 12.

Participación (***Participation***; ***Stake***; ***Holding***) Inversión en acciones realizada con fines de relación, intervención o control de la entidad emisora.

Participación de control (***Controlling interest***) Posesión de más del 50 por 100 de las acciones con derecho a voto de una empresa, teniendo, por tanto, el poder de decisión.

Participación de fondo de inversión (***Investment fund participation***) Título valor transmisible en Bolsa, y fuera de ella, que legitima a su titular para el ejercicio de los derechos inherentes a su condición de partícipe del fondo. Se materializa en certificados, que normalmente son nominativos y sin expresión del valor nominal.

Participación hipotecaria (***Mortgage participation***) Título nominativo mediante el cual se permite hacer participar a terceros de un crédito hipotecario en concreto.

Partnership (***Partnership***) Acuerdo voluntario entre dos o más personas para unir sus fondos, esfuerzo y conocimientos en un negocio lícito, en el entendimiento de que se repartirán proporcionalmente los beneficios y pérdidas que se generen. Es un tipo de sociedad de responsabilidad limitada que se utiliza, normalmente para la provisión de servicios profesionales (contables, legales, etc.).

Pasillo (***Corridor***) Es un contrato mediante el cual una empresa compra un *cap* a un determinado tipo y simultáneamente vende otro *cap* con un tipo de ejercicio superior y con la misma duración que el primero.

Pasivo (*Liability*) En contabilidad, conjunto de obligaciones y deudas contraídas por una empresa con otras empresas o personas. En el pasivo de un balance, representado en su parte derecha, se pone de manifiesto el capital financiero de la empresa, es decir, los orígenes de la financiación que se ve materializada en las inversiones del activo.

Pasivo circulante (*Current liability*) Pasivo de una compañía cuya exigibilidad es inferior a un año.

Pasivo contingente (*Contingent liability*) Pasivo que, si bien no depende del paso del tiempo, podría aflorar en algún momento. Deben estar descritos en las notas a los estados financieros.

Pasivos computables (*Affected liabilities*) Parte del pasivo de una entidad financiera que forma parte de la base de cálculo del coeficiente de caja obligatorio.

Pasivos sintéticos (*Synthetic liabilities*) Conjunto de deudas denominadas en las divisas que forman la cesta que define una unidad de cuenta en la que se pueden mantener activos y pasivos, como es el ECU, y por volúmenes que guarden la misma proporción que las ponderaciones de las correspondientes monedas en la cesta de la unidad de cuenta de que se trate. El objetivo de estos pasivos es neutralizar los riesgos de cambios inherentes al momento de deshacer las posiciones.

Pata (*Leg*) Parte de una transacción financiera compuesta. Por ejemplo, uno de los flujos de caja generados en un *swap*.

Patrimonio (*Wealth*) Desde un punto de vista contable, es la diferencia entre los bienes y derechos y las obligaciones frente a terceros. Desde el punto de vista fiscal, es la propiedad de toda clase de bienes y la titularidad de derechos de contenido económico atribuibles al sujeto pasivo en el momento del devengo.

Patrimonio bruto (*Gross wealth*) Conjunto de bienes, derechos y acciones de una persona física o jurídica, con abstracción de las deudas y otras acciones. El patrimonio bruto refleja el activo patrimonial.

Patrimonio neto (*Net worth*; *Shareholders' equity*) Activos totales menos pasivos. Es el valor de la propiedad.

Patrón monetario (***Monetary standard***) Definición de la unidad de valor de un sistema monetario.

Pay-out (***Pay-out***) En el análisis técnico bursátil, cociente entre la cantidad destinada al pago del dividendo y el beneficio neto total obtenido por una sociedad. Este ratio es un indicador interesante para conocer las posibilidades futuras de mantenimiento del dividendo y la política de autofinanciación de la empresa.

PAYE (***Pay-as-you-earn***) Retención en la fuente del impuesto sobre la renta de las personas físicas en el Reino Unido.

PBIT (***Profit before interest and tax***) Beneficio antes de intereses e impuestos.

P/BV (***Price/Book Value***) *Véase* RATIO PRECIO/VALOR CONTABLE.

P/CF (***Price/Cash flow***) *Véase* RATIO PRECIO/CASH FLOW.

PCGA Principios de Contabilidad Generalmente Aceptados.

P/E *Véase* RATIO PRECIO/BENEFICIO.

PGE Presupuestos Generales del Estado.

Pegging (***Pegging***) Estabilización del precio de un título o una moneda mediante la intervención en el mercado.

PER (***Price earning ratio***) *Véase* RATIO PRECIO/BENEFICIO.

Periodificación (***Timing***) Consiste en la delimitación temporal de las transacciones económicas que refleja la contabilidad, es decir, en la imputación de ingresos y gastos en el período en que realmente tienen lugar.

Período de carencia (***Grace period***) Período comprendido entre la fecha de emisión de un empréstito y la del primer abono por amortización del principal, pagándose entretanto sólo los intereses.

Período de suscripción (***Period of subscriptions***; ***Subscription period***) Aquel que se fija a los accionistas para que puedan hacer valer sus derechos en una ampliación de capital, conversión de obligaciones en acciones, etc. El último día del período, los bancos suelen vender en Bolsa los derechos de aquellos depositantes de valores que no los han ejercitado. || Período durante el cual los miembros del sindicato solicitan suscripciones de los inversores en una emisión en el mercado primario, remitiendo la información, es decir, la demanda, al director principal (*lead manager*). También se le llama Período de Venta.

Período medio de cobro (*Average collection time*) Número de días que, por término medio, financia la empresa a sus clientes, con independencia que descuente o no el papel comercial.

Permuta de pasivos (*Liability swap*) Se denomina así en los mercados de *swap* al cambio convenido con una entidad financiera o a través de ésta con otra entidad interesada en una operación de este tipo, mediante el cual un emisor de deuda transforma el coste de su pasivo de interés fijo a flotante o a la inversa. Este tipo de permuta *swap* no afecta al principal de la deuda en el balance porque se reduce exclusivamente a un canje de *cash flow*. *Véase* SWAP.

Perpetua (*Perpetual*; *Undated*; *Irredeemable*) Deuda que no tiene un vencimiento final. Puede ser convertida en amortizable por el tenedor asumiendo algún coste. *Véase* DEUDA AMORTIZABLE.

Petrodólares (*Petrodollars*) Dólares propiedad de los países productores de petróleo, procedentes de la venta del mismo a otros países que son colocados en los mercados financieros internacionales.

PGE *Véase* PRESUPUESTOS GENERALES DEL ESTADO.

PIB (*Gross Domestic Product*) *Véase* PRODUCTO INTERIOR BRUTO.

PIBOR (*Pibor*) Paris Interbank Offered Rate. Tipo de interés del mercado interbancario de París. Expresión adaptada del término LIBOR.

Pick up (*Pick up*) La ganancia de rentabilidad resultante de la venta de un paquete de títulos y la compra de otro paquete con un rendimiento mayor que el vendido.

Pignoración de valores Consiste en la entrega de valores en garantía (en prenda) de un préstamo o de un crédito que se recibe o, en general, del cumplimiento de una obligación principal.

Pignorar (*Pledge*) Constituir prenda, dejar bienes muebles en manos del acreedor o de un tercero en garantía del cumplimiento de una obligación.

Píldora envenenada (*Poison pill*) Es un conjunto de medidas dilutivas defensivas que puede adoptar una empresa como estrategia para dificultar o encarecer notablemente una compra hostil de sus acciones. Las medidas más usuales son: dividendos en forma de acciones preferentes convertibles, bonos convertibles y opciones de compra sobre acciones.

Píldora envenenada suicida (*Suicide poison pill*) Estrategia defensiva de una empresa amenazada de una compra hostil, que consiste en incorporar una cláusula a los Estatutos de la empresa por la que obliga a toda aquella persona que se haga con su control a devolver la totalidad de la deuda que la empresa hubiese contraido, así como los intereses derivados de la misma. *Véase* PÍLDORA ENVENENADA.

Pip (*Pip*) En el argot de los mercados financieros, fluctuación mínima que se utiliza para marcar los diferenciales entre los valores. Es una centésima de un punto porcentual. *Véase* PUNTO y PUNTO BÁSICO.

Pipo *Véase* PIP y PUNTO BÁSICO.

PIRA *Véase* ACUERDO PARTICIPATIVO DE TIPOS DE INTERÉS.

Pista de tendencia Distancia entre las líneas que unen las cotizaciones mínimas y las máximas de un valor.

Pit (*Pit*) Parte de una bolsa de futuros u opciones en la que se realiza la negociación. Normalmente tiene forma circular, a menudo con varios niveles en forma de grada, con el fin de que puedan ver y ser vistos a la vez un gran número de negociantes mientras se realizan operaciones.

Plain vanilla (*Plain vanilla*) Instrumento financiero que no incorpora características o estructuras especiales como *calls*, *puts*, *warrants*, etc. *Véase* BELLS AND WHISTLES.

Plan de inversión (*Investment plan*) Consiste en una especie de compromiso o contrato que el inversor individual adquiere frente a un fiduciario representante de las compañías especializadas en esta clase de operaciones, de efectuar unas ciertas aportaciones durante un plazo determinado de tiempo para efectuar adquisición de valores determinados previamente por el propio inversor.

Plan de pensiones (*Pension plan*) Institución de previsión, voluntaria y libre, cuyas prestaciones de carácter privado pueden ser o no complemento del preceptivo sistema de la seguridad social obligatoria. Un Plan de Pensiones define el derecho de las personas, a cuyo favor se constituyen, a percibir rentas o capitales por jubilación, supervivencia, viudedad, orfandad o invalidez. Los Planes de Pensiones llevan afecto la constitución de Fondos de Pensiones para dar cumplimiento a los Planes de Pensiones. Estos Fondos materializan parte importante de su patrimonio en inversiones financieras.

Plan de reinversión de dividendos (*Dividend reinvestment plan*) Reinversión automática de los dividendos obtenidos por los accionistas en más acciones de la sociedad.

Planificación estratégica (*Strategic plannning*) Es el proceso de fijación de los objetivos a largo plazo de la empresa y el establecimiento de los sistemas de decisión y control necesarios para la consecución de aquéllos, con el fin de adaptar la empresa a un entorno en el que los cambios son cada vez más frecuentes.

Platillo (*Saucer*) En el análisis técnico, figura que se desarrolla en el suelo de un mercado y en el que la línea que une los sucesivos mínimos asemeja la forma de una U alargada o de un platillo. La evolución del volumen asociado a esa figura suele formar él mismo también una U. Predice un cambio lento de la tendencia desde una fase bajista a una alcista.

Plazo (*Term*; *Installment*) Fecha última prevista para la amortización de un empréstito. || Cada uno de los pagos regulares y parciales de una obligación o un préstamo.

Plazo de recuperación (*Payback period*) Plazo de tiempo necesario para recuperar la inversión inicial en un proyecto.

PLC Public Limited Company.

Pluriempleo (*Moonlighting*) Trabajar en un segundo empleo no declarado a las autoridades fiscales.

Plus (*Plus*) Los *dealer* que intervienen en el mercado de deuda pública, normalmente cotizan precios de oferta y demanda en $^1/_{32}$. Para cotizar en $^1/_{64}$ utilizan pluses. Por ejemplo, un *dealer* que demanda 4+ está demandando $^4/_{32} + {}^1/_{64}$, lo que es igual a $^9/_{64}$.

Plus tick (*Plus tick*) *Véase* UPTICK.

Plusvalía (***Capital gain***) Incremento de valor que experimenta un elemento patrimonial debido a la influencia de factores externos al propietario del mismo. A efectos fiscales, es el beneficio contable obtenido por la diferencia entre el valor de adquisición y el de enajenación o reembolso, en su caso, de cualquier bien o título valor.

Plusvalía teórica (***Unrealized capital gain***) Beneficio respecto al precio de compra que se conseguiría si se vendiese un valor a los precios corrientes de mercado.

PNB Producto Nacional Bruto.

Poder (***Power of attorney***) Documento legal autorizando a una persona para actuar en nombre de otra, bien para un asunto o un período de tiempo específico, bien en general.

Poder adquisitivo (***Purchasing power***) Medida de la capacidad de compra de bienes y servicios con una cantidad de dinero determinada. El poder adquisitivo disminuye al aumentar la inflación.

Poder de mercado (***Market power***) Capacidad de una empresa o individuo de influir sobre el precio de mercado de un bien o servicio.

Política de dividendos (***Dividend policy***) Plan de actuación de una empresa referente al reparto de resultados entre dividendos y reservas. El porcentaje de beneficios destinado a dividendos depende de la situación patrimonial, de la capacidad de crecimiento de la empresa, del impacto fiscal y de la rentabilidad que desee el accionista.

Política de empobrecer a tu vecino (***Beggar my neighbour policy***) Dícese de la política llevada a cabo por un país en la que, mediante la imposición de altos aranceles a la importación, pretenda desincentivarla, consiguiendo de esta manera aumentar la demanda de productos nacionales, lo que hace aumentar su producción y, en consecuencia, disminuir el desempleo, todo lo contrario de lo que ocurre en el país extranjero.

Política de estabilización (***Stabilization policy***) Medidas del Gobierno que intentan controlar la economía con el fin de mantener el PIB cercano a su nivel potencial y mantener unas tasas de inflación bajas y estables.

Política de rentas (*Incomes policy*) Se trata de la intervención deliberada del Gobierno en el proceso de formación de los precios del factor trabajo y de los productos, para impedir que los aumentos de las rentas monetarias sean más rápidos que el aumento de la renta nacional en términos reales.

Política discrecional (*Discretionary policy*) Política modificable cuando las condiciones cambian. El término se aplica generalmente a las políticas monetaria o fiscal y su ajuste para el logro de los objetivos en términos de empleo y precios estables.

Política fiscal (*Fiscal policy*) Junto con la política monetaria, forma la base de actuación de la política económica de un gobierno para conseguir la estabilidad y los objetivos de política macroeconómica, que se ve completada con la política de rentas y del comercio exterior que lleve a cabo. La política fiscal actúa sobre los instrumentos económicos del gasto público y los impuestos o ingresos públicos. La acción de la política fiscal se traduce en la manipulación de los instrumentos económicos en base a conseguir amortiguar las posibles oscilaciones de los ciclos económicos y contribuir al mantenimiento de una economía creciente de elevado empleo y libre de una alta inflación. Cuando aumenta el déficit público (gastos mayores que los ingresos públicos), con su correspondiente efecto multiplicador sobre la demanda, se dice que es una política fiscal expansiva. Cuando aumentan los impuestos, manteniendo el gasto público, nos encontramos con una política fiscal restrictiva.

Política monetaria (*Monetary policy*) Instrumento de política económica con el que la Autoridad Monetaria intenta controlar y manipular la oferta de dinero, los tipos de interés y las condiciones crediticias para regular las condiciones de liquidez de una economía, el gasto o demanda agregada del sistema, el equilibrio de los precios y el crecimiento económico. Sus instrumentos o técnicas de control son las operaciones de mercado abierto, los requisitos de reservas o coeficientes de caja y el tipo de interés de descuento.

Política monetaria expansiva (*Smooth monetary policy*) Medidas tendentes a acelerar el crecimiento de la cantidad de dinero y a elevar los tipos de interés.

Política monetaria restrictiva (*Tight monetary policy*) Medidas tendentes a reducir el crecimiento de la cantidad de dinero y a elevar los tipos de interés.

Política de oferta (*Supply policy*) Medidas tendentes a incidir favorablemente sobre la capacidad productiva, tales como reducción de los impuestos, disminución de la burocracia y reducción de la regulación de la actividad económica.

Política procíclica (*Procyclical policy*) Una política que amplifica las fluctuaciones cíclicas. *Véase* CICLO ECONÓMICO.

Ponderación (*Weighting*) Peso o importancia relativa que se concede a cada uno de los elementos dentro del conjunto al que todos pertenecen.

Pool (*Pool*) Combinación de recursos para un propósito o beneficio común. || Agrupación de inversores con el fin de utilizar su poder conjunto para manipular el precio de los títulos o para lograr el control de una empresa. Este tipo de agrupación está prohibido por las regulaciones que controlan la negociación de títulos. || Grupo de intermediarios financieros que garantizan la suscripción de un empréstito en las condiciones previstas en el contrato de emisión. *Véase* TRUST.

Portador (*Bearer*) Se llaman así aquellos títulos que no llevan inscrito el nombre de su propietario.

Portfolio (*Portfolio*) Término adoptado del inglés, sinónimo de cartera de valores. *Véase* CARTERA.

Posición (*Position*) Postura de oferta o demanda de valores mobiliarios según sea el cambio que se forme. || Mantenimiento de un contrato vivo en un mercado de futuros y opciones.

Posición abierta (*Open position*) Posición de un comprador o de un vendedor de un contrato de futuros u opciones cuando todavía no la ha cerrado ni han vencido. || En relación con los activos y pasivos en divisas significa que hay un desnivel en volumen, dando lugar a que se incurra en un riesgo de cambio. *Véase* POSICIÓN CERRADA y POSICIÓN COMPENSADA.

Posición acreedora (*Credit position*) Situación contable en la que el haber supera al debe.

Posición al contado (*Spot position*) Es aquella que comprende todos los componentes del balance en moneda extranjera a la vista y hasta dos días.

Posición cerrada (*Closed position*) Cuando las posiciones largas o cortas han sido compensadas mediante una transacción de signo contrario, de tal manera que no queda ninguna posición abierta. *Véase* POSICIÓN ABIERTA y POSICIÓN COMPENSADA.

Posición compensada (*Flat position*) Situación en la que las posiciones largas o posiciones cortas han sido compensadas mediante una transacción de signo contrario, de forma que no queda ninguna posición abierta. *Véase* POSICIÓN ABIERTA y POSICIÓN CERRADA.

Posición compradora (*Long position*) Posición de un comprador de contratos de futuros u opciones. *Véase* POSICIÓN LARGA.

Posición contracíclica (*Contracyclical trading*) En el argot bursátil, estrategia de adoptar una posición de operación diferente e inversa a aquellas basadas en las expectativas actuales del mercado; así, si la creencia general de los inversores es que los tipos de interés van a subir, el inversor que adopte una posición contracíclica comprará.

Posición corta (*Short position*) Se denomina así a la posición de divisas en las que el volumen de la posición de pasivo es inferior a la posición de activo, midiéndose esta asimetría por el saldo entre ambas posiciones. || Realizar una operación de venta de valores que el vendedor aún no posee de hecho. Es sinónimo de posición vendedora. || En el mercado de opciones, situación en la que el número de *calls* o *puts* vendidas en una cuenta excede al número de *calls* o *puts* compradas. *Véase* POSICIÓN LARGA.

Posición corta en opciones (*Short option position*) Es la posición de un operador que piensa que el precio de las opciones va a bajar en el futuro, por lo que vende hoy la opción a precio alto para entrega futura. *Véase* POSICIÓN LARGA EN OPCIONES.

Posición descubierta (*Naked position*; *Uncovered position*) Posición compradora o vendedora de un activo que no está cubierto por la posesión de otros activos o pasivos que neutralicen el posible riesgo derivado de una fluctuación adversa en el precio de dicha posición. || Posición en opciones en la que el vendedor de la opción no tiene el activo (en caso de una opción *call*) o el efectivo (en el caso de una opción *put*) para satisfacer al tenedor de la opción ante el ejercicio de la misma.

Posición deudora (*Liability position*) Situación contable en la que el debe supera al haber.

Posición dinero (*Money position*) *Véase* DINERO.

Posición larga (*Long position*) En el argot de los mercados de valores hace referencia a que un miembro del mercado u operador profesional o inversor al por menor dispone de títulos en una cantidad mayor de la necesaria, en espera de una subida de precios. Se denomina así a la posición de divisas en las que el volumen de la posición de pasivo es mayor que el de la posición de activo, midiéndose esta simetría por el saldo entre ambas posiciones. || En el mercado de opciones, situación en la que el número de *calls* o *puts* compradas en una cuenta excede el número de opciones *calls* o *puts* vendidas. Es el inverso de una posición corta. Es sinónimo de posición compradora. *Véase* POSICIÓN CORTA.

Posición larga en opciones (*Long option position*) Es la posición de un operador que piensa que el precio de las opciones va a subir en el futuro, por lo que compra hoy una opción a precio bajo para entregar en el futuro. *Véase* POSICIÓN CORTA EN OPCIONES.

Posición neta (*Net position*) Diferencia entre el número de posiciones largas y el número de posiciones cortas detentadas por un determinado inversor.

Posición papel (*Paper position*) *Véase* PAPEL.

Posición sintética (*Sinthetic position*) Combinaciones de opciones que producen una posición de riesgo y rentabilidad que no puede alcanzarse directamente. Las posiciones sintéticas pueden establecerse de alguna de las siguientes formas: a) posición larga en opciones de compra: adquisición de una opción de venta y del instrumento subyacente; b) posición larga en opciones de venta; adquisición de una opción de compra y venta del instrumento subyacente; c) posición larga en el instrumento subyacente: adquisición de una opción de compra y colocación de una opción de venta al mismo precio de ejercicio y con la misma fecha de vencimiento, y d) posición corta en el instrumento: colocación de una opción de compra y adquisición de una opción de venta al mismo precio de ejercicio y con la misma fecha de vencimiento.

Posición vendedora (*Short position*) Posición de un agente vendedor de contratos de futuros u opciones. *Véase* POSICIÓN CORTA.

Pot (*Pot*) En el aseguramiento de títulos, término que hace referencia a la parte de la emisión devuelta al director asegurador (*manager underwriter*) por los bancos de negocios participantes, para facilitar las ventas a los inversores institucionales. Las instituciones que compran del *pot* designan a las firmas a participar en las ventas.

PPA *Véase* PARIDAD DEL PODER ADQUISITIVO.

Praecipium (*Praecipium*) Parte de la comisión de dirección que se queda el *lead manager* o el *arranger* de una operación financiera y que no se distribuye al resto del sindicato.

Preapertura (*Preopening*) En el Mercado Continuo español, período previo al comienzo real de la contratación, comprendido entre las 9 y 10 horas, en el que se muestran los precios indicativos que se determinarían si el mercado abriese en ese momento, según las órdenes de compra y venta que van introduciendo en el sistema los distintos intermediarios. Es, en definitiva, un período destinado a la introducción, modificación y cancelación de propuestas. Durante este período no se cruzan operaciones.

Precio al contado (*Spot price*) Se denomina precio contado o, de forma más universal, precio *spot*, al que se cotizan las mercancías o valores para entrega inmediata contra pago. No obstante, según las normas de cada mercado, se admite un margen de uno o dos días para realizar la liquidación, normalmente dos días laborables.

Precio al por mayor (*Wholesale price*) Precio de venta al que el mayorista vende al detallista y grandes consumidores.

Precio al por menor (*Retail price*) Precio de venta al consumidor. Suele ser neto final puesto que normalmente no existe ningún descuento.

Precio de apertura (*Opening price*) Será aquel que permita negociar un mayor número de títulos dentro de los límites siguientes: a) en el caso de que dos o más precios permitan negociar el mismo número de títulos, el precio de apertura será aquel que produzca el menor desequilibrio, entendiéndose por tal la diferencia entre el volumen ofrecido y el volumen demandado a un mismo precio. Si no hay desequilibrio o si los desequilibrios son iguales, se escogerá el precio más cercano al cierre del día anterior; b) para la validez del precio de apertura se requerirá que dicho precio no varíe más del 10 por 100 sobre el precio del día anterior y que quede cubierta globalmente, al menos en un 20 por 100, la posición de oferta o demanda dominante en dicho momento, y c) si no se cumplen las condiciones anteriores se retrasará durante una hora, a lo largo de la cual, en caso de persistir la situación, se podrá autorizar la fijación del precio sólo con un 10 por 100 de cobertura. Si el precio obtenido tampoco cumpliera la condición de límite del 10 por 100, se podrán autorizar mayores variaciones del precio hasta un máximo del 15 por 100 del global. Si transcurrida la segunda fase de apertura persistiera la dificultad de formar precio en una parte significativa de los valores que se negocian en el mercado, la Comisión de Contratación del Sistema de Interconexión Bursátil podrá decidir sucesivos períodos de apertura a lo largo de la sesión de contratación con variaciones de precio hasta un 20 por 100 del global.

Precio de conversión (*Conversión price*) Es el precio de la acción al cual el valor nominal de un bono convertible se convierte en acciones.

Precio de ejercicio de una opción (*Strike price*; *Exercise price*) Es el precio al que se ha contratado la opción de compra o de venta. Por consiguiente, es el precio que el tenedor de la opción tendrá que pagar por el activo subyacente objeto de la opción si se trata de la opción de compra, *call*, y la ejerce, o el precio al que tendrá que vender el activo contratado, si se trata de una opción de venta, *put*, y la ejerce.

Precio de emisión (*Issue price*) En el argot de los mercados de emisión de valores, el precio de emisión es la cantidad efectiva que se desembolsa por un título o unidad de contratación, o el porcentaje sobre el valor nominal si el precio se indica en términos relativos. Las emisiones pueden realizarse sobre la par o con prima cuando el valor efectivo que se desembolsa supera el valor facial o nominal, a la par cuando ambos valores coinciden, o bajo la par o con descuento sobre el valor nominal. No son frecuentes las emisiones de deuda sobre la par, pero sí de las de acciones, puesto que, normalmente, para contrarrestar la dilución del valor de las acciones suele exigirse una prima que lo mantenga, si las condiciones del mercado lo permiten y es de interés esta táctica de capitalización para la empresa.

Precio de una opción (*Option premium*) Es el precio de mercado o de ejercicio (prima de la opción) de una opción de compra o de una opción de venta. Está determinado principalmente por el precio de mercado del activo subyacente, por el plazo hasta el vencimiento de la opción y por la volatilidad de los precios del activo subyacente. *Véase* PRIMA.

Precio de liquidación (*Settlement price*) Precio de cierre de un contrato de futuros o de otro activo financiero en una determinada sesión, calculado según las normas de cada mercado. Sirve para calcular la liquidación diaria de pérdidas y ganancias, calcular los depósitos de garantía, así como para determinar el precio de entrega del contrato en su fecha de vencimiento.

Precio de mercado (*Market price*) Aquel que se considera ajustado en relación a la generalidad de las operaciones y transacciones habidas. Puede decirse que el precio de mercado es el predominante para un determiando producto y en una fecha y en un lugar de contratación. || En el ámbito bursátil, el precio de mercado suele fijarse por la relación entre los máximos y mínimos de las cotizaciones. || En teoría económica, el precio de mercado en una situación de equilibrio es aquel punto en el que coinciden las curvas de oferta y demanda de dicho mercado y que ofrece también la cantidad óptima o de equilibrio. Este precio de mercado variará si lo hacen la demanda o la oferta, aumentando si aumenta la demanda o disminuye la oferta, o disminuyendo si lo hace la demanda o aumenta la oferta.

Precio de oferta (***Offering price***) Cotización a la que se ofrecen títulos en el mercado.

Precio de rescate (***Call price*; *Call premium***) Precio al que un emisor puede forzar a amortizar un título.

Precio ex cupón (***Ex-coupon price***) Es el precio cotizado por un valor o título de deuda, excluido el valor del cupón del vencimiento más próximo.

Precio limpio (***Clean price***) *Véase* COTIZACIÓN EX CUPÓN.

Precio máximo (***Ceiling price***) Límite del nivel de cotización al que se está dispuesto a comprar.

Precio político (***Political price***) Es el precio mantenido por el Gobierno en empresas públicas o en empresas concesionarias de servicios públicos, con el objetivo de cumplir una función de protección de la comunidad frente a precios excesivos o de redistribución de la renta.

Precio raro (***Odd pricing***) Práctica de vender algo a precios como, por ejemplo, 999 unidades monetarias en vez de 1.000, con el fin de aprovechar el efecto psicológico de que el cliente piense en el precio de 900 más que en el de 1.000.

Precio relativo (***Relative price***) El precio relativo de un bien es un número índice simple de precios que se define como el cociente entre el precio de dicho bien en el período actual y su precio en el período base.

Precios constantes (***Constant prices***) Una serie se mide en precios constantes si se calcula a los precios existentes en un año base dado con el fin de eliminar los efectos de la inflación o deflación.

Precios corrientes (***Current price***) Una serie de datos económicos, como por ejemplo el PIB, se mide en valores corrientes si cada observación se toma a los precios del año respectivo.

Precios en el Mercado Continuo de valores y sus variaciones (***Prices in the Continuos Market and variations***) De acuerdo con las normas del Sistema de Interconexión Bursátil español, los precios se fijarán siempre en pesetas por unidad de título y podrán variar: a) como mínimo, una unidad de precio, cuyo importe será de diez, cinco o una peseta según que la unidad de lote aplicable sea de veinticinco, cincuenta o cien títulos, respectivamente, y b) como máximo para cada sesión, un 10 por 100 en el precio del primer período de apertura y otro 5 por 100 adicional en las operaciones del segundo período de apertura o sesión abierta, excepto en el supuesto de no poder obtener precio válido en la apertura. Esa norma general no será aplicable en la contratación de derechos de suscripción ni en el Mercado de Picos.

Precio sucio (*Dirty price*) En el argot de los mercados de valores, es el precio total de una acción, bono u obligación que incluye el dividendo o interés devengado, si bien en el caso de la acción la valoración del cupón corrido es sólo estimativa. El interés acumulado compensa al vendedor por el hecho de haber poseído el título durante una parte del período de cupón, pero está renunciando al total del siguiente cupón. Cuando el título paga un cupón, el precio sucio caerá, pero el precio limpio no cambiará. Por este motivo se suelen cotizar los precios limpios. *Véase* COTIZACIÓN EX CUPÓN.

Precio total de ejercicio (*Aggregate exercise price*) En los mercados de opciones identifica el precio de una opción multiplicado por el número de opciones del contrato.

Preferencia por la liquidez (*Liquidity preference*) Teoría que sostiene que las actitudes de los agentes económicos ante el riesgo, definido por la variabilidad de los rendimientos de los activos financieros, son la causa explicativa de la curva de tipos de interés. Se supone que los agentes económicos tienen aversión al riesgo y que la volatilidad de los activos financieros a largo plazo es superior a la de los activos a corto plazo, por lo que los inversores preferirán activos financieros a corto plazo, siendo, por tanto, preciso retribuirles con una prima de riesgo para que adopten posiciones a más largo plazo. De ahí que la situación normal de la curva de tipos de interés será, según esta teoría, creciente en el plazo, reflejando las primas de riesgo exigidas por los inversores.

Preferente (*Preferred*) Calificación que se aplica a aquellos títulos que tienen prioridad sobre los restantes de la misma sociedad en el cobro de los intereses o dividendos o, en general, gozan de algún derecho especial del que carecen los ordinarios. *Véase* ACCIÓN PREFERENTE.

Prefinanciación (*Prefinancing*) Operaciones de crédito o financiación provisional necesarias para iniciar o preparar las actividades cuya financiación definitiva requieren fórmulas de crédito diferentes en algunas condiciones.

Prelación (*Priority*) Preferencia o primacía, especialmente referido a la antelación en el tiempo para el cobro.

Premio a plazo (*Forward premiun*) Diferencia entre el tipo de cambio *spot* y plazo de una moneda cuando el primero es mayor que el segundo. En caso contrario se dice que la moneda está a descuento a plazo.

Prenda (*Pledge*) Derecho real sobre una propiedad mueble con el fin de asegurar el pago de una deuda y el cumplimiento de las obligaciones relacionadas con ella. Supone el desplazamiento del bien, que da derecho al acreedor a disponer de la cosa empeñada.

Presión del papel (*Selling pressure*) En el argot de los mercados de valores, un exceso de oferta de un valor. *Véase* PAPEL.

Presión fiscal o tributaria (*Tax pressure*; *Fiscal pressure*) Relación entre los ingresos tributarios de un país, incluidas las cotizaciones a la seguridad social, y la Renta Nacional del mismo o su Producto Interior Bruto.

Prestamista (*Lender*) Quien entrega una cosa a título de préstamo, y más concretamente, el que da dinero a préstamo con interés.

Prestamista en última instancia (*Lender of last resort*) Los bancos centrales actúan, como responsabilidad última, como prestamista en última instancia del sistema financiero de un país para proveer a los bancos bajo su cargo el dinero suficiente para afrontar una situación de pánico bancario en cualquiera de ellos. *Véase* INSTRUMENTOS DE POLÍTICA MONETARIA.

Préstamo (*Loan*) Entrega de un capital a una persona que asume la obligación de devolverlo a quien se lo prestó junto con los intereses acordados.

Préstamo a tipo de interés variable (***Loan with variable interest rate***) Préstamo cuya rentabilidad se revisa con periodicidad fija o variable, en función de la evolución de los tipos de interés vigentes en otros mercados, llamados tipos de referencia. Los tipos más usuales son, entre otros: los determinados por mercado interbancario, los tipos preferenciales y los de la Deuda Pública.

Préstamo con amortización final (***Bullet loan***) Préstamo en el que todo el principal se amortiza al vencimiento. Durante la vida del préstamo sólo se pagan los intereses.

Préstamo con garantía (***Secured loan***) Préstamo que proporciona al prestamista el derecho de apoderarse de ciertos activos especificados, en el caso de que el prestatario no cumpla con sus obligaciones de pago.

Préstamo cross border (***Cross border loan***) Préstamo en el cual un banco o sindicato de bancos de un país presta a un prestatario de otro país.

Préstamo cross currency (***Cross currency loan***) Préstamo de un banco a un prestatario del mismo país o de otro, denominado en una moneda de un tercer país.

Préstamo de acciones (***Stock lending***) Cesión de acciones a un prestatario con el fin de que las utilice como entrega sobre una posición corta. Va acompañado de un acuerdo por el cual el prestatario las reemplazará, en el momento previsto, con títulos idénticos. Normalmente el prestatario depositará un colateral con el prestamista para cubrir el valor del préstamo de las acciones y le pagará una comisión. El prestamista se hará cargo tanto de los beneficios como del riesgo de variación del precio de las acciones.

Préstamo de mutuo respaldo (***Back to back loan***) *Véase* CRÉDITO DE MUTUO RESPALDO.

Préstamo diario (***Day loan***; ***Morning loan***) Préstamo de un banco a un *broker* para la compra de títulos pendientes de ser entregados en la compensación de la tarde.

Préstamos de apoyo en última instancia del Banco de España (***Bank of Spain loans resort***) En todos los sistemas bancarios desarrollados, el Banco Central debe asumir la función de prestamista en última instancia, es decir, debe suministrar liquidez a las entidades que prevean descubiertos al cierre de las operaciones diarias o insuficiencias en el cumplimiento del coeficiente de caja. En estos casos, el Banco de España procederá discrecionalmente, en primer lugar a la compra de activos (CBEs, o Deuda Pública o Privada) a estas entidades a un tipo de interés penalizado. Si ello no fuera suficiente se recurriría a préstamos contra pólizas del mercado monetario, también a tipo penalizado. Como último recurso, el Banco de España concederá préstamos con garantía personal con un coste aún mayor. En general, se denominan «Préstamos de segunda ventanilla». *Véase* INSTRUMENTOS DE POLÍTICA MONETARIA.

Préstamo lombardo (*Lombard loan*) Es uno de los instrumentos que utiliza el Banco Emisor alemán para regular la liquidez. Consiste en un préstamo con garantía de determinado tipo de valores cedidos por las entidades de crédito de aquel país.

Préstamo participativo (*Participation loan*) Préstamo que se acuerda con un banco y que éste a su vez vende a otras instituciones una parte considerable del mismo, con objeto de liberar recursos para poder atender otras demandas de crédito. Si la venta se hace con acuerdo del prestatario se trata de una cesión.

Préstamo puente (*Bridging loan*) Es un préstamo que cubre el corto período que va desde el momento en que se conceda un crédito a largo plazo hasta que se entrega. Tiene la finalidad de hacer frente a cualquier pago que se deba realizar mientras tanto.

Préstamo sindicado (*Syndicated loan*) Es un tipo de préstamo organizado y concedido por un sindicato bancario. Normalmente, la empresa prestataria acude a una entidad financiera, empresa prestamista, para que actúe como banco agente, encargándose de estructurar y llevar adelante la operación crediticia. El banco agente selecciona, a su vez, un conjunto de bancos directores que actúan como cabezas de fila suscribiendo una fracción del crédito y responsabilizándose de colocar el resto de la parte que hayan asumido entre otras instituciones de crédito. *Véase* CRÉDITO SINDICADO.

Prestatario (*Borrower*) Persona que recibe una cantidad de dinero como préstamo con la obligación de devolver la cosa u otro tanto de la misma especie y cantidad al término de un plazo previamente fijado.

Presupuesto cíclico (*Cyclical budget*) Aquel en el cual los ingresos a lo largo de todo el ciclo son, como mínimo, iguales a los gastos en el mismo ciclo. A diferencia del presupuesto anualmente equilibrado, éste permite llevar a cabo políticas fiscales contracíclicas. Los superávit durante la fase de prosperidad pueden utilizarse para cubrir los déficit en las recesiones.

Presupuesto en base cero. PBC (*Zero base budgeting. ZBB*) Técnica presupuestaria que parte del análisis de cada actividad en cada período como forma de justificar cada unidad monetaria de gasto en función de los objetivos señalados. Las fases que componen el proceso presupuestario son las siguientes: a) identificación de las actividades que se llevan a cabo en el seno de una organización; b) evaluación de estas actividades en función de su importancia respecto a los objetivos a alcanzar, y c) valoración monetaria de cada actividad para solicitar los fondos necesarios para alcanzar los objetivos.

Presupuesto equilibrado (*Balanced budget*) Presupuesto en el que los ingresos totales son iguales a los gastos totales excluyéndose los ingresos procedentes de créditos. Si los ingresos son mayores que los gastos, existirá superávit, en caso contrario habrá déficit. *Véase* PRESUPUESTOS GENERALES DEL ESTADO.

Presupuestos Generales del Estado (*National budget*) En general, los Presupuestos del Estado son la expresión contable, aprobada por Ley, de los gastos e ingresos planeados por un gobierno en un período de tiempo, normalmente un año, que generarían el gasto público y los programas de impuestos. El Estado incurre en cada período en superávit o déficit presupuestario, según que los impuestos y demás ingresos sean superiores al gasto público o viceversa. Cuando gastos e ingresos son iguales, se dice que el presupuesto se encuentra equilibrado.

Prevaricación (*Breach of trust*) Delito cometido por un juez o un funcionario que, de forma deliberada o por desconocimiento inadmisible, dicta o sugiere una resolución de evidente injusticia.

Previsión (*Reserve*) En contabilidad, medida general de precaución adoptada en prevención de futuros acontecimientos. La dotación de previsiones va dirigida a la cobertura de riesgos cuya cuantía y vencimiento no están predeterminados. Su materialización debe ser tal que conserve cierto grado de liquidez, puesto que el acaecimiento del suceso cubierto implicará necesidades financieras que no serían cubiertas si las previsiones estuvieran materializadas en bienes de difícil realización. Existen diferentes clases de previsiones en cuanto a su finalidad: previsión para riesgos, para diferencias de cambio, para autoseguro y para aceleración de amortizaciones.

Previsión bursátil (*Stock exchange forecast*) Análisis del curso de las cotizaciones de los valores con el fin de deducir de ellos una tendencia.

Pricey (*Pricey*) Término utilizado cuando el precio de un título es anormalmente bajo o alto en relación al mercado.

Pricing (*Pricing*) En una emisión de títulos, el día en que se fija el precio, antes de la oferta formal.

Prima (*Premium*) Precio de un contrato de opción que consta de dos componentes; el valor intríseco o valor que tendría la opción si se ejercitara inmediatamente y el valor temporal o valor extrínseco, que es la diferencia entre la prima y el valor intrínseco. || En el contexto de títulos convertibles, es la diferencia entre el precio de mercado y el valor de conversión, expresado como un porcentaje. || En una póliza de seguros, cantidad monetaria que el asegurado paga de forma periódica.

Prima de amortización (*Amortization premium*) Es la diferencia entre el precio de emisión de un título de renta fija y el señalado por la sociedad emisora para reembolsar su importe.

Prima de aplazamiento (*Backwardation*) Prima a pagar en la próxima entrega de título como consecuencia de un retraso, debido a una estrechez temporal del mercado, que impidió la obtención de los títulos comprometidos.

Prima de conversión (***Conversión premium***) Diferencia porcentual entre el precio de cotización corriente del título de renta variable de una empresa y el precio de conversión de las obligaciones en acciones de la misma sociedad.

Prima de emisión (***Share premium* [*UK*]; *Paid-in surplus* [*USA*]; *Issue premium***) Cantidad que deben pagar sobre el nominal los suscriptores de nuevas acciones. Sólo es factible cuando la cotización de las acciones viejas se encuentra sobre la par. Su finalidad es evitar que se produzca un efecto dilución sobre el capital.

Prima de riesgo (***Risk premium***) Rendimiento adicional que un inversor exige por soportar el riesgo inherente a una inversión. Es igual al rendimiento real del activo menos el rendimiento teórico que tendría si no soportase ningún riesgo. En el modelo de valoración de precios de activos, la prima de riesgo de cualquier activo es proporcional a su coeficiente beta. *Véase* MODELO DE VALORACIÓN DE PRECIOS DE ACTIVOS.

Prima de una opción (***Option premium***) Es sinónimo de Precio de una Opción. *Véase* PRECIO DE UNA OPCIÓN Y PRIMA.

Prime rate (***Prime rate***) Tipo de interés preferencial en EE.UU. Son conocidos internacionalmente los de los principales bancos americanos por su influencia indirecta en la cotización del dólar y en la de las principales monedas así como en las tasas de interés de otros países. Suele usarse como tipo de referencia alternativo o combinado con el *LIBOR* en operaciones de crédito del mercado internacional.

Principal (***Principal***) Es el valor nominal de un activo financiero. Es la cantidad que debe pagarse cuando el activo vence o en varios plazos de amortización. Es la cantidad sobre la que se aplica el tipo de interés estipulado. Se diferencia claramente del interés.

Principal nocional (***Notional principal amount***) Es la cantidad sobre la que se estipula un contrato *swap*, o se establece un contrato de *forward*, y que no es objeto de transferencia, sino que sirve solamente de referencia para el cálculo de intereses en la operación.

Principio de afloramiento total (*Full disclosure principle*) Principio que requiere que la información financiera incluya toda la información que sea significativa.

Principio de la capacidad de pago (*Payment capacity principle*) El punto de vista según el cual las cargas tributarias deben imponerse de acuerdo con los recursos de los diversos contribuyentes, medidos por su renta y/o riqueza.

Principio del devengo (*Accrual basis principle*) Las transacciones se imputan desde el momento en que se perfeccionan jurídicamente, es decir, desde que el bien económico ha entrado o salido de la esfera jurídica de control de la unidad económica, produciéndose así la corriente económica y sin atender a la corriente financiera. Este principio suele ir acompañado del principio de prudencia valorativa, de manera que además de señalar que la imputación contable habrá de hacerse atendiendo a la fecha del devengo y no a la de cobro o pago, se observa que las pérdidas, incluso las potenciales, deberán contabilizarse tan pronto como sean conocidas. *Véase* MÉTODO DE CAJA.

Principios de contabilidad generalmente aceptados (*Generally accepted accounting principles. GAAP*) Normas, convenciones y reglas seguidas en la contabilización de las operaciones de una empresa, que son acordes bien con los principios legales contables establecidos por los organismos nacionales e internacionales que los fijan o bien con las prácticas del sector. En España se encuentran desarrollados en el Código de Comercio, Ley de Sociedades Anónimas y Plan General de Contabilidad.

Privatización (*Privatization*) Venta al sector privado de la economía de las empresas públicas. Es lo contrario a nacionalización.

Probabilidad (*Probability*) La probabilidad es el valor fijo límite hacia el que tiende a aproximarse la frecuencia de aparición de un resultado cuando crece el número de observaciones que se realizan en circunstancias similares.

Procedimiento de puesta en equivalencia (*Equity method*) Es un procedimiento de consolidación reservado a las empresas asociadas, que son aquellas sobre cuya gestión influyen significativamente una o varias sociedades del grupo, sin tener un control efectivo sobre ella. La normativa española entiende que existe influencia significativa cuando la participación es, al menos, del 20 por 100 de su capital, o del 3 por 100 si cotizan en Bolsa. Este procedimiento es también aplicable a las empresas dependientes que no se consoliden por el método de integración global por motivos de contraste de actividad y a las empresas multigrupo que no se consoliden por el método de integración proporcional. *Véase* MÉTODOS DE CONSOLIDACIÓN.

Proceeds (*Proceeds*) Fondos obtenidos por un prestatario una vez deducidos todos los costes y tasas. || Importe recibido por un vendedor de un activo, deducidas las comisiones.

Procurador (*Attorney*; *Procurator*) Persona a la que ha sido entregado un poder por otra persona para que le represente legalmente y obre en su nombre ante los tribunales.

Productividad (*Productivity*) Relación entre la producción total de un bien o servicio y la cantidad de un determiando factor utilizado para producir dicha cantidad. Así, la producción total dividida por la cantidad total del trabajo es la productividad del factor trabajo. La productividad aumenta si la misma cantidad de factores genera una mayor producción y, en cualquier caso, si mejora la tecnología. En Macroeconomía, la productividad es el cociente entre el PIB en términos reales y el número total de horas trabajadas en el país en un año.

Productividad del capital (*Capital productivity*) Es el aumento de la cantidad producida cuando se incrementa en una unidad el capital invertido en la producción, manteniendo constante el resto de los factores. Esta es la productividad marginal. La media sería la producción total dividida por el capital total empleado.

Productividad marginal (*Marginal productivity*) Producción obtenida como consecuencia de la utilización en el proceso productivo de una unidad adicional de un factor, permaneciendo el resto de los factores constante.

Productividad media (*Average productivity*) Es la relación entre la cantidad producida de bienes y la cantidad empleada de recursos. En la práctica se mide dividiendo el producto total por la cantidad empleada de trabajo.

Productividad del trabajo (*Productivity of labour*) La productividad media del trabajo es la producción total dividida por las unidades de trabajo utilizadas. La productividad marginal del trabajo es la producción adicional que se obtiene al utilizar para unidad más de trabajo, manteniéndose el resto de los factores constantes.

Producto Interior Bruto. PIB (*Gross Domestic Product. GDP*) Conjunto de bienes y servicios finales producidos dentro de un país por residentes nacionales y extranjeros en una unidad de tiempo, generalmente un año, valorados a precios de mercado o al coste de los factores.

Producto Interior Bruto Potencial (*Potential Gross Domestic Product*) Nivel de producción potencial que se puede obtener dado el estado de la tecnología y el volumen de la población, también llamado producción de pleno empleo. No equivale a la producción máxima que se pueda conseguir, sino al nivel de producción asociado a la tasa natural de desempleo. Es un concepto económico, no físico.

Producto intermedio (*Intermediate product*) Producto utilizado como insumo en la producción de otro bien o servicio.

Producto Nacional Bruto. PNB (*Gross National Product. GNP*) Conjunto de bienes y servicios finales producidos por una nación junto con sus ciudadanos residentes en el extranjero en una unidad de tiempo, generalmente un año, valorados a precios de mercado o al coste de los factores. Se forma a partir del Producto Interior Bruto, sumándole las rentas netas procedentes del exterior.

Productos estructurados (*Structured products*) Instrumentos financieros *over de counter* (OTC), creados especialmente para satisfacer las necesidades de un inversor o un pequeño grupo de ellos, que llevan asociados algún derivado, como opciones o futuros, con el fin de que abaraten el coste de los recursos tomados. En definitiva, se trata de un título convencional y un instrumento derivado asociado.

Pro forma (*Pro forma*) Expresión latina utilizada para referirse a la presentación de datos, como, por ejemplo, un balance, cuando algunos de dichos datos son hipotéticos. Sería el caso de un balance que incorpore una emisión de deuda propuesta pero aún no realizada. || Cualquier documento que se expida con carácter provisional y que posteriormente podrá ser definitivo. En realidad es un documento que está pendiente de que se cumpla algún requisito para tener validez. En el ámbito comercial es la factura de carácter provisional previa a la firma de un acuerdo o contrato, que necesita el comprador para realizar las gestiones necesarias como efectuar el pago por anticipado, etc.

Profundidad de mercado (*Depth of market*) Es una medida de cuanto tiene que moverse un precio para ejecutar operaciones mayores de lo normal. Cuanto menos se mueva el precio y mayor sea la transacción, más profundo será el mercado.

Programa de Eurocommercial paper (*Eurocommercial paper facility*) Programa de emisión de pagarés a corto plazo que admite flexibilidad en los vencimientos.

Pro indiviso Locución latina, ya castellanizada, con la que se hace referencia a las situaciones de indivisión, especialmente las de propiedad de una cosa en mano común, por tratarse de un bien indivisible o por convenio de las partes.

Prospectus (*Prospectus*) *Véase* FOLLETO DE EMISIÓN.

Propensión al riesgo (*Propensity to risk*) Disposición de un inversor a adquirir activos financieros con un cierto riesgo. Las actitudes del inversor frente al riesgo pueden ser: de neutralidad, en cuyo caso el inversor es indiferente al mismo; aversión al riesgo, siendo en este caso el inversor contrario al riesgo; y, finalmente, el inversor puede mantener una actitud de inclinación hacia el riesgo.

Propensión marginal al ahorro. PMA (*Marginal propensity to save*) Proporción en que una familia o colectividad aumentaría su ahorro si dispusiera de una unidad monetaria adicional. Suponiendo que con esa unidad adicional sólo puede hacer dos cosas, ahorrarla o consumirla, entonces tenemos que la propensión marginal al ahorro más la propensión marginal consumo deben ser igual a la unidad. *Véase* PROPENSIÓN MARGINAL AL CONSUMO.

Propensión marginal al consumo. PMC (*Marginal propensity to consume*) Proporción de una unidad adicional de renta disponible que se destina al consumo en vez de ahorrarla. La propensión marginal al ahorro más la propensión marginal al consumo es igual a uno. *Véase* PROPENSIÓN MARGINAL AL AHORRO.

Propensión media al ahorro (*Average propensity to save*) Proporción de renta disponible que es dedicada al ahorro.

Propensión media al consumo (*Average propensity to consume*) Proporción de renta disponible que es dedicada al consumo.

Prorrata (*Pro rata*) Cuota o parte proporcional que corresponde a cada uno de los que entran en un reparto.

Prospectus *Véase* FOLLETO DE EMISIÓN.

Proteccionismo (*Proteccionism*) Doctrina económica que pretende proteger la industria y actividades interiores de un país mediante el establecimiento de aranceles y contingentes a las importaciones e incentivando las exportaciones. Por similitud, conjunto de medidas que adopta una nación en su política exterior con el fin de salvaguardar su industria interna respecto a la competencia exterior. Estas medidas suelen materialiarse en aranceles o contingentes a las importaciones.

Protesto (*Protest*) Acta extendida por notario en la que consta que el portador de la letra de cambio practicó las diligencias necesarias para su aceptación o pago del librado sin conseguirlo.

Provisión (*Provision*; *Accrual*; *Allowance*) Concepto contable que cubre dos aspectos. Primero, las pérdidas de valor producidas en determinados activos que, mediante la dotación realizada, se reconocen como pérdidas del ejercicio en cuestión. Como segundo aspecto se encuentran las obligaciones estimadas como pérdidas o gastos esperados que deben ser repercutidos al resultado del ejercicio en que se practica la dotación, sin aplazar este reconocimiento de gasto.

PSBR (*Public Sector Borrowing Requirement*) Endeudamiento del Sector Público con el fin de cubrir el déficit presupuestario.

Punto (*Point*) En el lenguaje de la actividad bancaria y financiera, en general, hace referencia a un 1 por 100 sobre el principal de interés o coste en cualquier fórmula de financiación o de rendimiento en cualquier tipo de colocación de fondos. || En el lenguaje de los mercados de valores, representa un 1 por 100 del valor de los títulos.

Punto básico (*Basis point*) Unidad de medida para expresar pequeños movimientos en los tipos de interés, en los cambios de divisas o en el rendimiento de los bonos. Es una centésima parte de punto porcentual. *Véase* PIP y PUNTO.

Punto básico en contratos de futuros (*Basis point in futures contract*) Fluctuación mínima que el reglamento de un mercado de futuros admite en la cotización de un contrato. Para cada contrato en particular se establece un punto básico. *Véase* PUNTO y PUNTO BÁSICO.

Punto de equilibrio (*Break even point*) También llamado punto muerto, punto crítico y umbral de rentabilidad. Señala el nivel de producción que cubre todos los costes en que incurre la empresa, tanto los fijos o estructurales como los variables, y donde se produce una situación de indiferencia puesto que la empresa ni gana ni pierde, es decir, es el punto de beneficio cero. Se podría realizar una diferenciación entre punto muerto y umbral de rentabilidad, donde el punto muerto señalaría el nivel de producción que cubre todos los costes que originan desembolsos, pero no así los costes de reposición del activo (amortizaciones), quedando, por tanto, el umbral de rentabilidad como el volumen de producción que cubre todos los costes de producción, incluidas las amortizaciones. || En opciones se refiere al precio de un activo subyacente al cual el comprador recupera la prima pagada. En una opción *call* será el precio de ejercicio más la prima, y en un *put* el precio de ejercicio menos la prima.

Punto de ruptura (*Breakpoint*) En una emisión nueva en los Euromercados, es el momento en que opera en el mercado secundario con un precio en el que el descuento iguala o supera a la comisión de venta.

Punto de swap (*Swap point*) Es la diferencia de tipos de interés que se genera entre dos divisas en un contrato *forward*, según las divisas de que se trate y el plazo para el que se establezca la operación. Su cálculo permite fijar la cotización de una divisa en relación a otra para un plazo determinado.

Punto muerto (*Break even point*) *Véase* PUNTO DE EQUILIBRIO.

Puntos forward (*Forward points*) Fracciones de una unidad de una divisa que deben ser sumadas o restadas del precio *spot* con objeto de determinar el precio para una entrega futura.

Put (*PUT*) Véase OPCIÓN DE VENTA.

Put vendida (*Short put*) En relación con las posiciones simples que pueden tomarse en los mercados de opciones, se refiere a la posición de vendedor o emisor de una opción de venta o posición corta. La posición contractual opuesta es el *put* comprado, la compra de una opción de venta (*long put*).

PYMES Pequeñas y medianas empresas.

Q

Quanto (*Quanto*) Un producto *quanto* es aquel en el que los rendimientos se convierten en otra moneda. Por ejemplo, una opción sobre tipos de interés del dólar, pero pagable en yenes.

Quanto swap (*Quanto swap*) *Swap* en el que el tipo de interés que se paga en una moneda es diferente a la del índice de referencia. El tipo de cambio se fija al inicio del *swap*.

Quebranto (*Loss*) Pérdida o daño muy grande. Gasto producido en el descuento de efectos.

Quid pro quo (*Quid pro quo*) Expresión latina que significa «algo por algo». || Acuerdo entre empresas por el que una de ellas utiliza el análisis y la investigación realizada por la otra, a cambio de lo cual realiza toda su negociación basada en dicho análisis e investigación en vez de pagar directamente por sus servicios.

Quiebra (*Bankruptcy*) Estado de insolvencia definitiva que es declarado por los Tribunales Civiles cuando no se puede hacer frente al pago de las deudas contraídas. En España el quebrado pierde la disposición y administración de sus bienes, restringiéndose su capacidad e inhabilitándole para el ejercicio del comercio en tanto no sea rehabilitado.

Quied period (***Quied period***) En EE.UU., período en el que su emisor está en período de registro y, por tanto, está sujeto, por requerimiento de la *Securiteis and Exchange Commission* (SEC), a un embargo de publicidad promocional.

Quorum (***Quorum***) Número mínimo de accionistas que han de asistir a la Junta General para que pueda considerarse constituida y tomar acuerdos. En España la Junta General queda constituida en primera convocatoria cuando se reúne al menos el 25 por 100 de las acciones con derecho a voto. En segunda convocatoria se podrá constituir cualquiera que sea la representación del capital.

R

Racionamiento del crédito (***Credit rationing***) Asignación de fondos disponibles entre los prestatarios cuando la demanda de crédito es superior a la oferta, a la tasa de interés predominante.

Rama (***Branch***) División, subdivisión o sección especializada de una empresa u organismo económico que le confiere autonomía.

Rango de cierre (***Closing range***) Los precios alto y bajo a los que se hacen transacciones durante el cierre de una operación.

Ranking (***Ranking***) Es un anglicismo que hace referencia a cualquier ordenación de empresas, países, etc., siguiendo algún criterio predeterminado.

Rating (***Rating***) *Véase* CALIFICACIÓN DE SOLVENCIA.

Ratio (***Ratio***) Relación entre dos magnitudes que puede expresarse bajo la forma de cociente o de un porcentaje. Relación entre dos elementos o dos conjuntos de elementos cuantitativos del balance o de las magnitudes características de una empresa para enjuiciar su estructura y evolución.

Ratio Cooke (***Ratio Cooke***) *Véase* COMMITTEE ON BANKING REGULATIONS AND SUPERVISORY PRACTICES.

Ratio de cobertura (***Hedge ratio***) Proporción del principal nocional subyacente en un derivado que tiene que comprarse o venderse para equilibrar el riesgo en el derivado cuando cambia el precio del subyacente en una unidad. || Es el número de contratos de futuros necesarios para compensar una posición en el mercado al contado que se pretende proteger.

Ratio de cobertura de intereses (***Interest coverage ratio***) En los mercados financieros, la relación existente entre los beneficios netos o el *cash flow* neto y los pagos a realizar por intereses y comisiones de un préstamo más la amortización de los títulos de deuda en circulación.

Ratio de concentración (***Concentration ratio***) En las entidades financieras, cálculo porcentual de los riesgos concedidos a determinados grupos empresariales respecto del total.

Ratio de conversión (***Conversion ratio***) Número de acciones nuevas o de obligaciones, según el tipo de conversión, que pueden obtenerse en función de un título que acude a la conversión.

Ratio de endeudamiento (***Debt ratio***) Relación entre los recursos ajenos remunerados y los recursos propios. Mide la capacidad de endeudarse de la empresa y el nivel de vulnerabilidad de su posición económico financiera a través del apalancamiento.

Ratio de solvencia (***Solvency ratio***) Relación entre el activo real y el exigible total. Pone de manifiesto la capacidad de la empresa de atender los compromisos contraídos con terceros, cualquiera que sea su plazo.

Ratio de tesorería (***Treasury ratio***) Relación entre el activo circulante de una empresa y su pasivo circulante. Su valor es, normalmente, menor que uno.

Ratio dividendo/precio (***Dividend yield***) Relación existente entre los dividendos percibidos por el tenedor de una acción y el precio o cotización de ésta. *Véase* RENTABILIDAD DEL ACCIONISTA.

Ratio precio/beneficio. PER (***Price earning ratio. PER***) Indice bursátil que resulta de dividir la cotización en Bolsa de una acción por el beneficio neto, después de impuestos, correspondientes a cada acción en el ejercicio, es decir, es el número de veces que el beneficio neto está contenido en el precio de la acción. También se llama Tasa de Capitalización de Beneficios. Si el mercado cotiza un *PER* elevado, significa que las expectativas del valor de que se trata son muy favorables, basadas esencialmente en los beneficios futuros. Mide el tiempo que ha de transcurrir para que se amortice el importe desembolsado en la adquisición de un valor.

Ratio precio/cash-flow. P/CF (***Price/cash-flow ratio. P/CF***) Relación entre el precio o cotización de una acción y el beneficio neto después de impuestos más amortizaciones, *cash-flow*, por acción generado durante el ejercicio por la empresa emisora. Normalmente se denomina también multiplicador del *cash-flow* por ser el número de veces que éste representa respecto del precio de la acción.

Ratio precio/valor contable. P/VC (***Price/Book value ratio. P/BV***) Relación entre el valor contable y la cotización bursátil de una empresa. Se mide como el cociente entre el valor patrimonial neto de la empresa y su número de acciones. Si es inferior a uno indica una teórica infravaloración de la empresa, en tanto que si es mayor que uno indica una sobrevaloración. No obstante, hay que advertir que ese ratio no tiene en cuenta las expectativas de beneficio futuro.

Ratio Q (***Q ratio***) Relación entre el valor de mercado de todas las acciones de una sociedad y el valor real o de reposición de sus activos. Pretende medir el valor que el mercado financiero otorga a los activos reales utilizados por la empresa.

Ratios financieros (***Financial ratios***) Relaciones utilizadas para estudiar la estructura y posición financiera de las empresas a través de cálculos efectuados sobre partidas de balance.

Reacción técnica (***Technical reaction***) Se dice que los cambios han experimentado una reacción técnica cuando suben o bajan, pero presentando su gráfico dientes de sierra.

Realineamiento (***Realignement***) Cuando una divisa que es parte de un mecanismo de tipos de cambio, caso del Sistema Monetario Europeo, es formalmente revaluada o devaluada, se dice que ha experimentado un realineamiento.

Realización (*Realization*) Venta de un activo.

Realización de beneficios (*Profit taking*) En el argot de los mercados de valores, la venta de títulos por parte de inversores que especulan en el corto plazo y que liquidan posiciones inmediatamente después de un aumento de precios en el mercado, a fin de lograr un beneficio, incidiendo al mismo tiempo en alimentar una nueva tendencia a la baja.

Recaudar (*Levy*) Imponer y recolectar un impuesto u otras cargas financieras.

Recesión (*Recession*; *Slump*) Situación económica caracterizada por un decaimiento de la demanda global, infrautilización de la capacidad productiva e incremento del desempleo. *Véase* DEPRESIÓN.

Recibo de depósito otorgado por un banco americano (*American Depositary Receipt. ADR*) Fórmula usual de representación de los valores en las operaciones de compraventa en las Bolsas de EE.UU. Los valores admitidos a cotización son depositados en un banco americano que emite un recibo de depósito por una porción de ellos, procedimiento por el cual se facilitan las operaciones con las acciones y títulos extranjeros, tanto en las principales Bolsas como en los mercados de segundo orden de EE.UU., ya que se cuenta con la garantía de que los valores están depositados en un banco doméstico que ha emitido el ADR. *Véase* AMERICAN DEPOSITARY SHARE.

Recompra de acciones (*Stock buyback*) Utilización de excedentes para comprar acciones propias en el mercado o mediante una oferta.

Recompra de deuda (*Buy back*) Recompra en el mercado secundario de las obligaciones emitidas por el propio emisor de las mismas.

Recorrido (*Run* || *Range*) Secuencia de movimientos desarrollada por el precio de un valor en la misma dirección. Cuando la dirección del movimiento varía, el precio comienza un nuevo recorrido. || Diferencia entre el precio más alto y el más bajo de un valor en un cierto período.

Recorte (***Cut***) Separación de la acción y el cupón. || Descenso ligero en el cambio de cotización.

Rectángulo (***Rectangle***) Formación gráfica que se produce cuando el precio oscila entre dos bandas paralelas. Se considera una figura de continuación de tendencia.

Recuperación (***Rally***) Alza pronunciada de los precios en un mercado financiero.

Recursos ajenos (***Debt***; ***Borrowed funds***) La financiación del activo se lleva a cabo mediante dos clases de recursos, los propios y los ajenos, cuya diferencia principal es el carácter de exigibilidad de los últimos frente a la no exigibilidad de los primeros. La parte del activo fijo no cubierta con fondos propios tendrá una financiación a cargo de los recursos ajenos a medio y largo plazo. Una situación financiera perfecta podría definirse como aquella en la que el exigible a medio y largo plazo también financiara una parte del circulante; lo que no puede darse nunca es la financiación de parte del activo fijo con fondos ajenos a corto plazo.

Recursos financieros (***Sources of financing***) Son las fuentes de financiación de una empresa que se materializan en las inversiones o activos de ésta. Están recogidas en el pasivo del balance. Según su origen o naturaleza, se distinguen entre: créditos a corto, medio y largo plazo; financiación externa e interna y capitales permanentes y no permantentes.

Recursos generados (***Cash-flow***) El concepto de *cash-flow* de la empresa tiene dos acepciones, una de las cuales se refiere a los recursos generados por la empresa. Los recursos generados por la empresa durante un período determinado de tiempo están constituidos por los beneficios del ejercicio y las dotaciones a amortizaciones, provisiones e insolvencias definitivas. Esta definición, muy parecida a la desarrollada por la Central de Balances del Banco de España, se refiere a la capacidad de autofinanciación; son recursos generados por la empresa que se utilizarán para el pago de dividendos, si así lo decide la empresa, y al pago de impuestos, constituyendo la autofinanciación del período. Entonces podemos decir que los recursos generados se destinan a remunerar el capital propio de la empresa, las obligaciones con el Estado y al financiamiento propio.

Recursos propios (*Equity capital*; *Common equity*) Los recursos propios o fuentes de financiación propias están constituidas por los recursos financieros aportados por los accionistas, tanto inicial como sucesivamente, a través de ampliaciones de capital más los recursos generados por la empresa que permanecen en su poder. Los componentes de esta financiación propia son: el capital, las reservas, las provisiones de pasivo y los resultados pendientes de aplicación. De todos estos elementos, sólo las provisiones de pasivo tienen carácter de exigible, mientras que el resto son no exigibles.

Redescuento (*Rediscount*) Préstamos otorgados por el Banco de España a los bancos y cajas mediante endoso pleno de efectos o pólizas de crédito en función del límite de redescuento fijado por el banco central a cada entidad. Se trata de uno de los instrumentos con que cuenta la política monetaria para llevar a cabo su control sobre la cantidad de dinero. El banco central presta dinero a los bancos contra el papel o títulos que tienen en su poder, lo que supone un aumento de la oferta monetaria. Por este préstamo, el banco central cobra un interés denominado tipo de redescuento. La modificación del citado tipo influirá en el deseo de los bancos de pedir crédito y, por tanto, en la oferta monetaria.

Red herring (*Red herring*) Expresión coloquial utilizada en EE.UU. para referirse al folleto informativo (*prospectus*) de carácter preliminar que debe aprobar la SEC (*véase*) para las emisiones públicas de bonos o acciones. Contiene toda la información requerida por la SEC excepto el precio de oferta y el cupón de la nueva emisión. *Véase* FOLLETO PRELIMINAR DE EMISIÓN.

Reducción de capital (*Capital decrease*) Acto formal acordado por la Junta General de Accionistas por el cual se disminuye el capital social de una sociedad mercantil, disminuyendo el valor nominal de las acciones o amortizando un cierto número de ellas.

Reembolso de obligaciones (*Bonds repayment*) Acto por el que la sociedad satisface el importe de las obligaciones en el plazo convenido, con las primas, lotes y ventajas que se hubiesen fijado en la escritura de emisión.

Reestructuración de deuda (*Debt restructuring*) Modificación de las condiciones previamente establecidas en un préstamo o crédito, en favor del deudor, como puede ser una reducción del tipo de interés aplicable, un aplazamiento del pago, etc. *Véase* REFINANCIACIÓN.

Referencia técnica (*Identification Code*) Elemento identificador de los títulos en el sistema de fungibilidad de títulos por el que, en lugar de identificarse por su numeración en el sistema de liquidación y depósito de valores, queda sustituida por la referencia técnica, que es un mero apunte contable que aportan los medios informáticos al servicio del sistema.

Refinanciación (*Refinancing*; *Refunding*; *Rescheduling*) Sustitución de un crédito o préstamo por otra financiación distinta con diferentes condiciones. Esta operación se puede realizar para aprovechar la conyuntura del mercado, alargando el plazo de amortización o bajando el tipo de interés o porque el prestatario no puede hacer frente al pago. En el ámbito interbancario, toma de recursos que realizan algunas entidades de crédito para reponer los fondos prestados o dados a crédito. *Véase* CAPTACIÓN DE FONDOS.

Refugio fiscal (*Tax haven*) *Véase* PARAÍSO FISCAL.

Registrador (*Registrar*) Agente del prestatario que tiene la misión de inscribir la propiedad de títulos registrados. *Véase* TÍTULO REGISTRADO.

Registro Mercantil (*Mercantile register*) Oficina pública cuya finalidad principal es dotar de seguridad al tráfico mercantil y proteger a las personas que se relacionen o puedan relacionarse con los sujetos allí inscritos. La inscripción en el Registro Mercantil de los empresarios y los datos relativos a su actividad económica es obligatoria. Por ejemplo, las emisiones públicas de acciones u obligaciones realizadas en España son de registro obligatorio.

Regularización (*Restatement*) Actualización del valor de los elementos de la sociedad que aparecen en su contabilidad. Por la plusvalía reconocida se crea una reserva en el pasivo como contrapartida. Modificación del saldo de una cuenta para arreglar un error cometido con anterioridad o para cancelar saldos no reales.

Regularización contable (*Accounting restatement*) Conjunto de operaciones contables realizadas cada fin de ejercicio económico cuyo objetivo reside en cerrar la contabilidad para obtener el cálculo del resultado y formular las cuentas anuales del ejercicio que pongan de manifiesto la situación financiera y económica de la empresa.

Regularización de balances (*Balance sheet restatement*) Se trata de uno de los procedimientos, y en particular el adoptado en España, para la rectificación de la información económico-financiera por la incidencia de la inflación. La ley de regularización de balances española permite la revaluación de ciertos activos, como son los de naturaleza fija, por ser sus valores los más alejados en el tiempo y, por tanto, infravalorados por efectos de la inflación. Permite, además, poner al descubierto activos y pasivos ocultos contablemente y eliminar los activos y pasivos ficticios. Los bienes que pueden ser objeto de regularización son aquellos que se encuentren en uso y estén declarados explícitamente como regularizables. Así, tienen tal consideración los créditos, débitos, participaciones en sociedades y valores mobiliarios en moneda extranjera, valores mobiliarios en moneda nacional, las inmovilizaciones y sus respectivas amortizaciones. Mediante la aplicación de coeficientes de regularización se van creando diferentes cuentas de regularización referidas a cada ley que le permite dicha actualización.

Regulation A (*Regulation A*) Disposición de la *Securities and Exchange Commission* para simplificar el registro de pequeñas emisiones de títulos. Las emisiones basadas en esta disposición requieren un *prospectus* o folleto más corto e implica una menor responsabilidad para los consejeros y ejecutivos de la empresa.

Regulation Q (*Regulation Q*) Regla de la Reserva Federal de Estados Unidos que limita los tipos de interés que los bancos y otras entidades de ahorro pueden pagar sobre ciertos tipos de depósitos. El proceso de desregulación llevado a cabo ha eliminado de una manera significativa sus efectos regulatorios.

Regulation S (*Regulation S*) Regla, en EE.UU., controlada por la SEC, que establece las normas para la emisión de deuda y acciones en el Euromercado.

Regulation T (*Regulation T*) En EE.UU., regla de la Reserva Federal en relación con los créditos concedidos a *brokers* y *deleares* para la compra de títulos.

Regulation U (*Regulation U*) Regla de la Reserva Federal de EE.UU. que limita los márgenes sobre los créditos.

Reinversión (*Reinvestment*) Acción de invertir nuevamente los beneficios obtenidos en la misma o distinta actividad.

Relación real de intercambio (*Terms of trade*) En el comercio internacional, expresión referida a los términos reales en que una economía vende y compra productos. La relación real de intercambio es el cociente entre el índice de los precios de las exportaciones y el índice de los precios de las importaciones.

Remanente (*Unallocated income*) Beneficios, generalmente de escasa cuantía, que quedan pendientes de aplicación cuando se proceda a la distribución del resultado del ejercicio. Se puede asimilar a una reserva voluntaria, pero con una perspectiva temporal conocida, puesto que entrarán a formar parte de la próxima distribución de resultados sumándose a los beneficios de ese ejercicio, formando una nueva base de reparto que, a su vez, puede dar lugar a un nuevo remanente.

Remesa (*Batch*; *Remittance*) En banca, conjunto de efectos comerciales que una entidad recibe de un cliente para su descuento y abono en cuenta. || Modalidad de operación financiera por la que se transfieren fondos a otra plaza sin necesidad de efectuar el traslado físico mediante el envío de un efecto sobre la plaza para proceder al cobro.

Rendimiento (*Yield*) Ingreso anual en dividendos o intereses de un título, expresado como un porcentaje del precio del mercado.

Rendimiento actual (*Current yield*) Es la medida más sencilla de rendimiento de los bonos. En rendimiento actual es el beneficio anual percibido por una inversión inicial igual al valor nominal. El rendimiento actual es una medida tosca del valor de un título, puesto que no tiene en cuenta los efectos de una revalorización o depreciación de capital.

Rendimiento de los activos financieros (*Yield of financial assets*) Retribución para los suscriptores de cualquier instrumento destinado a la captación de recursos ajenos. Dicho rendimiento puede ser explícito (tipo de interés anual ya sea fijo o variable), implícito (diferencia entre el importe satisfecho en la emisión, primera colocación o endoso) y aquel que se comprometa a ser reembolsado al vencimiento o mixto (combinación de los dos anteriores).

Rendimiento de un bono (*Bond yield*) Es la tasa de rentabilidad expresada como porcentaje de su precio.

Rendimiento de una acción (*Stock yield*) Relación entre el dividendo anual que paga una acción y el precio corriente de mercado de la misma.

Rendimiento explícito (*Explicit yield*) Tendrán la consideración de rendimientos explícitos del capital mobiliario los intereses y cualquier otra forma de retribución expresamente pactada como contraprestación a la utilización o captación de recursos ajenos que no se encuentran incluidos en el concepto de rendimientos implícitos de activos.

Rendimiento implícito (*Implicit yield*) Tendrán la condición de rendimientos implícitos del capital mobiliario los generados mediante la diferencia entre el importe satisfecho en la emisión, primera colocación o endoso y el comprometido a reembolsar al vencimiento de aquellas operaciones cuyo rendimiento se fije, total o parcialmente, de forma implícita a través de documentos tales como letras de cambio, pagarés, bonos, obligaciones, cédulas y cualquier otro título similar utilizado para la captación de recursos ajenos. Se incluyen como rendimientos implícitos las primas de emisión, amortización o reembolso.

Rendimiento mixto Rendimiento producido por activos financieros que devengan rendimientos implícitos y explícitos.

Rendimiento nominal (***Nominal yield***) Es el rendimiento de un bono especificado en el propio título, igual al tipo de interés del cupón.

Rendimientos de escala (***Returns to scale***) Tasa de aumento de la producción cuando aumentan todos los factores productivos. Así, en el supuesto de que se dupliquen los factores, si la producción se duplica estaremos ante un proceso con rendimientos constantes de escala. Si aumenta la producción, pero en menor proporción en que lo hacen los factores, se trata de un proceso que presenta rendimientos decrecientes de escala; y si aumenta en mayor proporción que los factores, el proceso será de rendimientos crecientes de escala.

Renovación (***Roll over***) Término utilizado por los bancos cuando permiten a un prestatario retrasar el pago del principal de un préstamo. También, un país que tenga dificultades para el pago de su deuda, puede obtener una renovación (*roll over*) de sus acreedores. || Movimiento de fondos de una inversión a otra.

Rentabilidad (***Rate of return***) Capacidad de un bien para producir ingresos, rentas u otro tipo de utilidades y, en especial, la de un capital de producción de rentas.

Rentabilidad al vencimiento (***Yield to maturity***) Es la rentabilidad obtenida por un bono u obligación, a un precio dado, en la fecha de vencimiento.

Rentabilidad del accionista (***Stockholder profitability***) La rentabilidad del accionista es la relación que se establece entre lo que se ha invertido en una determinada acción y el rendimiento económico o resultado que proporciona. El rendimiento que un accionista puede obtener de una acción se mide computando los dividendos percibidos, las plusvalías o revalorizaciones en su cotización, así como las ventajas que puedan obtenerse por el carácter preferente de las ampliaciones de capital vía derechos de suscripción preferente.

Rentabilidad efectiva para el obligacionista (***Bondholder effective rate***) Es la rentabilidad efectiva del suscriptor de una emisión de obligaciones o bonos. Coincidirá normalmente con la rentabilidad real de la emisión, si bien puede no coincidir si existen gastos a su cargo con lo cual será menor, o en otro caso puede ser mayor que el nominal de la emisión si se emite bajo la par o se contemplan incentivos fiscales.

Rentabilidad por cupón (*Coupon profitability*) Relación entre el interés nominal o neto de un valor y el precio de adquisición, sin tener en cuenta las plusvalías o minusvalías que se obtengan en la venta o amortización. Puede considerarse como la rentabididad interna de una adquisición que tuviera garantizada la venta al mismo precio de compra y también como la que corresponde a una deuda perpetua cuyo rendimiento es solamente el cupón de interés.

Rentabilidad por dividendo (*Dividend yield*) Es la relación que se establece entre lo que se ha invertido en una acción y lo que se obtiene en calidad de dividendo. *Véase* RENTABILIDAD DEL ACCIONISTA.

Rentabilidad real (*Real return*) Rentabilidad calculada teniendo en cuenta la variación del valor del dinero.

Rentabilidad sobre activos (*Return on assets. ROA*) Porcentaje que mide la rentabilidad generada por los activos de una empresa mediante la relación entre el beneficio neto y los activos de dicha empresa.

Rentabilidad sobre recursos propios (*Return on equity. ROE*) Porcentaje que mide los resultados económicos de una empresa calculados por la relación entre el beneficio neto y los recursos propios.

Renta fija (*Fixed income security*) Instrumento de deuda cuyo tipo de interés está previamente fijado y no se hace depender de los resultados de la empresa que lo emite. *Véase* TÍTULO DE RENTA FIJA.

Renta monetaria (*Money income*) Renta medida en unidades monetarias.

Renta monopolística (*Monopolistic income*) Beneficios por encima de lo normal obtenidos por un monopolio.

Renta Nacional (*National income*) Suma de las remuneraciones que perciben los factores productivos de un país empleados en la producción de bienes y servicios durante un año. También, suma de las cantidades que los individuos de un país destinan al consumo y al ahorro durante un año.

Renta nominal (*Money income*) *Véase* RENTA MONETARIA.

Renta permanente (*Permanent income*) Renta que la familia considera como normal y, de acuerdo con la cual, establece sus planes de consumo y ahorro.

Renta per capita (*Per capita income*) Es la que se obtiene dividiendo la Renta Nacional entre el número de habitantes de un país.

Renta personal (*Personal income*) Renta recibida por las familias por concepto de sus servicios productivos y de transferencias antes del pago de impuestos.

Renta personal disponible (*Disposable personal income*) Renta que le queda a las familias después de pagar los impuestos. Se divide entre gastos de consumo, pago de intereses sobre las deudas del consumidor, y ahorro.

Renta real (*Real income*) Valor de la renta expresado en los bienes que se pueden comprar con ella.

Rentas generadas Este concepto de rentas es una ampliación del de recursos generados. Mientras que estos últimos se dedican a remunerar al Estado por el impuesto de beneficios, a los accionistas, y a autofinanciación de la empresa; las rentas generadas incluyen además el resto de destinatarios del reparto, como son el personal, los prestamistas, y además incrementan los recursos al Estado por los tributos ligados a la explotación.

Renta variable (*Equity securities*) Cualquier acción de una sociedad anónima. Se denomina así porque la rentabilidad de las acciones no está fijada de antemano, sino que depende de los beneficios de la empresa que representa. *Véase* TÍTULO DE RENTA VARIABLE.

Reparto de beneficios (*Profit sharing*) Operación contable que muestra la distribución anual del saldo de la cuenta de pérdidas y ganancias de una empresa entre dividendos, dotaciones a reservas, previsiones, etc.

Repatriación de capital (*Capital repatriation*) Entrada en un país de las divisas resultantes de la liquidación de inversiones o del producto de las colocaciones realizadas por residentes de dicho país en el extranjero.

Report (***Report***) Operación por la cual una persona que posee títulos los vende al contado a otra que posee dinero, recibiendo una suma efectiva. Simultáneamente, la segunda persona, reciente comprador de los títulos, los vende a plazo a la primera a un cambio superior al de la primera operación. La diferencia entre ambos cambios se denomina *report* o beneficio de la operación doble. Es la operación inversa del *deport* y es una modalidad de la operación doble. *Véase* DEPORT.

REPO Repurchase Agreement. *Véase* REPORT y DEPORT.

Representante (***Proxy***) Voto delegado de una persona en otra autorizándolo a ejercerlo, especialmente en las Juntas de Accionistas. Es muy utilizado por los accionistas que no pueden acudir a las Juntas Generales.

Rescate (***Redemption***) Recuperación de un préstamo, crédito o emisión de deuda antes del plazo previsto.

Rescate de obligaciones (***Bond redemption***) Las empresas pueden recuperar las obligaciones en circulación emitidas por ella; bajo los siguientes supuestos regulados por la Ley de Sociedades Anónimas: por las condiciones de la escritura de la emisión, por convenio entre la sociedad y el sindicato de obligacionistas o por su conversión en acciones.

Reservas (***Reserve***) Parte de los beneficios netos de una empresa que, en lugar de distribuirlos a los accionistas en forma de dividendos, los retiene la sociedad para desarrollar su producción, autofinanciación, asegurar los dividendos de ejercicios con menores beneficios, prevenir pérdidas eventuales, etc.

Reservas bancarias (***Bank reserves***) Proporción de los depósitos que los bancos deben mantener como efectivos para imprevistos, o depósitos sin intereses colocados en el banco central de cada país. *Véase* ACTIVOS DE CAJA DEL SISTEMA BANCARIO.

Reservas exteriores (***Foreign exchange reserves***) Reservas de divisas convertibles y metales preciosos de un país mantenidos para garantizar su solvencia y su liquidez en el cumplimiento de sus compromisos de pago internacionales.

Reservas líquidas legalmente requeridas (***Legal reserves***) Las reservas líquidas que los bancos y otras instituciones financieras deben mantener legalmente. En España estas reservas se mantienen en forma de depósitos en el Banco de España. *Véase* ACTIVOS DE CAJA DEL SISTEMA BANCARIO.

Residentes en el extranjero (*Non resident*) *Véase* NO RESIDENTE.

Resistencia (*Resistance*) En el análisis bursátil, precio que genera una oferta suficiente para detener una tendencia de precios alcista durante un período de tiempo apreciable o incluso invertir la tendencia. Una zona de resistencia será más significativa cuanto mayor sea su duración, esté más próxima en el tiempo y menores hayan sido las oscilaciones anteriores.

Responsabilidad ilimitada (*Unlimited liability*) Obligación legal de pagar las propias deudas, incluyendo el patrimonio personal si fuese necesario. Es propio de las sociedades colectivas y comanditarias.

Responsabilidad limitada (*Limited liability*) Cantidad que puede perder el accionista de una sociedad anónima en el caso de una quiebra. Está limitada a la cuantía pagada al adquirir acciones de la empresa. Es propio de las sociedades anónimas

Responsabilidad subsidiaria (*Secondary liability*; *Subsidiary liability*) Aquella que tiene un carácter de subsidiaria frente a otra principal. Implica un escalonamiento en las responsabilidades, pues en primer lugar se exigirá la responsabilidad al obligado principal, y sólo en el caso de que éste no pueda cumplir o satisfacer lo solicitado, podrá dirigirse la pretensión frente a los obligados subsidiarios.

Restricción de Ventas (*Selling retriction*) Limitación impuesta a los directores y grupos de venta respecto de donde pueden ser vendidos los títulos de una emisión y los términos en los que pueden ser vendidos durante su colocación en el mercado primario.

Resultado (*Performance* || *Result*) Es la valoración del rendimiento obtenido por una cartera de valores a lo largo de un cierto período de tiempo, teniendo en cuenta la rentabilidad obtenida y el riesgo soportado. || Posición de beneficios o pérdida que presenta la empresa en cada uno de los ejercicios económicos en que divide su vida productiva.

Resultado ajeno a la explotación (***Non operating income or loss***) Este tipo de resultado proviene de actividades que se realizan regularmente, pero cuyo carácter no es de actividad específica de explotación, sino que su realización es completamente accesoria para la empresa que las realiza.

Resultado de la explotación (***Operating income or loss***) Resultado obtenido como consecuencia de la actividad o actividades específicas que constituyen el objeto principal de la empresa.

Resultado extraordinario (***Extraordinary income or loss***) El proveniente de actividades que se realizan de manera ocasional, totalmente esporádicas, por lo que se catalogan como irregulares. Entre ellos se encuentra el resultado de la cartera de valores.

Retención (***Withholding*****;** ***Retention***) Deducción que se practica en una renta o ingreso a cuenta del pago de un impuesto que los grava. || Cantidad inicial de bonos que los directores principales ofrecen a los codirectores y conseguradores durante la distribución en el mercado primario de una nueva emisión.

Retención a cuenta (***Whithholding***) Porcentaje sobre determinados ingresos o rentas que las personas que los abonan, físicas o jurídicas, están obligadas legamente a retener e ingresar en el Tesoro en concepto de pago anticipado del impuesto.

Retracto (***Right of redemption***) *Véase* TANTEO.

Retroleasing (***Lease back***) Operación de *leasing* por la que un propietario vende un bien a una entidad de crédito con el compromiso de que ésta, de forma inmediata, se lo arriende mediante un contrato de *leasing financiero*. El vendedor consigue liquidez y una plusvalía, y el comprador cierra una operación a dos bandas con un margen asegurado.

Revaluación (***Revaluation***) En el sistema de tipo de cambios del Fondo Monetario Internacional, aumento en el precio de una unidad monetaria en términos de otra u otras monedas. Incremento en el valor de paridad de una moneda. Es lo contrario a devaluación.

Reversión (***Reversal***) Finalización de un movimiento tendencial de los precios y comienzo de otro en la dirección contraria. Cancelación de una provisión.

Revolving underwriting facility. RUF (***Revolving underwriting facility. RUF***) Emisiones de títulos al portador, normalmente pagarés, a corto plazo, tres o seis meses, renovables de conformidad con una línea de crédito *stand by* a medio o largo plazo, asegurada por un sindicato de bancos.

Riesgo (***Risk***) Incertidumbre sobre el futuro. Grado de incertidumbre que acompaña a un préstamo o una inversión. Posibilidad de que el rendimiento efectivo obtenido de una inversión financiera sea menor que el rendimiento esperado. Convencionalmente, se suele utilizar como medida del riesgo la variabilidad en la tasa de los rendimientos que se obtienen de la inversión, medida por la desviación típica o el coeficiente de variación.

Riesgo colateral (***Collateral risk***) En una financiación estructurada, viene representado por la incertidumbre de que los deudores del activo subyacente que respalda o garantiza el título pague en función de su compromiso.

Riesgo cuantificable (***Quantifiable risk***) Tipo de riesgo que se puede expresar mediante un número de una manera más o menos objetiva. *Véase* RIESGO DE MERCADO Y RIESGO DE CRÉDITO.

Riesgo de acontecimientos (***Event risk***) Riesgo de cambio en el valor de un activo o una posición debido a hechos como una fusión o una oferta pública de adquisición de la empresa en la cual se esté posicionado. Es, por tanto, un riesgo diferente del riesgo político, de mercado y de crédito.

Riesgo de base (***Basis risk***) Riesgo de variación entre dos tipos de interés. || Es el riesgo de que las variaciones que tienen lugar en un instrumento utilizado como cobertura compensen sólo parcialmente las alteraciones en las posiciones del instrumento cubierto debido a una variación en la base.

Riesgo de cambio (***Foreign exchange risk***) Riesgo de que una posición corta o larga en moneda extranjera registre pérdidas causadas por movimientos adversos en el tipo de cambio relevante.

Riesgo de cartera (***Inventory risk***) Riesgo derivado de la posesión o mantenimiento de una cartera de valores debido a la variabilidad de los precios de los activos que la componen.

Riesgo de cobro (*Default risk*) Riesgo de que un prestamista no reciba los intereses y el principal de la deuda en el plazo previsto. Una forma de medir este riesgo es mediante *ratings* emitidos por las Agencias de Rating. Cuanto más elevado (AAA o Aaa son los máximos otorgados por Standard and Poor's y Moody's, respectivamente) sea el rating menor es el riesgo de incumplimiento. Las emisiones del Tesoro se consideran sin riesgo en tanto que los bonos basura o *junk bonds* tienen un elevado nivel de riesgo. *Véase* CALIFICACIÓN DE SOLVENCIA.

Riesgo de crédito (*Credit risk*) También denominado riesgo de solvencia, es el riesgo típico y tradicional de las entidades bancarias al corresponder a las operaciones de préstamos, crédito y aval. Alude a la posibilidad de incurrir en pérdidas por el incumplimiento, total o parcial, de la devolución de los fondos prestados o avalados en una operación financiera a su vencimiento.

Riesgo de desbordamiento (*Spillover risk*) Riesgo de que una financiación no sea devuelta en el momento debido, convirtiéndose automáticamente en financiación a mayor plazo hasta el momento en que sea efectivamente reembolsada.

Riesgo de entrega (*Delivery risk*) En las trasacciones en moneda extrajera, es el riesgo que hay entre el momento de la liquidación de la divisa en el otro país implicado (fecha y hora) y el momento de la liquidación (fecha y hora) en el país de la divisa en cuestión.

Riesgo de liquidación (*Settlement risk*) Es el riesgo de que una de las partes de un contrato no realice a tiempo el pago por la liquidación de una obligación. Es parecido al riesgo de crédito. Aparte del caso de incumplimiento, también está la posibilidad de que no se puedan entregar los fondos por causas técnicas u operativas. En este caso, el pago se retrasará, pero probablemente será recuperado.

Riesgo de liquidez (*Liquidity risk*) Es el coste o penalización asociado a un mercado ilíquido. El riesgo de liquidez se refleja normalmente en un diferencial oferta-demanda más amplio y en una mayor volatibilidad de los precios en respuesta a cada intento de compra y venta. || En una Entidad de Depósito, es el coste o penalización asociado a retiradas de depósitos no anticipadas o a fallos en la entrada de depósitos esperados. Este tipo de riesgo se gestiona, normalmente, limitando posiciones poco líquidas o encajando los vencimientos de activos y pasivos.

Riesgo del negocio (*Business risk*) Riesgo debido a la incertidumbre acerca de las inversiones realizadas y del *cash flow* operativo entre otros sin considerar cómo son financiadas las inversiones.

Riesgo de mercado (*Market risk*) Posibilidad para un inversor de que las condiciones del mercado en el que se negocian los activos que posee modifiquen el valor de esos activos. Según los mercados, los riesgos pueden ser por una variación de los precios, por una variación del tipo de interés o por una variación del cambio cuando las inversiones no están realizadas en la moneda doméstica. Es posible que un determinado activo esté afectado por uno o más de los tipos de riesgos de mercado mencionados. Se suele denominar también riesgo de volatilidad que, en definitiva, viene a definir el grado de inestabilidad y sostenimiento de las tendencias en un mercado o sobre un activo o un conjunto de activos. *Véase* RIESGO SISTEMÁTICO y RIESGO ESPECÍFICO.

Riesgo de operación (*Transaction risk*) Riesgo que impide que se efectúe una operación debido, tanto a condiciones de mercado, como a problemas de liquidación.

Riesgo de precio (*Price risk*) Alude a la posibilidad de afloración de pérdidas por fluctuaciones en el valor de mercado de los activos, tanto de acciones y participaciones como de inmovilizado.

Riesgo de reinversión (*Reinvestment risk*) Es el riesgo al que se enfrenta un inversor de tener que reinvertir sus flujos de caja a tipos de interés significativamente menores que los de su inversión inicial. El problema de utilizar la rentabilidad a vencimiento como medida de rendimiento es que asume que los cupones cobrados van a ser reinvertidos al mismo tipo inicial. Los bonos cupón cero evitan el riesgo de reinversión porque sólo hay un pago, al vencimiento, y por tanto no se necesita reinvertirlo. En consecuencia, los cupones cero son muy utilizados como base para las curvas de rendimientos. *Véase* BONO CUPÓN CERO.

Riesgo de tipo de cambio (*Currency risk*; *Exchange rate risk*) Es el riesgo asociado a las variaciones en el tipo de cambio de una moneda. Tradicionalmente se desglosa en tres tipos de riesgo: transaccional, que es el riesgo asociado a una transacción específica; de conversión, por el que el riesgo de tipo de cambio afecta al balance de una empresa, y riesgo económico o estratégico, que es el riesgo del negocio a largo plazo debido a movimientos en el tipo de cambio.

Riesgo de tipos de interés (*Interest rate risk*; *Interest rate exposure*) Es el riesgo de pérdidas derivado de las variaciones absolutas o relativas de tipos de interés. Incluye riesgo de prepago, riesgo de reinversión, riesgo de volatilidad, *call risk* y riesgo a largo plazo. Para evitar o reducir este tipo de riesgo se utilizan instrumentos de cobertura.

Riesgo de transferencia (*Transfer risk*) Riesgo de que un prestatario que tiene la obligación de hacer un pago en moneda extranjera no pueda convertir sus flujos de caja en la moneda requerida en el momento oportuno.

Riesgo diversificable (*Diversifiable risk*) *Véase* RIESGO ESPECÍFICO.

Riesgo específico (*Specif risk*; *Unsystematic risk*) Se trata de uno de los riesgos que afectan al rendimiento de un valor mobiliario. En concreto, el rendimiento específico o propio del título depende de las características específicas de la entidad o empresa emisora: naturaleza de su actividad productiva, competencia del equipo directivo, planes de expansión, investigación y desarrollo, solvencia, tamaño, etc. Este riesgo es susceptible de reducirse por medio de una diversificación adecuada, por lo que se le conoce también como riesgo diversificable. *Véase* RIESGO DE MERCADO.

Riesgo financiero (*Financial risk*) Es el riesgo derivado de las operaciones de financiación de una empresa. Es el riesgo de no poder devolver un préstamo o crédito. Se mide por el ratio de endeudamiento.

Riesgo legal (*Legal risk*) Contempla la posibilidad de incurrir en pérdidas, como consecuencia del incumplimiento de disposiciones obligatorias, legales o reglamentarias, tales como la administración y custodia de valores o la fiscalidad de determinadas operaciones.

Riesgo no diversificable (*Non diversifiable risk*) *Véase* RIESGO SISTEMÁTICO.

Riesgo no sistemático (*Non systematic risk*) *Véase* RIESGO ESPECÍFICO.

Riesgo operativo (*Business risk*) *Véase* RIESGO DEL NEGOCIO.

Riesgo país (*Country risk*) Es una variante del riesgo de crédito, en la que éste se produce no por la insolvencia del prestatario, sino por la de su país de residencia, lo que puede suponer restricciones o prohibiciones de los pagos al exterior. Entre las razones que pueden impedir la recuperación del crédito se suelen considerar las de soberanía, es decir, el riesgo contraído con una situación de carácter público o con un prestatario que goce de su aval, el llamado riesgo soberano, o las de indisponibilidad de la divisa en que esté denominada la deuda, es decir, el riesgo de transferencia. *Véase* RIESGO SOBERANO.

Riesgo sistemático (*Systematic risk*) Se trata de uno de los riesgos que afectan al rendimiento de un valor mobiliario. En concreto, el riesgo sistemático o de mercado no depende de las características individuales del título, sino de otros factores como la coyuntura económica general, o acontecimientos de carácter político, que, a su vez, inciden sobre el comportamiento de los precios en el mercado de valores. Por tanto, es inherente al propio mercado en que se opera y a las actividades que en él se desarrollan y no eludible ni reducible a través de la diversificación, dada la correlación existente entre el rendimiento del resto de títulos a través de un índice bursátil que resume la evolución del mercado de valores. Por esto también se le conoce como riesgo no diversificable. Este tipo de riesgo, que afecta notablemente a la renta variable, puede contrarrestarse mediante la contratación de futuros sobre índices. *Véase* RIESGO DE MERCADO.

Riesgo sistémico En los mercados de productos derivados, es el riesgo de que una perturbación (en una empresa, en un segmento del mercado, en un sistema de liquidación, etc.) provoque la extensión de las dificultades a otras empresas, en otros segmentos del mercado o en el conjunto del sistema financiero como un todo.

Riesgo soberano (*Sovereign risk*) El Banco de España en las normas sobre riesgo-país contenidas en la Circular 4/1991, de 14 de junio, establece la siguiente definición de este componente del riesgo-país: «Riesgo Soberano es el de los acreedores de los Estados, o de Entidades garantizadas por ellos, en cuanto pueden ser ineficaces las acciones legales contra el prestatario o último obligado al pago por razones de soberanía». *Véase* RIESGO PAÍS.

Riesgo transaccional (*Transactional risk*) Riesgo que originan las operaciones no realizadas correctamente. Los factores de que depende son la calidad de los sistemas de información y control, la formación del personal, el volumen de operaciones y la complejidad de los instrumentos utilizados.

Riqueza (*Wealth*) La riqueza de una unidad económica está referida al capital no humano poseído por la misma en un determinado momento del tiempo, es decir, el conjunto de bienes, derechos y obligaciones que se pueden utilizar en el proceso de producción de la empresa. Este concepto se sitúa en un plano estático, con la idea de stock relacionado a un preciso instante de tiempo.

Rising star (*Rising star*) Se dice de entidad en la que el nivel de *rating* de su deuda ha mejorado significativamente.

ROAC Registro Oficial de Auditores de Cuentas.

Roadshow (*Roadshow*) Presentación diseñada con el fin de que los directivos de una empresa muestren su situación actual y perspectivas de futuro, tanto financieras como de negocio, a inversores institucionales y *dealers* regionales en los principales centros financieros internacionales.

Rolling over (*Rolling over*) Proceso por el cual un inversor cierra una opción o un contrato de futuros cercano a la fecha de vencimiento abriendo otra posición sobre el mismo lado del mercado (posición larga o corta) con una fecha de vencimiento más lejana. Cuando se reemplaza una opción por otra con un precio de ejercicio más elevado, se denomina *Rolling up*. Si se sustituye por otra opción con un precio de ejercicio más bajo se denomina *Rolling down*. Cuando se reemplaza una opción o un contrato de futuros por otro con una fecha de vencimiento más lejana se denomina *Rolling forward*.

Roll over risk (*Roll over risk*) Exposición a la reducción del precio de una opción o un contrato de futuros en el momento de cerrar una posición y abrir otra.

RORAC Return on Risk Adjusted Capital.

Rotación de activos (*Assets turnover*) Relación entre el activo total de una empresa y las ventas anuales de la misma, dando una idea de la movilización de la inversión de la empresa. A igualdad de margen comercial, la rentabilidad sobre fondos propios será tanto mayor cuanto mayor sea la rotación de activos.

Royalty (*Royalty*) Tributo o canon que grava las extracciones mineras, la cesión de uso de una patente industrial y los derechos de autor.

Routing (*Routing*) Sistema electrónico por el que las órdenes de los intermediarios financieros son directamente canalizadas al patio de operaciones de una Bolsa, o a su sistema informático central, mediante transmisión por ordenador.

RRP Rentabilidad sobre Recursos Propios.

RSA Rentabilidad sobre activos.

RSI *Véase* INDICADOR DE FUERZA RELATIVA.

Rule 144 (*Rule 144*) Regla de la *Securities and Exchange Commission* (SEC) en la que se exponen las condiciones bajo las cuales un emisor de títulos no registrados puede hacer una venta pública sin tener que registrar en la SEC el documento detallado de la oferta pública (*Registration Statement*).

Rule 144 A (*Rule 144 A*) Regla de la Securities and Exchange Commission (SEC), establecida en 1990 con el objetivo de atraer a empresas de EE.UU. y extranjeras para que emitan títulos mediante colocaciones privadas, permitiéndoles evitar el riguroso proceso de registro que se requiere para las colocaciones registradas públicas. Los inversores, en colocaciones privadas, deben tomar títulos por importes de 100 millones de dólares o más.

Rule 415 (*Rule 415*) Regla de la Securities and Exchange Commision (SEC) que permite el registro permanente de un título o una emisión con el fin de que pueda ser vendido periódicamente sin que sea necesario un registro separado de cada parte.

Running (*Running*) Expresión utilizada en el argot bursátil para denominar la introducción de rumores para modificar la cotización de un valor.

Running a position (*Running a position*) Mantener posiciones abiertas con el fin de obtener ganancias especulativas.

Ruptura (*Breakout*) Aumento significativo del precio por encima de un nivel de resistencia o descenso por debajo del nivel de soporte. La ruptura se suele considerar significativa cuando supera la línea de soporte o resistencia en más de un 3 por 100, especialmente si lo hace con volumen.

S

SA Sociedad anónima.

SACDE *Véase* SISTEMA DE ANOTACIONES EN CUENTA DE DEUDA DEL ESTADO ESPAÑOL.

SAFE *Synthetic Agreement for Forward Exchange.*

Sala de cambios (*Dealing room*) Departamento de una entidad bancaria o financiera en la que se contratan operaciones de cambio de divisas al por mayor, al contado y plazo, en el mercado interior y en los mercados internacionales.

Sala de tesorería (*Cash room*) Se denomina así al servicio en el que se realizan las operaciones de gestión de la tesorería de una entidad de crédito y que actualmente tiene que estar dotada de numerosos equipos técnicos para comunicación de los operadores con los *brokers* de los diferentes mercados en que actúe, o con los sistemas de contratación por pantalla que mantengan los rectores de cada mercado.

Salario en especie (*Wage in kind*) El salario pagado a través de bienes diferentes al dinero (uso de casa-habitación, agua, luz, manutención, etc.). Estas prestaciones o beneficios tendrán la consideración de salario siempre que se obtengan por razón, o en virtud del trabajo o servicio prestado por cuenta ajena.

Salario mínimo (*Minimun wage*) El salario más bajo que un empresario está legalmente obligado a pagar por una jornada de trabajo.

Salario nominal (*Nominal wage*) Es la cantidad de dinero que recibe el trabajador sin tener en cuenta el poder adquisitivo del mismo, es decir, sin tener en cuenta la tasa de inflación. *Véase* SALARIO REAL.

Salario real (*Real wage*) Es la cantidad de bienes y servicios que se pueden comprar con un salario monetario. Es el salario monetario después de haber eliminado la inflación. *Véase* SALARIO NOMINAL.

Saldo (*Balance*) Resultado final, deudor o acreedor, que arroja una cuenta en relación con las partes interesadas. Diferencia existente en un momento determinado entre el debe y el haber de una cuenta contable.

Saldo acreedor (*Credit balance*) Situación contable de una cuenta corriente, o el resultado de cierre de un conjunto de operaciones, caracterizados por el remanente favorable hacia una persona. En el ámbito bancario, situación en la que existen fondos en la cuenta a favor del titular.

Saldo deudor (*Debit balance*) Situación contable, opuesta al saldo acreedor, donde el resultado arroja una cantidad a compensar. En el ámbito bancario, situación de descubierto en la cuenta, es decir, el titular debe dinero al banco.

Salida a Bolsa (*Flotation (UK)*; Initial public offering (USA)) Consiste en la introducción a cotización en Bolsa de las acciones de una empresa que hasta ese momento no estaba admitida a cotización, mediante la oferta pública de sus acciones (OPV), bien de las que poseen los socios actuales bien mediante ampliaciones de capital. La salida a Bolsa de uena sociedad, además de exigir una determinada dimensión, por lo que no es una vía de financiación de capital disponible para todo tamaño de empresas, requiere un estudio muy detenido de las condiciones de emisión y de la coyuntura favorable para la salida, puesto que el arranque de la negociación marcará la apreciación futura del valor. En general, cuando las Bolsas son estrechas y tienen un comportamiento excesivamente sesgado a unos pocos sectores y con tendencia especulativa, el resultado de la introducción de la mayoría de los valores, en los primeros ejercicios, es negativo, salvo que se inicie su cotización infravalorada sobre el valor contable. *Véase* OFERTA PÚBLICA INICIAL y OFERTA PÚBLICA EN EL MERCADO SECUNDARIO.

Salida de capital (*Outflow capital*) Compra de activos extranjeros por parte de residentes. Un país registra una salida de capital cuando las compras de activos exteriores por parte de residentes son superiores a las compras de activos nacionales por parte de no residentes.

Salvedad (*Qualification*) Circunstancia que el auditor considera que podría tener un efecto significativo en las cuentas anuales y que hace constar en su informe de auditoría. También, en auditoría, se denomina reserva o calificación.

Scalping (*Scalping*) En el argot de los mercados anglosajones, operaciones realizadas por un inversor especulativo que busca obtener pequeños beneficios en el plazo de un día, o a muy corto plazo, aprovechándose de márgenes muy estrechos en jornadas contiguas y de las diferencias de precio entre los creadores de mercado en los mercados volátiles.

SCLV *Véase* SERVICIO DE COMPENSACIÓN Y LIQUIDACIÓN DE VALORES.

SEAQ (*Seaq*) *Véase* STOCK EXCHANGE AUTOMATIC QUOTATION.

SEAQ international (*Seaq international*) Bolsa informática de Londres poco reglamentada, donde unas cincuenta grandes firmas bursátiles, casi todas británicas, norteamericanas y japonesas, negocian grandes paquetes de acciones de conmpañías ianternacionales entre sí. Las acciones se dividen en varias categorías: alfa, beta, gamma y delta, dependiendo del volumen de negociación de que son objeto, su capitalización y el número de creadores de mercado que tienen.

SEBC *Véase* SISTEMA EUROPEO DE BANCOS CENTRALES.

SEC *Véase* SECURITIES AND EXCHANGE COMISSION.

Sector exterior (*Foreign sector*) Sector económico que recoge el conjunto de operaciones de naturaleza comercial y financiera de un país con el resto del mundo.

Sector primario (*Primary production*) Sector económico en el que se engloban las actividades relacionadas directamente con la naturaleza: agricultura, minería, caza, pesca, silvicultura, etc.

Sector Público español (*Spanish public sector*) El Sector Público español comprende toda la Administración Pública, Central y Territorial, los Organismos Autónomos Administrativos, la Seguridad Social y las Instituciones Financieras Públicas.

Sector secundario (*Secondary production*) Sector económico bajo el que se engloban todas las actividades relacionadas con la producción de bienes físicos a partir de materias primas. Abarca la fabricación de bienes de consumo e inversión y la construcción.

Sector terciario (*Tertiary production*) Sector económico bajo el que se engloban todas las actividades relacionadas con la producción de servicios. Incluye la banca, seguros, comercio, transporte, comunicaciones, turismo y todo tipo de asesorías.

Securities and Exchanges Comission. SEC (*Securities and Exchanges Comission. SEC*) Agencia creada en EE.UU. para la protección de los inversores norteamericanos en los mercados financieros de dicho país, como organismo de control y vigilancia del funcionamiento de las Bolsas. Tiene asignadas funciones de información sobre los valores que se contratan en los mercados públicos, el establecimiento de normas profesionales, el control de toda clase de operaciones y la vigilancia de las operaciones que tienen acceso a información privilegiada.

Segunda ventanilla (*Second window*) *Véase* PRÉSTAMOS DE APOYO EN ÚLTIMA INSTANCIA DEL BANCO DE ESPAÑA.

Segundo mercado (*Second market*) Mercado bursátil especialmente destinado a favorecer el acceso al mismo de pequeñas y medianas empresas, como eventual paso previo hacia el primer mercado. Con este objeto, sus condiciones de cotización son menos rigurosas que en el primero.

Seguro de cambio (*Exchange insurance*) Es sinónimo de Contrato de Forward. Su nombre proviene de la función de cobertura para la que, a amenudo, se utiliza la operación.

Sellado de acciones (*Shares stamped*) Estampillado de acciones. Función que consiste en poner una estampilla o sello al dorso de los cupones garantizando que los derechos de ampliación o los dividendos correspondientes han sido devengados y abonados al beneficiario de los títulos. De este modo, se evita el coste y la remesa de cupones por parte de las entidades depositarias a las entidades emisoras.

Separación de cupones (*Coupon stripping*) Es el proceso de generación de títulos cupón cero a partir de activos de renta fija convencionales. Dichos títulos de cupón cero pueden producirse o bien separando los abonos del cupón de la amortización del principal, o vendiendo recibos respaldados por los cupones y el principal de títulos que el comisario mantiene en depósito.

SEPI Sociedad Estatal de Participaciones Industriales.

Serie de una opción (*Option serie*) En el lenguaje de los mercados de opciones se denomina así a aquellas opciones que tienen el mismo Precio de Ejercicio y la misma Fecha de Vencimiento.

Serie temporal (*Time serie*) Se denomina serie temporal o histórica a una sucesión cronológicamente ordenada de observaciones cuantitativas de un fenómeno tomadas en distintos momentos o períodos de tiempo. Se trata, por tanto, de una distribución bidimensional en la que la variable independiente es el tiempo y la dependiente la variable observada. El análisis de las series temporales permite conocer la evolución que a través del tiempo experimenta una variable observada y posibilita, suponiendo que en el futuro inmediato no se originan cambios de tipo estructural, realizar predicciones de valores futuros de esa variable.

Serpiente monetaria (*Monetary snake*) Dentro del proceso de construcción del Sistema Monetario Europeo, se entiende por serpiente monetaria el acuerdo entre algunos países de la Unión Europea de mantener sus monedas dentro de un margen reducido de flotación. *Véase* SISTEMA MONETARIO EUROPEO.

Servicio de compensación y liquidación de valores. SCLV Servicio que realiza el registro contable de las anotaciones en cuenta de los valores negociables en Bolsa, así como la gestión en exclusiva de la compensación de valores y efectivo derivada de la negociación bursátil.

Servicio de la deuda (*Debt service*) Pagos realizados por el prestatario, tanto del principal de la deuda como de los intereses.

Servicio telefónico del mercado de dinero. STMD (*Phone service of the money market*) Servicio del Banco de España que tiene encomendada la ejecución, compensación y liquidación de operaciones, mediante comunicación telefónica, en los mercados interbancarios y de Deuda Pública anotada. También canaliza las intervenciones monetarias del Banco de España y tiene a su cargo la realización de las transferencias internas e interbancarias.

Set off (*Set off*) En caso de mora, es el derecho del prestamista a realizar la deuda por el saldo vivo.

SEUO Salvo error u omisión.

Several (*Several*) En el contexto de una garantía en la que hay más de un garante, cuando la responsabilidad de cada uno de ellos se limita solamente a la parte que ha garantizado. *Véase* MANCOMUNADA Y SOLIDARIAMENTE.

SGC Sociedad Gestora de Carteras.

SGIIC Sociedad Gestora de Instituciones de Inversión Colectiva.

SGR *Véase* SOCIEDAD DE GARANTÁ RECÍPROCA.

Shelf registration (*Shelf registration*) Referencia a la Securities and Exchange Commission Rule 415, que permite el registro anticipado de títulos.

Shopping (*Shopping*) La búsqueda del mejor precio de demanda u oferta disponible mediante la llamada a diversos *dealers* y *brokers*.

Short against the box (***Short against the box***) Vender a descubierto contra una posición larga existente como una medida temporal para evitar impuestos.

Short squeeze (***Short squeeze***) Período de rápido aumento de precios en el mercado debido a la cobertura de posiciones cortas de profesionales más que por demanda de inversores. Es una situación técnica y no debida necesariamente a cambios fundamentales a largo plazo en el mercado.

SIB *Véase* SISTEMA DE INFORMACIÓN BURSÁTIL.

SICOVAM Société Interprofesionnelle pour la Compensation des Valeurs Mobilières.

Sigma (***Sigma***) Medida de desviación estándar o volatilidad de un subyacente.

SIM *Véase* SOCIEDAD DE INVERSIÓN MOBILIARIA.

SIMCAV *Véase* SOCIEDAD DE INVERSIÓN MOBILIARIA.

Simultáneas Operaciones de compraventa de Bonos del Tesoro, casi idénticas a las operaciones *repos*, pero con un rango mayor de posibilidades. Juegan un papel importante en la financiación de las carteras de deuda y en la inversión extranjera.

Sindicato de acciones (***Stock syndication***) Medida preventiva que restringe el poder de venta de las acciones, condicionándolas a la opción preferente del sindicato, con lo que se dificultan las posibles ofertas de adquisición hostiles.

Sindicato asegurador (***Underwriting syndicate***) Grupo de entidades que se forma para garantizar la colocación de una nueva emisión de bonos o acciones de un emisor para lo cual el grupo compra la emisión entera para revenderla después públicamente.

Sindicato bancario (***Bank syndicate***) Conjunto resultante de la unión de bancos para acometer una operación que por su riesgo o por su volumen no puede afrontar un solo banco. Es típica la formación del sindicato para emisiones exteriores y para colocar y garantizar emisiones en el mercado interior.

Sindicato de accionistas (***Syndicate of stockholders***) Asociación entre todos o una parte de los propietarios de acciones de una sociedad y entre cuyos pactos suele figurar la prohibición de enajenarlas durante el transcurso de un período, o la obligación de solicitar del Consejo de Administración la autorización para vender. En estos casos se dice que las acciones están sindicadas. Es una medida preventiva para dificultar posibles ofertas de adquisición hostiles.

Sindicato de colocación (***Allocation syndicate***) Agrupación de varios bancos o entidades financieras, que se ponen de acuerdo y se reparten los títulos de una emisión o una colocación de acciones y los riesgos de la operación.

Sindicato de garantía (***Guarantee syndicate***) Agrupación de entidades financieras que coloca una emisión de valores mobiliarios haciéndose cargo de los no colocados.

Sindicato de obligacionistas (***Syndicate of bandholders***) Es el integrado por todos los obligacionistas, tanto los suscriptores presentes como los futuros adquirentes de obligaciones. El sindicato de obligacionistas se constituye de manera obligatoria, una vez se inscriba la escritura de emisión, entre los adquirientes de las obligaciones a medida que vayan recibiendo los títulos o practicándose las anotaciones. Su función principal es la defensa de los legítimos intereses de los obligacionistas en su condición de acreedores frente a la sociedad emisora.

Sinergia (***Synergy***) En sentido general significa colaboración o cooperación, concurso, actividad conjunta o combinada. Se utiliza con mayor frecuencia para expresar que el resultado que se obtiene de determinada acción conjunta o combinada de dos o más factores o agentes es superior que el que se podría obtener de la actividad independiente de cada factor.

Sinergia financiera (***Financial synergy***) Ventajas derivadas de la fusión de empresas, tales como el aumento de la capacidad financiera o la reducción del coste de la misma.

Sin gastos (***No protest***) Cláusula que puede aparecer en la letra de cambio, mediante la cual el librador advierte al tomador que si la letra no es aceptada o pagada, el librador se compromete a abonar su importe al tomador sin necesidad de presentarla al protesto.

Sistema bancario (***Banking system***) Conjunto de instituciones bancarias que forman parte del sistema financiero. Agrupa a los intermediarios financieros bancarios o entidades de depósito, y está integrado por la Banca Privada, las Cajas de Ahorros y las Cooperativas de Crédito.

Sistema crediticio (*Credit system*) El sistema crediticio está formado por las entidades componentes del sistema bancario: Banca Privada, Cajas de Ahorros y Cooperativas de Crédito, junto con el Banco de España y el Instituto del Crédito Oficial.

Sistema de Anotaciones en Cuenta de Deuda del Estado Español. SACDE Sistema integrado por la Central de Anotaciones en Cuenta de Deuda del Estado y por los mercados primario y secundario de deuda anotada. Constituye un sistema de tenencia y negociación de Deuda del Estado instrumentado mediante anotaciones en cuenta.

Sistema de compensación y liquidación (*Clearing system*) Conjunto de normas y sistemas operativos que facilitan la compensación de los contratos de futuros u otros activos financieros negociados en un mercado organizado. *Véase* CÁMARA DE COMPENSACIÓN Y LIQUIDACIÓN.

Sistema de contratación por pantalla (*Screen based system*) Sistema de negociación de valores en el que los precios de oferta y demanda se publican en las pantallas de ordenador de los distintos operadores, cerrándose las operaciones de compra y venta a través de la misma pantalla.

Sistema de información bursátil. SIB (*Stock exchange information system*) Creado y mantenido por la Bolsa de Madrid, facilita información automáticamente de un banco de datos que abarca datos bursátiles de todos los valores cotizados, tales como cambios registrados, volúmenes y frecuencia de cotización, y datos económico-financieros de las empresas emisoras, gráficos, ratios, etc.

Sistema de la Reserva Federal (*Federal Reserve System. FED*) Es el banco central de EE.UU. Está formado por un grupo de doce bancos, uno por cada distrito en que se divide el país. Está supervisado por la Junta de Gobernadores de la Reserva Federal, encabezados por su presidente. Las actuaciones en política monetaria suelen realizarse a través del Banco de la Reserva Federal de Nueva York.

Sistema de tipo de cambio libre o flexible (***Free exchange rate system***) Cuando la oferta y la demanda de divisas determinan libremente el tipo de cambio.

Sistema de tipos de cambio fijos y ajustables (***Fixed and floating exchange rates system***) Sistema por el cual los países fijan los tipos de cambio, pero se reservan el derecho de modificarlos en el caso de desequilibrios importantes.

Sistema Europeo de Bancos Centrales. SEBC (***European System of Central Banks***) Se crea, al igual que el Banco Central Europeo, en virtud del Tratado de Unión Económica y Monetaria y el protocolo sobre cohesión social firmado en la cumbre europea de Maastricht. Su entrada en vigor se contempla al inicio de la tercera fase de dicha unión económica y monetaria, el 1 de enero de 1999, o antes, si se cumplen las condiciones de convergencia establecidas y media acuerdo entre los países miembros. Su objetivo fundamental, dentro del principio de una economía de mercado abierto y de libre competencia, será mantener la estabilidad de los precios, sin perjuicio de su apoyo a las políticas económicas generales de la Comunidad con el fin de contribuir a la realización de sus objetivos. Entre sus funciones se incluyen: definir y ejecutar la política monetaria de la Comunidad, realizar operaciones de cambio de divisas, poseer y gestionar las reservas oficiales de divisas de los Estados Miembros y promover el funcionamiento fluido de los sistemas de pagos. Estará compuesto por el Banco Central Europeo y por los bancos centrales de los Estados Miembros.

Sistema financiero (***Financial system***) Conjunto de instituciones que proporcionan los medios de financiación al sistema económico para el desarrollo de sus actividades. El sistema financiero canaliza el ahorro por medio de sus instituciones hacia la formación de capital a través de los mercados financieros que constituyen, en su sentido amplio, el mercado de fondos prestables. Este mercado se suele dividir, de acuerdo con la característica de sus activos, en mercados de valores y mercado crediticio.

Sistema monetario (***Monetary system***) Estructura y organismos que configuran la organización de un país en todo lo concerniente al dinero y a las operaciones que de él se derivan.

Sistema Monetario Europeo. SME (*European monetary system. EMS*) Conjunto de instituciones, acuerdos, mecanismos de cambios y reglas de intervención en los que participan, total o parcialmente, todos los países integrados en la UE en pro de la estabilidad monetaria y de la integración económica. Su mecanismo de funcionamiento se articula sobre la parrilla de paridades centrales bilaterales entre las monedas participantes.

Sistema nacional de compensación electrónica Conjunto de procedimientos electrónicos, medios técnicos y normas de actuación mediante los cuales las entidades de depósito llevan a cabo, a escala nacional y por cuenta propia, de sus clientes o de otras entidades, el establecimiento de los saldos de efectivo resultantes entre ellos y la liquidación de estos saldos sobre sus cuotas abiertas en el Banco de España.

Slippage (*Slippage*) Cuando en una operación de compra de acciones de una empresa (*Buy-out*) se requiere más dinero efectivo de lo esperado porque los costes superan la cantidad presupuestaria o porque las ventas crecen demasiado lentamente.

SME *Véase* SISTEMA MONETARIO EUROPEO.

SMMD *Véase* SOCIEDAD MEDIADORA DEL MERCADO DE DINERO.

Sobre la par (*Above par*) Cuando la cotización es superior al valor nominal. Emisión de un título por encima de su valor nominal.

Sobrecomprado (*Overbought*) Fase del mercado en la que el precio ha subido muy deprisa y muy abruptamente, por lo que se presume que puede haber una corrección. *Véase* SOBREVENDIDO.

Sobrevalorado (*Overvalued*) Título cuyo precio de mercado es superior al que se deduce del análisis fundamental. *Véase* INFRAVALORADO.

Sobrevendido (*Oversold*) Fase del mercado en la que el precio ha bajado muy rápida y profundamente, por lo que es de esperar una reacción al alza. *Véase* SOBRECOMPRADO.

Sociedad anónima (*Incorporated company* [*USA*]; *Public limited company* [*UK*]) Es la forma de organización empresarial más frecuente. En una sociedad anónima el capital está dividido en acciones. Los propietarios de una sociedad anónima-sólo son responsables de las inversiones que realizan en ellas.

Sociedad de capital riesgo (*Venture capital*) Sociedad anónima cuyo objeto es la creación y promoción de nuevas empresas mediante participaciones temporales en su capital, por lo que asumen un elevado riesgo, y de las que esperan desprenderse con una rentabilidad elevada cuando la nueva empresa se haya consolidado.

Sociedad de cartera (*Portfolio company*) Sociedad cuyo objeto es la tenencia de acciones de otra u otras sociedades, con el fin de controlarlas o de obtener beneficios por la vía de dividendos y plusvalías.

Sociedad de contrapartida (*Market maker*) Sociedad cuyo objeto social exclusivo es el de hacer de contrapartida, es decir, proporcionar posición compradora y vendedora de tal forma que permita una adecuada liquidez a los títulos y asegurar un mercado continuado. *Véase* CREADOR DE MERCADO.

Sociedad de garantía recíproca. SGR (*Reciprocal guarantee company*) Sociedad que se dedica a la concesión de garantías recíprocas a las pequeñas y medianas empresas asociadas con ella con el objeto de que puedan disponer créditos bancarios para la realización de sus proyectos empresariales.

Sociedad de inversión especial (*Special investment society*) Se trata de una sociedad de inversión, pero que no coloca los capitales a invertir en cualquier valor, sino en valores determinados pertenecientes a sectores específicos. Por ejemplo, los FONDTESORO, son fondos que sólo invierten en instrumentos de Deuda Pública en España.

Sociedad de inversión mobiliaria. SIM (*Security investment company*) Instituciones de inversión colectiva que adoptan en España la forma de sociedades anónimas, y cuyo objeto exclusivo es la adquisición, excluidas tomas de participación mayoritarias o de control, tenencia, disfrute, administración y enajenación de valores mobiliarios y activos financieros en general, con vistas a lograr los correspondientes rendimientos y plusvalías para sus socios, en el marco de una adecuada diversificación de riesgos. Dentro de ellas, cabe distinguir entre las que tienen capital social fijo determinado en sus estatutos, SIM, y las sociedades de inversión mobiliaria de capital variable, SIMCAV.

Sociedad de responsabilidad limitada (***Private limited company* [*UK*]**) Sociedad que no puede ofrecer acciones al público. Sus accionistas sólo pueden obtener capital de bancos, sociedades de capital riesgo o de sus propios familiares o amigos.

Sociedad de valores. SV (***Brokering company***) Sociedad dedicada a la realización de operaciones en los mercados de valores, tanto por cuenta propia como por cuenta ajena. En España tienen su origen en la Ley del Mercado de Valores, de 1988. *Véase* AGENCIAS DE VALORES.

Sociedad emisora (***Issue company***) Aquella que emite y pone en circulación valores de renta fija (obligaciones, bonos, cédulas, etc.) o de renta variable (sus propias acciones).

Sociedades Rectoras de las Bolsas de valores (***Stock exchange operating companies***) Sociedades anónimas nacidas a raíz de la Ley de Reforma del Mercado de Valores español de 1988. Son las encargadas de regir y administrar las Bolsas de Valores, para lo cual son responsables de la organización de los servicios necesarios y titulares de los medios precisos de funcionamiento. Sus acciones son nominativas, y sólo pueden adquirirlas las sociedades y agencias de valores miembros de la correspondiente Bolsa.

Sociedades y agencias de valores (***Securities dealer***) Sociedades anónimas surgidas con la Ley de Reforma del Mercado de Valores español de 1988, que participan en la negociación bursátil. Las sociedades pueden actuar por cuenta propia y por cuenta ajena, contar en su accionariado con personas físicas y jurídicas, y realizar determinadas actividades privativas, tales como las de actuar como titulares de cuentas en la Central de Anotaciones, otorgar créditos relacionados con las operaciones de compraventa de valores y asegurar la suscripción de emisiones. Las agencias, por su parte, sólo pueden actuar por cuenta ajena, y deben tener entre sus accionistas únicamente personas físicas, en el caso de que formen parte de una Bolsa de Valores.

Sociedad gestora de carteras. SGC (*Portfolio managing company*) Es una sociedad anónima cuyo objeto exclusivo es la gestión y administración de las carteras de valores y otros activos financieros de sus clientes.

Sociedad gestora de instituciones de inversión colectiva. SGIIC Sociedad anónima cuyo objeto social exclusivo es la administración y representación de las Instituciones de Inversión Colectiva. Los Fondos de Inversión Mobiliaria y los Fondos de Inversión en Activos del Mercado Monetario, al tratarse de patrimonios colectivos sin personalidad jurídica, precisan obligatoriamente de una Sociedad Gestora de Instituciones de Inversión Colectiva cuya función principal será la gestión y administración de los valores y activos de su cartera y la representación del Fondo. Las Sociedades de Inversión Mobiliaria de Capital Fijo o de Capital Variable, al ser sociedades anónimas tienen sus propios órganos societarios para su gestión y administración, aunque cuando así se prevea en los Estatutos, la Junta General podrá encomendar la gestión global de los activos junto a otras funciones de administración y representación a una Sociedad Gestora de Instituciones de Inversión Colectiva.

Sociedad instrumental (*Holding company*) Sociedad que crea la empresa adquiriente de otra u otras empresas para realizar sus transacciones a través de ella, limitando de este modo las responsabilidades de la sociedad matriz. || Empresa que posee más del 50 por 100 del capital de otra empresa, teniendo, en consecuencia, el control sobre ella.

Sociedad interpuesta (*Nominee*; *Nominal owner*) Sociedad que aparece como titular de unos valores sólo a efectos nominales, siendo el propietario real un tercero que no figura, con el fin de asegurar el anonimato.

Sociedad matriz (*Parent company*) Sociedad tenedora que controla directa o indirectamente un grupo de empresas. *Véase* FILIAL.

Sociedad mediadora del mercado de dinero. SMMD (*Money market house*) Sociedad financiera en España que actúa por cuenta propia comprando y vendiendo instrumentos a muy corto plazo en los mercados monetarios. Ha de constituirse necesariamente como sociedad anónima. Su gestión está bajo el control del Banco de España. Actualmente ya no existen, habiendo sido sustituidas por los Establecimientos Financieros de Créditos (*véase*).

Sociedad transparente Sociedad sometida al régimen de transparencia fiscal definido como un régimen de imputación de rentas por el cual las rentas obtenidas por una sociedad o los socios o partícipes se integran en su base imponible del Impuesto sobre la Renta de las Personas Físicas, independientemente de que los beneficios se hayan acumulado o se hayan distribuido como dividendos.

Socio capitalista (*Capitalist partner*) Socio que aporta capital a un negocio, como por ejemplo los socios de las Sociedades Anónimas y de Responsabilidad Limitada. Se opone a socio industrial o comanditario.

Socio fundador (*Founding partner*) Persona que se encarga de gestionar los trámites de constitución de una sociedad de la que será miembro. Puede tener ciertos derechos económicos en el reparto de resultados, materializados en las acciones o bonos de fundador.

Socio industrial (*Industrial partner*) Persona que, en lugar de capital, aporta al fondo común conocimientos profesionales y servicios, a cambio de una participación en los beneficios futuros, e incluso una parte del valor liquidativo de la sociedad.

Solvencia (*Solvency*) Es la capacidad de la empresa para atender el pago del pasivo exigible de la compañía. Este concepto está muy relacionado con el concepto de liquidez, si bien la solvencia incorpora una dimensión patrimonial y del nivel de riesgo que en determinado momento presenta la empresa para los terceros.

Soporte (*Backing*) En el análisis técnico bursátil, precio tal que genera una demanda suficiente para detener una tendencia de precios bajista durante un período de tiempo apreciable o incluso invertir la tendencia. Una zona de soporte será más significativa cuanto mayor sea el volumen de acciones intercambiadas en ella, mayor sea su duración, más próxima en el tiempo esté y menores hayan sido las oscilaciones anteriores.

Sorteo (*Drawing*) Procedimiento de azar utilizado en la amortización de obligaciones de acuerdo con el sistema de sorteo que se haya establecido y en fecha determinada.

Sostenido (*Maintened*) En sentido bursátil, mercado estable cuyos precios no bajan.

Split (*Split*) Aumento en el número de acciones en circulación de una empresa mediante la división en dos o más de cada acción existente, asignándole un valor nominal proporcionalmente menor. Con ello se reduce el precio unitario con el consiguiente incremento de la liquidez sin que varíe el valor de capitalización de la empresa. *Véase* SPLIT INVERSO.

Split inverso (*Reverse split*) La fusión de varias acciones en una nueva. *Véase* SPLIT.

Sponsor (*Sponsor*) Inversor importante, normalmente una institución o una sociedad de inversión, cuya favorable opinión sobre un título influye en otros inversores, creando una demanda adicional sobre dichos títulos.

Spot (*Spot*) Referente a cambios de divisas, cotización al contado. *Véase* AL CONTADO y VALOR SPOT.

Spraddle (*Spraddle*) Es una combinación de opciones similar al *straddle* (*véase*), en la cual los *put* y *call* tienen el mismo vencimiento pero diferentes precios de ejercicio. El precio de ejercicio del *put* es inferior al precio de ejercicio del *call*, abriendo una horquilla de precios sobre la fecha de ejercicio en la cual ambas opciones expiran sin valor.

Spread (*Spread*) Operación que combina una compra y una venta de contratos de opciones con el mismo activo subyacente, pero con diferentes características de precios de ejecución o de fecha de vencimiento. *Véase* MARGEN.

Spread a ratio (*Ratio spread*) Compra o venta de opciones de compra o venta con idéntica fecha de vencimiento, precios de ejercicio diferentes y en proporciones distintas.

Spread alcista (*Bull spread*; *Call spread*) Estrategia de compra y de venta simultáneas de opciones de compra o de venta que anticipa una tendencia alcista del mercado. También, operación de arbitraje inversa a la del *spread bajista*, en la que se compra el contrato de futuros más cercano y se vende el de vencimiento más lejano.

Spread bajista (*Bear spread*; *Put spread*) Estrategia que combina la compra y la venta simultánea de opciones de compra o de venta anticipando una tendencia bajista del mercado. También, operación de arbitraje consistente en vender contratos de futuros de vencimiento más cercano y comprar los de vencimiento más alejado. Esta estrategia se aplica cuando se anticipa un descenso del precio del contrato más cercano respecto al más alejado.

Spread diagonal (*Diagonal spread*) Es un *spread* en el que las distintas opciones difieren tanto en su precio de ejercicio como en su plazo.

Spreading (*Spreading*) En el mercado de futuros, la compra de un contrato y la venta de otro de vencimiento cercano para aprovecharse de un estrechamiento o una ampliación anticipada del margen.

Spread intermercado (*Intermarket spread*) Es una operación de arbitraje en la que se combinan la compra y la venta simultánea de un mismo contrato de futuros y con un mismo vencimiento, pero en dos mercados de futuros distintos.

Spread intramercado (*Intramarket spread*) Es una operación de arbitraje en la que se combinan una compra y una venta de contratos de futuros, ambos sobre un mismo activo subyacente, pero con ditintas fechas de vencimiento.

Spreadtion (*Spreadtion*) *Véase* SPREAD OPTION.

Spread option (*Spread option*) Es una opción que cierra un margen o *spread* sobre el tipo de interés de un instrumento financiero.

SPV *Véase* VEHÍCULO CON UN PROPÓSITO ESPECIAL.

Squeeze (*Squeeze*) Período de estrechez monetaria, en el que el dinero es escaso y los tipos de interés son elevados, haciendo que los préstamos sean más caros y difíciles de conseguir. || Situación en la que los aumentos de costes no pueden ser cargados a los clientes en forma de mayores precios. || Situación en la que los precios de los futuros empiezan a aumentar y los inversores que están vendidos (posición corta) se ven forzados a cubrir sus posiciones para evitar pérdidas elevadas.

SRL Sociedad de responsabilidad limitada.

STAFF (*Staff*) Palabra que hace referencia a los empleados o trabajadores de una empresa, es decir, a su plantilla. Más específicamente, dentro de la estructura jerárquica de la empresa, son los especialistas encargados de asesorar a los directivos o los que se encargan de una materia específica.

Standard & Poor's Corporation (*Standard & Poor's Corporation*) Agencia de calificación crediticia, *rating*, norteamericana, a través de la sociedad holding *Standard & Poor's Rating Group*. En España se ha introducido creando la filial Iberating. Dicha entidad es la creadora y gestora de los índices bursátiles de difusión mundial, cotizados en Bolsas importantes de EE.UU. Los códigos de calificación de esta agencia, como de las restantes, se establecen por letras a las que añaden números o el signo más (+) para matizar la evaluación. Para el corto plazo (emisiones y deudas hasta un año, normalmente pagarés de empresa o de certificados de depósito) aplica los siguientes símbolos:

A1+ = La más alta calificación, asignada a deuda de seguridad absoluta en cuanto al pago a los vencimientos de principal e intereses.

A1 = Grado de seguridad muy alto para responder a los pagos al vencimiento tanto por principal como por intereses.

A2 = Seguridad alta para responder a los pagos del vencimiento de deuda e intereses, pero no tan fuerte como la calificación precedente.

A3 = Capacidad de pago al vencimiento de deuda e intereses suficiente, pero la empresa presenta mayor vulnerabilidad que en las calificaciones precedentes ante cambios adversos en la coyuntura.

B = Se estima suficiente la capacidad de atender el pago del servicio de la deuda, pero es muy importante la dependencia de la evolución de la coyuntura. Circunstancias adversas impedirían probablemente el atender a su debido tiempo las obligaciones de la deuda.

C = Calificación para emisiones extremadamente especulativas, tanto por condiciones intrínsecas como por razones de coyuntura, siendo dudosa la capacidad para atender el pago de la deuda.

D = Deuda que tiene en descubierto el pago de intereses y/o principal, aun cuando exista plazo de gracia no vencido. Se asigna a emisiones y deudas en situación de mora.

S&P emplea también la (i) para acompañar a deudas soberanas emitidas por gobiernos que no han solicitado la calificación explícitamente para sus emisiones. Las calificaciones para emisiones a largo plazo (vencimiento a más de un año) se identifican con los siguientes símbolos:

AAA = Deudas de inmejorable calidad. Garantía total de reembolso y pago de interés.

AA = Gran capacidad de esta deuda para atender el pago de principal e intereses a su vencimiento.

A = Gran capacidad para atender al servicio de la deuda a su vencimiento, pero, aunque tiene cobertura de protección, presenta mayor sensibilidad a verse afectada por cambios de coyuntura o circunstancias económicas que las deudas a las que se asignó la categoría precedente.

BBB = Capacidad de pago correcta, pero la protección podría deteriorarse, debilitándose sus posibilidades de pago.

BB = En el plazo corto es menos vulnerable, pero tiene componentes especulativos y protección moderada, por lo que a largo plazo pueden surgir dificultades para atender el servicio de la deuda.

B = La capacidad de pago es pequeña y se producirán fácilmente retrasos en el servicio de la deuda, por presentar una importante vulnerabilidad al empeoramiento de las circunstancias económicas o financieras.

CCC = Existe una dependencia absoluta de la evolución de las circunstancias económicas y financieras tanto en la socidad como generales. Por consiguiente, al momento de la emisión las probabilidades de atender a su debido tiempo el servicio de la deuda dependen fuertemente de la evolución.

CC = Deuda con elevado componente especulativo o deudas subordinadas respecto a la prelación de créditos en empresas que para otra deuda no tendrían calificación elevada. La probabilidad de incumplimiento a los plazos fijados es elevada.

C = Deuda que no paga intereses en el momento de calificación.

D = Deuda en situación de mora. *Véase* AGENCIA DE CALIFICACIÓN, CALIFICACIÓN DE TÍTULOS, CALIFICACIÓN DE SOLVENCIA y MOODY'S INVESTOR SERVICE.

Statement of Financial Accounting Standards n.º 77 (*FAS 77*) Instrucción concerniente a los estándares contables para las transferencias de activos exigibles con recurso en EE.UU. Fue emitida por la Financial Accounting Standards Board en diciembre de 1983.

Step-down swap (*Step-down swap*) *Swap* en el que el tipo fijo (o, alternativamente, el principal nocional) cae uno o más puntos durante la vida del *swap*. *Véase* STEP-UP SWAP.

Step-up swap (*Step-up swap*) *Swap* en el que el tipo fijo (o, alternativamente, el principal nocional) aumenta uno o más puntos durante la vida del *swap*. *Véase* STEP-DOWN SWAP.

STMD *Véase* SERVICIO TELEFÓNICO DEL MERCADO DE DINERO.

Stock Exchange Automatic Quotation. SEAQ (*Stock Exchange Automatic Quotation. SEAQ*) Sistema computerizado de cotización y negociación de valores de la Bolsa de Londres, en el cual los creadores de mercado cotizan precios de compra y de venta con un diferencial dentro del cual se negocian los precios finales a los que se cierran las transacciones. Se trata de un mercado poco reglamentado y en el que sólo intervienen grandes firmas bursátiles.

Stop (*Stop*) Límite que se fija un inversor cuando tiene una posición abierta en un mercado de futuros para evitar incurrir en pérdidas o ver muy reducidas sus ganancias si el mercado comienza a moverse en sentido adverso a su posición, de tal forma que, si el precio de mercado alcanza el límite fijado, automáticamente se liquida la posición mantenida. *Véase* ORDEN STOP-LOSS.

Stop and go (*Stop and go*) Expresión inglesa que, aplicada a las cotizaciones bursátiles, significa aceleración y desaceleración alternativas.

Orden stop-loss (*Stop-loss order*) Orden de cierre de una posición en el caso de que los precios alcancen un nivel dado, a partir del cual el tenedor incurriría en pérdidas.

Straddle (*Straddle*) Un *straddle* consiste en la compra o venta del mismo número de opciones de compra y de venta, sobre el mismo activo subyacente, con el mismo precio de ejercicio y con la misma fecha de vencimiento.

Straddle comprado (*Long straddle*) Sinónimo de *Straddle inferior*. (*Véase*.)

Straddle inferior (*Bottom straddle*) Estrategia que consiste en la compra simultánea de una opción de compra y una opción de venta sobre el mismo activo subyacente y con iguales precios de ejercicio e iguales vencimientos. Suele ser realizada por inversores que anticipan una fuerte volatilidad del precio del activo subyacente, ya que una fuerte oscilación del mismo al alza o a la baja le favorecería. Si dicho precio no se aparta del precio de ejercicio de las opciones, la pérdida resultante se limita al coste de las dos primas pagadas. Si el precio se mueve en cualquier dirección, la estrategia deparará una ganancia neta cuando dicho movimiento consiga compensar el coste de las primas de las opciones.

Straddle superior (*Top straddle*) Estrategia consistente en la venta simultánea de una opción de compra y otra de venta, con el mismo activo subyacente, precio de ejercicio y fecha de vencimiento. Se suele utilizar cuando se espera que la cotización continúe cerca de su valor actual, es decir, se espera poca volatilidad del precio del activo subyacente. La estrategia deparará un beneficio máximo potencial igual a la suma de las dos primas cuando ninguna de las dos opciones sea ejercida. En caso de fuerte movimiento del precio del activo subyacente, las pérdidas no están limitadas.

Straddle vendido (*Short straddle*) Sinónimo de *Straddle superior*. (*Véase*.)

Strangle (*Strangle*) Es la compra o venta del mismo número de opciones de venta y de compra sobre el mismo activo subyacente, con la misma fecha de vencimiento, pero con distintos precios de ejercicio. *Véase* CONO y STRAP.

Strangle comprado (*Long strangle*) Sinónimo de *Strangle inferior*. (*Véase*.)

Strangle inferior (*Bottom Strangle*) Estrategia consistente en combinar la compra de una opción de compra con un precio de ejercicio alto y la compra de una opción de venta con un precio de ejercicio más bajo y con el mismo vencimiento. Se utiliza cuando la cotización del activo subyacente está entre los precios de ejercicio de las dos opciones y se anticipa una fuerte volatilidad del precio del activo subyacente. En el caso de que la volatilidad sea pequeña, en contra de las previsiones del inversor, las pérdidas están limitadas al coste de las primas. El potencial de beneficios no está limitado.

Strangle superior (*Top Strangle*) Estrategia consistente en la combinación de la venta de una opción de compra con un precio de ejercicio alto y la venta de una opción de venta con un precio de ejercicio más bajo e idéntico vencimiento. Se utiliza cuando la cotización del activo subyacente está entre los precios de ejercicio de las dos opciones y se anticipa estabilidad del precio del activo subyacente. Las pérdidas no están limitadas en caso de fuertes oscilaciones en el precio del activo subyacente.

Strangle vendido (*Short Strangle*) Sinónimo de *Strangle superior*. (*Véase*.)

Strap (*Strap*) Una posición en el mercado de opciones que consiste en la adquisición de dos opciones de compra y una sola opción de venta, todas con el mismo precio de ejercicio y la misma fecha de vencimiento. Se pone en práctica cuando el operador espera un crecimiento en la volatilidad del mercado y cree más probable un alza del precio del instrumento subyacente que un descenso del mismo. La pérdida máxima está limitada al coste de las primas de las opciones. *Véase* CONO y STRANGLE.

Street (*Street*) Comunidad financiera de Wall Street.

Strip (*Strip*) En relación con un bono, práctica de separar el cupón del principal, siendo negociados independientemente desde entonces. (*Véase* STRIPS). || Referido a opciones, consiste en un contrato con dos opciones de compra (*put*) y una de venta (*call*) con el mismo instrumento subyacente, precio de ejercicio y fecha de vencimiento. (*Véase* STRAP). || Referidos a las acciones, la compra de acciones con la intención de cobrar sus dividendos (*Stripping dividend*).

STRIPS (*Separately Traded Registered Interest and Principal Securities*) Consiste en la práctica de dividir una obligación en dos partes: capital y sus cupones. El capital es vendido como una obligación cupón cero y los cupones como títulos que sólo devengan interés.

Subasta (*Auction*) Venta pública efectuada al comprador que, compitiendo con otros, hace la oferta más alta, es decir, los que exijan menor rentabilidad a los títulos. Se utiliza para la colocación de Deuda Pública.

Subasta competitiva (*Tender*; *Competitive bidding*) Tipo de subasta en el que se hace una oferta sin conocer el precio que ofrecen los competidores. Hacer una oferta formal para comprar un título. Se denomina así a la subasta decenal de CBE's del Banco de España, o la subasta semanal de Treasury Bill del Banco de Inglaterra, en la que anuncian el importe y/o el vencimiento, aceptando ofertas sólo por encima de un tipo mínimo, que es fijado en línea con los objetivos de política monetaria. *Véase* SUBASTA.

Subasta decenal del Banco de España El Banco de España convoca una subasta competitiva de adquisición temporal, generalmente de diez días naturales, si bien ajustándose a los días exactos de cada decena a efectos del Coeficiente de Caja, de Certificados del Banco de España o de Deuda Pública o Privada en poder del sistema bancario.

Subasta de dinero (***Money auction***) Es el sistema mediante el cual el Banco de España asigna las cantidades que presta, a muy corto plazo, a los intermediarios financieros para que éstos puedan cubrir sus necesidades de liquidez.

Subasta holandesa (***Dutch auction***) Sistema de subasta en el cual el precio de un título es rebajado gradualmente hasta encontrar una oferta.

Subasta no competitiva (***Non-competitive auction***) En los mercados de emisión de Deuda Pública, subasta de títulos en la que todos los ofertantes pagan el precio medio resultante, si bien el importe aceptado es restringido.

Subida técnica (***Technical rally***) Subida a corto plazo de un mercado cuando su tendencia es bajista.

Subject (***Subject***) Precio o indicación de precio que no es firme y que no puede ser considerado como base para una transacción. También puede ser considerado en el sentido de sujeto a confirmación.

Subrogación (***Subrogation* || *Pass-through***) Colocación de una persona o cosa en el lugar de otra. Especialmente, la sustitución de una persona por otra, pasando una a ocupar el puesto de otra, adquiriendo los derechos y acciones que la otra le cede o asumiendo las obligaciones ajenas, ocupando el lugar del obligado anterior. La subrogación es una modalidad de modificación de las obligaciones por sustitución de la persona del acreedor. || Certificado que acredita la propiedad de un grupo de hipotecas. Los pagos mensuales por intereses y amortizaciones y los pagos anticipados de principal se subrogan a los dueños de estos certificados por compañías dedicadas al pago de hipotecas.

Subsidiario (***Subsidiary***) *Véase* FILIAL.

Subvenciones de capital (***Capital grants*; *Investment subsidies***) Son las cantidades reconocidas a favor de la empresa en concepto distinto de las aportaciones a realizar por socios o accionistas a fondo perdido y con carácter no regular o periódico para la sociedad perceptora, con la finalidad de favorecer la instalación o inicio de las actividades o la realización de inversiones en inmovilizado o gastos de proyección plurianual.

Suelo (*Bottom*; *Floor*) En el análisis técnico, el menor de los precios representado en un gráfico dentro de una tendencia bajista. || *Véase* FLOOR.

Suelo de cabeza y hombros (*Head and shoulder bottom*) En el análisis técnico, figura de idénticas características al techo de cabeza y hombros, pero invertida. *Véase* TECHO DE CABEZA Y HOMBROS.

Suelo doble (*Double bottom*) En el análisis técnico, dos bajas mínimas del precio separadas por una reacción al alza, dentro de una tendencia bajista. Suele interpretarse como signo de reversión de tendencia.

Sujeto a cargas (*Encumbered*) Activo sobre el que se posee la propiedad, pero que, por otra parte, hay sobre el mismo alguna exigencia legal, como por ejemplo una hipoteca.

Sujeto pasivo (*Tax payer*) Es la persona natural o jurídica que según la ley resulta obligada al cumplimiento de las prestaciones tributarias, sea como contribuyente o como sustituto del mismo.

Superávit (*Surplus*) Cantidad en la que los ingresos superan a las ventas.

Superávit de la balanza comercial (*Trade surplus*) La cuantía en que las exportaciones de mercancías exceden a las importaciones. Lo contrario para el déficit. *Véase* BALANZA DE PAGOS.

Superávit de la balanza por cuenta corriente (*Surplus on current account*) La cantidad en que las exportaciones de bienes y servicios de un país exceden a la suma de sus importaciones de bienes y servicios y las transferencias unilaterales netas a otros países. Lo contrario para el déficit. *Véase* BALANZA DE PAGOS.

Superávit de la balanza de pagos (*External surplus*) Un saldo de la balanza de pagos positivo. Esto hará aumentar las reservas de divisas de un país. Lo contrario para el déficit. *Véase* BALANZA DE PAGOS.

Supranacional (*Supranational*) Institución financiera, soportada por un Gobierno soberano, que actúa como vehículo conductor de financiación para el desarrollo de sectores económicos y regiones internacionales. Ejemplo de supranacionales son el Banco Mundial, el Banco Europeo de Inversiones y Eurofima.

Suscripción (*Subscription*) Operación que consiste en el compromiso de adquirir los valores emitidos por una sociedad. En el acto de la suscripción se exige el desembolso total si se trata de obligaciones, mientras que en las acciones el desembolso del capital puede ser total o parcial.

Suscriptor (*Subscriber*) Persona que suscribe títulos en una emisión. *Véase* SUSCRIPCIÓN.

Suspensión de la cotización Período de tiempo en el que no se contratan valores mobiliarios, ya sea en todas las Bolsas o en una sola. También puede referirse a un determinado valor cuando concurran circunstancias no comprobadas que puedan afectar profundamente a sus cambios.

Suspensión de pagos (*Suspensión of payment*) Situación legal que solicita un empresario que, aun teniendo bienes suficientes para pagar sus deudas, prevé que no podrá hacerlo en los plazos convenidos por no disponer de liquidez.

Swap (*Swap*) Operación financiera en la que dos partes acuerdan intercambiar, durante cierto período de tiempo, los flujos de ingresos/pagos de dos instrumentos financieros, basados en un mismo importe nominal. Los *swaps* se utilizan normalmente para evitar el riesgo asociado a la concesión de un crédito, a la suscripción de títulos de renta fija, siendo el interés fijo o variable, o al cambio de divisas. Es una operación de permuta de obligaciones financieras sin alterar las obligaciones contractuales de los activos o instrumentos que contienen las obligaciones que se intercambian. Las partes no tienen por qué conocerse entre sí. Es un instrumento utilizado en el mercado financiero internacional, con intervención usualmente de bancos, por multitud de empresas para reducir los riesgos por la volatiliad de los tipos de interés y la flotación de los cambios de las divisas.

Swap amortizable (*Amortising swap*) *Swap* de divisas o de tipo de interés que viene caracterizado por la variabilidad del principal nominal de la operación durante la vida del *swap* ya que se permite su amortización en sentido creciente o decreciente durante la misma.

Swap cancelable (*Cancelable swap*) Es un *swap* que incorpora el derecho para su contratante de cancelar anticipadamente la operación con respecto a su vencimiento originalmente acordado.

Swapción (*Swaption*; *Option swap*) Es un instrumento que confiere a su comprador el derecho, pero no la obligación de realizar un *swap de tipos de interés* durante un período determinado y por una suma especificada en el contrato, mediante el pago de una prima. La opción incorporada al *swap* se refiere generalmente al componente de tipo fijo de la misma. El tipo al que podrá cerrarse la permuta se denomina tipo de ejercicio, y se corresponde con el tipo fijo que se cobrará o pagará contra un tipo variable. *Véase* SWAPCIÓN DEL PAGADOR, SWAPCIÓN DEL RECEPTOR y SWAP CONTINGENTE.

Swapción del pagador (*Payer swaption*) Es una opción que confiere a su comprador el derecho a realizar un *swap* en el que pagará un tipo de interés fijo y recibirá un tipo de interés variable. *Véase* SWAPCIÓN y SWAPCIÓN DEL RECEPTOR.

Swapción del receptor (*Receiver swaption*) Es una opción que confiere a su comprador, a cambio del pago de una prima, el derecho a realizar un *swap* en el que recibirá un tipo de interés fijo y pagará un interés variable. *Véase* SWAPCIÓN y SWAPCIÓN DE PAGADOR.

Swap circus (*Circus swap*) *Swap* acordado entre dos partes que tienen contraídas deudas en monedas distintas y de modo que los tipos de interés de dichas deudas son fijos en un caso y variables en el otro. Las partes comienzan por intercambiarse los principales de sus respectivas deudas, y se comprometen a hacerse cargo del servicio de la deuda de su contraparte durante el tiempo acordado, al término del cual volverán a intercambiar los principales de sus deudas.

Swap contingente (*Contingent swap*) *Swap* de tipo de interés que sólo se activa en determinadas circunstancias, generalmente relacionadas con el nivel que alcance un cierto tipo de interés. Las *swapciones* conforman el tipo de *swaps* contingentes más comunes. *Véase* SWAPCIÓN.

Swap cupón cero (*Zero coupon swap*) *Swap* en el cual una parte paga los flujos en base cupón cero contra otra forma de pago de intereses explícitos.

Swap cruzado de interés y divisas (*Cocktail swap*) Es una operación de *swap* que implica el intercambio de pagos en diferentes divisas y con tipos de interés distintos, en la que puede haber múltiples participantes.

Swap de acciones (*Equity swap*) *Swap* en el que, al menos uno de los *cash flows* está definido como el rendimiento de una posición en acciones.

Swap de deuda por capital (*Debt equity swap*) Un *swap de deuda* consiste en la compra de títulos en el mercado secundario a descuento, conforme a la valoración que determine el mercado según diferentes factores como: volumen de deuda, expectativas económicas y políticas del país deudor, comportamiento previsible de los acreedores, etc. La deuda se cotiza a descuento y suele negociarse de manera directa con las autoridades económicas de los países afectados. Es el mecanismo adoptado por una gran parte de países en vías de desarrollo con dificultades de liquidez para convertir su deuda externa en títulos participativos del capital de las empresas locales, públicas o privadas.

Swap de deuda por deuda (*Debt for debt swap*) Permuta de créditos bancarios en divisas por deuda de nueva creación, pero con unas condiciones y características de inversión sustancialmente distintas.

Swap de divisas (*Currency swap*) Es una transacción en la cual dos partes intercambian cantidades especificadas de distintas divisas en un primer momento para reembolsarlas a plazo de acuerdo a condiciones determinadas que reflejarán los abonos de intereses y la amortización del principal. Los flujos de un *swap de divisas* en los que los pagos se basan en intereses fijos de cada divisa son generalmente similares a los de las transacciones de divisas al contado, *spot*, y a plazo, *forward*.

Swap de divisas fijo-fijo (*Cross currency fixed to fixed swap*; *Currency swap*) Es un *swap* en el que los pagos se efectúan en dos divisas distintas, siendo los pagos por intereses fijos y con las mismas fechas de intercambio de pagos. En esta operación se intercambia el principal de las deudas, lo cual lleva emparejado el asumir el pago de los intereses que vaya devengando, aun cuando cada una de las partes siga siendo el deudor titular de la deuda. *Véase* SWAP DE DIVISAS.

Swap de divisas fijo-variable (*Cross currency coupon swap*) Es un *swap* que implica el intercambio entre dos partes de flujos de pagos referidos a deudas denominadas en divisas diferentes, siendo los pagos por intereses uno a tipo fijo y el otro a tipo variable.

Swap de divisas variable-variable (*Cross currency basis swap*) Es un *swap* que implica el intercambio entre dos partes de flujos de pagos referidos a deudas denominadas en distintas divisas y siendo ambas deudas de tipo variable.

Swap de tipos de interés (*Interest rate swap*) Un *swap* de intereses es una permuta de flujos de caja con diferentes tasas de rendimiento entre dos agentes económicos. En general, se intercambia un flujo de caja a tipo de interés fijo por un flujo de caja a interés variable, aunque en monedas como el dólar se realizan permutas de caja a interés variable con diferentes tasas de referencia: *Libor*; *Prime Rate*, *Rendimiento de T-bills*, etc. Los objetivos fundamentales a lograr mediante un *swap* de interés son: a) reducción de costes financieros, y b) reducción del riesgo de intereses.

Swap de tipos de interés fijo-variable (*Fixed to floating swap*) Intercambio entre dos partes de flujos de pagos denominados en la misma divisa, recibiendo una parte los intereses a un tipo de interés fijo y realizando los pagos a tipo variable, asumiendo la otra parte la operación contraria. No existe intercambio de flujos en concepto de principal. Se trata de la operación de *swap* más clásica y frecuente. El *swap de intereses* fue diseñado para beneficiarse de un arbitraje entre las calificaciones del mercado de bonos a interés fijo y el mercado de crédito a corto plazo con tipo variable.

Swap de tipos de interés variable-variable (*Floating to floating swap*) Intercambio de intereses de la deuda entre dos partes, siendo ambas deudas de la misma moneda y de tipos variables, pero calculándose los intereses de cada una a partir de unos tipos de referencia diferentes. Al vencimiento de cada período de pago de intereses se produce un solo flujo en el sentido de la parte cuyo tipo de interés haya sido más favorecido por el mercado.

Swap de vencimiento ajustable (*Extendible swap*) *Swap* cuya fecha de vencimiento puede ser alargada en algún momento de su vida.

Swap in arrears (*In arrears swap*; *Reset swap*) *Swap* en el que el tipo de interés flotante se calcula al final de cada período de intereses y no al inicio como es habitual.

Swap inverso (*Reverse swap*) Operación utilizada para compensar el riesgo de tipos de interés o divisas de un acuerdo *swap* vigente. Pueden establecerse con la misma contrapartida que el *swap* original o con cualquier otra institución.

Swap loan (*Swap loan*) Operación propia de empresas multinacionales con la sede de la matriz o de una filial en un país de los denominados paraísos fiscales. La filial constituye un depósito en un banco establecido en estos centros financieros, *off shore*, y con su garantía otra oficina de este grupo bancario concede un préstamo en otro país a la matriz o a la filial de la propia multinacional.

Swap prolongable (*Extension swap*) Operación encaminada a alargar el plazo de amortización de un instrumento a través de un *swap*. Por ejemplo, vender dos títulos a dos años y comprar uno con un plazo ligeramente mayor.

Swap sobre la curva de rendimiento (*Yield curve swap*) *Swap* cuyo valor depende de la pendiente de la curva de rendimiento y, particularmente, del diferencial entre los tipos a dos plazos diferentes.

Swap spread (*Swap spread*) Diferencia, expresada en términos de rentabilidad, entre el tipo de interés a pagar sobre un instrumento de renta fija utilizado como *benchmark*, típicamente un Bono del Tesoro, y el tipo de interés a pagar en un *swap* de tipos de interés de igual vencimiento. En EE.UU., los tipos *swap* cotizan con un margen sobre el Tesoro, mientras que en el resto de monedas cotizan en tipos absolutos. El riesgo de cambio en un *swap spread* puede ser cubierto a través de un contrato de cierre de un *swap spread* específico.

SWIFT (*Swift*) Acrónimo de *Society for Worldwide Interbank Financial Telecommunications.* Es un sofisticado sistema de comunicaciones participado por numerosos bancos de diferentes países. Permite a los bancos enviarse mensajes de una forma segura dando instrucciones sobre los pagos que se han de realizar entre ellos. Tiene su sede en Bruselas.

Swingline (*Swingline*) Medio para la obtención de fondos a corto plazo para cubrir el período entre la oferta de un pagaré emitido bajo el programa de emisión de pagarés y la recepción de los fondos. *Véase* LÍNEA DE CRÉDITO.

Switch (*Switch*) Cambio de un título por otro. || Término inglés con el que se designa la venta de valores cuyas perspectivas no parecen favorables, al objeto de invertir el producto en valores que se consideren más ventajosos desde cualquier punto de estimación a corto plazo.

Switch option (*Switch option*) Opción que permite a su tenedor la posibilidad de cambiar el activo subyacente por otro.

T

T Treasury. As in T-bill, T-bond and T-note.

Tablero (*Board*) Término utilizado para designar el lugar situado en el recinto de la Bolsa donde van apareciendo los cambios que se forman de los valores para el conocimiento general.

TACA Tasa anual de crecimiento acumulativo.

TAE *Véase* TASA ANUAL EQUIVALENTE.

Takedown (*Takedown*) Parte de una emisión de títulos asignada a un Banco de Inversión para ser distribuida en el mercado primario. || Precio al que son colocados los títulos de una emisión a los miembros del grupo asegurador.

Taking a view (*Taking a view*) Formarse una opinión acerca de la dirección de la futura evolución de los tipos de interés y actuar en consecuencia.

Tancredos Inversores inmovilistas. Aquellos que no se ocupan de su cartera de valores, o bien los que poseen buenos valores de los que obtienen una cierta rentabilidad, por lo que prefieren no arriesgarse en busca de mayores rendimientos.

Tanteo (*Tentative*) Derecho reconocido legal o convencionalmente a favor de una persona para adquirir con preferencia a terceros, por el mismo precio, un bien cuya enajenación a título lucrativo se pretende. El derecho de tanteo, como derecho de adquisición preferente, se encuentra en íntima relación con el retracto, configurándose como las dos caras de la misma moneda. El tanteo se ejerce con anterioridad a la transmisión. Es el deseo que tiene una persona para ser puesto en conocimiento de la intención de transmitir un bien o derecho a un tercero, para que durante un plazo señalado pueda adquirir dicho bien por el mismo precio por el que la enajenación se pretende. Por el contrario, el retracto es la posibilidad a favor de esa misma persona para dejar sin efecto la enajenación ya consumada, es decir, el retracto se ejerce *a posteriori*, cuando la transmisión ya se ha efectuado.

Tanto de interés equivalente a otro descuento Para que el tanto de interés (i) sea equivalente al tanto de descuento (d), los valores actuales que se obtienen aplicando uno y otro han de ser iguales. Para el caso de una renta unitaria:

$$(1 + i)^{-1} = (1 - d)$$

donde el tanto de descuento (d) es el valor actual del tipo de interés:

$$d = i\,(1 + i)^{-1}$$

y el tanto de interés (i) es el valor final del tanto de descuento:

$$i = d\,(1 + i)$$

Tap (***Tap***) Aproximación al mercado con el propósito de obtener fondos.

Tap basis (***Tap basis***) En el mercado de *eurocommercial paper*, método de emisión por el que el *dealer* se aproxima al inversor en busca de papel, en lugar de esperar que sea el emisor el que busque una propuesta del *dealer*.

Tap issue (***Tap issue***) Emisión inicial de eurobonos que puede ser seguida de posteriores emisiones dentro de un mismo programa.

TARGET Futuro sistema de grandes pagos del SEBC (*véase*). Es un sistema descentralizado, basado en la interconexión de los sistemas de pago de cada país, ajustándose al principio de subsidiariedad. Es un sistema de liquidación bruta en tiempo real. Su objetivo principal es ofrecer un vehículo ágil y seguro para la ejecución de la política monetaria única. Podrán conectarse al sistema todos los Bancos Centrales de la Unión Europea y no sólo aquéllos integrados en la UME-11. Según un calendario diseñado en tres fases, su implantación deberá estar operativa el 1-1-1999.

Tarifa (***Fare* || *Tariff***) Escala, generalmente progresiva, que refleja porcentualmente los tipos a aplicar a las bases en ciertos impuestos. || Precio de algunos servicios públicos.

Tarjeta de crédito (***Credit card***) Documento que justifica la solvencia de un titular, siendo aceptado como medio de pago en un determinado número de establecimientos de venta de bienes de consumo y servicio. Dadas su función y aceptación cada vez más generalizada y el material de que está hecha, se le considera y denomina dinero de plástico.

Tasa anual equivalente. TAE (***Effective annual rate of interest***) Expresión del coste del dinero que se toma en préstamo, o de la rentabilidad de una operación financiera, incluyendo todos los recargos, comisiones bancarias y demás gastos repercutibles que, en general, supongan ingresos para la entidad financiera, de modo que se haga equivaler al tipo de interés efectivo anual, calculado éste con arreglo a las disposiciones establecidas por el Banco de España.

Tasa crítica de rentabilidad (*Hurdle rate*) Tasa de retorno mínima aceptable de una inversión.

Tasa de inflación (*Rate of inflation*) La tasa de inflación es el aumento anual porcentual del nivel general de precios, normalmente medido a través del Indice de Precios al Consumo, IPC, u otro índice similar. La hiperinflación es una tasa de inflación tan elevada (mil o un millón por ciento anual), que el público se deshace rápidamente del efectivo antes de que pierda totalmente su valor. La inflación galopante se trata de una tasa del 50, 100 o 200 por 100. La inflación moderada es un aumento del nivel de precios, de manera que no distorsiona gravemente los precios relativos o las rentas.

Tasa interna de rentabilidad. TIR (*Internal rate of return. IRR*) Se denomina tasa interna de retorno, tipo interno de retorno, o bien de rendimiento interno, al tipo de descuento que iguala el valor de los flujos de entrada y salida de una inversión a la fecha inicial de la misma. Por consiguiente, el tipo de retorno interno, si se toma como tipo de coste de capital o tipo de descuento de los flujos netos de caja, hace que el valor actualizado de estos flujos se iguale al valor inicial de la inversión y, consiguientemente, produce un valor actualizado neto, VAN, cero.

TCEN Tipo de cambio efectivo nominal.

TCER Tipo de cambio efectivo real.

Techo (*Top*; *Cap*) En el análisis técnico es el mayor de los precios representados en un gráfico dentro de una tendencia alcista. *Véase* CAP.

Techo de cabeza y hombros (*Heads and shoulders top*) En el análisis técnico bursátil, figura compuesta de tres fases: hombro izquierdo, cabeza y hombro derecho; o sea, una bajada que sigue a una etapa de ascenso, hombro izquierdo, una subida que supera el punto más alto de la cresta anterior de la cabeza, una bajada, otra subida que no supera a la cabeza (hombro derecho) y una última bajada que debe rebasar el nivel más bajo que el soporte formado por los dos fondos anteriores, línea clavicular. Para que la pauta quede correctamente formada, el volumen debe ir en aumento durante la formación del hombro izquierdo y caer en la bajada; en la formación de la cabeza el volumen debe recuperarse sin alcanzar el nivel anterior y volver a descender durante la bajada; el hombro derecho debe formarse sin apenas volumen.

Techos y suelos dobles (*Double floors and caps*) En el análisis técnico, formación de elevado poder predictivo consistente en dos subidas separadas por una bajada de precios; durante la formación de los dos techos el volumen sube, pero en el segundo mucho menos que en el primero, seguido de un aumento considerable en la ruptura. Concluida la pauta cabe esperar que las cotizaciones alcancen el nivel equivalente a la distancia entre el suelo y el techo de la figura, contado a partir del punto de ruptura.

Techos y suelos redondeados (*Rounded floors and caps*) En el análisis técnico bursátil, figura compleja derivada de la proliferación de la pauta de cabeza y hombro. Es el resultado del equilibrio entre la oferta y la demanda que concluye con que una de ellas supera de forma gradual y progresiva a la otra. Sobre el gráfico, las cotizaciones adoptan la forma de platillo, que será invertido cuando se trate de un techo. El volumen es más alto en los extremos que en el centro de la figura.

TEFRA Tax Equity and Fiscal Responsibility Act of 1982.

Tendencia (*Trend*) Propensión general de un conjunto de datos estadísticos de precios tomados en un intervalo de tiempo dado. El análisis técnico se basa en la hipótesis de que los precios de los mercados de valores no son completamente independientes unos de otros, sino que siguen unas ciertas pautas conformando sucesivas tendencias cuya anticipación o reconocimiento puede deparar beneficios extraordinarios al inversor. En el argot de los mercados financieros y de productos y materias primas esta palabra va seguida de la característica que en el momento a que se refiere es sobresaliente en el mercado en cuanto a volúmenes de contratación, precios, márgenes, firmeza o debilidad en el mantenimiento de la trayectoria de algunas de esas variables, etc.

Tendencia secular (*Secular trend*) Tendencia alcista o bajista a largo plazo en un mercado de valores, en la que no intervienen factores estacionales o cíclicos.

Teoría de las ondas de Elliot (*Elliot's wave theory*) Técnica según la cual los mercados bursátiles se mueven según una formación de cinco olas ascendentes, seguidas de tres olas descendentes. Cada ola, a su vez, se puede subdividir en ocho olas que siguen la misma pauta, y así sucesivamente. La Teoría de Elliot se basa en tres aspectos fundamentales: formaciones, ratios y tiempo. El estudio de las formaciones gráficas de los precios permite establecer el carácter de cada ola, lo cual ayuda a realizar un recuento más preciso de la fase del movimiento en que se halla. El análisis de los ratios permite determinar la posible amplitud de las correcciones y los objetivos probables de extensión de los movimientos mediante la medición de las relaciones entre las diversas olas. Finalmente, el estudio de las relaciones entre el tiempo que tardan en formarse las sucesivas olas puede ser utilizado para confirmar la existencia de formaciones gráficas y ratios.

Teorema de Modigliani-Miller (*Modigliani-Miller Theorem*) Afirma que, en un mercado perfecto y dejando al margen las cuestiones fiscales, el valor de mercado de una empresa es independiente de su estrucutra de capital y se obtiene capitalizando las rentabilidades esperadas a una tasa apropiada a su clase. El método de financiación, mediante deuda o fondos propios sería, por tanto, irrelevante de cara a la determiancón del coste de capital efectivo.

Teoría de la opinión contraria (*Odd-lot theory*) En el análisis técnico bursátil, teoría que se basa en la idea de que las decisiones adoptadas por los pequeños inversores siempre son equivocadas por lo que, en consecuencia, la opción correcta será la contraria a éstos. Los seguidores de esta teoría estudian las transacciones de menos de 100 acciones, *odd-lots*, correspondientes básicamente a pequeños inversores que actúan por cuenta propia y, por tanto, poco informados, lo que supone que les conduce a decisiones generalmente equivocadas o, al menos, distintas a las adoptadas por los inversores profesionales;

conocida la posición compradora o vendedora de estos inversores procede actuar de forma opuesta.

Teoría de preferencia por la liquidez (*Liquidity preference theory*) *Véase* PREFERENCIA POR LA LIQUIDEZ.

Teoría de la segmentación (*Segmentation theory*) Teoría que explica la curva de tipos de interés basándose en la existencia de diversos segmentos de mercado donde se negocian por separado los distintos instrumentos financieros. La formación del precio de cada activo financiero vendría dada por la interacción de la demanda y de la oferta para dicho activo, con independencia del resto de los activos financieros. Por tanto, la estructura temporal de los tipos de interés no existiría como tal, sino que sería el mero resultado de yuxtaponer diferentes mercados para cada plazo.

Teoría de la selección de cartera (*Portfolio selection theory*) Teoría según la cual hay que buscar las carteras eficientes, que son aquellas que proporcionan el mayor rendimiento para un riesgo dado, o el menor riesgo para un determinado rendimiento. Muestra que un inversor puede reducir la desviación típica de las rentabilidades de una cartera eligiendo acciones cuyas oscilaciones no estén positivamente correlacionadas.

Teoría del arbitraje de precios (*Arbitrage pricing theory*) Modelo según el cual una cartera óptima estará constituida por aquellos valores que proporcionen un rendimiento máximo para el riesgo soportado, definido éste por su sensibilidad a los cambios económicos inesperados, tales como los cambios imprevistos en la producción industrial, en el ritmo de inflación y en la estructura temporal de tipos de interés.

Teoría de la segmentación de mercados (*Market segmentation theory*) Teoría que explica la estructura por plazos de los tipos de interés en función del hábitat preferido por los inversores o del plazo de vencimiento de sus inversiones y que sólo modificarán por la obtención de un rendimiento extra.

Teoría de las expectativas (*Expectations theory*) Teoría explicativa de la curva de tipos de interés que sostiene que las expectativas de los agentes económicos sobre los tipos de interés son la causa de la existencia de la curva de tipos. Una curva creciente con el plazo sería, según dicha teoría, indicativa de expectativas de tipos al alza, mientras que una curva de tipos decreciente indicaría expectativas bajistas.

Teoría del ciclo de la elección presidencial (*Presidential election cycle theory*) Teoría según la cual los movimientos de la Bolsa están asociados con los ciclos económicos que crea la acción gubernamental para ajustarse a las necesidades electorales. Cuando es elegido un nuevo presidente, las medidas de ajuste que toma para corregir los desequilibrios de la economía se traducen en una caída de las cotizaciones bursátiles. Posteriormente, cuando se acercan de nuevo las elecciones, toma medidas de signo contrario para reactivar la economía, lo cual hace subir las cotizaciones bursátiles. Después de las elecciones, el ciclo vuelve a comenzar.

Teoría del paseo aleatorio (*Random walk theory*) Teoría que afirma que los sucesivos cambios en los precios de un título son estadísticamente independientes. La principal implicación de esta teoría es que las cotizaciones pasadas de un título no ofrecen ninguna información útil de cara a predecir la evolución futura de los mismos, lo que a menudo se utiliza para restar validez a los métodos del análisis técnico.

Tercer mercado (*Third market*) Mercado establecido en 1986 en Londres para la captación de capitales de riesgo y facilitar las operaciones a los especuladores que se animen a invertir en ellos, con el fin de favorecer la financiación y el desarrollo de empresas pequeñas y de reciente creación, a las que no se puede admitir en ninguno de los otros dos mercados por carecer de las suficientes garantías. Para cotizar en este mercado basta con cumplir unos requisitos mínimos, pues se caracteriza por la ausencia de limitaciones.

Terminación (*Termination*) Cierre de una transacción *swap*. En caso necesario se cerrará con el pago de una parte a la otra de una cantidad que refleje el valor en la transacción.

Término (*Term*) Sinónimo de plazo que se utiliza preferentemente en las operaciones de compra-venta para diferenciarlas de las que se hacen al contado.

Términos (*Terms*) Características de una emisión, como por ejemplo vencimiento, importe, valor facial, etc.

Testaferro (*Front man*) Persona interpuesta en una operación societaria, especialmente cuando concurre el acto fundacional de una sociedad con una participación mínima, que no tiene otra función que cumplir el requisito legal de la pluralidad de socios.

Thin (*Thin*) Se dice de un mercado con bajo volumen de negociación y poca liquidez.

Through the market (*Through the market*) Se dice de una oferta que esté por encima del precio más bajo ofertado, o de una oferta que está por debajo del precio más alto ofertado.

TIBOR Tokyo Interbank Offered Rate.

Tiburón (*Raider*) En el argot bursátil y financiero, persona que compra acciones de una empresa con el objetivo de hacerse con el control de la misma, bien sea para mejorar su gestión, bien para revenderla en trozos, o con el objetivo de revender la participación adquirida a la propia empresa, obteniendo así un beneficio.

Tick (*Tick*) Movimiento mínimo, hacia arriba o hacia abajo, en la negociación de un título.

Ticker (*Ticker*) Sistema que permite la producción de un informe continuo sobre la negociación bursátil. Es un sistema de información telegráfica que proporciona precios en tiempo real y noticias.

Ticket (*Ticket*) Método primario de registro de la información relativa a una transacción.

Tick size (*Tick size*) Movimiento mínimo del precio de un contrato de futuros o de una opción cotizada.

Tiempo continuo El que cuenta de forma interrumpida, incluyendo los días hábiles y los inhábiles y festivos. *Véase* TIEMPO HÁBIL.

Tiempo hábil Período de tiempo en el que es factible la contratación de una determinada clase de valores mobiliarios. Por oposición a tiempo continuo, aquel en cuyo cómputo se excluyen los días festivos. *Véase* TIEMPO CONTINUO.

Tier one capital (*Tier one capital*) Medida de la fortaleza financiera de un banco utilizada por el Banco Internacional de Compensación (BIS). Incluye los recursos propios más las acciones preferentes perpetuas y no acumulativas. Excluye formas híbridas de capital como reservas de revalorización, acción con plazo de amortización, etc. El BIS ha establecido un 4 por 100 como requerimiento mínimo de capital *Tier one*. *Véase* TIER TWO CAPITAL.

Tier two capital (*Tier two capital*) Es una medida de la fortaleza financiera de un banco utilizada por el Banco Internacional de Compensación (BIS). Incluye: las reservas no distribuidas, reservas de revalorización, provisiones en general, instrumentos híbridos y deuda subordinada a largo plazo. *Véase* TIER ONE CAPITAL.

Tipo básico de interés (*Basic rate of monetary interest*) Tipo de interés que fija el Banco de España y que regula las relaciones monetarias que tiene dicho Banco con las entidades de crédito.

Tipo de cambio (*Exchange rate*) Precio de la unidad monetaria de un país expresado en unidades monetarias de otro país. Puede ser al contado o a plazos, según los días que medien entre la contratación y la liquidación del cambio. Según el grado de flexibilidad en la determinación de las paridades entre monedas, puede hablarse de sistemas de tipos de cambio flexibles, semifijos o fijos.

Tipo de cambio a plazo (*Forward exchange rate*) Tipo de cambio fijado para cambiar divisas en una fecha futura.

Tipo de cambio al contado (*Spot exchange rate*) Tipo de cambio fijado para cambiar divisas con entrega inmediata.

Tipo de cambio central (*Central exchange rate*) Para cada moneda del Sistema Monetario Europeo, tipo de cambio frente al ecu establecido por la UE, sobre el que se aplican los márgenes de fluctuación permitidos.

Tipo de cambio de intervención (*Intervention exchange rate*) Tipo de cambio en las cotizaciones de las divisas, establecidas por el banco emisor para un día determinado, por encima o por debajo del cual éste se compromete a intervenir comprando o vendiendo dichas divisas.

Tipo de cambio efectivo real (***Effective real exchange rate***) Es el tipo de cambio de la moneda de un país frente a las monedas de los países con los que comercia, ponderando cada una de las monedas por el peso que tiene en el comercio exterior del país en cuestión y considerando el diferencial medio ponderado de la inflación entre el país local y el extranjero. Se calcula multiplicando para cada período el tipo de cambio efectivo nominal de la divisa del país por el índice de inflación relativo en dicho país frente a los demás.

Tipo de cambio fijo (***Fixed exchange rate***) Un país tiene un tipo de cambio fijo cuando su moneda permanece a una tasa constante respecto al oro o a una moneda de referencia, estando dispuesto, además, a mantener esa paridad mediante las medidas de intervención adecuadas.

Tipo de cambio flexible (***Flexible exchange rate***) *Véase* TIPO DE CAMBIO FLOTANTE.

Tipo de cambio flotante (***Floating exchange rate***) Situación en que la moneda de un país determina su tipo de cambio por la concurrencia de la oferta y la demanda en cada momento, es decir, se encuentra determinado por el mercado, sin ningún tipo de intervención por parte de los bancos centrales y los gobiernos, permitiendo su fluctuación si así lo determinan las condiciones del mercado.

Tipo de descuento (***Discount rate***) Tipo de interés que el banco central impone a los préstamos otorgados a los bancos comerciales. Tipo de interés que los bancos comerciales de EE.UU. pagan a la Reserva Federal en los préstamos con garantía de valores. || Tipo de interés utilizado para calcular el valor actual de una renta o de un conjunto de flujos de caja.

Tipo de emisión (***Issue rate***) Es el precio de emisión calculado en porcentajes.

Tipo de gravamen (***Tax rate***) Porcentaje que se aplica sobre la base imponible para determinar la cuota impositiva que ha de pagar el contribuyente.

Tipo de interés (***Rate of interest***) Pago por los servicios del capital. Precio del dinero. Cantidad en concepto de interés que producen o devengan anualmente una cantidad de dinero, expresada como un porcentaje de dicha cantidad.

Tipo de interés compuesto (*Compound interest*) Tipo de interés que se aplica cuando no sólo se computan los intereses que genera una cantidad inicial, sino también los intereses que generan los propios intereses que se van devengando.

Tipo de interés de los fondos federales (*Federal funds rate*) Tipo de interés del mercado interbancario en EE.UU. Este tipo está influenciado por la Reserva Federal a través de sus operaciones de mercado abierto.

Tipo de interés fijo (*Fixed rate of interest*) Cuando el interés se contrata a un tipo invariable a lo largo de la vida del préstamo o crédito o de la inversión financiera o de ahorro, se dice que la operación correspondiente es a interés fijo.

Tipo de interés flotante (*Floating rate of interest*) Sinónimo de tipo de interés variable. Son aquellos que están determinados mediante un diferencial añadido o restado, según la clase de operación, a una variable financiera que expresa el precio del dinero en un mercado variable que se conoce con el nombre de tipo de referencia.

Tipo de interés implícito (*Implied interest rate*) Prima o descuento existente en la cotización a plazo de una divisa respecto a su cotización al contado.

Tipo de interés interbancario (*Interbank rate of interest*) Tipo de intetés aplicado a las operaciones de préstamo a corto plazo entre los bancos.

Tipo de interés libre de riesgo (*Risk free rate of interest*) Tipo de interés de un activo financiero prácticamente libre de riesgo. Generalmente se toman como tales los títulos de la Deuda Pública a corto plazo.

Tipo de interés neto (*Net rate of interest*) Es el tipo de interés monetario o nominal después de deducir del mismo los impuestos y gastos a cargo del perceptor.

Tipo de interés nominal (*Nominal rate of interest*) Se denomina así al tipo de interés monetario que incorpora la tasa de inflación. Es el tipo de interés que se expresa usualmente en los contratos en los que se pacta el devengo de intereses.

Tipo de interés preferencial (*Prime rate*) Tipo de interés activo que aplica cada entidad bancaria a sus mejores clientes en operaciones con garantía personal a corto plazo. En España es obligatoria su exhibición pública en las oficinas de las entidades, y constituye el tipo de referencia para el resto de sus operaciones financieras.

Tipo de interés real (*Real interest rate*) Tipo de interés nominal menos la tasa de inflación esperada.

Tipo de intervención del Banco de España (*Intervention rate of the Banco de España*) Tipo marginal de las subastas decenales de adquisición temporal de certificados de depósitos del Banco de España mediante las que se realizan las operaciones de regulación monetaria. Constituye el indicador del denominado precio oficial del dinero.

Tipo demandado del mercado interbancario de Londres. LIBID (*London interbank bid rate. LIBID*) Es el tipo de interés al cual un banco demanda fondos a otro en el mercado interbancario de Londres para eurodólares u otra eurodivisa. *Véase* LIBOR.

Tipo de referencia (*Reference rate*) Tipo de interés que se toma como base para el cálculo del tipo de interés de una operación financiera añadiéndole un diferencial. En el mercado de eurocréditos se suele utilizar el *Libor*.

Tipo impositivo marginal (*Marginal tax rate*) La fracción de una unidad de renta adicional pagada en impuestos.

Tipo lombardo (*Lombard rate*) Tipo de interés que el *Bundesbank* aplica a las entidades del sistema bancario alemán por los préstamos a muy corto plazo que les concede y que utiliza para controlar la liquidez junto con el tipo de descuento, constituyendo ambos tipos directores instrumentos de la política monetaria. Es el equilivalente del Tipo de Descuento de la Reserva Federal americana.

Tipo ofertado (*Offered rate*) Es el tipo de interés al cual un banco está dispuesto a prestar dinero en el mercado interbancario.

Tipo swap (*Swap rate*) Tipo fijo a pagar en un *swap* de tipos de interés, recibiendo a su vez un flujo de pagos en relación con el

Libor, para un determiando vencimiento. En los dos casos vienen expresados como un tipo de interés absoluto o, en el caso del dólar de EE.UU., como un margen sobre el Tesoro. || En el mercado de cambios, es la diferencia entre los tipos al contado (*spot*) y a futuro (*forward*) a los cuales se negocia una moneda.

TIR *Véase* TASA INTERNA DE RENTABILIDAD.

Titulares de cuenta en la Central de Anotaciones (*Holders of account in the Central de Anotaciones del Banco de España*) Entidades e intermediarios financieros especializados en la operatoria sobre deuda pública anotada que deben cumplir una serie de requisitos de carácter general, tales como cifra mínima de recursos propios, sometimiento a las reglas de funcionamiento del sistema de anotaciones y del Servicio Telefónico del Mercado de Dinero, y aceptación del control y supervisión del Banco de España y de sus requerimientos de información. Sólo pueden mantener en sus cuentas anotaciones de su propia cartera.

Titulización (*Securitization*) Procedimiento por el que un intermediario financiero transforma un activo no negociable, como los préstamos que concede a sus clientes, en títulos valores que vende a terceros. Se da especialmente en el ámbito de los créditos hipotecarios.

Título (*Security*) Nombre genérico aplicado a activos financieros negociables. || Grado de protección legal, es decir, de derecho a recurrir y de reclamar sobre los activos de un prestatario, que tiene un prestamista en caso de incumplimiento.

Título al portador (*Bearer security*) Documento que no refleja titular alguno del derecho que confiere, de forma que su mera posesión permite a su tenedor el ejercicio del derecho incorporado al título.

Título de renta variable (*Equity security*) Aquel que acredita un valor negociable en un mercado, representado por una participación alícuota en el capital de una empresa o entidad. Su rendimiento queda a expensas de los resultados que obtenga el emisor, quien no admite ningún compromiso de reintegro, salvo en caso de liquidación de la empresa, en el cual el titular tendrá derecho a la parte alícuota del activo efectivo neto de liquidación, es decir, el que resulte después de enajenar todos los activos y satisfacer a todos los acreedores de la entidad. Es un título de propiedad, opuesto a un bono el cual representa los derechos de un prestamista.

Título global (*Global certificate*; *Global note*) Certificado provisional que representa a la emisión en su totalidad. Se emite para controlar la distribución en el mercado primario de una emisión de títulos en cumplimiento de determinadas restricciones legales o bien porque los títulos de bonos o acciones no están disponibles inmediatamente.

Título híbrido (*Hybrid security*) Título al que se le han incorporado características de otro título diferente.

Título nominativo (*Registered security*) Título valor o documento de crédito extendido a nombre de persona determinada. También es posible que el carácter nominativo se conserve mediante la extensión de actas de transferencia de la propiedad registradas por la entidad emisora. Los títulos nominativos no pueden ser endosados.

Título registrado (*Registered security*) Título cuya propiedad está registrada a través de un agente registrador en nombre de su tenedor. El principal del título puede ser transferido endosándolo al tenedor registrado. Estos títulos raramente tienen cupones físicos, por lo que los intereses se pagan al tenedor normalmente mediante cheque a través del agente de Pagos del prestatario o emisor.

Título sintético (*Synthetic security*) Posición resultante de la combinación de diversas posiciones al contado o con instrumentos derivados, con el objeto de crear un instrumento nuevo con características distintas.

Títulos de renta fija (*Fixed income securities*) Títulos de créditos emitidos en representación de empréstitos fraccionados en los que la renta está limitada y definida por las cláusulas del empréstito, percibiéndose regularmente. El prototipo de estos títulos son las obligaciones, otras modalidades son los efectos públicos, bonos, cédulas, etc.

Títulos fungibles (*Fungible securities*) Títulos emitidos por la misma entidad, de la misma clase y serie, que tienen las mismas características, contenido de derechos y valor nominal y, por tanto, resultan intercambiables en el mercado.

Títulos hipotecarios (*Mortgage securities*) Aquellos que se emiten con la garantía de la cartera de préstamos hipotecarios de la entidad emisora. Pueden ser de tres clases: cédulas hipotecarias, bonos hipotecarios y participaciones hipotecarias.

Títulos valores (*Securities*) Instrumentos financieros de renta fija o variable. Pueden ser emitidos por organismos públicos o privados y estar documentados mediante títulos físicos o mediante anotaciones en cuenta.

Tocar fondo (*Touch bottom*) En términos bursátiles se dice que los cambios han tocado fondo cuando, en un período de baja de los mismos, se presume que ya no bajarán más porque parece que la baja se detiene. A la inversa, en un período de alza, se dice que los cambios han tocado techo.

Todo o nada (*All or none*) Forma de expresar en una orden de compra o venta a un corredor, agente o *broker*, para que la ejecute exclusivamente por la totalidad. *Véase* ORDEN TODO O NADA.

Toma de beneficios (*Profit taking*) Es el proceso por el cual los inversores venden acciones para realizar beneficios después de una subida de los precios del mercado.

Toma de control (*Takeover*) Acceso a un paquete accionarial suficiente para controlar una empresa, después de vencer la resistencia de los gerentes de la misma. *Véase* OFERTA PÚBLICA DE ADQUISICIÓN HOSTIL.

Toma de posición (*Position taking*) Hace referencia a la realización de una operación de compra o venta de un activo cotizado en un mercado.

Tracking error (*Tracking error*) Divergencia no planteada entre el precio observado de una posición subyacente o una cartera y el precio observado de una posición de cobertura. Puede generar una ganancia o pérdida inesperada. Normalmente se expresa como una desviación estándar en porcentaje del rendimiento de una cartera de referencia o un índice.

Trading over the curve (*Trading over the curve*) Obtener una rentabilidad superior a la de los bonos del Estado comparables. *Véase* TRADING THROUGH THE CURVE.

Trading through the curve (*Trading through the curve*) Obtener una rentabilidad menor de la obtenida por un bono del Estado comparable. *Véase* TRADING OVER THE CURVE.

Tramo (*Tranche*) En los mercados crediticios identifica a una parte de una operación que tiene condiciones específicas, esto es, no todas comunes con las generales contractuales. Por ejemplo, un tramo de un crédito puede concertarse en una divisa y otro tramo en una divisa diferente, o también puede estipularse un tramo a interés flotante y otro a interés fijo.

Transacción (*Transaction*; *Deal*; *Bargain*) Es el proceso de comprar o vender títulos.

Transmisión (*Transfer*) Traspaso o transferencia de un título desde el vendedor al comprador. Puede hacerse mediante anotaciones en cuenta o por transmisión física, en cuyo caso debe ser firmada.

Transferencia de activos (*Spin off*) *Véase* ESCISIÓN.

Transferencia electrónica de fondos (*Electronic funds transfer, EFT*) Es una orden de transferencia cursada por un medio de transmisión electrónica de datos directamente por quien tiene capacidad de disposición de los fondos situados en una cuenta bancaria o por la propia entidad donde está situada dicha cuenta, siguiendo instrucciones del titular, de forma que quedan instantáneamente reflejados en la cuenta destinataria de la transferencia, sea en la propia entidad emisora u otra diferente. No es transferencia electrónica si no se produce el cargo en una cuenta y el abono en otra por medios electrónicos simultáneamente.

Transmisibilidad (*Transferability*) Cualidad aplicable a los bienes, derechos, acciones y títulos mercantiles que pueden ser transmitidos, cedidos o enajenados a terceras personas traspasando su propiedad.

Transparencia (*Transparency*) Se dice que un mercado bursátil es relativamente transparente cuando: a) existe un amplio acceso de los inversores a la información facilitada por las empresas; b) la información facilitada por las empresas es suficiente, y c) hay intercomunicación suficiente de la información entre los inversores.

Transparencia fiscal (***Fiscal transparency***) Régimen fiscal especial, de aplicación obligatoria a las entidades que se hallen bajo los supuestos legales, por el cual la base imponible de las mismas se atribuye a sus socios partícipes.

Transparente (***Transparent***) Cualidad de un mercado por la que todos los compradores conocen las propuestas de los vendedores y viceversa.

Treasury bill (***Treasury bill***) En general, activo financiero con retención en origen. Títulos de deuda emitidos al descuento por el Tesoro de EE. UU. para financiar la deuda pública nacional. La mayor parte se emite a tres meses, seis meses y un año. *Véase* BILLS.

Triángulo (***Triangle***) En el análisis técnico bursátil, formación gráfica que tiene lugar cuando el precio oscila en movimientos ascendentes o descendentes, pero con oscilaciones cada vez más pequeñas, asemejando la forma de un triángulo. Se considera que en un procentaje superior al 50 por 100 son figuras de continuación de tendencia. En los triángulos invertidos, el tamaño de las oscilaciones tiende a hacerse cada vez mayor como signo de un creciente nerviosismo del mercado.

Triángulo ascendente (***Ascending triangle***) En el análisis técnico bursátil, formación gráfica de precios constituida por dos líneas de tendencia convergentes, siendo la línea inferior ascendente mientras que la superior es plana. Suele interpretarse como formación alcista.

Triángulo descendente (***Descending triangle***) En el análisis técnico bursátil, formación gráfica de precios que tiene lugar cuando dos líneas de tendencia convergen, siendo la línea superior descendente y la inferior plana. Suele interpretarse como una formación bajista.

Tribunal de Cuentas del Reino de España (***Court of Auditors of the Reino de España***) Es el supremo órgano fiscalizador de las cuentas y de la gestión económica del Estado, así como del Sector Público. Depende directamente de las Cortes Generales y ejerce sus funciones por delegación de ellas en el examen y comprobación de la Cuenta General de Estado.

Triple hora bruja (*Triple witching hour*) En el mercado de EE. UU., el tercer viernes de marzo, junio, septiembre y diciembre, cuando los contratos de opciones, índices sobre opciones y futuros vencen simultáneamente. Se produce entonces una masiva negociación en futuros sobre índices, opciones y activos subyacentes por estrategas de coberturas, arbitrajistas y otros inversores, produciéndose una elevada volatilidad en los mercados. Anteriormente vencían todos a la misma hora. Actualmente, los contratos vencen a la apertura de la sesión además de al cierre. Este efecto ocurre, en menor escala, el tercer viernes de los ocho meses restantes cuando otros contratos de opciones, operaciones sobre índices y futuros vencen simultáneamente. *Véase* DOBLE HORA BRUJA.

Trueque (*Barter*) Transacción en la que dos individuos intercambian entre sí un bien por otro, sin la utilización de dinero.

Trust (*Trust*) Relación de confianza en la cual una persona, administrador del *trust* o consorcio (*trustee*), mantiene títulos de propiedad en beneficio de otra persona, beneficiario. || Fusión o absorción de empresas que implica la desaparición de la personalidad jurídica de las empresas, que se funden en una nueva para integrar o absorber las preexistentes (fusión propiamente dicha) o cuando una de las empresas mantiene su personalidad jurídica y absorbe a las restantes (fusión por absorción). Cuando las empresas fusionadas pertenecen a la misma fase del proceso productivo, es decir, elaboran productos parecidos, se dice que el *trust* es horizontal, mientras que si se da entre empresas de diferentes fases el *trust* es vertical. La *holding-trust* es una sociedad de cartera cuya finalidad consiste en ejercer el control en las sociedades en que participa, pero que mantiene su personalidad jurídica propia y, por tanto, su independencia, como ocurre con el *cártel* o *pool*, aunque la cohesión es muy superior.

Trustee (*Trustee*) Institución, nombrada por un emisor, que representa los intereses de los inversores en una determinada emisión de títulos. Es responsable de la seguridad de los *cash-*

flows y de su pago a tiempo a los inversores. *Véase* TRUST e INDENTURE TRUSTEE.

TUE Tratado de la Unión Europea.

Túnel (*Tunnel*) Consiste en la compra de una opción de compra y la venta de una opción de venta que tengan unos precios de ejercicio tales que sus primas coincidan, es decir, que ambas opciones valgan lo mismo.

UE Unión Europea.

UME Unión Monetaria Europea.

UME-11 (*EMU-11*) Grupo de países europeos que, a partir del 1-1-1999, formarán parte de la tercera fase de Unión Monetaria Europea. La característica fundamental del Grupo es que utilizan el Euro como moneda única o moneda común. Los países componentes son: Alemania, Austria, Bélgica, España, Finlandia, Francia, Irlanda, Italia, Holanda, Luxemburgo y Portugal. *Véase* EURO.

Underwriting fee (*Underwriting fee*) Componente del margen bruto que compensa a todos los miembros del sindicato de una emisión, o una oferta de venta, por su compromiso de aseguramiento.

Unidad (*Unit*) Una agrupación de títulos de diferentes clases (acciones, bonos, etc.) que se negocian juntos como si fuesen un único instrumento.

Unidad de cuenta (*Unit of account*) Fórmula de moneda compuesta que se utiliza en los pagos internacionales.

Unidad de Cuenta Europea (*European currency unit*) *Véase* ECU.

Unidades monetarias constantes (*Constant monetary units*) Una serie se mide en unidades monetarias constantes si se valora según los precios existentes en un año base específico. Tales series se han ajustado para eliminar los efectos de la inflación, o de la deflación.

Unidades monetarias corrientes (*Current monetary units*) Una serie de datos económicos, como por ejemplo el Producto Interior Bruto, está medida en unidades monetarias corrientes si cada observación se cuantifica a los precios prevalecientes en ese momento. Tal serie refleja tanto los cambios reales, es decir de volumen, como de precios.

Unión aduanera (*Custom union*) Acuerdo entre países para eliminar barreras comerciales, es decir, tarifas, cuotas, etc., entre sí y adoptar barreras comunes para las importaciones de los países no miembros.

Unión económica y monetaria europea. UME (*European monetary and economic union EMU*) Ultima fase prevista para el Sistema Monetario Europeo, consistente en la instauración de un régimen de tipos de cambio irrevocablemente fijos, dentro de un mercado único y con una progresiva convergencia hacia la moneda única. Esta fase entra en vigor el 1 de enero de 1999. *Véase* UME-11.

Unión monetaria (*Monetary union*) Adopción por un conjunto de países de una moneda común y del establecimiento de una política monetaria única.

Uptick (*Uptick*) Operación realizada a un precio mayor que la anterior en relación con el mismo título. *Véase* DOWNTICK.

Usura (*Usury*) Práctica que consiste en exigir un interés muy superior al normal en un mercado.

Utilidad marginal (*Marginal utility*) La satisfacción que un individuo recibe al consumir una unidad adicional de un bien o servicio manteniéndose constantes las cantidades de los demás bienes consumidos.

V

Valle En el análisis técnico bursátil, fondo.

Valoración (*Appraisal*) Determinación por un experto del justiprecio de un bien o derecho patrimonial, o del valor de mercado de un activo.

Valor actual (*Present value*) Valor que tiene hoy un activo que genera una corriente de renta a lo largo del tiempo, para cuya valoración ha de actualizarse cada componente de la renta mediante la aplicación de una tasa de descuento a las rentas futuras.

Valor actual neto de una inversión. VAN (*Net present value. NPV*) En materia de inversión en activos financieros, es el valor presente de todos los cobros y pagos derivados de la suscripción y posesión de aquellos, actualizado mediante un determinado tipo de descuento ajustado a su riesgo y bajo la hipótesis de que tales cobros y pagos se reinviertan o financien, respectivamente, a igual tipo de interés que el utilizado para el cálculo hasta el vencimiento del activo.

Valor agresivo (*Aggressive share*) Título cuya rentabilidad tiende a subir más que la de la media de los valores cotizados en épocas de crecimiento, aunque en contrapartida también se ven afectados negativamente en mayor medida en épocas de recesión. Si se mide esta volatilidad por el coeficiente *beta*, los valores agresivos tienen una beta mayor que uno. *Véase* VALOR DEFENSIVO.

Valor alpha (*Alpha stock*) Nombre de las acciones que más se negocian en el mercado de valores de Londres. Es una categoría establecida por el SEAQ, que abarca las acciones a las que las sociedades de contrapartida garantizan un mercado de doble dirección ininterrumpido.

Valor añadido (*Added value*) Es la diferencia entre el valor de la producción obtenido en un determinado escalón productivo y el valor de las materias primas o semielaboradas empleadas para obtener dicha producción.

Valor añadido de mercado (*Market value added. MVA*) Medida de la creación de valor de una empresa, entendiendo como tal la diferencia entre el valor de las acciones de la empresa y el valor contable de las mismas.

Valor bursátil (*Market value*) Valor de cambio o cotización a la que se negocian las acciones en las Bolsas de Comercio.

Valor capitalizado (*Capitalized value*) Es el valor actual de las corrientes de renta que se espera que produzca un activo.

Valor contable (*Book value*) Diferencia entre los activos reales y los exigibles de una empresa, según se desprende de los libros de contabilidad.

Valor de conversión (*Conversion value*) Es el ratio de conversión multiplicado por el precio actual del activo subyacente. Por ejemplo, en un bono convertible en acciones, el número de acciones que corresponde a cada bono, multiplicado por el precio de la acción. *Véase* RATIO DE CONVERSIÓN.

Valor defensivo (*Defensive share*) Título de una empresa que, por no estar particularmente vinculada a los ciclos económicos, es menos vulnerable en las épocas de crisis o recesión. Generalmente se considera como valor defensivo aquel cuyo coeficiente *beta* es inferior a la unidad. *Véase* VALOR AGRESIVO.

Valor de fragmentación (*Break up value*) Es el valor de una empresa cuando se venden sus activos por partes en vez de venderla en su conjunto como una unidad.

Valor de mercado (*Market value*) En lenguaje bursátil, valor que alcanza un determinado título en la Bolsa, expresado por su cotización.

Valor de reposición (*Replacement cost*) Coste que supondría para una empresa reemplazar un determinado activo por otro nuevo de sus mismas características.

Valor efectivo (*Cash value*) En los títulos valores o títulos de crédito, el valor de adquisición o liquidación en un momento dado, calculado a un cambio o con una prima o descuento sobre el valor nominal. Valor de mercado.

Valores en rama (*Branch securities*) Aquellos que son mantenidos por el titular en forma de ejemplares físicos emitidos, debiendo ocuparse el tenedor de cortar los cupones y presentarlos en la sociedad cada vez que haya de ejercitar los derechos económicos que le correspondan.

Valor en riesgo (*Value at risk*) Método de análisis del riesgo, en particular de un libro de negociación o de una cartera en general, que utiliza el análisis estadístico (distribuciones de precios y desviaciones estándar) de los instrumentos, posiciones y carteras implicados, para calcular la probabilidad de una pérdida por encima de una magnitud dada durante un período determinado. El valor en riesgo se expresa, en consecuencia, como un nivel de confianza en porcentaje para la cifra relevante y el período dado. Dicha medida depende de manera fundamental de las hipótesis de liquidez.

Valor extrínseco (*Extrinsic time*) *Véase* VALOR TEMPORAL DE UNA OPCIÓN.

Valor facial (*Face value*) Valor principal de un título de renta fija o de la participación en el capital de una sociedad en el caso de un título de renta variable. *Véase* VALOR NOMINAL DE UN TÍTULO.

Valor fundamental (*Fundamental value*) En el ámbito bursátil, el valor fundamental es el resultado de actualizar la corriente de dividendos esperada de una sociedad. Se trata del valor verdadero de una acción, de forma que si el valor de cotización de dicho título se encontrara por debajo del fundamental, habría que comprar ese valor, y si se encontrara por encima, debería venderse.

Valor intrínseco (*Intrinsic value*) Es el valor que debería tener un activo financiero desde el punto de vista de un inversor. Generalmente se calcula considerando el potencial de obtención de beneficios de dicho activo. El análisis fundamental supone que, a medio o largo plazo, el valor de mercado de una acción tenderá a acercarse a su valor intrínseco, por lo que basa sus decisiones de compra o venta en la existencia de discrepancia entre ambos valores. || Parte de una opción que es igual a la diferencia entre el precio de mercado del activo subyacente sobre el que está definida y el precio de ejercicio de la opción, es decir, es igual al beneficio que se obtendría si se ejerciese la opción de forma inmediata.

Valor justo (*Fair value*) Término utilizado para describir el valor de una opción, determinado mediante un modelo matemático. También para describir un futuro cuando se tiene en cuenta el coste de la posición hasta su vencimiento o *cost of carry*.

Valor liquidativo (*Liquidation value*) Valor monetario que se obtiene al liquidar una participación en un fondo de inversión. Es igual al patrimonio neto del fondo dividido por el número de participantes en circulación.

Valor mobiliario (*Security stock*) Toda clase de títulos emitidos en masa, que literalmente expresan un derecho y que, en este caso, se denominan títulos valores que representan una aportación de capital a riesgo o como préstamo. Sin embargo, la supresión del soporte papel, al que se identifica como título valor, traslada el reconocimiento de valor a un apunte contable que se demuestra por medio de registros en soportes de información magnéticos, ópticos o de cualquier otro medio tecnológico, y recuperados cuando proceda por líneas de comunicaciones a pantallas inmediatas o lejanas o a un soporte de papel obtenido en impresoras situadas igualmente en cualquier parte y a las que se transmite la operación desde donde se tenga almacenada.

Valor nocional (*Notional value*) Es un valor inexistente, dotado de características normalizadas como nominal, plazo, rentabilidad, etc., sobre los que se negocian contratos en los mercados derivados. Lógicamente, las liquidaciones han de hacerse por diferencias o entregando valores realmente existentes, previo establecimiento de equivalencias.

Valor nominal de un título (*Nominal value of a security*) En los mercados de valores internacionales y domésticos, el valor nominal es el que se estipula en una emisión de deuda como principal de cada título, sobre el que girarán los intereses que devengue al título, y en el que no se incluyen ni éstos ni las posibles primas de amortización. En la emisión de acciones, es el valor atribuido a cada acción como capital social aportado a la sociedad, independiente de la posible prima de emisión que normalmente se atribuye a reservas. *Véase* VALOR FACIAL.

Valor presente (*Present value*) *Véase* VALOR ACTUAL.

Valor rescatable (*Redeemable security*) Es aquel que se emite con el derecho de que, periódicamente o en fechas predeterminadas, el tenedor pueda solicitar su reembolso y la entidad emisora amortizarlo o modificar sus condiciones de interés y/o amortización.

Valor residual (***Residual value***) Es el valor de mercado de un activo al finalizar su vida útil.

Valor spot (***Spot value***) Fecha valor o de liquidación de una operación del mercado de contado y que, según las operaciones y contratos, puede ser la del mismo día, la del primer día hábil o, más generalmente, la del segundo día hábil a partir de la fecha de operación.

Valor temporal de una opción (***Time value of an option***) Es la diferencia entre el valor teórico de una opción y su valor intrínseco. Puede ser positivo o nulo. Es un elemento del precio de una opción que es función de su duración, de la diferencia entre su precio de ejercicio y el precio del activo subyacente, y de la volatilidad anticipada del precio del activo subyacente. Valor extrínseco. *Véase* VALOR INTRÍNSECO.

Valor teórico-contable de una acción (***Net book value per share***) Es el resultado de dividir el neto patrimonial de la empresa (valor contable) entre el número de acciones. Este valor se utiliza para el cálculo del fondo de comercio de consolidación y para la valoración de las inversiones no consolidadas por el método de integración global.

Valor teórico de los derechos de suscripción (***Current value of suscription rights***) Los derechos de suscripción de nuevas acciones en las ampliaciones de capital de una sociedad se reservan a los antiguos accionistas con carácter preferente, como consecuencia del efecto de dilución del valor de las acciones, si existe una diferencia entre el precio exigido por los nuevos títulos en relación con el valor de los que se encuentran ya en circulación y que se suelen denominar títulos viejos, en tanto que los que se van a emitir se denominan títulos nuevos. Es decir, si el activo neto patrimonial dividido por el número de acciones viejas en circulación da un valor efectivo mayor que el cambio de emisión de las nuevas acciones, es evidente que el exceso de valor de las primeras sobre las segundas se diluirá entre el total de acciones que resulten después de cerrarse la ampliación, lo que origina un trasvase de valor de las acciones viejas a las nuevas. El valor teórico del derecho de suscripción que corresponde a cada título será función del cambio al que se coticen las acciones viejas y al que se emitan las nuevas, así como la proporción entre acciones viejas y nuevas. Por consiguiente, se utilizarán los siguientes datos para determinar el valor o precio teórico de un derecho de suscripción:

V = Número de acciones viejas que dan derecho a N acciones de la nueva emisión.

N = Número de acciones nuevas que se entregan en función de V acciones viejas en circulación.

PV = Precio en el mercado de una acción vieja inmediatamente antes de anunciarse la emisión.

PN = Precio de emisión de una acción nueva.

PM = Precio medio a que resultan las acciones viejas y nuevas después de la emisión. Es el precio teórico de mercado.

PD = Precio teórico al que resulta un derecho de suscripción.

Es evidente que el precio de emisión tiene que ser inferior al precio de las acciones viejas en el mercado ($PN < PV$) para que el derecho de suscripción tenga un valor superior a cero. El precio medio resultante después de la emisión será necesariamente inferior al precio de las acciones viejas ($PM < PV$) y se obtiene calculando la media ponderada del valor de las acciones viejas más las acciones nuevas.

$$PM = \frac{(V \times PV + N \times PN)}{(V + N)}$$

Evidentemente, el accionista antiguo, si no suscribe y cede el derecho de suscripción a un tercero, perderá en cada acción antigua que posee una cuantía igual a la diferencia entre el valor antes y después de la emisión y, por tanto, será este importe el que determine el valor de un derecho de suscripción:

$$PD = PV - PM$$

Valor teórico de una acción (*Theoretical value of a share*) Es la relación entre el Patrimonio Neto de una empresa y el número de acciones emitidas.

Valor teórico de una opción (*Theoretical value of an option*) Es el valor de una opción de compra o de venta calculado según algún modelo de valoración de opciones. Para calcular dicho valor teórico se consideran cinco factores fundamentales: la cotización del activo subyacente sobre el que está definida la opción; el precio de ejercicio de la opción; el tiempo que falta hasta el vencimiento de la misma; el tipo de interés libre de riesgo, y la volatilidad del precio del activo subyacente.

VAN *Véase* VALOR ACTUAL NETO DE UNA INVERSIÓN.

Vanishing option (*Vanishing option*) Opción con barrera propensa a su extinción.

VaR Value at Risk. *Véase* VALOR EN RIESGO.

Variabiliad (*Variability*) Fluctuación de las cotizaciones de un valor de modo acusado en torno a una línea de tendencia. Indica dispersión y riesgo en la inversión. Una medida de la variabilidad de un valor es la volatilidad del mismo.

Variable endógena (*Endogenous variable*) Una variable explicada dentro de una teoría.

Variable exógena (*Exogenous variable*) Variable no explicada dentro de un modelo, por lo que su valor se toma como dado.

Varianza (*Variance*) Es una de las medidas de dispersión absoluta y se define como la media aritmética de los cuadrados de las desviaciones de la variable respecto a la media aritmética.

VAT Value Added Tax.

VEEP Vice President.

Vega (*Vega*; *Tau*) Variación producida en el precio de una opción en relación con la variación de la volatilidad. Si una cartera tiene una vega elevada, su valor es muy sensible a la volatilidad.

Vehículo con un propósito especial (*Special Purpose Vehicle. SPV*) Empresa u otra entidad establecida para mantener determinados activos procedentes de una emisión o de una operación financiera fuera de balance. *Véase* VEHÍCULO FINANCIERO.

Vehículo financiero (*Finance vehicle*) Empresa filial establecida en otro país por la sociedad matriz con el propósito de emitir títulos de deuda y prestarlos a continuación a la matriz o a la otra filial. Normalmente, la matriz garantiza sus emisiones. *Véase* VEHÍCULO CON UN PROPÓSITO ESPECIAL.

Velocidad de circulación del dinero (*Income velocity of money*) Relación entre el volumen de dinero y la Renta Nacional. Es el número de veces que el dinero de un país circula durante un año. Se calcula dividiendo el Producto Interior Bruto por la Oferta Monetaria.

Vencimiento (*Maturity*; Due date; *Tenor*; *Expiry*) Fecha última en que se hace exigible un compromiso u obligación, facultando al acreedor para exigir su cumplimiento o pago. ‖ Fecha en la que finaliza un contrato de derivados. *Véase* FECHA DE PAGO.

Vencimiento a corto plazo (*Current maturity*) Convencionalmente, se consideran a corto plazo los vencimientos a menos de un año. *Véase* VENCIMIENTO A LARGO PLAZO.

Vencimiento a largo plazo (*Long term maturity*) Convencionalmente, se consideran a largo plazo los vencimientos a un año o más. *Véase* VENCIMIENTO A CORTO PLAZO.

Vencimiento medio, cálculo (*Average maturity, calculation*) Es una media ponderada de una serie de valores a diferentes plazos o vencimientos, en función de los tiempos computados desde cualquier fecha, tomada como época, a los respectivos vencimientos y de la cuantía nominal, esto es, valor al vencimiento, de cada uno de los valores. Cualquiera que sea la fecha tomada como época para el cómputo de los tiempos hasta los respectivos vencimientos dará siempre el mismo vencimiento medio referido a una fecha de calendario. El vencimiento medio necesariamente queda comprendido entre el vencimiento más alejado y el más cercano correspondiente a los valores comprendidos en el problema y puede considerarse un caso particular del vencimiento común.

Vendedor de una opción (*Writer*) Parte que vende una opción, garantizando un derecho, pero no una obligación, al comprador.

Venta cubierta (*Coverage writing*) Se refiere, generalmente, a la venta de opciones de compra cubierta por una cuantía igual o superior con una posición larga en el título subyacente a la opción.

Venta de una opción de compra sintética (*Short synthetic call*) Es una estrategia consistente en la venta de un activo al contado en descubierto, conjuntamente con la venta de un *put* referido al mismo activo. De esta manera, en caso de subida del precio del activo se consigue reducir la cuantía de las pérdidas por el importe de la cantidad ingresada con la venta del *put*. A cambio, los beneficios potenciales por la baja del precio del activo quedan limitados por el precio de ejercicio del *put* vendido. *Véase* VENTA DE UNA OPCIÓN DE VENTA SINTÉTICA.

Venta de una opción de venta sintética (*Short synthetic put*) Es la combinación de la compra de un activo al contado junto con la venta de un *call* referido al mismo. De este modo, las pérdidas derivadas de un posible descenso del precio del activo quedan disminuidas por el importe percibido por la venta del *call*, mientras que el beneficio potencial en caso de subida del precio del activo queda limitado por el precio de ejercicio de la opción. *Véase* VENTA DE UNA OPCIÓN DE COMPRA SINTÉTICA.

Venta de descubierto (*Short selling*) Venta de un activo que no se posee, con la esperanza de poder comprarlo más barato antes de la fecha de entrega. Se utiliza especialmente en los mercados de futuros y opciones, en los cuales los activos negociados no son objeto de entrega hasta la fecha de vencimiento del contrato. En el caso de la venta en descubierto de acciones, el inversor debe pedir a su intermediario financiero que le preste los títulos que debe entregar al comprador. *Véase* MERCADO A CRÉDITO y PRÉSTAMO DE ACCIONES.

Ventaja comparativa (*Comparative advantage*) Si dos naciones (regiones o individuos) tienen costes de oportunidad distintos al producir un bien o servicio, la nación (región o individuo) con el coste de oportunidad menor posee una ventaja comparativa en ese bien o servicio.

Ventana (*Window*) En el argot de los mercados de valores se denomina así a un lapso de tiempo en el que se presenta la oportunidad de realizar operaciones de inversión en condiciones más ventajosas de las que los niveles precedentes y previstos para un futuro inmediato permitirían. Los especuladores y los responsables de conseguir financiación en los mercados vigilan la aparición de ventanas en las condiciones del mercado.

Venta ficticia (*Wash sale*) Compra y venta simultánea, o dentro de un corto período de tiempo, de un mismo título. Puede hacerse por un solo inversor o por dos o más partes, conspirando con el fin de crear una actividad mercantil artificial para beneficiarse de un aumento en el precio del título. Las ventas ficticias hechas dentro de los treinta días desde la compra del título inicial no son aptas para aplicar pérdidas con el fin de reducir las obligaciones fiscales, excepto para los intermediarios (*dealers*).

Venture capital (*Venture capital*) *Véase* CAPITAL RIESGO y SOCIEDAD DE CAPITAL RIESGO.

Vida media (*Average life*) Es el plazo entre la fecha de emisión y la fecha media ponderada de las amortizaciones parciales de una emisión de obligaciones o de un préstamo.

Vida residual (*Residual life*) Referido a un activo o pasivo financiero, es el plazo que, computado desde una determinada fecha, existe hasta el vencimiento de la deuda viva.

Viernes negro (*Black Friday*) Caída drástica de los precios en los mercados financieros. El viernes negro original fue el 24 de septiembre de 1869, en EE.UU., cuando un grupo de financieros intentaron monopolizar el mercado del oro generando una situación de pánico. En general, se aplica este término a cualquier situación de debacle en los mercados financieros.

Volatilidad (*Volatility*) Variabilidad de los movimientos de precio de un título. Normalmente se calcula como la desviación estándar. || Sensibilidad de una variable a los cambios producidos en otra. Por ejemplo, los cambios en el precio de un título en relación con su rentabilidad a vencimiento. El rendimiento a largo plazo tenderá a ser más sensible a los cambios del mercado que el rendimiento del mismo título con una vida residual menor. || En el mercado de renta fija es la duración modificada (*véase*). || En el ámbito bursátil viene dada por el coeficiente beta (*véase*), y representa la variabilidad del precio de la acción debido a su correlación con el rendimiento del mercado medio a través del oportuno índice.

Volatilidad de opciones (*Volatility options*) Variabilidad del precio del instrumento subyacente de un contrato de opciones. Se define como la desviación típica del logaritmo del precio del instrumento expresado en tasa anual.

Volatilidad histórica (*Historical volatility*) Medida de la variabilidad del precio de un activo en un período de tiempo pasado. Generalmente se calcula tomando las desviaciones típicas de los cambios del precio a lo largo de dicho período.

Volatilidad implícita (*Implied volatility*) Volatilidad de una opción calculada según los precios corrientes de mercado de la misma siguiendo alguno de los modelos de valoración existentes.

Volatilidad negociada (*Volatility traded*) Operaciones «delta neutral» por la cual los contratos de opciones y de futuros son negociados simultáneamente, de manera que la posición del *dealer* no tiene exposición al riesgo de movimientos en los precios en cualquier dirección, a los niveles de la volatilidad implícita.

Volumen (*Volume*) Es el número de acciones o de contratos de futuros negociados en una sesión. En el análisis técnico se utiliza generalmente el dato de volumen como confirmación de la fortaleza de la tendencia predominante, de tal manera que, si un incremento de la cotización va acompañado de un aumento del volumen, se considera más significativo que si el volumen hubiese disminuido.

Volumen de contratación (*Trading volume*) Importe de la contratación de un determinado valor mobiliario en un período de tiempo.

Voting trust (*Voting trust*) Sindicato de accionistas en el que los derechos de voto pasan a una única persona, mientras que los derechos económicos quedan a favor de los miembros del sindicato.

Vuelta de un día En el análisis técnico bursátil, día de volumen inusualmente alto comparado con un período anterior bastante largo, que suele aparecer después de una etapa ascendente o descendente larga y constante con un precio de cierre bajo tras una fase alcista, o alto tras una fase bajista. Son útiles para localizar techos o suelos en movimiento.

W

Wall Street (*Wall Street*) Calle de Nueva York donde se encuentran ubicados los principales bancos, la Bolsa y las oficinas de cambio, seguros y demás actividades financieras. El hecho de que esté establecido en esta calle el Mercado de Valores, *Stock Exchange*, hace que se considere *Wall Street* como sinónimo de Bolsa neoyorquina, primer centro financiero del mundo por el volumen de sus operaciones.

Warrant (*Warrant*) Certificado de opciones por el que el suscriptor de una obligación tiene la posibilidad de adquirir un determinado número de acciones de la sociedad emisora de la obligación a un precio fijado de antemano, haciendo la emisión de obligaciones más atractivas para el suscriptor. Se trata de una opción de compra americana sobre una acción de una empresa. Los *warrants* nacen como compensación adicional a algunas emisiones de obligaciones, haciéndolas más atractivas para su colocación, teniendo en cuenta que, en las emisiones de obligaciones, cuantos más incentivos se ofrezcan es porque se intenta colocar dichos títulos a un menor tipo de interés. El titular del *warrant* puede venderlo, obteniendo una renta, suscribir acciones a mejor precio si la cotización de las mismas sube, o dejar perecer este derecho.

Warrant de divisas (*Currency warrant*) Son opciones separables que se incluyen en las emisiones de títulos de renta fija y conceden al tenedor el derecho a comprar al emisor títulos de renta fija adicionales denominados en divisas distintas a las del título original. El cupón y el precio de los títulos relacionados con el *warrant* se fijan en el momento de la venta de la emisión primera.

Watch list (*Watch list*) Lista de títulos sujetos a una vigilancia especial por una agencia de intermediación u otra agencia autorregulada, caso de las agencias de *rating*, para reconocer irregularidades. Las empresas incluidas en dicha lista suelen ser las candidatas a sufrir una OPA (*véase*), las que van a emitir nuevos títulos, las que han experimentado un volumen inusualmente grande de negociación de inversión, en función del sector o del área geográfica en el que operan, etc.

White collar worker (*White collar worker*) Persona que trabaja en una oficina, como es el caso de la mayoría de las personas que trabajan en finanzas. El nombre opuesto es *blue collar worker*, o trabajadores de las fábricas.

Work out (*Work out*) Modificación informal del calendario de vencimientos de la deuda en función de una mala situación de la empresa (impagos, cuasi suspensión de pagos, etc.).

Wrap around (*Wrap around*) Tipo de garantía financiera que cubre el 100 por 100 de una emisión.

Y

Yarda (*Yard*) Argot utilizado para referirse a mil millones o un millardo. En los mercados financieros internacionales se refiere al término «billion». No confundir con el billón europeo, es decir, un millón de millones.

Yellow Book (*Yellow Book*) Publicación de la Bolsa de Londres que incluye regulación oficial detallada para la admisión de títulos a cotización oficial. Es el equivalente al *Green Book* en EE. UU.

Yield (*Yield*) Término inglés con el que se designa en las operaciones bursátiles internacionales el beneficio o rentabiliad que otorgan los títulos. *Véase* RENDIMIENTO.

Yield to call (*Yield to call*) Es la rentabilidad obtenida por un bono o una obligación cuando se sustituye por parte del emisor la próxima fecha de ejercicio de la opción de preamortización por la fecha de vencimiento final.

Yield to put (*Yield to put*) Es la rentabilidad obtenida por el tenedor de un bono o una obligación cuando ejerce la próxima opción de preamortización.

Z

ZBB Zero Base Budgeting.
ZCB Zero Coupon Bond.

RELACION DE TERMINOS INGLES-ESPAÑOL

A

Above par Sobre la par.
Absortion costing Absorción de costes.
Accelerated depreciation Amortización acelerada.
Acceptance credits Créditos de aceptación.
Accordion Acordeón.
Account entry Anotaciones en cuenta.
Accounting Contabilidad.
Accounting restatement Regularización contable.
Accounts payable Cuentas a pagar.
Accounts receivable Cuentas a cobrar.
Accreting swap *Accreting swap*.
Accrual Provisión.
Accrual basis principle Método de Devengo.
Accrued interest Cupón corrido. Interés acumulado.
Accrued tax Devengo del impuesto.
Accuracy Acuracidad.
Acid test Acida, prueba.
Acid test ratio Coeficiente de liquidez.
Acquisition Adquisición.
Across the board *Across the board*.
Action of pledge Acción pignoraticia.
Active capital Capital productivo.
Active inmunization Inmunización activa.
Active market Mercado activo.
Actual Actual.
Actuary Actuario.
Added value Valor añadido.
Adjusted Ajustado.

Adjustment Ajuste.
Administred prices inflation Inflación de precios administrados.
Admission to quotation Admisión a cotización.
Ad valorem duty Derechos *ad valorem.*
Ad valorem tax Derechos *ad valorem.*
Advance payment Anticipo.
Affected liabilities Pasivos computables.
Affiliate Filial.
Afidavit *Afidavit.*
After date *After date.*
After hours Fuera de sesión.
After market Después de mercado.
Agency fee Comisión de agencia.
Agent Agente.
Agent bank Banco agente.
Aggregate exercise price Precio total de ejercicio.
Aggregate suply Oferta agregada.
Aggressive share Valor agresivo.
Agio *Agio.*
Agiotaje Agiotaje.
Agreed exchange Cambio convenido.
Agreement among underwriters Acuerdo entre aseguradores.
Aider Cómplice.
Aladine bond Bono aladino.
Algorithm Algoritmo.
Alien corporation *Alien corporation.*
Aliquot Alícuota.
Aliquot part Parte alícuota.
Alliance Alianza.
Alligator spread *Margen alligator.*
All in cost *All in cost.*
Allocation Asignación.
Allocation syndicate Sindicato de colocación.
All or none Todo o nada.
All or none order Orden todo o nada.

Allotment Asignación.
Allowance Provisión.
Alpha coefficient Coeficiente alfa.
Alpha stock Valor alfa.
Amalgamation Fusión.
American Depositary Receipt *American Depositary Receipt.*
American Depositary Share *American Depositary Share.*
American option Opción americana.
American stock exchange Amex.
Amortizable debt Deuda amortizable.
Amortization Amortización.
Amortization of capital from reserves Amortización de capital con cargo a reservas.
Amortization premium Prima de amortización.
Amortize Amortizar.
Amortizing cap *Cap* amortizable.
Amortizing swap *Swap* amortizable.
Anatocism Anatocismo.
Announcer Anunciador.
Annualise Anualizar.
Annual report Memoria anual.
Annual shareholder's meeting Junta General de Accionistas.
Annuity Anualidad.
Annuity bond Bono de anualidad.
Antidilution Antidilución.
Antidilution clause Cláusula antidilución.
Antidumping *Antidumping.*
Anti-trust Antimonopolio.
Applicant Ordenante.
Application Aplicación.
APR *Annual Percentage Rate.*
Appraisal Aforo. Valoración.
Arbitrage Arbitraje.
Arbitrage pricing theory Teoría del arbitraje de precios.
Arranger *Arranger.*
Arrangement fee *Arrangement fee.*
Arrear Arrear.

Arrears swap *Swap in arrears.*
Articles of association Estatutos sociales.
Articles of incorporation Carta constitucional. Escritura de constitución.
Artificial hedge Cobertura artificial.
Ascending triangle Triángulo ascendente.
Asiatic option Opción asiática.
Asked price Cambio vendedor.
Asset Activo.
Asset allocation *Asset allocation.*
Asset and liability management Gestión de activos y pasivos.
Asset manager Gestor de carteras.
Asset swap *Asset swap.*
Assets turnover Rotación de activos.
Assets capitalization Capitalización de activos.
Assignee Cesionario.
Assignment Cesión.
Assignment of credits Cesión de créditos.
Assignor Cedente.
Association of International Bond Dealers AIBD.
Assumption of debt Asunción de deuda.
As you like option *Chooser option.*
At best order Orden al precio de mercado.
Atlantic option Opción bermuda.
At par A la par.
At pro-rata A prorrata.
At risk *At risk.*
Attachement Embargo.
At the close order Orden al cierre.
At the market order Orden al precio del mercado.
At the money *At the money.*
At the opening order Orden al precio de apertura.
Attorney Procurador.
Auction Subasta.
Audit Auditoría.
Authentication Autenticación.
Authorized capital stok Capital social autorizado.

Authorized share capital Capital social autorizado.
Auto-correlation Autocorrelación.
Automatic stabilizer Esabilizador automático.
Average collection time Período medio de cobro.
Average cost Coste medio.
Average life Vida media.
Average maturity, calculation Vencimiento medio, cálculo.
Average productivity Productividad media.
Average propensity to consume Propensión media al consumo.
Average propensity to save Propensión media al ahorro.
Average revenue Ingreso medio.
Avoidance of tax Elusión fiscal.
Away from the market Fuera de mercado.

B

Back-bond Contrabono.
Backing Soporte.
Backing line Línea de soporte.
Back office *Back office.*
Back stop agreement Compromiso de colocación.
Back stop role *Back stop role.*
Back to back *Back to back.*
Back to back credit Crédito subsidiario. Crédito de cobertura.
Back to back loan Crédito de mutuo respaldo. Crédito cruzado. Préstamo de mutuo respaldo.
Back up line *Back up line.*
Backwardation Prima de aplazamiento.
Bail Fianza.
Bail out *Bail out.*
Balance Equilibrio. Saldo.
Balance consolidation Consolidación de balances.

Balanced budget Presupuesto equilibrado.
Balance of payment on financial account Balanza por cuenta de capital.
Balance of payment on financial account Balanza por cuenta corriente.
Balance payments Balanza de pagos.
Balance sheet Balance.
Balance sheet analysis Análisis financiero.
Balance sheet restatement Regularización de balances.
Balloon interest *Balloon interest.*
Balloon loan *Balloon loan.*
Balloon maturity *Balloon maturity.*
Balloon payment *Balloon payment.*
Bankarization Bancarización.
Bank bill Pagaré bancario.
Bank clearing Compensación bancaria.
Bank commission Comisión bancaria.
Bank deposit Depósito bancario.
Banker acceptance Aceptación bancaria.
Bank for International Settlements Banco de Pagos Internacionales.
Bank holiday Cierre bancario.
Banking consortium Consorcio bancario.
Banking correspondent Corresponsal bancario.
Banking risks office Central de Información de Riesgos.
Banking system Sistema bancario.
Bank note Billete de banco.
Bank of Spain Banco de España.
Bank of Spain certificates Certificados de depósito del Banco de España. CBE.
Bank of Spain circulars Circulares del Banco de España.
Bank of Spain loans resort Préstamos de apoyo en última instancia del Banco de España.
Bank reserves Reservas bancarias.
Bankruptcy Bancarrota. Quiebra.
Bank saving Ahorro bancario.
Bank share Acción bancaria.

Bank syndicate Sindicato bancario.
Bar Bar.
Bargain Operación.
Barrier option Opción con barrera.
Barter Trueque.
Base currency Divisa base.
Base rate Tipo de interés básico.
Base year Año base.
Basic balance Balanza básica.
Basic rate of monetary interest Tipo básico de interés.
Basis point Punto básico.
Basis point futures contract Punto básico en contratos futuros.
Basis risk Riesgo de base.
Basis swap *Basis swap*.
Batch Remesa.
Beamer *Beamer*.
Bear bond Bono bajista.
Bearer Portador.
Bearer bond Bono al portador. Obligación al portador.
Bearer security Título al portador.
Bearer share Acción al portador.
Bear hug Abrazo del oso.
Bearish Bajista.
Bear market Mercado bajista.
Bear raid *Bear raid*.
Bear spread *Spread* bajista.
Beggar my neighbour policy Política de empobrecer a mi vecino.
Bell and whistles *Bells and whistles*.
Bellwether bond Bono *bellwether*.
Below par Bajo la par.
Benchmark *Benchmark*.
Benchmark bond Bono de referencia.
Benefit in kind Beneficio en especie.
Benefit of inventary Beneficio del inventario.
Best efforts basis *Best efforts basis*.

Bermuda option Opción Bermuda.
Beta Beta.
Beta coefficient Coeficiente beta.
Bid *Bid.*
Bid and asked price *Bid and asked price.*
Bid and offer *Bid and offer price.*
Bidding panel Panel de licitación.
Bid-asked spread Diferencial oferta demanda.
Bid-offer spread Diferencial oferta demanda.
Bid rate *Bid rate.*
Big Bang *Big Bang.*
Big Board *Big Board.*
Big figure *Big figure.*
Bilateral monopoly Monopolio bilateral.
Bilateral trade Comercio bilateral.
Bill Billete de banco.
Billion Billion.
Bills *Bills.*
Bill of exchange Letra de cambio.
Binary option Opción digital.
Binomial option pricing model Modelo binomial de valoración de opciones.
Black economy Economía sumergida.
Black Friday Viernes negro.
Black holes Agujeros negros.
Black knight Caballero negro.
Black market Mercado negro.
Black Monday Lunes negro.
Black money Dinero negro.
Black-Scholes option pricing model Modelo de *Black-Scholes* de valoración de opciones.
Blank endorsement Endoso en blanco (de la letra y del pagaré).
Blind broker *Broker* ciego.
Block trade *Block trade.*
Blocks market in the stock market interconection system Mercado de lotes en el sistema de interconexión bursátil.

Blow out *Blow out.*
Blue-chips *Blue-chips.*
Blue sky laws *Blue sky laws.*
Board Tablero.
Board broker *Board broker.*
Board of director Consejo de administración.
BOAT BOAT.
Body of shareholders Accionariado.
Bolerplate *Bolerplate.*
Bond Bono. Obligación.
Bond basis Base del bono.
Bond days Días del bono.
Bondholder Bonista. Obligacionista.
Bondholder effective rate Rentabilidad efectiva para el obligacionista.
Bondholders meeting Asamblea de obligacionistas.
Bond issue Empréstito de obligaciones.
Bond issue expenses Gastos de emisión.
Bond rating *Bond rating.*
Bonds repayment Reembolso de obligaciones.
Bond yield Rendimiento de un bono.
Bonus Bonus.
Bonus share Acción liberada. Acción gratuita.
Book Libro.
Book entry security *Book entry security.*
Book entry system *Book entry system.*
Book profit Beneficio contable.
Book runner *Book runner.*
Book value Valor contable.
Boom *Boom.*
Bootstrap adquisition Compra *bootstrap.*
Borrowed fund Recursos ajenos.
Borrower Prestatario.
Borrowing amortization Amortización de un empréstito.
Boston option Opción Boston.
Bottom Suelo.
Bottom straddle *Straddle* inferior.

Bottom strangle *Strangle* inferior.
Bought deal Emisión comprada.
Bracketing Clasificación.
Branch Rama.
Branch securities Valores en rama.
Breach of trust Prevaricación.
Breakaway gap Hueco de ruptura.
Break even analysis Análisis del punto muerto.
Break even point Punto muerto. Punto de equilibrio.
Break out Ruptura.
Breakpoint Punto de ruptura.
Break up fee Comisión por ruptura.
Break up value Valor de fragmentación.
Bretton Woods Agreement Acuerdo de Bretton Woods.
Bridging credit Crédito puente.
Bridging loan Préstamo puente.
Broadcast *Broadcast*.
Broad market Mercado amplio.
Broken dates Fechas rotas.
Broken periods Fechas rotas.
Broker Comisionista. Mediador.
Brokerage Corretaje.
Brokering company Sociedad de valores.
Bubble Burbuja especulativa.
Budget deficit Déficit presupuestario.
Bull Alcista.
Bull-bear bond Bono bolsa.
Bulldog bond Bono *bulldog*.
Bulldog market Mercado *Bulldog*.
Bullet Bullet.
Bullet bond Bono con vencimiento único.
Bullet issue Emisión sin amortización anticipada.
Bullet loan Préstamo con amortización final.
Bullish Alcista.
Bull market Mercado alcista.
Bull spread *Spread* alcista.
Bund *Bund*.

Bundbahnpost bond Bonos del *bundbahnpost*.
Bundesbank Bundesbank. Buba.
Bunny bond Bono *bunny*. Bono reinvertible.
Burden Carga o presión fiscal. Gravamen.
Business day Día hábil.
Business performance information office Central de balances.
Business risk Riesgo del negocio. Riesgo operativo.
Butterfly spread Mariposa.
Buyer Comprador.
Buyer's market Mercado de compradores.
Buy-back Recompra de deuda.
Buy in *Buy in*.
Buying price Cambio comprador.
Buying rate Cambio comprador.
Bylaws Estatutos sociales.

C

Cac 40 index Cac 40 *index*.
Cac 240 index Cac 240 *index*.
Calculation agent Agente de cálculo.
Call Amortización anticipada. Opción de compra.
Callable Amortizable.
Callable bond Bono con opción de recompra.
Callable swap *Swap* cancelable.
Call money Dinero a la vista. *Call money*.
Call option Opción de compra.
Call price Precio de rescate.
Call premium Precio de rescate.
Call protection *Call protection*.
Call spread *Spread* alcista.
Cancelable swap *Swap* cancelable.

Cap Techo. Cap.
Capital Capital.
Capital adequacy ratio Coeficiente de garantía.
Capital asset Activo fijo.
Capital asset pricing model. CAPM Modelo de valoración de precios de activos.
Capital call Dividendo pasivo.
Capital decrease Reducción de capital.
Capital export Exportación de capital.
Capital flight Evasión de capitales.
Capital gain Plusvalía. Ganancia de capital.
Capital grants Subvenciones de capital.
Capital increase Ampliación de capital.
Capitalist partner Socio capitalista.
Capitalization Capitalización.
Capitalize Capitalizar.
Capitalize an income Capitalizar una renta.
Capitalize a profit Capitalizar un beneficio.
Capitalized value Valor capitalizado.
Capital lease Arrendamiento financiero.
Capital loss Minusvalía.
Capital market Mercado de capitales.
Capital productivity Productividad del capital.
Capital repatriation Repatriación de capital.
Capital risk society Sociedad de capital riesgo.
Capital stock Capital social.
Capped floating rate note Pagaré a tipo de interés flotante con tope máximo. Bono variable con techo.
Capped FRN Pagaré a tipo de interés flotante con tope máximo.
Captain's protest Acta de protesto.
Caption Capción.
Carabela bond Bono carabela.
Care Custodia.
Carry *Carry.*
Cartel Cártel.
Cascade effect Efecto cascada.

Cascade tax Impuesto en cascada.
Cash Caja. Numerario.
Cash and carry Arbitraje directo.
Cash Basis Método de Caja.
Cash-flow *Cash-flow*, flujo de caja. Recursos generados.
Cash-flow multiplier Multiplicador del *cash-flow*.
Cash-flow per share *Cash-flow* por acción.
Cash hedge Cobertura líquida.
Cash held by public Efectivo en manos del público.
Cash management *Cash management*. Gestión de tesorería.
Cash ratio Coeficiente de caja.
Cash room Sala de tesorería.
Cash settlement Pago en efectivo.
Cash value Valor efectivo.
Cash value added *Cash value added*.
Cassation Casación.
Castles in Spain *Castles in Spain*.
CEDEL CEDEL.
Ceiling price Máximo.
Central bank Banco central.
Central exchange rate Tipo de cambio central.
Certain quotation Cambio cierto.
Certificate of incorporation Escritura de constitución.
Certificate of deposit Certificado de depósito.
Ceteris paribus *Ceteris paribus*.
Change Cambio. Carga o presión fiscal. Canje.
Channel Canal.
Characteristic line Línea característica.
Charge Adeudar.
Chart *Chart*.
Charter Escritura de constitución.
Chartism Chartismo.
Chattel Bien mueble.
Cheapest to deliver Entrega del más barato.
Cheap money Dinero barato.
Check Cheque.
Cherry picking *Cherry picking*.

Chinese wall Muralla china.
Chooser option *Chooser option.*
Churning Inflar la Bolsa.
Circular flow of income Flujo circular de la renta.
Circulars Circulares.
Circus swap *Swap circus.*
City *City.*
Classified Clasificado.
Clawback option *Clawback option.*
Clean price Cotización ex cupón. Precio limpio.
Clear Liquidar.
Clearing arrangements Acuerdos de *clearing.*
Clearing bank *Clearing bank.*
Clearing house Cámara de compensación y liquidación.
Clearing member Miembro liquidador.
Clearing system Sistema de compensación y liquidación.
Clear market *Clear market.*
Close Cierre.
Close corporation Empresa de responsabilidad limitada.
Closed economy Economía cerrada.
Closed issue Emisión cerrada.
Closed position Posición cerrada.
Closing day Día de cierre.
Closing position Cierre de posición.
Closing price Cambio de cierre.
Closing range Rango de cierre.
Cocktail swap *Swap* cruzado de interés y divisas.
Coin Moneda.
Coinage Acuñación.
Co-lead manager Codirector de una emisión.
Collar *Collar.*
Collar swap *Collar swap.*
Collateral Colateral.
Collateral bond Bono con colateral.
Collateral risk Riesgo colateral.
Collection management Gestión de cobro.
Collective investment Inversión colectiva.

Collusion Colusión.
Co-managers Codirectores.
Co-manager bank Banco codirector.
Comfort letter Carta de apoyo.
Commercial bank Banco comercial.
Commercial banking Banca comercial.
Commercial discount Descuento al tirón. Descuento comercial.
Commercial paper Pagaré de empresa. Papel comercial.
Commerzbank index Indice *commerzbank.*
Commission Comisión.
Committee of the stock-exchange Consejo Superior de Bolsas.
Committee on Banking Regulations and Supervisory Practices *Committee on Banking Regulations and Supervisory Practices.*
Commitment *Commitment.*
Commitment fee Comisión de mantenimiento.
Commodities *Commodities.*
Commodity currency Dinero mercancía.
Common equity Recursos propios.
Common market Mercado común.
Common stock Acción ordinaria.
Community law Derecho comunitario.
Company conglomerate Conglomerado empresarial.
Comparative advantage Ventaja comparativa.
Compensate Compensar.
Competence Competencia.
Competence price fixing Fijación de precios basados en la competencia.
Competition Competencia.
Competitive bid Emisión competitiva.
Competitive bidding Subasta competitiva.
Competitive devaluations Devaluaciones competitivas.
Competitive market Mercado competitivo.
Compliance Ejecución.
Compound capitalization Capitalización compuesta.
Compounding Capitalización.

Computable Computable.
Computer assisted trading system CATS.
Concentration ratio Ratio de concentración.
Condor Cóndor.
Concealed asset Activo negro. Activo oculto.
Conglomerate Conglomerado.
Conjuncture Coyuntura.
Consolidate balance sheet Balance consolidado.
Consolidation Consolidación.
Consolidation methods Métodos de consolidación.
Consortium bank Banco consorcial.
Constant monetary units Unidades monetarias constantes.
Constant prices Precios constantes.
Consumer price index Indice de precios de consumo.
Consumption function Función de consumo.
Consumption tax Impuesto sobre el consumo.
Contango *Contango*.
Contingent asset Activo contingente. Activo realizable.
Contingent inmunization Inmunización contingente.
Contingent liability Pasivo contingente.
Contingent swap *Swap* contingente.
Continuous capitalization Capitalización continua.
Continuous tender panel Panel de subasta continua.
Contracyclical trading Posición contracíclica.
Contribution Afectación.
Controller *Controller*.
Controlling interest Participación de control.
Control portfolio Cartera de control.
Convergence Convergencia.
Conversion Conversión.
Conversion date Fecha de conversión.
Conversion factor Factor de conversión.
Conversion parity Paridad de conversión.
Conversion premium Prima de conversión.
Conversion price Precio de conversión.
Conversion ratio Ratio de conversión.
Conversion value Valor de conversión.

Convertibility Convertibilidad.
Convertible bond Bono convertible. Bono canjeable. Obligación convertible. Obligación canjeable.
Convertible currency Divisa convertible.
Convexity Convexidad.
Cooke Ratio *Ratio Cooke.*
Cooperative Cooperativa.
Copyright *Copyright.*
Corporate group Grupo de empresas.
Corporate income tax Impuesto sobre Sociedades.
Corporation Corporación.
Corporation tax Impuestos sobre sociedades.
Corporative banking Banca corporativa.
Correlation Correlación.
Correlation coefficient Coeficiente de correlación.
Corridor Pasillo.
Cost of capital Coste de capital.
Cost of carry *Carry.*
Cost of debt Coste de la deuda.
Cost-push inflation Inflación de costes.
Counterparty Contrapartida.
Countervalue Contravalor.
Country risk Riesgo país.
Coupon Cupón.
Coupon date Fecha de pago del cupón.
Coupon due date Fecha de pago del cupón.
Coupon profitability Rentabilidad por cupón.
Coupon stripping *Strips.*
Coupon washing Lavado de cupón.
Court of Auditors of the Reino de España Tribunal de Cuentas del Reino de España.
Covenant Garantía. Cláusula restrictiva.
Cover Cubrir.
Covered issue Emisión cubierta.
Crash *Crash* bursátil.
Creative accounting Contabilidad creativa.
Credit Abono. Acreditar. Crédito.

Credit agreement Contrato de crédito.
Credit balance Saldo acreedor.
Credit card Tarjeta de crédito.
Credit cooperative Cooperativa de crédito.
Credit entities Instituciones de crédito.
Credit facility Línea de crédito.
Credit institutions cash assets Activo de caja del sistema bancario.
Credit market Mercado a crédito.
Credit money Dinero bancario.
Credit multiplier Multiplicador monetario.
Creditor Acreedor.
Creditor of a partnership Acreedor social.
Credit position Posición acreedora.
Credit rating Calificación de solvencia.
Credit rating agency Agencia de calificación crediticia.
Credit risk Riesgo de crédito.
Credit system Sistema crediticio.
Credit watch *Credit watch.*
Credit worthiness Calificación de solvencia.
Creeping inflation Inflación reptante.
Creeping tender offer Adquisición furtiva.
Cross a check Cruzar un cheque.
Cross border loan Préstamo *cross border*.
Cross currency coupon swap *Swap* de divisas fijo-variable.
Cross currency fixed to fixed swap *Swap* de divisas fijo-fijo.
Cross currency loan Préstamo *cross currency*.
Cross currency basis swap *Swap* de divisas variable-variable.
Cross-default clause Cláusula de insolvencia cruzada.
Crossed elasticity of demand Elasticidad precio cruzada de la demanda.
Crossed exchange Cambio cruzado.
Crossed rates Cambios recíprocos.
Cross hedge Cobertura cruzada.
Crossing *Crossing.*
Cross rate Cotización cruzada.

Crowding out effect *Crowding out*, efecto. Efecto desplazamiento o expulsión.
Crown jewel defense Defensa joyas de la corona.
Cum dividend Con dividendo.
Cumulative Acumulativo.
Cumulative preferred stocks Acciones preferentes acumulativas.
Currency Moneda.
Currency appreciation Apreciación de una moneda.
Currency area Area monetaria.
Currency basket Cesta de monedas.
Currency broker *Broker* de divisas.
Currency conversion facility *Currency conversion facility.*
Currency futures Futuros sobre divisas.
Currency futures contract Contrato de futuros sobre divisas.
Currency option Opción de divisas.
Currency option clause Cláusula de opción sobre divisas.
Currency swap *Swap* de divisas. *Swap* de divisas fijo-fijo.
Currency risk Riesgo de tipo de cambio.
Current Circulante.
Current account Cuenta corriente.
Current asset Activo circulante. Activo realizable.
Current liability Pasivo circulante.
Current maturity *Current maturity.*
Current monetary units Unidades monetarias corrientes.
Current money Moneda corriente.
Current price Precios corrientes.
Current value of suscription rights Valor teórico de los derechos de suscripción.
Current yield Rendimiento actual.
Cushion bond *Cushion bond.*
Custody Custodia.
Custody expenses Gastos de custodia.
Custom union Unión aduanera.
Cut Recorte. Cortar.
Cutthroat competition Competencia de eliminación.
Cyclical budget Presupuesto cíclico.

Cyclical budget deficit Déficit público cíclico o endógeno.
Cyclical stock Acción cíclica.
Cylinder Cilindro.

D

Daily rate Tipo diario.
Dated bond Bono de vencimiento fijo.
Dated debt Deuda amortizable.
Dawn raid *Dawn raid*.
Dax index Indice Dax.
Day count basis Cálculo de días.
Daylight exposure *Daylight exposure*.
Day loan Préstamo diario.
Day order Orden del día.
Day trade *Day trade*.
Deal Operación.
Dealer *Dealer*.
Dealing room Sala de cambios.
Debenture Deuda no garantizada. Obligación.
Debenture loan Empréstito.
Debit Adeudar.
Debit balance Saldo deudor.
Debt Recursos ajenos.
Debt conversion Conversión de deuda pública.
Debt equity swap *Swap* de deuda por capital.
Debt finance *Debt finance*.
Debt for debt swap *Swap* de deuda por deuda.
Debt monetization Monetización de la deuda.
Debt ratio Ratio del endeudamiento.
Debt restructuring Reestructuración de deuda.
Debt service Servicio de la deuda.
Deductible expenditures Gastos deducibles.
Deductive method Método deductivo.

Deed Escritura.
Deep-discount bond Obligación al descuento.
Deep out of the money Muy fuera en dinero.
Defalcation Malversación.
Default Fallido.
Defaulter Moroso.
Defaulter stockholder Accionista moroso.
Default risk Riesgo de cobro.
Defeasance *Defeasance.*
Defensive merger Fusión defensiva.
Defensive share Valor defensivo.
Deferred cap Cap diferido.
Deferred charges Gastos amortizables.
Deferred profits Beneficios diferidos.
Deflation Deflación. Deflactación.
Deflator Deflactor del PIB.
Degrees of freedom Grados de libertad.
Delaware *Delaware.*
Delivery Entrega.
Delivery bond Bono entregable.
Delivery date Fecha de entrega.
Delivery factor Factor de conversión.
Delta coefficient Coeficiente delta.
Delta hedging Delta inmunización.
Delta neutral hedge Cobertura delta neutral.
Demand Demanda.
Demand deposit Depósito a la vista.
Demand monopoly Monopolio de demanda.
Demand-pull inflation Inflación de demanda.
Demerger *Demerger.*
Deport *Deport.*
Deposit Imposición.
Deposit Guaranteee Fund Fondo de Garantía de Depósitos.
Deposit of securities Depósito de valores.
Depository fee Comisión de custodia.
Deposits market Mercado de depósitos.
Depreciable asset Activo amortizable.

Depreciation Depreciación.
Depreciation methods Planes de amortización.
Depreciation of diminishing values Amortización decreciente.
Depreciation rate Cuota de amortización.
Depression Depresión.
Deregulation Desregulación.
Derivative instruments Instrumentos derivados.
Derivate market Mercado de derivados.
Derivatives Derivados.
Descending triangle Triángulo descendente.
Desk Mesa.
Devaluation Depreciación. Devaluación.
Diagonal spread *Spread* diagonal.
Diamond Diamante.
Digital option Opción digital.
Dilution Dilución.
Dingo bond Bono dingo.
Direct cost Coste directo.
Direct estimation Estimación directa.
Direct hedge Cobertura directa.
Direct investment Inversión directa.
Director Consejero.
Direct placement Colocación directa.
Direct taxes Impuestos directos.
Dirty floating Flotación sucia.
Dirty price Precio sucio.
Dischange Quita.
Disclosure *Disclosure*.
Discount Descuento. Descontar.
Discounting dividend Descontar dividendo o derecho.
Discounting the news Descontar una noticia.
Discount rate Tipo de descuento.
Discount securities Activos al descuento.
Discretionary policy Política discrecional.
Diseconomies of scale Deseconomías de escala.
Disintermediation Desintermediación.

Disposable personal income Renta personal disponible.
Disposed Dispuesto.
Diversifiable risk Riesgo diversificable.
Diversification of risks Diversificación de riesgos.
Dividend Dividendo.
Dividend cover Cobertura de dividendo.
Dividend policy Política de dividendos.
Dividend reinvestment plan Plan de reinversión de dividendos.
Dividend right certificate Acción sin voto.
Dividend washing Lavado de dividendo.
Dividend yield Rentabilidad por dividendo.
Documentary credit Crédito documentario.
Documentary draft Giro documentario.
Dolar index Dólar *index.*
Domestic economies sector Sector de economías domésticas.
Double Doble.
Double bottom Suelo doble.
Double dip leasing *Leasing double dip.*
Double floors and caps Techos y suelos dobles.
Double taxation Doble imposición.
Double taxation agreement Convenio para evitar la doble imposición.
Double witching hour Doble hora bruja.
Dow Jones index Indice Dow Jones.
Down and in call Opción de compra con barrera mínima.
Down and out call Opción de compra con barrera máxima.
Downgrade *Downgrade.*
Downtick *Downtick.*
Draft Giro.
Draft acceptance Aceptación de la letra de cambio.
Drawdown Disposición.
Drawee Librado.
Drawer Librador.
Drawing Sorteo.
Drawn Librar.
Drop Baja.

Dropping Goteo.
Dual currency bond Bono de doble divisa.
Due date Fecha de pago. Vencimiento.
Due diligence Due diligence.
Dumping *Dumping.*
Duopoly Duopolio.
Duopsony Duopsonio.
Duration Duración.
Duration gap *Gap* de duración.
Duration risk management *Duration risk management.*
Dutch auction Subasta holandesa.

E

Early repayment Amortización anticipada.
Earnig per share Beneficio por acción.
Econometrics Econometría.
Economic activities tax Impuesto sobre actividades económicas.
Economic crisis Crisis económica.
Economic cycle Ciclo económico.
Economic efficiency Eficiencia económica.
Economic growth Crecimiento económico.
Economic interest group Agrupación de interés económico.
Economic profit Beneficio económico.
Economics Economía.
Economics aggregates Agregados económicos.
Economic slowdown Estancamiento económico.
Economic value added *Economic value added.*
Economies of scale Economías de escala.
Effective annual rate of interest Tasa anual equivalente. TAE.
Effective date Fecha de entrada en vigor.

Effective real exchange rate Tipo de cambio efectivo real.
Efficiency Eficiencia.
Efficient market Mercado eficiente.
Efficient portfolio Cartera eficiente.
Elasticity Elasticidad.
Electronic funds transfer Transferencia electrónica de fondos.
Elliot's wave theory Teoría de la onda de Elliot.
Employees buyout Compra de una empresa por sus empleados.
Employees stock ownership plan. ESOP *Employees stock ownership plan. ESOP*.
EMU-11 UME-11.
Encumbered Sujeto a cargas.
End of period adjustment Ajuste por periodificación.
Endogenous variable Variable endógena.
Endorse Endosar.
Endorsee Endosatario.
Endorsement Endoso.
Endorser Endosante.
Endowment *Endowment*.
Envelopes Envolventes.
Equilibrium Equilibrio.
Equity capital Recursos propios.
Equity security Título de renta variable.
Equity swap *Swap* de acciones.
Equity linked swap *Swap* de acciones.
Equity method Procedimiento de puesta en equivalencia.
Ergonomics Ergonomía.
Espaclear Espaclear.
Eurex Eurex.
Euribor Euribor.
Euro Euro.
Eurobond Eurobono.
Euroclear Euroclear.
Eurocommercial paper *Eurocommercial paper*.

Eurocommercial paper facility Programa de *Eurocommercial paper*
Eurocredit market Mercado de eurocréditos.
Eurocredits Eurocréditos.
Eurocurrency Eurodivisa.
Eurocurrency deposit Depósito en eurodivisa.
Eurodollars Eurodólares.
Euroissue Euroemisión.
Euroissue market Mercado de euroemisiones.
Eurolist Eurolista.
Euromarkets Euromercados.
Euro medium-term notes Euronotas a medio plazo.
Euronote facility Compromiso bancario de emisión de euronotas.
Euronotes Europagarés.
European central bank Banco central europeo.
European Common Market. ECM Mercado Común Europeo. MCE.
European currency unit ECU. Unidad de cuenta europea.
European Economic Community. EEC Comunidad Económica Europea.
European Investment Bank Banco Europeo de Inversiones. BEI.
European Monetary and Economic Union Unión Económica y Monetaria Europea.
European Monetary Institute. EMI Instituto Monetario Europeo. IME.
European Monetary System. EMS Sistema Monetario Europeo. SME.
European option Opción europea.
Europesetas Europesetas.
Euroshares Euroacciones.
Euroshares market Mercado de euroacciones.
Event of default Incumplimiento. Mora.
Event risk Riesgo de acontecimientos.
Excess profits Beneficios extraordinarios.
Exchange Cambio. Canje.

Exchangeable bond Bono canjeable.
Exchange certificate Certificación de cambio.
Exchange control Control de cambios.
Exchange insurance Seguro de cambio.
Exchange rate Tipo de cambio.
Exchange rate risk Riesgo de tipo de cambio.
Exchange rates band of the EMS Bandas de fluctuación del SME.
Ex-coupon Ex-cupón.
Ex-coupon price Precio ex-cupón.
Ex-dividend Ex-dividendo.
Ex-dividend date Fecha ex-dividendo.
Exemption Exención.
Exercise date Fecha de ejercicio.
Exercise price Precio de ejercicio de una opción.
Exhaustion gap Hueco de agotamiento.
Exogenous variable Variable exógena.
Exonerate Exonerar.
Exotic Exótico.
Exotic currency Divisa exótica.
Expansión Expansión.
Expectation Expectativas.
Expectations theory Teoría de las expectativas.
Expenses capitalization Activación de gastos.
Expiry Vencimiento.
Expiry date Fecha de vencimiento.
Explicit yield Rendimiento explícito.
Exports Exportaciones.
Exposure Exposición.
Ex-right Ex-derecho.
Ex-right stock Acción ex-derecho.
Extendible swap *Swap* de vencimiento ajustable.
Extent Amplitud.
Extensión swap *Swap* prolongable.
External audit Auditoría externa.
External debt Deuda exterior.
External diseconomies Deseconomías externas.

External economies Economías externas.
External resources Recursos ajenos.
External surplus Superávit de la balanza de pagos.
Extinguishing option Opción con barrera.
Extra dividend Dividendo complementario.
Extraordinary income or loss Resultados extraordinarios.
Extraordinary shareholder's meeting Junta General Extraordinaria.
Extraordinary stockholder's meeting Junta General Extraordinaria.
Extrinsic time Valor extrínseco.

F

Face capital Capital nominal.
Face value Valor facial.
Facility Facilidad. Disponibilidad.
Facility fee Comisión de disponibilidad.
Factoring *Factoring*.
Factoring entity Entidad de *factoring*.
Fail Incumplimiento.
Failure Bancarrota.
Fair value Valor justo.
Fallen angel Angel caído.
Fannie Mae *Fannie Mae*.
Fare Tarifa.
Fed Funds FEDERAL FUNDS.
Federal funds *Federal funds*.
Federal funds rate Tipo de interés de los fondos federales.
Federal reserve system. FED Sistema de la Reserva Federal.
Fee Comisión.
Fiat money *Fiat money*.
Fictitious asset Activo ficticio.

Fictitious capital Capital ficticio.
Fiduciary Fiduciario.
Fiduciary money Dinero fiduciario.
Fifty fifty *Fifty fifty*.
Fill or kill order Orden de ejecución inmediata.
Final dividend Dividendo final.
Finance Financiar.
Finance vehicle Vehículo financiero.
Financial accounts Cuentas financieras.
Financial analyst Analista financiero.
Financial asset Activo financiero.
Financial asset management Gestión de patrimonios.
Financial autonomy Autonomía financiera.
Financial calculation Cálculo financiero.
Financial capital Capital financiero.
Financial claim Activo financiero.
Financial claim with explicit yield Activo financiero con rendimiento explícito.
Financial claim with implicit yield Activo financiero con rendimiento implícito.
Financial corporations Corporaciones financieras.
Financial cost Coste financiero.
Financial discount Descuento financiero.
Financial economics Economía financiera.
Financial engineering Ingeniería financiera.
Financial equilibrium Equilibrio financiero.
Financial equivalence Equivalencia financiera.
Financial expenses Gastos financieros.
Financial fixed assets Inmovilizado financiero.
Financial futures Futuros financieros.
Financial incomes Ingresos financieros.
Financial information Información financiera.
Financial intermediary Intermediario financiero.
Financial investment Inversión financiera.
Financial leasing Arrendamiento financiero.
Financial leverage Apalancamiento financiero.
Financial leverage level Nivel de apalancamiento financiero.

Financial markets Mercados financieros.
Financial repayment Amortización financiera.
Financial risk Riesgo financiero.
Financial synergy Sinergia financiera.
Financial system Sistema financiero.
Financial Times 100 index Indice *Financial Times 100*.
Financing Financiación.
Financing entity Entidad de financiación.
Fineness Ley de una moneda.
Firm Empresa. Firme.
Firm operations Operaciones en firme.
Firm quotation Cotización en firme.
Fiscal administration Administración fiscal.
Fiscal agent Agente fiscal.
Fiscal drag Freno fiscal.
Fiscal law Derecho tributario.
Fiscal policy Política fiscal.
Fiscal pressure Presión fiscal.
Fiscal residence Domicilio fiscal.
Fiscal transparency Transparencia fiscal.
Fiscal year Año fiscal.
Fisher effect Efecto *Fisher*.
Fixed and floating exchange rates system Sistema de tipos de cambios fijos y ajustables.
Fixed and other non current assets Inmovilizado.
Fixed asset Activo fijo. Capital fijo.
Fixed exchange rate Tipo de cambio fijo.
Fixed income funds Fondos de renta fija.
Fixed income security Renta fija.
Fixed income securities Títulos de renta fija.
Fixed rate of interest Tipo de interés fijo.
Fixed rate market of the AIAF Mercado de renta fija de la AIAF.
Fixed to floating swap *Swap* de intereses fijo-variable.
Fixing *Fixing*.
Flags Banderas.
Flat *Flat*.

Flat market Mercado plano.
Flat position Posición compensada.
Flat price Cotización bruta.
Flexible exchange rate Tipo de cambio flexible.
Flip-flop bond *Flip-flop bond.*
Floatation Salida a Bolsa.
Floating Fluctuación.
Floating asset Activo realizable.
Floating exchange rate Tipo de cambio flotante.
Floating rate bond Bono a interés variable. Obligación a interés variable.
Floating rate notes *Floating rate notes.*
Floating rate of interest Tipo de interés flotante.
Floor *Floor*. Suelo.
Floortion *Floortion.*
Flotation Emisión abierta. Salida a Bolsa.
Flotation cost Gastos de emisión.
Flow Flujo.
Flowback *Flowback.*
Fluctuation range Bandas de fluctuación.
Footsie Index Indice *Footsie*.
Foreign banking Banca extranjera.
Foreign currency Divisa.
Foreign currency clause Cláusula valor moneda extranjera.
Foreign currency forward change Cambio *forward* de divisas.
Foreign direct investment Inversión extranjera directa.
Foreign exchange arbitrage Arbitraje de divisas.
Foreign exchange control Control de cambios.
Foreign exchange exposure management Gestión del riesgo de tipo de cambio.
Foreign exchange market Mercado de cambios.
Foreign exchange reserves Reservas exteriores.
Foreign exchange risk Riesgo de cambio.
Foreign exchange spot market in Spain Mercado de divisas al contado en España.
Foreign investment Inversión extranjera en España.

Foreign portfolio investment Inversión extranjera en cartera.
Foreign sector Sector exterior.
Foreign tax credit Crédito fiscal exterior.
Forex Mercado de cambios.
Forfaiting *Forfaiting*.
Forward *Forward*.
Forward agreement about stock market index Contrato de futuros sobre índices bursátiles.
Forward contract Contrato de *forward*.
Forward cover Cobertura de *forward*.
Forward currency Divisa *forward*.
Forward curve Curva *forward*.
Forward exchange agreement Acuerdos sobre tipos de cambio futuros.
Forward discount Descuento a plazo.
Forward exchange rate Tipo de cambio a plazo.
Forward market Mercado a plazo.
Forward operations in the foreign exchange market Operaciones a plazo en el mercado de divisas.
Forward points Puntos *forward*.
Forward premium Premio a plazo.
Forward rate Cotización *forward*.
Forward rate agreement Acuerdo sobre tipos de interés futuros.
Forward rate contract Contrato de futuro sobre tipos de interés.
Forward transactions Operaciones a plazo.
Founder's bond Bono de disfrute. Bono de fundador.
Founder's share Acción de disfrute. Acción de fundador.
Founding partner Socio fundador.
Frankfurt interbank offered rate FIBOR.
Fraption *Fraption*.
Frecuency index Indice de frecuencia.
Free cash flow *Cash flow* libre.
Free competence Libre competencia.
Freedom to entry Libertad de entrada.
Free exchange rate Cambio libre.

Free exchange rate system Sistema de tipo de cambio libre o flexible.
Free floating Flotación libre.
Free market economy Economía de mercado.
Free movement of capital Libertad de movimientos de capital.
Fee rider *Free rider.*
Free trade Libre comercio.
Free trading area Area de libre comercio.
Front man Testaferro.
Front office Administración.
FT-SE 100 Share index *Footsie.*
Full disclosure principle Principio de total afloramiento.
Fully diluted earning per share Dilución total del beneficio por acción.
Fundamental analysis Análisis fundamental.
Fundamental value Valor fundamental.
Fundamentalist Fundamentalista.
Fundamentals Fundamentales.
Funding Captación de fondos.
Funds flow statement Estado de origen y aplicación de fondos.
Funds raising Captación de fondos.
Funds statement Estado de origen y aplicación de fondos.
Fungible Fungible.
Fungible securities Títulos fungibles.
Futures contract Contrato de futuros.
Futures market Mercado de futuros.
FX Mercado de cambios.

G

Gamma coefficient Coeficiente gamma.
Gap Gap.

Gap analysis Análisis de Gap.
Gearing Efecto de apalancamiento.
Generally accepted accounting principles. GAPP Principios de contabilidad generalmente aceptados.
Gilt *Gilt.*
Gilt edged security *Gilt edged security.*
Gini coefficient Coeficiente *gini.*
Globalization Globalización.
Global certificate Título global.
Global coordinator Coordinador global.
Global integration method Método de integración global.
Global note Título global.
Global note facility Línea de crédito sobre un programa global de títulos.
Golden handcuffs Esposas doradas.
Golden handshake Despido con una compensación en metálico.
Golden parachute Paracaídas dorado.
Golden share Acción de oro.
Good delivery *Good delivery.*
Goodwill Fondo de comercio.
Government bond Bono del Estado. Obligaciones del Estado.
Government securities Efectos públicos.
Grace period Período de carencia.
Greatness Amplitud.
Green Book *Green Book.*
Greenmail Ordago.
Green shoe *Green shoe.*
Gray knight Caballero gris.
Gray market Mercado gris.
Gross Bruto.
Gross capital formation Formación bruta de capital.
Gross domestic product Producto interior bruto.
Gross domestic product deflator Deflactor del PIB.
Gross investment Inversión bruta.
Gross margin Margen bruto.
Gross national product Producto nacional bruto.

Gross profit Beneficio bruto.
Gross spread *Gross spread.*
Gross-up clause Cláusula *gross-up.*
Gross wealth Patrimonio bruto.
Guarentee Afianzamiento. Aval.
Guarantee credit Crédito de firma.
Guaranteed bond Obligación garantizada.
Guarantee syndicate Sindicato de garantía.
Guarantor Avalista. Fiador. Garante.

H

Hard currency Moneda fuerte.
Head and shoulders Cabeza y hombros.
Head and shoulders bottom Suelo de cabeza y hombros.
Head office Casa matriz.
Heads and shoulders top Techo de cabeza y hombros.
Heat up Calentar.
Hedge Cobertura de riesgo. Cuña.
Hedge fund Fondo de protección.
Hedge ratio Ratio de cobertura.
Hedging Cobertura. *Hedging.*
Hidden economy Economía sumergida.
High grade bond Bono de primera clase.
Highly structured Altamente estructurado.
High yield bond Bono de alto rendimiento.
Historic cost Coste histórico.
Historical volatility Volatilidad histórica.
Hit *Hit.*
Holders of account in the Central de Anotaciones del Banco de España Titulares de cuenta en la Central de Anotaciones del Banco de España.
Holding *Holding*. Participación.
Holding company Sociedad instrumental.

Home banking Banca a domicilio.
Honour Hacer honor.
Horizontal merger Fusión horizontal.
Horizontal spread Diferencial horizontal.
Host bond *Host bond.*
Hostile takeover bid Oferta pública de adquisición hostil.
Hot money Dinero caliente. Dinero especulativo.
Hung up *Hung up.*
Hurdle rate Tasa crítica de rentabilidad.
Hybrid security Título híbrido.
Hyperinflation Hiperinflación.

I

IBCA limited *IBCA limited.*
Ibex 35, stock market index Indice bursátil Ibex 35.
Identification code Referencia técnica.
Illiquid Ilíquido.
Inmunization Inmunización.
Impact day Día de impacto.
Imperfect competition Competencia imperfecta.
Implicit cost Coste implícito.
Implicit interest Interés implícito.
Implicit yield Rendimiento implícito.
Implied interest rate Tipo de interés implícito.
Implied volatility Volatilidad implícita.
Implied zero coupon swap curve Curva *swap* cupón cero implícita.
Import to capital Importación de capital.
Import quotas Cuota a la importación.
Imports Importaciones.
In arrears swap *Swap in arrears.*
Income elasticity of demand Elasticidad renta de la demanda.
Incomes policy Política de rentas.

Income statement Cuenta de resultados.
Income tax Impuesto sobre la renta de las personas físicas.
Income velocity of money Velocidad de circulación del dinero.
Incorporated company Sociedad anónima.
Indemnity Indemnización.
Indenture *Indenture.*
Indenture Trustee *Indenture Trustee.*
Indetermination Indeterminación.
Index Indice.
Index a debt Indiciar una deuda.
Indexation Indicación.
Indexed bond Obligación indiciada.
Indexed loan Empréstito indiciado.
Index number Número índice.
Indirect cost Coste indirecto.
Indirect estimation Estimación indirecta.
Indirect exchange Cambio indirecto.
Indirect investment Inversión indirecta.
Indirect taxes Impuestos indirectos.
Induced investment Inversión inducida.
Inductive method Método inductivo.
Industrial partner Socio industrial.
Inelastic Inelástica.
Inflation Inflación.
Info quote *Info quote.*
Information memorandum *Information memorandum.*
Initial expenses Gastos de constitución.
Initial margin Depósito inicial.
Initial public offering Oferta pública inicial. Salida a Bolsa.
Input Input.
Insider information Información confidencial.
Insider trading Información privilegiada.
Insiders Iniciados.
Instalments Plazos.
Institutional investment Inversión institucional.
Institutional investor Inversor institucional.

Institutional pot *Institutional pot*.
Institutionalization Institucionalización.
Intangible asset Inmovilizado inmaterial.
Interbank Interbancario.
Interbank deposit market Mercado interbancario de depósitos.
Interbank exchange rate market Mercado interbancario de divisas.
Interbank rate of interest Tipo de interés interbancario.
Intercalary interest Intercalario.
Interdealers brokers Medas. Mediadores de deuda.
Interest Interés.
Interest adjustment rate clause Cláusula de revisión de tipo de interés.
Interest arbitrage Arbitraje de intereses.
Interest charges coverage Cobertura de interés.
Interest curve Curva de tipos de interés.
Interest parity Paridad de intereses.
Interest quota Cuota de interés.
Interest rate differential Diferencial de tipo de interés.
Interest rate futures contract Contrato de futuros sobre tipos de interés.
Interest rate exposure Riesgo de tipos de interés.
Interest rate risk Riesgo de tipos de interés.
Interest rate swap *Swap* de tipos de interés.
Interim dividend Dividendo a cuenta.
Intermarket spread *Spread* intermercado.
Intermediate product Producto intermedio.
Intermedation margin Margen de intermediación.
Internal audit Auditoría interna.
Internal cost Coste privado o interno.
Internal credit Crédito interno.
Internal rate of return. IRR Tasa interna de rentabilidad. TIR.
International Banking Facility IBF.
International Monetary Fund Fondo Monetario Internacional.

Interpolation Interpolación.
Intervention Intervención.
Intervention exchange rate Tipo de cambio de intervención.
Intervention purchase Compra de intervención.
Intervention rate of the Banco de España. Tipo de intervención del Banco de España.
In the black Números negros.
In the red Números rojos.
In the money En dinero.
Intramarket spread *Spread* intramercado.
Intrinsic value Valor intrínseco.
Inventory and yearly accounts record Libro de inventarios y balances.
Inventory risk Riesgo de cartera.
Invested capital Capital desembolsado.
Investment Inversión.
Investment analyst Analista de inversiones.
Investment bank Banca de negocios o de inversiones.
Investment club Club de inversión.
Investment fund Fondo de inversión.
Investment fund participation Participación de fondo de inversión.
Investment grade *Investment grade*.
Investment plan Plan de inversión.
Investment subsidies Subvenciones de capital.
Investor Inversor.
Investor base Base inversora.
Invisible hand Mano invisible.
Invisible transactions Operaciones invisibles.
Invitation document Documento de invitación.
Invoice Factura.
Iota Iota
Irrecoverable Irreivindicable.
Irredeemable Perpetua.
Irredeemable bond Obligación perpetua.
Island Isla.
Issue Emisión. Librar.

Issue company Sociedad emisora.
Issue date Fecha de emisión.
Issued capital Capital emitido.
Issued share Acción emitida.
Issue market Mercado de emisiones.
Issue premium Prima de emisión.
Issue price Precio de emisión.
Issuer Emisor.
Issue rate Tipo de emisión.
Issuer effective rate Coste efectivo para el emisor.
Issuing and paying agent Agente de pagos.
Issuing bank Banco emisor.
Issuing monopoly Monopolio de emisión.

J

Jobber *Jobber*.
Joined shares Agrupación de acciones.
Joint asset Activo mancomunado.
Joint creditor Acreedor mancomunado.
Joint lead manager Codirector principal.
Jointly and severally Mancomunada y solidariamente.
Joint venture *Joint venture*.
Junior debt Deuda subordinada.
Junk bond Bono basura.

Kamikazi swap *Swap kamikaze*.
Kappa coefficient Coeficiente *kappa*.
Killer bees *Killer bees*.

Knock in option Opción con barrera.
Knock out option Opción con barrera.

L

Ladder option Opción escalera.
Laffer curve Curva de *Laffer*.
Laffer's theory Teoría de *Laffer*.
Laissez faire *Laissez faire*.
Lambda coefficient Coeficiente *lambda*.
Land bank Caja rural.
Lapsed option Opción vendida.
Launch date Fecha de lanzamiento.
Launder funds Blanquear capitales.
Law of diminishing marginal utility Ley de utilidad marginal decreciente.
Law of supply and demand Ley de la oferta y la demanda.
Lay-way *Lay-way*.
Lead bank *Lead manager*.
Lead manager Director de emisión. Director principal. Jefe de fila.
Leads and Lags *Leads and lags*.
Leading indicator Indicador anticipado.
League table *League table*.
Lease-back *Retroleasing*.
Leasing Arrendamiento.
Legal money Dinero legal.
Leg Pata.
Legal opinion Opinión legal.
Legal reserves Reservas líquidas legalmente requeridas.
Legal risk Riesgo legal.
Legal tender Circulación fiduciaria. Dinero de curso legal.
Lender Prestamista.
Lender of last resort Prestamista en última instancia.

Lesser Arrendatario.
Lessor Arrendador.
Letter of credit Carta de crédito.
Letter of credit-backed Papel comercial respaldado mediante carta de crédito.
Leveraged buy out. LBO Compra apalancada.
Leveraged recap Apalancamiento defensivo.
Leverage effect Efecto de apalancamiento.
Levy Recaudar.
Liability Pasivo.
Liability position Posición deudora.
Liability swap Permuta de pasivos.
Liberalism Liberalismo.
Liberalized trade Comercio liberalizado.
Libid *Libid.*
Libor *Libor.*
Lift *Lift.*
Lightly structured Ligeramente estructurado.
Limean *Limean.*
Limit Límite.
Limited liability Responsabilidad limitada.
Limited order Orden limitada.
Line of credit Línea de crédito.
Liquid asset Activo líquido.
Liquid assets held by the public Activos líquidos en manos del público.
Liquidation Liquidación.
Liquidation value Valor liquidativo.
Liquid availability Disponibilidades líquidas.
Liquidity Liquidez.
Liquidity indexes Indices de liquidez.
Liquidity preference Preferencia por la liquidez.
Liquidity preference theory Teoría de la preferencia por la liquidez.
Liquidity risk Riesgo de liquidez.
Liquid market Mercado líquido.
Listed share Acción cotizada.

Listing Cotización.
Listing fee Comisión de cotización.
Loan Préstamo.
Loan agreement Contrato de préstamo.
Loan stock *Loan stock.*
Loan with variable interest rate Préstamo a tipo de interés variable.
Local law Derecho foral.
Local stock exchange Bolsín.
Lock-out Cierre patronal.
Lock up period *Lock up period.*
Lombard loan Préstamo lombardo.
Lombard rate Tipo lombardo.
London interbank bid rate. LIBID Tipo demandado del mercado interbancario de Londres.
London interbank offered rate LIBOR.
London international financial futures exchange LIFFE.
Long Largo.
Long butterfly Mariposa comprada.
Long condor Cóndor comprado.
Long hedge Cobertura larga.
Long option position Posición larga en opciones.
Long position Posición compradora. Posición larga.
Long straddle *Straddle* comprado.
Long strangle *Strangle* comprado.
Long synthetic call Compra de una opción de compra sintética.
Long synthetic put Compra de una opción de venta sintética.
Long term Largo plazo.
Long term creditors Acreedores a largo plazo.
Long term maturity Vencimiento a largo plazo.
Loophole *Loophole.*
Loss Quebranto.
Lot Lote.
Lots loan Empréstito con lotes.
Luxibor *Luxibor.*

M

Macroeconomics Macroeconomía.
Madrid interbank offered rate MIBOR.
Madrid stock exchange general index Indice general de la Bolsa de Madrid. IGBM.
Maintenance margin Depósito de mantenimiento.
Maintened Sostenido.
Majority shareholder Accionista mayoritario.
Major market index *Major market index.*
Management buy-out. MBO Adquisición de la empresa por la dirección.
Management fee Comisión de dirección.
Management share Acción de fundador.
Manager bank Banco director.
Mandate Mandato.
Mandatory convertible bond Bono con conversión obligatoria.
Manipulation Manipulación.
Make double Doblar.
Margin Margen. Depósito de garantía.
Marginal analysis Análisis marginal.
Marginal cost Coste marginal.
Marginal productivity Productividad marginal.
Marginal propensity to consume Propensión marginal al consumo.
Marginal propensity to save Propensión marginal al ahorro.
Marginal revenue Ingreso marginal.
Marginal tax rate Tipo impositivo marginal.
Marginal utility Utilidad marginal.
Margin buying Crédito al mercado.
Margin transactions Operaciones a crédito.
Markdown *Markdown.*
Market Mercado.
Marketability Negociabilidad.

Market capitalization Capitalización bursátil.
Market failures Fallos del mercado.
Market gap Hueco de mercado.
Marketing *Marketing*.
Market maker Sociedad de contrapartida. Creador de mercado.
Market order Orden al precio de mercado.
Market power Poder de mercado.
Market price Precio de mercado.
Market price adjustment Ajuste de precios en el mercado de valores.
Market risk Riesgo de mercado.
Market segmentation theory Teoría de la segmentación de mercados.
Market share Cuota de mercado.
Market structure Estructura del mercado.
Market value Valor de mercado. Valor bursátil.
Market value added Valor añadido de mercado.
Marking to market Acomodación continua.
Mark to market Ajustar a mercado.
Markup *Markup*.
Master swap agreement Contrato marco de *swap*.
Matador bond Bono matador.
Matched book Libro cerrado.
Matching Casar. Cruzar.
MATIF MATIF.
Matured coupon quotation Cotización con cupón corrido.
Maturity Vencimiento.
Maturity date Fecha de vencimiento.
Maximun price Cambio máximo.
Mayday *Mayday*.
Mean Media.
Median Mediana.
Medium term notes Notas a medio plazo.
Medium total asset Activo total medio.
MEFF MEFF.
Memorandum of Association Escritura de Constitución.

Merchant bank Banca de negocios o de inversiones.
Merger Fusión.
Merger by absorption Fusión por absorción.
Mergers and acquisitions Fusiones y adquisiciones.
Mezzanine finance Financiación *Mezzanine*.
Microeconomics Microeconomía.
Middle office *Middle office*.
Middle rate Cambio medio.
Mini-max bond Bono *minimax*.
Minimun Mínimo.
Minimun price Cambio mínimo.
Minimun wage Salario mínimo.
Minoritary interest Interés minoritario.
Minority shareholder Accionista minoritario.
Mismatched book Libro abierto.
Mixed economy Economía mixta.
Mode Moda.
Model Modelo.
Modern portfolio theory Moderna teoría de la cartera.
Modified duration Duración modificada. Duración ajustada.
Modigliani-Miller theorem Teorema de *Modigliani-Miller*.
Momentum *Momentum*.
Monetarism Monetarismo.
Monetary aggregates Agregados monetarios.
Monetary asset Activo monetario.
Monetary base Base monetaria.
Monetary circulation Circulación monetaria.
Monetary committee Comité monetario.
Monetary illusion Ilusión monetaria.
Monetary market broker *Broker* del mercado monetario.
Monetary policy Política monetaria.
Monetary policy instruments Instrumentos de política monetaria.
Monetary snake Serpiente monetaria.
Monetary standard Patrón monetario.
Monetary system Sistema monetario.
Monetary union Unión monetaria.

Money Dinero.
Money auction Subasta de dinero.
Money demand Demanda de dinero.
Money income Renta monetaria. Renta nominal.
Money market Mercado de dinero. Mercado monetario.
Money market basis Base del mercado monetario.
Money market house Sociedad mediadora en el mercado de dinero.
Money market mutual fund Fondo de dinero. Fondo de inversión en activos del mercado monetario.
Money position Posición dinero.
Money supply Oferta monetaria.
Monopolistic competition Competencia monopolística.
Monopolistic income Renta monopolística.
Monopolistic profit Beneficio monopolístico.
Monopoly Monopolio.
Monopsony Monopsonio.
Monte Carlo method Método de Monte Carlo.
Moody's investor service *Moody's investor service*.
Moonlighting Pluriempleo.
Mora Mora.
Moratorium Moratoria.
Morning loan Préstamo diario.
Mortgage Hipoteca.
Mortgage action Acción hipotecaria.
Mortgage bond Obligación hipotecaria.
Mortgage creditor Acreedor hipotecario.
Mortgage debenture Cédula hipotecaria.
Mortgage market Mercado hipotecario.
Mortgage securities Títulos hipotecarios.
Mortgage participation Participación hipotecaria.
Most favoured nation clause Cláusula de nación más favorecida.
Moving average Media móvil.
Multicurrency clause Cláusula multidivisa.
Multicurrency loan Crédito multidivisa.
Multinational corporation Empresa multinacional.

Multiplier Multiplicador.
Mutual funds Fondo de inversión.

N

Naked position Posición descubierta.
Narrow market Mercado estrecho.
National accounting Contabilidad nacional.
National Association of Security Dealers NASD.
National Association of Security Dealers Automated Quotations NASDAQ.
National budget Presupuestos Generales del Estado.
National income Renta nacional.
Nationalization Nacionalización.
Natural hedge Cobertura natural.
Natural monopoly Monopolio natural.
Nearby basis Base más cercana.
Nearby contract Contrato de futuros con vencimiento más cercano.
Near money Activo cuasimonetario.
Negative income tax Impuesto negativo sobre la renta.
Negative pledge cause Cláusula de salvaguardia de garantía.
Negative sloping yield curre Curva de pendiente negativa.
Net Neto.
Net asset Activo neto.
Net book value per share Valor teórico-contable por acción.
Net exports Exportaciones netas.
Net foreign asset Activo exterior neto.
Net investment Inversión neta.
Net position Posición neta.
Net present value. NPV Valor actual neto de una inversión. VAN.
Net profit Beneficio neto.
Net rate of interest Tipo de interés neto.

Netting *Netting.*
Net worth Activo neto. Patrimonio neto.
New clearing system Nuevo sistema de liquidación.
New share Acción nueva.
New York common stock index Indice ordinario de la Bolsa de Nueva York.
New York Stock Exchange *New York Stock Exchange.*
Next tax base Base liquidable.
Nibor *Nibor.*
Nikkei 225 stock average index Indice *Nikkei 225.*
Night safe Depósito nocturno.
No endorsable credit Crédito no endosable.
Nominal owner Sociedad interpuesta.
Nominal rate of interest Tipo de interés nominal.
Nominal value of a security Valor nominal de un título.
Nominal wage Salario nominal.
Nominal yield Rendimiento nominal.
Nominee Sociedad interpuesta.
Non blue chip stock Chicharro.
Non callable No preamortizable por el emisor.
Non competitive auction Subasta no competitiva.
Non cumulative No acumulativo.
Non cumulative preferred stocks Acciones preferentes no acumulativas.
Non diversifiable risk Riesgo no diversificable.
Non officially listed share Acción sin cotización.
Non official market Mercado no oficial organizado. Mercado no oficial.
Non operating income or loss Resultado ajeno a la explotación.
Non paid-up share Acción no liberada.
Non resident No residente. Residentes en el extranjero.
Non systematic risk Riesgo no sistemático.
Non voting share Acción sin voto.
No protest Sin gastos.
Normal distribution Distribución normal.
Normal yield curve Curva normal.

Note Nota.
Notes issuance facility *Notes issuance facility.*
Notice day Día de aviso.
Notional Nocional.
Notional amount Principal nocional.
Notional bond Bono nocional.
Notional principal amount Principal nocional.
Notional value Valor nocional.
Novation Novación.
Numbered account Cuenta numerada.

O

Objective evaluation Estimación objetiva singular.
Obligatory investment coefficient Coeficiente de inversión obligatoria.
Obsolete asset Activo obsoleto.
Odd dates Fechas rotas.
Odd lot Lote incompleto.
Odd-lot theory Teoría de la opinión contraria.
Odd pricing Precio raro.
Off balance sheet activities Operaciones fuera de balance.
Offer Oferta.
Offered rate Tipo ofertado.
Offering circular Folleto de emisión.
Offering price Precio de oferta.
Offering rate Cambio vendedor.
Official credit Crédito oficial.
Official exchange rate Cambio oficial.
Official list Boletín de cotización oficial.
Officially listed stock Acción con cotización oficial.
Offshore Offshore.
Offshore bank Banca extraterritorial.
Offshore market Mercado extraterritorial.

Oligopoly Oligopolio.
Oligopsony Oligopsonio.
Omega Omega.
One touch all or nothing option *One touch all or nothing option.*
On account A cuenta.
On sight saving Ahorro a la vista.
On stop order Orden chartista.
On term saving Ahorro a plazo.
Open contract Contrato abierto.
Open economy Economía abierta.
Opening price Cambio de apertura. Precio de apertura.
Opening range Banda de apertura.
Open interest Interés abierto.
Open market Mercado abierto.
Open market operations Operaciones de mercado abierto.
Open order Orden abierta.
Open position Posición abierta.
Open up *Open up.*
Operating income Ingresos de explotación.
Operating leasing Arrendamiento operativo.
Operating leverage Apalancamiento operativo.
Operating margin Margen de explotación.
Operating income or loss Resultado de la explotación.
Operating profit Beneficio de explotación.
Opportunity cost Coste de oportunidad.
Optimum portfolio Cartera óptima.
Option Opción.
Option contract Contrato de opción.
Optional redemption Cláusula de amortización anticipada.
Option dealing Operaciones con opción.
Option premium Prima de una opción.
Option serie Serie de una opción.
Options market Mercado de opciones.
Option swap *Swapción.*
Order clause Cláusula a la orden.
Order driven Mercado de órdenes.

Orders compensation Compensación de órdenes.
Ordinary margin Margen ordinario.
Ordinary share Acción ordinaria.
Ordinary shareholder's meeting Junta General Ordinaria.
Ordinary stockholder's meeting Junta General Ordinaria.
Oscillator Oscilador.
Our terms Our terms.
Outflow capital Salida de capital.
Out from the market Fuera de mercado.
Outlay Desembolso.
Out of range Fuera de campo.
Out of the money Fuera de dinero.
Output Output.
Outright forward *Forward*.
Outstanding share Acción vieja.
Outward switching *Outward switching*.
Overbought Sobrecomprado.
Overdraw Descubierto.
Overdue payment Pago retrasado.
Overhang Overhang
Overnight Día a día.
Overnight position *Overnight position*.
Oversold Sobrevendido.
Over the counter market Mercado desregulado. Mercado de valores extraoficial. Mercados OTC. OTC.
Overvalued Sobrevalorado.
Owe Adeudar.

P

Pac-man defense Defensa comecocos.
Paid in capital Paid in capital.
Paid-in surplus Prima de emisión.
Paid up capital Capital desembolsado.

Paid-up-stock Acción desembolsada. Acción liberada.
Paper Papel.
Paper position Posición papel.
Paper profit Beneficio de papel.
Parallel loans *Parallel loans.*
Parallel markets Mercados de valores paralelos.
Parent company Sociedad matriz.
Pari-passu clause Cláusula *pari-passu.*
Parity Paridad.
Parity grid Parrilla de paridades.
Participant bank Banco participante.
Participating interest rate agreement Acuerdo participativo sobre tipos de interés.
Participation Participación.
Participation fee Comisión de participación.
Participation loan Préstamo participativo.
Partly paid bond Obligación con desembolso aplazado.
Partly-paid stock Acción parcialmente liberada.
Partnership *Partnership.*
Par value A la par.
Passive inmunization Inmunización pasiva.
Pass-through Subrogación.
Pay-as-you-earn PAYE.
Payback period Plazo de recuperación.
Payer Comprador.
Payer swaption *Swapción* del pagador.
Paying agent Agente de pagos.
Payment capacity Capacidad de pago.
Payment capacity principle Principio de la capacidad de pago.
Payment date Día de pago.
Payment on account Abono en cuenta.
Pay-out *Pay-out.*
Pegging *Pegging.*
Penalty clause Cláusula de penalización.
Pennant Banderín. Gallardete.
Pensión fund Fondo de pensiones.

Pension plan Plan de pensiones.
Per capita income Renta per capita.
Perfect competition Competencia perfecta.
Perfect market Mercado perfecto.
Performance Resultado.
Period of suscription Período de suscripción.
Permanent income Renta permanente.
Perpetual Perpetua.
Perpetual annuity Anualidad perpetua.
Perpetual bond Bono perpetuo.
Perpetual debt Deuda perpetua.
Perpetuity Anualidad perpetua.
Personal income Renta personal.
Personal wealth tax Impuesto sobre el patrimonio.
Petrodollars Petrodólares.
Phone service of the money market Servicio telefónico del mercado de dinero. STMD.
Physicals Físicos.
Physical delivery Entrega física.
Pibor *Pibor.*
PIP PIP.
Pit *Pit.*
Pivot rate Cambio pivote.
Placing Colocación de una emisión de acciones.
Plain vanilla Plain vanilla.
Pledge Acreedor pignoraticio. Pignorar. Prenda.
Pledged asset Activo pignorado.
Plus *Plus.*
Plus tick *Up tick.*
Point Entero. Punto.
Poison pill Píldora envenenada.
Poisson distribution Distribución de Poisson.
Political cycle Ciclo político.
Political price Precio político.
Pool Consorcio.
Portfolio Cartera.
Portfolio company Sociedad de cartera.

Portfolio management Gestión de cartera.
Portfolio managing company Sociedad gestora de carteras.
Portfolio optimisation Optimización de cartera.
Portfolio selection theory Teoría de la selección de cartera.
Position Posición.
Position taking Toma de posición.
Pot *Pot.*
Potencial gross domestic product Producto interior bruto potencial.
Power of attorney Poder.
Praecipium *Praecipium.*
Preemptive rights Derechos de suscripción preferentes.
Preference bond Obligación privilegiada.
Preference share Acción preferente. Acción privilegiada.
Preferential creditor Acreedor preferente.
Preferred Preferente.
Preferred habitat Habitat preferente.
Preferred stock Acción preferente. Acción privilegiada.
Prefinancing Prefinanciación.
Preliminary prospectus Folleto de emisión preliminar.
Premium Prima.
Premium bond Obligación con prima.
Premium stock Acción con prima.
Preopening Preapertura.
Prepayment Preamortización.
Present value Valor actual. Valor presente.
Presidential election cycle theory Teoría del ciclo de la elección presidencial.
Price/book value ratio Ratio, precio/valor contable.
Price/cash-flow ratio Ratio precio cash/flow.
Price discrimination Discriminación de precios.
Price/earning ratio Ratio precio/beneficio.
Price elasticity of demand Elasticidad precio de la demanda.
Price elasticity of supply Elasticidad precio de la oferta.
Price rise Alza de cotizaciones.
Price risk Riesgo de precio.

Price in the continuos market and variations Precios en el mercado continuo de valores y sus variaciones.
Pricey *Pricey.*
Pricing *Pricing.*
Primary budget deficit Déficit público primario.
Primary market Mercado de emisiones. Mercado primario.
Primary movement Movimiento primario.
Primary production Sector primario.
Prime rate Prime rate. Tipo de interés preferencial.
Principal Principal.
Priority Prelación.
Private limited company Sociedad de responsabilidad limitada.
Private loans Colocación restringida.
Private placement Colocación privada.
Private stock exchange Bolsín.
Privatization Desnacionalización. Privatización.
Probability Probabilidad.
Proceeds *Proceeds.*
Procurator Procurador.
Procyclical policy Política procíclica.
Producer Price Index Indices de Precios Industriales.
Production function Función de producción.
Productivity Productividad.
Productivity of labor Productividad del trabajo.
Profit Beneficio.
Profit and loss statement Cuenta de pérdidas y ganancias.
Profit before interest and tax Beneficio antes de intereses e impuestos.
Profit sharing Reparto de beneficios.
Profit-sharing debenture Obligación participativa.
Profit taking Toma de beneficios.
Pro-forma Pro forma.
Program trading Contratación asistida por ordenador. Contratación programada.
Progressive tax Impuesto progresivo.
Project financing Financiación de proyectos.

Promissory note Efecto a la orden. Pagaré.
Proof *Proof.*
Propensity to risk Propensión al riesgo.
Proportional integration method Método de integración proporcional.
Pro rata Prorrata.
Prospect Expectativas.
Prospectus Folleto de emisión.
Proteccionism Proteccionismo.
Protective covenant Cláusula de protección.
Protest Protesto.
Provision Provisión.
Proxy Representante.
Proxy fight Lucha por la mayoría de votos.
Public debt Deuda Pública.
Public debt book-entry market Mercado de Deuda Pública anotada.
Public deed Escritura.
Public expenditure Gasto público.
Public finance law Derecho financiero.
Public funds Fondos públicos.
Public issue Emisión pública.
Public limited company Sociedad anónima.
Public sector borrowing requirement SBR.
Public utility Empresa de servicios públicos.
Purchase fund Fondo de recompra.
Purchasing power Poder adquisitivo.
Purchasing power of money Capacidad adquisitiva del dinero.
Purchasing power parity Paridad del poder adquisitivo.
Put Opción de venta.
Put and call option Compraventa con opción.
Put option Opción de venta.
Put spread *Spread* bajista.
Puttable bond Bono con opción de reventa.

Q

Qualification Salvedad.
Qualified quotation Cotización calificada.
Qualifying shares Acciones en garantía.
Qualitative controls Controles cualitativos o selectivos.
Quantifiable risk Riesgo cuantificable.
Quantitative controls Controles cuantitativos.
Quanto *Quanto.*
Quanto swap *Quanto swap.*
Quasi American Option Opción Bermuda.
Quorum *Quorum.*
Quid pro quo *Quid pro quo.*
Quiet period *Quiet period.*
Quotation Cotización.
Quoted company Empresa cotizada en Bolsa.

R

Raider Tiburón.
Rally Recuperación.
Random fluctuation Fluctuaciones erráticas.
Random sample Muestra aleatoria.
Random walk theory Teoría del paseo aleatorio.
Range Recorrido.
Ranking *Ranking.*
Rate of inflation Tasa de inflación.
Rate of interest Tipo de interés.
Rate of return Rentabilidad.
Rating Calificación crediticia.
Rating act Acta de cotización.
Rating agency Agencia de calificación crediticia.

Ratio Cooke *Ratio Cooke*.
Ratio spread *Spread* a *ratio*.
Real asset Activo real.
Real estate tax Impuesto sobre bienes inmuebles.
Real income Renta real.
Real interest rate Tipo de interés real.
Realization Realización.
Real return Rentabilidad real.
Real wage Salario real.
Receivable Exigible.
Receivable asset Activo exigible.
Receiver swaption *Swaption* del receptor.
Recession Recesión.
Reciprocal guarantee company Sociedad de garantía recíproca.
Record date Fecha de registro.
Rectangle Rectángulo.
Redeem Amortizar.
Redeemable Amortizable.
Redeemable security Valor rescatable.
Redeemable share Acción amortizable.
Redemption Amortización. Amortización de deuda.
Redemption date Fecha de reembolso.
Redemption of bonds Amortización de obligaciones.
Redemption of shares Amortización de acciones.
Red herring *Red herring*.
Rediscount Redescuento.
Reduce the tax on Desgravar.
Reference banks Bancos de referencia.
Reference rate Tipo de referencia.
Refinancing Refinanciación.
Refunding Refinanciación.
Regional stock exchange Bolsín oficial.
Registrar Registrador.
Registered capital Capital escriturado.
Registered security Título nominativo.
Regression analisys Análisis de regresión.

Regressive tax Impuesto regresivo.
Regulation A *Regulation* A.
Regulation Q *Regulation* Q.
Regulation S *Regulation* S.
Regulation T *Regulation* T.
Regulation U *Regulation* U.
Reinvestment Reinversión.
Reinvestment risk Riesgo de reinversión.
Relative price Precio relativo.
Relative quotation Cotización relativa.
Relative strength index Indice de fuerza relativa
Released Liberada.
Remainder state Nuda propiedad.
Rembrandt bond Bono *Rembrandt*.
Remittance Remesa.
Repayment Amortización de deuda.
Replacement cost Valor de reposición.
Report *Report*.
Repurchase agreement Pacto de recompra.
Repurchase agreement operations Operaciones de compraventa con pacto de recompra.
Rescheduling Refinanciación.
Reserve Previsión. Reservas.
Reserve currency Moneda de reserva.
Reserve requeriment Encaje.
Reset swap *Swap in arrears*.
Residual income Beneficio económico.
Residual life Vida residual.
Residual value Valor residual.
Resistance Resistencia.
Resistance level Nivel de resistencia.
Restatement Regulación.
Result Resultado.
Retail price Precio al por menor.
Retail investor Minorista.
Retention Retención.
Return on assets Rentabilidad sobre activos.

Return on equity Rentabilidad sobre recursos propios.
Returns to scale Rendimientos de escala.
Revaluation Revaluación.
Revenues Volumen de ventas.
Reversal Reversión.
Reverse barrier Barrera inversa.
Reverse cash and carry Arbitraje inverso.
Reverse conversion Conversión inversa.
Reverse split *Split* inverso.
Reverse swap *Swap* inverso.
Revolving credit Crédito renovable.
Revolving credit agreement Acuerdo de crédito condicionado.
Revolving underwriting facility *Revolving underwriting facility.*
RHO Coefficient Coeficiente RHO.
Rider Cláusula adicional.
Right issue Derechos de suscripción preferentes.
Right of redemption Retracto.
Rights market Mercado de derechos.
Ring Corro.
Rising star *Rising star.*
Risk Riesgo.
Risk aversion Aversión al riesgo.
Risk capital Capital riesgo.
Risk capital funds Fondo de capital riesgo.
Risk free rate of interest Tipo de interés libre de riesgo.
Risk management Gestión del riesgo.
Risk premium Prima de riesgo.
Roadshow *Roadshow.*
Rolling over *Rolling over.*
Roll over Renovación.
Roll over risk *Roll over risk.*
Rounded floors and caps Techos y suelos redondeados.
Routing *Routing.*
Royalty *Royalty.*
Rule 144 *Rule* 144.

Rule 144 A *Rule* 144 A.
Rule 415 *Rule* 415.
Run Recorrido.
Runaway gap Hueco de continuación o fuga.
Running *Running*.
Running a position *Running a position*.
Running interest Interés corrido.

S

Sales Volumen de ventas.
Sales force Fuerza de ventas.
Sales tax Impuesto sobre las ventas.
Samurai bond Bono samurai.
Saucer Platillo.
Saving bank Caja de ahorros.
Scalper Especulador de Bolsa.
Scalping *Scalping*.
Screen based system Sistema de contratación por pantalla.
Scrip issue Emisión de acciones liberada.
SEAQ SEAQ.
SEAQ international SEAQ International.
Seasonal adjustement Ajuste estacional.
Seasonality Estacionalidad.
Seasonally adjustement Desestacionalizar.
Seat on the exchange Miembro del mercado.
Secondary market Mercado secundario.
Secondary movement Movimiento secundario.
Secondary production Sector secundario.
Second market Segundo mercado.
Second window Segunda ventanilla.
Secondary liability Responsabilidad subsidiaria.
Secondary public offering. Oferta pública de venta de valores.
Secular trend Tendencia secular.

Secured creditor Acreedor pignoraticio o prendario.
Secured loan Préstamo con garantía.
Securities Títulos valores.
Securities agencies Agencias de valores.
Securities and Exchanges Comission *Securities and Exchange Commission.*
Securities dealer Sociedades y agencias de valores.
Securities market Mercado bursátil.
Securities official secondary market operations Operaciones de mercados secundarios oficiales de valores.
Securities portfolio Cartera de valores.
Securities rating Calificación de títulos.
Securities rent Alquiler de valores.
Securitization Titulización.
Security Título. Cédula.
Security investment company Sociedad de inversión mobiliaria.
Security stock Valor mobiliario.
Segmentation theory Teoría de la segmentación.
Self-financing Autofinanciación.
Self-insurance Autoseguro.
Seller's market Mercado de vendedores.
Selling agreement Contrato de ventas.
Selling comission Comisión de ventas.
Selling concession Cesión de ventas.
Selling group Grupo de ventas.
Selling pressure Presión del papel.
Selling rate Cambio vendedor.
Selling restriction Restricción de ventas.
Senior creditor Acreedor preferente.
Senior debt Deuda prioritaria.
Sensivity analisys Análisis de sensibilidad.
Series Serie de una opción.
Sett off *Sett off.*
Settle Liquidar.
Settlement Liquidación.
Settlement date Fecha de liquidación.

Settlement date in the Euromarket Fecha de liquidación de operaciones en el Euromercado.
Settlement date of a future or option contract Fecha de liquidación de un contrato de futuro o de opción.
Settlement price Precio de liquidación.
Settlement risk Riesgo de liquidación.
Several *Several*.
Share Acción.
Share book Libro de acciones.
Share capital Capital social.
Shareholder (UK) Accionista.
Shareholder's equity Patrimonio neto.
Shareholder's equity coefficient Coeficiente de recursos propios.
Share premium Prima de emisión.
Shares stamped Sellado de acciones.
Shelf registration *Shelf registration*.
Shogun bond Bono *shogun*.
Shopping *Shopping*.
Short Corto.
Short against the box *Short against the box*.
Shortage Déficit. Escasez.
Short butterfly Mariposa vendida.
Short call Call vendida.
Short condor Cóndor vendido.
Short covering Compra de cobertura.
Short hedge Cobertura corta.
Short option position Posición corta en opciones.
Short position Posición corta. Posición vendedora.
Short put *Put* vendida.
Short selling Venta en descubierto.
Short squeeze *Short squeeze*.
Short straddle *Straddle* vendido.
Short strangle *Strangle* vendido.
Short synthetic call Venta de una opción de compra sintética.
Short synthetic put Venta de una opción de venta sintética.
Short term Corto plazo.

Short-term bond Bono de caja.
Short-term creditors Acreedores a corto plazo.
Short term indicators Indicadores de coyuntura.
Side line trader Barandillero.
Sigma Sigma.
Silent partnership Comandita.
Simple bond Obligación simple.
Simple moving average Media móvil simple.
Sinthetic position Posición sintética.
Sinking fund Fondo de amortización.
Skewness Asimetría.
Slide Deslizamiento.
Slippage *Slippage*.
Slow asset Activo no realizable.
Slowdown Desaceleración.
Slump Depresión. Recesión.
Smoothing Alisado.
Smooth monetary policy Política monetaria expansiva.
Snow ball Bola de nieve.
Social cost of monopoly Coste social del monopolio.
Soft Débil.
Soft currency Moneda débil.
Soft loan Crédito blando.
Solidary action Acción solidaria.
Solidary creditor Acreedor solidario.
Solvency Solvencia.
Solvency ratio Ratio de solvencia.
Source and application of funds Estado de origen y aplicación de fondos.
Sources of financing Recursos financieros.
Sovereign risk Riesgo soberano.
Spanish portfolio investment abroad Inversión de cartera española en el exterior.
Spanish public sector Sector público español.
Spanish Securities and Exchange Commission Comisión Nacional del Mercado de Valores.

Spanish stock exchange continuous market Mercado continuo bursátil español.
Special drawing rights Derechos especiales de giro.
Special investment society Sociedad de inversión especial.
Specialist Especialista.
Special purpose vehicle Vehículo con un propósito especial.
Special taxes Impuestos especiales.
Specific tax Impuesto específico.
Specific risk Riesgo específico.
Speculation Agio. Especulación.
Speculative bubble Burbuja especulativa.
Speculator Agiotista. Especulador.
Spillover risk Riesgo de desbordamiento.
Spin-off Transferencia de activo.
Spin-off split Escisión.
Split *Split.*
Spot Al contado.
Sponsor *Sponsor.*
Spot currency Divisa *spot.*
Spot exchange rate Tipo de cambio al contado.
Spot market Mercado al contado.
Spot operations in the foreign exchange market Operaciones al contado en el mercado de divisas.
Spot position Posición al contado.
Spot price Precio al contado.
Spot rate Cotización *spot.*
Spot transactions Operaciones al contado.
Spot value Valor spot.
Spraddle *Spraddle.*
Spread Margen. *Spread.*
Spreading *Spreading.*
Spread option *Spread option.*
Spreadtion *Spreadtion.*
Squeeze *Squeeze.*
Stabilization Estabilización.
Stabilization policy Política de estabilización.
Staff *Staff.*

Stag Especulador.
Stagflation Estanflación.
Stagnation Estancamiento económico.
Stake Participación.
Stamp Estampillar.
Stamped share Acción estampillada.
Standard & Poor's 100 index Indice *Standard & Poor's* 100.
Standard & Poor's 500 index Indice *Standard & Poor's* 500.
Standard & Poor's corporation *Standard & Poor's corporation.*
Standard deviation Desviación estándar.
Standard tender panel Panel de subasta estándar.
Stand-by agreement Acuerdo *stand-by.*
Stand-by credit Crédito *stand-by.*
Start up expenses Gastos de primer establecimiento.
Statement of changes in financial position Estado de origen y aplicación de fondos.
Statement of Financial Accounting Standards n.º 77 (FAS 77).
State owned utility Empresa de utilidad pública.
State trading Comercio de Estado.
Stationarity Estacionariedad.
Step down bond Bono declinante.
Step-down swap *Step-down swap.*
Step up bond Bono ascendente.
Step-up swap *Step-up swap.*
Sterilizing Esterilización.
Stochastic Estocástico.
Stock Acción.
Stock assesment Dividendo pasivo.
Stockbroker Comisionista de Bolsa.
Stock buyback Recompra de acciones.
Stock capitalization Capitalización bursátil.
Stock composite index Indices sintéticos de valores.
Stock dividend Dividendo en acciones.
Stock exchange Bolsa de valores.
Stock Exchange Automatic Quotation. SEAQ *Stock Exchange Automatic Quotation. SEAQ.*

Stock exchange cycle Ciclo bursátil.
Stock exchange fixed income Mercado bursátil de renta fija.
Stock exchange forecast Previsión bursátil.
Stock exchange indexes Indices bursátiles.
Stock exchange information system Sistema de información bursátil.
Stock exchange law Derecho bursátil.
Stock exchange list Boletín de cotización oficial.
Stock exchange operating companies Sociedades rectoras de las Bolsas de valores.
Stock exchange orders Ordenes de Bolsa.
Stock exchange ring Corro.
Stock exchange statistic Estadística bursátil.
Stockholder (USA) Accionista.
Stockholder auditors Accionistas censores de cuentas.
Stockholder profitability Rentabilidad del accionista.
Stockholders associations Asociaciones de accionistas.
Stockholders equity Fondos propios.
Stock index futures Futuro sobre índices bursátiles.
Stock lending Préstamo de acciones.
Stock market Mercado de valores.
Stockowner Accionista.
Stocks Existencias.
Stock split Desdoble.
Stock syndication Sindicación de acciones.
Stock yield Rendimiento de una acción.
Stop *Stop.*
Stop and go *Stop and go.*
Stop-loss order Orden *stop-loss.*
Straddle *Straddle.*
Straight bond Bono no convertible. Bono simple.
Straight debt Deuda simple.
Straight-line depreciation Amortización constante.
Strangle *Strangle.*
Strap *Strap.*
Strategic alliance Alianza estretégica.
Strategic planning Planificación estratégica.

Street *Street.*
Strike price Precio de ejercicio de una opción.
Strip *Strip.*
Stripped bond Bono desdoblado.
STRIPS *STRIPS.*
Stripping *Strip.*
Strong Firme.
Structural budget deficit Déficit público estrucutral o exógeno.
Structural inflation Inflación estructural.
Structured products Productos estructurados.
Subject *Subject.*
Subordinated bond Obligación subordinada.
Subordinated debt Deuda subordinada.
Subordinate share Acción subordinada.
Subrogation Subrogación.
Subscribe Abonar.
Subscribed capital Capital suscrito.
Subscriber Suscriptor.
Subscription Suscripción.
Subscription agreement Contrato de suscripción.
Subscription period Período de suscripción.
Subsidiary Filial.
Subsidiary action Acción subsidiaria.
Subsidiary liability Responsabilidad subsidiaria.
Substitution effect Efecto sustitución.
Succesive average line Línea de resistencia.
Suicide poison pill Píldora envenenada suicida.
Supply monopoly Monopolio de oferta.
Supply policy Política de oferta.
Supply side economics Economía del lado de la oferta.
Supporting purchase Compra de apoyo al mercado.
Support level Nivel de soporte.
Supranational Supranacional.
Surplus Superávit.
Surplus on current account Superávit de la balanza por cuenta corriente.

Suspensión of payment Suspensión de pagos.
Swap *Swap.*
Swap curve Curva *swap.*
Swap in arrears *Swap in arrears.*
Swap loan *Swap loan.*
Swap point Punto de *swap.*
Swap option *Swapción.*
Swap rate Tipo *swap.*
Swap spread *Swap spread.*
Swaption *Swapción.*
Swap yield curve Curva de rendimientos *swap.*
Swift *Swift.*
Swingline *Swingline.*
Switch *Switch.*
Switch option *Switch option.*
Syndicate Sindicato.
Syndicated loan Crédito sindicado. Préstamo sindicado.
Syndicate of bondholders Sindicato de obligacionistas.
Syndicate of stockholders Sindicato de accionistas.
Synergy Sinergia.
Synthetic agreement for forward exchange Acuerdo sintético para tipos de cambios futuros.
Synthetic assets Activos sintéticos.
Synthetic liabilities Pasivos sintéticos.
Synthetic option Opción sintética.
Synthetic security Título sintético.
Systematic risk Riesgo sistemático.

T

Tacit collusion Colusión tácita.
Takedown *Takedown.*
Takeover Toma de control.
Takeover bid Oferta pública de adquisición.

Taker Comprador.
Take-up free Comisión de adquisición.
Taking a view *Taking a view*.
Tangible fixed asset Inmovilizado material.
Tap *Tap*.
Tap basis *Tap basis*.
Tap issue *Tap issue*.
TARGET *TARGET*.
Tariff Tarifa.
Tau Vega.
Taxable Imponible.
Taxable base Base imponible.
Taxable event Hecho imponible.
Tax allowance Desgravación fiscal.
Tax arbitrage Arbitraje de impuestos.
Taxation Imposición.
Tax burden Carga tributaria.
Tax contingency Contingencia fiscal.
Tax credit Deducción fiscal. Crédito fiscal.
Tax debt Deuda tributaria.
Tax deductible public debt Deuda desgravable.
Tax evasion Evasión fiscal.
Tax fraud Fraude fiscal.
Tax haven Paraíso fiscal.
Tax incentive Beneficio fiscal.
Tax law Derecho fiscal.
Tax law harmonization Armonización fiscal.
Tax liability Cuota tributaria.
Tax payer Sujeto pasivo.
Tax pressure Presión fiscal o tributaria.
Tax rate Tipo de gravamen.
Tax shelter Escudo fiscal.
Tax year Año fiscal.
Technical analysis Análisis técnico.
Technical efficiency Eficiencia técnica.
Technical rally Subida técnica.
Tender Subasta competitiva.

Tender offer Oferta pública de adquisición.
Tender panel Panel de subasta.
Tender panel loan Crédito subasta.
Tenor Vencimiento.
Tentative Tanteo.
Term Plazo. Término.
Termination Terminación.
Terms Términos.
Terms of trade Relación real de intercambio.
Tertiary movement Movimiento terciario.
Tertiary production Sector terciario.
Theoretical change Cambio teórico.
Theoretical value of a share Valor teórico de una acción.
Theoretical value of an option Valor teórico de una opción.
Theta coefficient Coeficiente *theta*.
Thin *Thin*.
Third market Tercer mercado.
Through the market *Through the market*.
Tick *Tick*.
Ticker *Ticker*.
Ticket *Ticket*.
Tick size *Tick size*.
Tier one capital *Tier one capital*.
Tier two capital *Tier two capital*.
Tight Ajustado. Estrecho.
Tight money Dinero caro.
Tight monetary policy Política monetaria restrictiva.
Time deposit Depósito a plazo.
Time serie Serie temporal.
Time spread Diferencial temporal.
Time value of an option Valor temporal de una opción.
Timing Periodificación.
Tin parachute Paracaídas de estaño.
Tombstone Anuncio de emisión efectuada.
Top Techo.
Top straddle *Straddle* superior.
Top strangle *Strangle* superior.

Total revenue Ingreso total.
To the bearer Al portador.
Touch bottom Tocar fondo.
Tracking error *Tracking error*.
Trade balance Balanza comercial.
Trade date Fecha de negociación.
Trader Operador.
Trade surplus Superávit de la balanza comercial.
Trading floor Parquet.
Trading frecuency Frecuencia de contratación.
Trading over the curve *Trading over the curve*.
Trading range Bandas de fluctuación.
Trading volume Volumen de contratación.
Trading volume index Indice de volumen de contratación.
Tranche Tramo.
Transaccional risk Riesgo transaccional.
Transaction Operación.
Transfer Transmisión.
Transferability Transmisibilidad.
Transfer agent fee Comisión de custodia.
Transfer deed Acta de transferencia.
Transfer risk Riesgo de transferencia.
Transfer of assets Cesión de activos.
Transparency Transparencia.
Transparent Transparente.
Treasury Erario público.
Treasury bill *Treasury bill*. Letra del Tesoro.
Treasury bond Bono de tesorería. Bono del Estado.
Treasury capital Acción en cartera. Acción propia. Autocartera.
Treasury debt Deuda del Tesoro.
Treasury guarantee Aval del Estado.
Treasury notes Pagarés del tesoro.
Treasury's fund Fondtesoro.
Treasury stock Acción en cartera. Acción propia. Autocartera.
Trend Tendencia.
Trend analysis Análisis de tendencia.

Trend line Línea de tendencia.
Triangle Triángulo.
Trigger option Opción con barrera.
Trillion Billón.
Triple witching hour Triple hora bruja.
Trust *Trust.*
Trustee Administrador.
Trust deed *Indenture.*
Tunnel Túnel.
Turnover Cifra de negocios. Facturación.
Twin shares Acciones gemelas.

U

Ultra vires Antiestatutario.
Unallocated income Remanente.
Uncalled capital Capital suscrito y no desembolsado.
Uncertain quotation Cambio incierto.
Uncontingent asset Activo no realizable.
Uncovered currency differential Diferencial descubierto.
Uncovered position Posición descubierta.
Undated Perpetua.
Underlying asset Activo subyacente.
Underlying inflation Inflación subyacente.
Underproductive asset Activo antifuncional.
Undertaking Garantía.
Undervalued Infravalorado.
Underwriter Asegurador.
Underwriter bank Banco asegurador.
Underwriting Aseguramiento.
Underwriting agreement Contrato de aseguramiento.
Underwriting commitment Compromiso asegurador.
Underwriting fee Comisión de aseguramiento.
Underwriting group Grupo asegurador.
Underwriting of an issue Aseguramiento de una emisión.

Underwriting spread Margen de aseguramiento.
Underwriting syndicate Sindicato asegurador.
Underwritten placement Colocación asegurada.
Undistributed profits Beneficios no distribuidos.
Unencumbered Libre de cargas.
Unfair competition Competencia desleal.
Unit Unidad.
Unit elasticity Elasticidad unitaria.
Unit of account Unidad de cuenta.
Unit trust Fondo de inversión.
Unlimited liability Responsabiliad ilimitada.
Unmatched book Libro abierto.
Unrealized capital gain Plusvalía teórica.
Unsecurod debt Deuda no garantizada.
Unsystematic risk Riesgo no sistemático.
Until date Hasta la fecha.
Untipical revenue Ingresos atípicos.
Up and in put Opción de venta con barrera mínima.
Up and out put Opción de venta con barrera máxima.
Up tick *Up tick.*
Up to the amount off Hasta la cantidad de.
Usury Usura.

V

Value added tax Impuesto sobre el valor añadido.
Value analysis Análisis de valores.
Value at risk Valor en riesgo.
Value date Fecha valor.
Value index Indices de valor.
Value spot Valor *spot.*
Vanishing option *Vanishing option.*
Variability Variabilidad.
Variable cost Coste variable.
Variable yield funds Fondos de renta variable.

Variable yield market Mercado de renta variable.
Variance Varianza.
Vega *Vega.*
Veil of money concept Neutralidad del dinero.
Vendor's share Acción de aportación en especie.
Venture capital Capital riesgo.
Vertical merger Fusión vertical.
Vertical spread Diferencial vertical.
Vilificate Envilecer.
Volatility Volatilidad.
Volatility coefficient Coeficiente de volatilidad.
Volatility ratio Indice o ratio de volatilidad.
Volatility spread Cono.
Volatility traded Volatilidad negociada.
Volume Volumen.
Voting share Acción de voto.
Voting stock Acción de voto.
Voting trust Voting trust.

W

Wage inflation Inflación de salarios.
Wage in kind Salario en especie.
Wage-push inflation Inflación de salarios.
Wall Street *Wall Street.*
Warrant *Warrant.*
Warrant bond Bono con *warrant.*
Watch list *Watch list.*
Weak Débil.
Wealth Riqueza. Patrimonio.
Weighting Ponderación.
White amplification Ampliación blanca.
White collar worker *White collar worker.*
White knight Caballero blanco.
Wholesale price Precio al por mayor.

Width Anchura.
Windbill Letras cruzadas.
Winding-up Liquidación.
Window Ventana.
Window dressing Contabilidad creativa.
Withholding Retención. Retención a cuenta.
Withholding tax Impuesto retenido en origen.
Working capital Capital circulante. Fondo de maniobra.
Work out *Work out*.
Wrap around *Wrap around*.
Writer Vendedor de una opción.

Yankee bond Bono *yankee*.
Yard Yarda.
Yearly accounts Cuentas anuales.
Yellow book *Yellow book*.
Yield Rendimiento.
Yield curve Curva de rendimientos.
Yield curve swap Curva de rendimientos *swap*.
Yield gap Brecha de rendimiento.
Yield of financial assets Rendimiento de los activos financieros.
Yield to call *Yield to call*.
Yield to maturity Rentabilidad al vencimiento.
Yield to put *Yield to put*.

Z

Zero base budgeting Presupuesto en base cero.
Zero coupon Cupón cero.
Zero coupon bond Bono cupón cero.

Zero coupon convertible bond Bono cupón cero convertible.
Zero coupon swap *Swap* cupón cero.
Zero cost collar Collar coste cero.
Zig-zag diagram Dientes de sierra.

ABREVIATURAS Y ACRONIMOS ESPAÑOLES

AAPP	Administraciones públicas
AEB	Asociación Española de Banca Privada
AIAF	Asociación de Intermediarios de Activos Financieros
ALP	Activos líquidos en manos del público
BAI	Beneficio antes de intereses
BAII	Beneficio antes de intereses e impuestos
BCE	Banco Central Europeo
BE	Banco de España
BEI	Banco Europeo de Inversiones
BOE	*Boletín Oficial del Estadoa*
BORME	*Boletín Oficial del Registro Mercantil*
BPA	Beneficio por acción
BPI	Banco de Pagos Internacionales de Basilea
CCAA	Comunidades Autónomas
CCLL	Corporaciones Locales
CEBES	Certificados del Banco de España
CECA	Confederación Española de Cajas de Ahorro
CEMM	Comisión de Estudios del Mercado Monetario
CEOE	Confederación Española de Organizaciones Empresariales
CF	*Cash flow*
CFPA	*Cash flow* por acción
CIR	Central de Información de Riesgos
CNAE	Clasificación Nacional de Actividades Económicas
CNE	Contabilidad Nacional de España
CNMV	Comisión Nacional del Mercado de Valores
DEG	Derechos especiales de giro
DGTPF	Dirección General del Tesoro y Política Financiera
DIV	Dividendo

DPA	Dividendo por acción
EFC	Establecimiento Financiero de Crédito
EPA	Encuesta de población activa
FGD	Fondo de Garantía de Depósitos
FIAMM	Fondo de Inversión en Activos del Mercado Monetario
FIM	Fondo de Inversión Mobiliaria
FMI	Fondo Monetario Internacional
GAP	Gestión de activos y pasivos
IAE	Impuesto sobre Actividades Económimas
ICAC	Instituto de Contabilidad y Auditoría de Cuentas
ICO	Instituto de Crédito Oficial
IFR	Indice de fuerza relativa
IGAE	Intervención Genereal de la Administración del Estado
IGBM	Indice General de la Bolsa de Madrid
IIC	Institución de Inversión Colectiva
IME	Instituto Monetario Europeo
INE	Instituto Nacional de Estadística
INEM	Instituto Nacional de Empleo
IPC	Indice de precios al consumo
IPRI	Indice de precios industriales
IRPF	Impuesto sobre la renta de las personas físicas
ITPAJD	Impuesto de Transmisiones Patrimoniales y Actos Jurídicos Documentados
IVA	Impuesto sobre el valor añadido
LGP	Ley General Presupuestaria
LMV	Ley del Mercado de Valores
MEDAS	Mediadores de deuda
MEFF	Mercado Español de Futuros Financieros
NAF	Nivel de apalancamiento financiero
NAO	Nivel de apalancamiento operativo
NOF	Número de operación financiera
OCDE	Organización de Cooperación y Desarrollo Económico
OM	Orden Ministerial
OO AA	Organismos Autónomos

OPA	Oferta pública de adquisición
OPAH	Oferta pública de adquisición hostil
OPV	Oferta pública de venta
PCGA	Principios de contabilidad generalmente aceptados
PGE	Presupuestos Generales del Estado
PIB	Producto interior bruto
PNB	Producto nacional bruto
PYMES	Pequeñas y medianas empresas
ROAC	Registro Oficial de Auditores de Cuentas
RRP	Rentabilidad sobre recursos propios
RSA	Rentabilidad sobre activos
SA	Sociedad anónima
SACDE	Sistema de anotaciones en Cuenta de Deuda del Estado Español
SCLV	Servicio de compensación y liquidación de valores
SEBC	Sistema Europeo de Bancos Centrales
SEPI	Sociedad Estatal de Participaciones Industriales
SEUO	Salvo error u omisión
SGC	Sociedad gestora de carteras
SGIIC	Sociedad gestora de instituciones de inversión colectiva
SGR	Sociedad de garantía recíproca
SIB	Sistema de Interconexión Bursátil
SIM	Sociedad de inversión mobiliaria de capital fijo
SIMCAV	Sociedad de inversión mobiliaria de capital variable
SME	Sistema Monetario Europeo
SMMD	Sociedad mediadora del mercado de dinero
SRL	Sociedad de responsabilidad limitada
STMD	Servicio Telefónico del Mercado de Dinero
SVB	Sociedad de valores y Bolsa
TACA	Tasa anual de crecimiento acumulativo
TAE	Tasa anual equivalente
TCEN	Tipo de cambio efectivo nominal
TCER	Tipo de cambio efectivo real
TIR	Tasa interna de rentabilidad

TUE	Tratado de la Unión Europea
UE	Unión Europea
UME	Unión Monetaria Europea
VAN	Valor actual neto
VTC	Valor teórico-contable

ABREVIATURAS Y ACRONIMOS NO ESPAÑOLES

AA	*Against Actuals*
ABS	*Asset Backed Security*
ACE	*AIBD, Cedel, Euroclear*
ACT	*Advance Corporation Tax*
ADR	*American Depositary Receipt*
ADS	*American Depositary Share*
AGM	*Annual General Meeting*
AI	*Accrued Interest*
AIBD	*Association of International Bond Dealers*
AL	*Average Life*
ALM	*Asset and Liability Management*
AMEX	*American Stock Exchange*
AON	*All Or None*
API	*Abnormal Performance Index*
APOs	*Average Price Options*
APR	*Annual percetage rate*
APT	*Arbitrage Pricing Theory*
ARF	*American Retail Federation*
ARIMA	*Autorregressive Integrated Moving Average*
ARM	*Adjustable Rate Mortgage*
ARMA	*Autorregressive Moving Average*
ARPS	*Adjustable Rate Preferred Stocks*
ASAP	*As Soon As Possible*
ASE	*American Stock Exchange*
ATM	*At The Money*
ATR	*Average True Range*
BA	*Banker's Acceptance*
BBAIRS	*British Bankers Association Interest Rate Swap*
BIF	*Bank Insurance Fund*

BIS	*Bank for International Settlements*
BOE	*Bank of England*
BONUS	*Borrower's Option For Notes And Underwriting Stand-by*
BOT	*Bank of Tokyo*
BOT	*Board of Trustees*
BP	*Basis point*
BUBA	*Bundesbank*
CAGR	*Compound average growth rate*
CAPM	*Capital Asset Pricing Model*
CATS	*Computer Assisted Trading System*
CBOE	*Chicago Board Options Exchange*
CBT	*Chicago Board of Trade*
CD	*Certificate of Deposit*
CEO	*Chief Executive Officer*
CFO	*Chief Financial Officer*
CFPS	*Cash-Flow Per Share*
CGT	*United Kingdon Capital Gains Taxation*
CHIPS	*Clearing House Interbank Payments System*
CINS	*Cusip International Numbering System*
CMA	*Cash Management Account*
CME	*Chicago Mercantile Exchange*
CML	*Capital Market Line*
CMO	*Collateralized Mortagage Obligation*
CMPS	*Capital Market Preferred Stock*
CO	*Company*
COB	*Commission des Opérations de Bourse*
COD	*Cash On Delivery*
COLTS	*Continuosly Offered Long Term Securities*
COMEX	*Commodity Exchange*
CP	*Commercial Paper*
CPI	*Consumer Price Index*
CPN	*Coupon*
CPPI	*Constant Proportion Portfolio Insurance*
CTA	*Commodity Trading Advisor*
CTD	*Cheapest To Deliver*

CUSIP	*Commitee on Uniform Securities Identification Procedures*
CV	*Convertible*
DAC	*Delivery Against Cost*
DCF	*Discounted Cash Flow*
DI	*Divergence Indicator*
DIFFS	*Differentials on Interest Financial Futures*
DJIA	*Dow Jones Industrial Average*
DJUA	*Dow Jones Utility Average*
DMI	*Directional Movement Index*
DNR	*Do Not Reduce*
DTA	*Double Taxation Agreement*
DTB	*Deutsche Termin-Borse*
DTC	*Depositary Trust Company*
DVP	*Delivery Versus Payment*
E&OE	*Errors and Omissions Excepted*
EBIT	*Earning Before Interest and Tax*
EBITDA	*Earning Before Interest, Tax, Depreciation and Amortization*
EBT	*Earning Before Tax*
ECM	*European Common Market*
ECOFIN	*Economic and Finance Council*
ECP	*Eurocommercial Paper*
ECU	*European Currency Unit*
EDR	*European Depositary Receipt*
EEC	*European Economic Community*
EFP	*Exposure for Physicals*
EFT	*Electronic funds transfer*
EIB	*European Investment Bank*
EMI	*European Monetary Institute*
EMTN	*Euro Medium-Term Notes*
EMS	*European Monetary System*
EMU	*European Monetary Union*
EPR	*Earning Price Ratio*
EPS	*Earning Per Share*
ERA	*Exchange Rate Agreement*
ESOP	*Employee Stock Ownership Plan*

EU	*European Union*
EUA	*European Union of Account*
EVA	*Economic value added*
FAS	*Financial Accounting Standard*
FASB	*Financial Accounting Standards Board*
FAS 77	*Financial Accounting Standard N.º 77*
FED	*Federal Reserve System*
FF	*Federal Funds*
FHL	*Federal Home Loan Banks*
FIBOR	*Frankfurt Interbank Offered Rate*
FIFO	*First in/First out*
FIPS	*Foreign Interest Payment Securities*
FIT	*Federal Income Tax*
FITW	*Federal Income Tax Withholding*
FNMA	*Federal National Mortgage Association*
FOK	*Fill Or Kill*
FOMC	*Federal Reserve Open Market Commitee*
FOREX	*Foreign Exchange Market*
FOX	*London Futures and Options Exchange*
FP	*Fully Paid*
FPRO	*Fixed Price Re-offering*
FRA	*Forward Rate Agreement*
FRB	*Federal Reserve Board*
FRN	*Floating Rate Note*
FSA	*Forward Spread Agreement*
FT-SE	*Financial Times Stock Exchange Index*
FVO	*For Valuation Only*
FX	*Foreign Exchange*
FXA	*Forward Exchange Agreement*
FYI	*For Your Information*
G7	*Group of Seven*
GAAP	*Generally Accepted Accounting Principles*
GDP	*Gross Domestic Product*
GDR	*Global Depositary Receipt*
GDS	*Global Depositary Share*
GIAM	*Global ISIN Access Mechanism*
GNP	*Gross National Product*

GO *General Obligation Bond*
GTM *Good This Month*
GTW *Good This Week*
HLT *Highly Leveraged Transaction*
IASC *International Accounting Standard Committee*
IBCA *International Bank Credit Analysis*
IBF *International Banking Facility*
ICON *Indexed Currency Option Note*
IDR *International Depositary Receipt*
IET *Interest Equalisation Tax*
IFA *Independent Financial Advisor*
IMF *International Monetary Fund*
IMM *International Monetary Market*
IMPA *International Primary Market Association*
INC *Incorporated company*
IO *Interest Only*
IOC *Inmediate or Cancel*
IOMA *International Options Markets Association*
IOPOS *Interest Only Principal Only Securities*
IPA *Issuing and Paying Agent*
IPMA *International Primary Market Association*
IPO *Initial Public Offering*
IR *Investor Relations*
IRR *Internal Rate of Return*
ISBN *International Standard Book Number*
ISDA *International Swap and Derivatives Association*
ISIN *International Security Identification Number*
ISMA *International Securities Market Association*
ISO *International Organization for Standardization*
ITC *Investment Tax Credit*
ITM *In the Money*
JASDEC *Japanese Securities Depositary Center*
JDR *Japanese Depositary Receipt*
JGB *Japanese Government Bond*
L *Listed*
LBO *Leveraged Buy-Out*
LCO *Leveraged Cash-Out*

LDCs	*Less Developed Countries*
LEBO	*Leverage Employee Buy-Out*
LIBOR	*London Interbank Offered Rate*
LIFFE	*London International Financial Futures Exchange*
LIFO	*Last In/First Out*
LMBO	*Leveraged Management Buy-Out*
LOC	*Letter of Credit*
LSE	*London Stock Exchange*
LTD	*Limited British Corporation*
M&A	*Mergers and Acquisitions*
MACD	*Moving Average Convergence-Divergence*
MAPS	*Maturity Adjustable Preferred Stock*
MATIF	*Marché à Terme International de France*
MBA	*Master of Business Administration*
MBI	*Management Buy-In*
MBO	*Management Buy-Out*
MBS	*Mortgage Backed Security*
MEM	*Maximum Entropy Likelihood*
MIBOR	*Madrid Interbank Offered Rate*
MM	*Money Market*
MOC	*Market on Close*
MOFF	*Multi-Option Financing Facility*
MPT	*Modern Portfolio Theory*
MTN	*Medium Term Notes*
MVA	*Market value added*
NAIRU	*Non accelerating inflation rate of unemployment*
NASD	*National Association of Security Dealers*
NASDAQ	*National Association of Security Dealers Automated Quotation*
NAV	*Net Asset Value*
NIBOR	*New York Interbank Offered Rate*
NIC	*Newly Industrialised Country*
NIF	*Note Issuance Facility*
NNP	*Net National Product*
NPV	*No Par Value offered*
NPV	*Net Present Value*
NYFE	*New York Futures Exchange*

NYSE	*New York Stock Exchange*
OAT	*Obligation Assimilable du Trésor*
OCO	*Once Cancels the Other*
ODR	*Official Discount Rate*
OECD	*Organization for Economics Cooperation and Development*
OID	*Original issue discount*
OMX	*Official Market-Index*
OPIC	*Overseas private investment corporation*
OPM	*Other People's Money*
OTC	*Over The Counter*
OTM	*Out of the Money*
PAC	*Put And Call Options Market*
P&L	*Profit and Loss Account*
PAYE	*Pay As You Earn*
PBIT	*Price Before Interest and Tax*
P/BV	*Price/Book Value Ratio*
P/CF	*Price/Cash-Flow Ratio*
P/E	*Price/Earning Ratio*
PEP	*Personal Equity Plan*
PER	*Price Earning Ratio*
PERCS	*Preferred Equity Redemption Cumulative Stock*
PFD	*Preferred Stock*
PFIC	*Passive foreign investment company*
PIBOR	*Paris Interbank Offered Rate*
PIK	*Payment In Kind*
PIRA	*Participating Interest Rate Agreement*
PLC	*Public Limited Company*
PO	*Principal Only*
PPI	*Producer Price Index*
PSBR	*Public Sector Borrowing Requirement*
PSL	*Private Sector Liquidity*
Pty	*Propietary*
PV	*Present Value*
PVF	*Par Value Forward*
Q&A	*Questions and Answers*
QIB	*Qualified Institutional Buyer*

QoQ	*Quarter over Quarter*
RAROC	*Risk Adjusted Return on Capital*
RCF	*Revolving Credit Facility*
REPO	*Repurchase Agreement*
ROA	*Return On Assets*
ROC	*Return On Capital*
ROE	*Return On Equity*
ROI	*Return On Investment*
RORAC	*Return On Risk Adjusted Capital*
RP	*Repurchase Agreement*
RPI	*Retail Price Index*
RSI	*Relative Strength Index*
RUF	*Revolving Underwriting Facility*
S&L	*Saving and Loan Association*
S&P	*Standard & Poor's*
SAFE	*Synthetic Agreement for Forward Exchange*
SAR	*Stop And Reverse*
SDR	*Special Drawing Right*
SDRT	*Stamp Duty Reserve Tax*
SE	*Shareholder's Equity*
SEA	*Securities and Exchange Act*
SEAQ	*Stock Exchange Automated Quotation*
SEC	*Securities and Exchange Commission*
SIB	*Securities and Investment Board*
SICOVAM	*Societé Interprofesionnelle pour la Compensation des Valeurs Mobilières*
SL	*Sold*
SML	*Securities Market Line*
SNIF	*Short Term Note Issuance Facility*
SPO	*Secondary Publish Offering*
SPV	*Special Purpose Vehicle*
SRD	*Solvency Ratio Directive*
SRF	*Structured Receivable Financing*
STRIPS	*Separately Traded Registered Interest and Principal Securities*
SWIFT	*Society for Worldwide Interbank Financial Telecommunications*

T	*Treasury. As in T-bill, T-bond and T-note*
T-bill	*Treasury Bill*
TAA	*Tactical Asset Allocation*
TAB	*Tax Anticipation Bill*
TAC	*Targeted Amortization Class*
TARGET	*Trans-European Automated Real-Time Gross Settlement Express Transfer System*
TD	*Time Deposit*
TEFRA	*Tax Equity and Fiscal Responsability Act of 1982*
TIBOR	*Tokyo Interbank Offered Rate*
TP	*Tender Panel*
TSE	*Tokyo Stock Exchange*
USM	*Unlisted Securities Market*
VAT	*Value Added Tax*
VaR	*Value at Risk*
VEEP	*Vice President*
VIP	*Very Important Person*
VP	*Vice President*
VTC	*Voting Trust Certificate*
WAC	*Weighted Average Coupon*
WI	*When Issued*
WOW	*With or Without*
WPI	*Wholesale Price Index*
XD	*Ex-Dividend*
XRT	*Ex-Rights*
XW	*Ex-Warrants*
YOY	*Year over Year*
YTAL	*Yield To Average Life*
YTC	*Yield To Call*
YTM	*Yield To Maturity*
YTP	*Yield To Put*
ZBB	*Zero Base Budgeting*
ZCB	*Zero Coupon Bond*

REFERENCIAS BIBLIOGRAFICAS BASICAS

AHIJADO, M.: *Diccionario de economía general y empresa*. Grupo Cobra.

AMAT, O.: *Análisis Económico Financiero*. Gestión 2000, S. A.

– : *La Bolsa; funcionamiento y técnicas para invertir*. 2.ª edic., Deusto.

ARTHUR ANDERSEN & CO: *Diccionario de términos contables y comerciales*. 3.ª edic.

ARTHUR ANDERSEN: *Diccionario Espasa de economía y negocios*. Espasa. Madrid, 1997.

BARANDIARÁN, R.: *Diccionario de términos financieros*. Trillas. México.

BERGES, A.: *Nuevos instrumentos de financiación internacional. Apéndice*. Papeles de Economía.

BREALEY, R.: *Fundamentos de financiación empresarial*. 2.ª edic., McGraw-Hill. Madrid.

BREMOND, J.: *Diccionario económico-social*. Vicens-Vives. Barcelona.

CANO Y PIQUER: *Diccionario práctico de la bolsa*.

COOPERS & LYBRAND: *A guide to financial instruments*. Euromoney Publications.

– : *Diccionario de informes financieros*. Expansión.

Diccionario empresarial Stanford. Expansión. Madrid.

DÍEZ DE CASTRO, L., y MASCAREÑAS, J.: *Ingeniería financiera*. McGraw-Hill. Madrid.

DOWNES, J.: *Dictionary of finance and investment terms*. 4.ª edic., Barrons.

EUROMONET YEAR BOOK 1986: *Glossary of financial terms*.

FEDERACIÓN IBEROAMERICANA DE BOLSA DE VALORES: *Vocabulario bursátil*.

FUNDACIÓN FONDO PARA LA INVESTIGACIÓN ECONÓMICA Y SOCIAL: *Glosario de términos del sistema financiero.*

GASTINEAU, G.: *Dictionary of financial risk management.* Swiss Bank Corporation, 1992.

Glosario de términos sobre Deuda Pública.

IFR Capital Markets Glossary. 4.ª edic. IFR Publishing. London, 1996.

INSTITUTO ESPAÑOL DE ANALISTAS DE INVERSIONES: *Glosario de términos de los mercados internacionales de obligaciones.*

LA GACETA: *Pequeño diccionario de términos económicos.*

LAMOTHE, P.: *Opciones financieras.* McGraw-Hill. Madrid, 1993.

LITTLE, B.: *Cómo entender a Wall Street.*

Lo esencial: Estrategia empresarial. The Economist Books. Expansión. Madrid, 1994.

Lo esencial: Finanzas. The Economist Books. Expansión. Madrid, 1994.

Lo esencial: Master en administración y dirección de empresa. The Economist Books. Expansión. Madrid, 1994.

LOZANO IRUESTE, J. M.ª: *Diccionario bilingüe de economía y empresa.* Pirámide. Madrid, 1991.

Manual Bisf del asesor financiero. 2.ª edic., Expansión.

MOCHÓN, F.: *Economía. Teoría y política.* 3.ª edic., McGraw-Hill. Madrid, 1993.

MUÑIZ DE CASTRO, E. G.: *Diccionario terminológico de economía, comercio y derecho.* Expansión. Madrid, 1992.

SOUFI, SAMER: *Diccionario de los nuevos negocios financieros.* Instituto Superior de Técnicas y Prácticas Bancarias. Madrid, 1994.

SUBDIRECCIÓN GENERAL DE FINANCIACIÓN EXTERIOR DEL TESORO: *Breve diccionario sobre el ECU y los bonos del Estado en ECUS.*

TAMAMES, R.: *Diccionario de economía.* Alianza. Madrid.

Le ofrece

- Administración
- Arquitectura
- Biología
- Contabilidad
- Derecho
- Economía
- Electricidad
- Electrónica
- Física
- Informática
- Ingeniería
- Marketing
- Matemáticas
- Psicología
- Química
- Serie McGraw-Hill de Divulgación Científica
- Serie McGraw-Hill de Electrotecnologías
- Serie McGraw-Hill de Management
- Sociología
- Textos Universitarios

OFICINAS IBEROAMERICANAS

ARGENTINA
McGraw-Hill/Interamericana, Ltda.
Suipacha 760 - 5.º Piso, Of. 26
(1008) Buenos Aires
Tel.: (541) 322 05 70. Fax: (541) 322 15 38

BRASIL
McGraw-Hill do BRASIL
Rua da Assenbléia, 10/2319
20011-000 Río de Janeiro
Tel. y Fax: (5521) 531 23 18
E-mail: internet!centroin.com.brlaaff

CARIBE
McGraw-Hill/Interamericana del Caribe
Avenida Muñoz Rivera, 1121
Río Piedras
Puerto Rico 00928
Tels.: (809) 751 34 51 - 751 24 51. Fax: (809) 764 18 90

CHILE, PARAGUAY Y URUGUAY
McGraw-Hill/Interamericana de Chile, Ltda.
Seminario, 541 Providencia
Santiago (Chile)
Tel.: (562) 635 17 14. Fax: (562) 635 44 67

COLOMBIA, ECUADOR, BOLIVIA Y PERÚ
McGraw-Hill/Interamericana, S. A.
Apartado 81078
Avenida de las Américas, 46-41
Santafé de Bogotá, D. C. (Colombia)
Tels.: (571) 368 27 00 - 337 78 00. Fax: (571) 368 74 84
E-mail: Divprofe@openwag.com.co

ESPAÑA
McGraw-Hill/Interamericana de España, S. A. U.
Edificio Valrealty, Planta 1.ª
Basauri, 17
28023 Aravaca (Madrid)
Tel.: (341) 372 81 93. Fax: (341) 372 85 13
E-mail: profesional@mcgraw-hill.es

GUATEMALA
McGraw-Hill/Interamericana Editores, S. A.
11 Calle 0-65, Zona 10
Edificio Vizcaya, 3er. nivel
Guatemala, Guatemala
Tels.: (502) 332 80 79 al 332 80 84. Fax: (502) 332 81 14
Internet: mcgraw-h@guate.net

MÉXICO Y CENTROAMÉRICA
McGraw-Hill/Interamericana Editores, S. A. de C. V.
Atlacomulco 499-501
Fracc. Ind. San Andrés Atoto
53500 Naucalpan de Juárez
Edo. de México
Tels.: (525) 628 53 53. Fax: (525) 628 53 02
Cedro, 512 - Col. Atlampa
06460 México D. F.
Tels.: (525) 541 67 89. Fax: (525) 547 33 36
Centro Telemarketing
Tels.: (525) 628 53 52 / 628 53 27. Fax: (525) 628 83 60
Lada. sin costo 91 8834 540

PANAMÁ
McGraw-Hill/Interamericana de Panamá, S. A.
Edificio Banco de Boston, 6.º piso. Oficina 602,
Calle Elvira Méndez
Panamá, Rep. de Panamá
Tel.: (507) 269 01 11. Fax: (507) 269 20 57

PORTUGAL
Editora McGraw-Hill de Portugal, Ltda.
Estrada de Alfragide, lote 107,
bloco A-1 Alfragide
2720 Amadora (Portugal)
Tel.: (3511) 472 85 00. Fax: (3511) 471 89 81

USA
McGraw-Hill Inc.
28th. floor 1221 Avenue of the Americas
New York, N.Y. 10020
Tel.: (1212) 512 26 91. Fax: (1212) 512 21 86

VENEZUELA
McGraw-Hill/Interamericana de Venezuela, S. A.
Apartado Postal 50785
Caracas 1050
Final calle Vargas. Edificio Centro Berimer. P. B. Ofic. P1-A1
Boleíta Norte, Caracas 1070
Tels.: (582) 238 24 97 - 238 34 94 - 238 59 72. Fax: (582) 238 23 74

McGRAW-HILL/INTERAMERICANA DE ESPAÑA, S. A. U.
División profesional - C/ Basauri, 17 - Edificio Valrealty, 1.ª planta
28023 Aravaca (MADRID)
Avda. Josep Tarradellas, 27-29, 6.ª planta
08029 BARCELONA

Nombre y apellidos ____
Empresa ____ *Departamento* ____
Dirección ____ *C. P.* ____
Localidad ____ *País* ____
C.I.F./D.N.I. (Indispensable) ____ *Teléfono/Fax* ____
Correo electrónico ____

☐ *Ruego me envíen información del fondo de McGraw-Hill* ☐ Español ☐ Inglés
Materias de interés ____

Ruego me envíen el/los siguiente/s título/s:
ISBN ____ *Autor/Tít.* ____
ISBN ____ *Autor/Tít.* ____

INDIQUE LA FORMA DE ENVÍO:
☐ *Correo*
☐ *Agencia/Mensajería. (Gastos de envío no incluidos en el precio del libro. Consulte con nosotros.)*

INDIQUE LA FORMA DE PAGO:
☐ *American Express* ☐ *VISA* ☐ *4B* ☐ *MasterCard*

Autorizo a McGRAW-HILL/INTERAMERICANA DE ESPAÑA, S. A. U. a cargar en mi tarjeta el importe del presente pedido:

N.º tarjeta: ____

Fecha caducidad ___/___ *Nombre del titular*

Firma

4 FORMAS FÁCILES Y RÁPIDAS DE SOLICITAR SU PEDIDO

EN LIBRERÍAS ESPECIALIZADAS

FAX:
(91) 372 85 13
(93) 430 34 09

TELÉFONOS:
(91) 372 81 93
(93) 439 39 05

E-MAIL:
profesional@mcgraw-hill.es
WWW:
http://www.mcgraw-hill.es

DTFI

Sí, envíenme el catálogo de las novedades de McGRAW-HILL en

☐ Informática ☐ Economía/Empresa ☐ Ciencia/Tecnología
☐ Español ☐ Inglés

Nombre .... Titulación ....
Empresa .... Departamento ....
Dirección .... Código postal ....
Localidad .... País ....
C.I.F./N.I.F. (Indispensable) .... Teléfono/Fax ....
Correo electrónico ....

¿Por qué elegí este libro?
☐ Renombre del autor
☐ Renombre McGraw-Hill
☐ Reseña en prensa
☐ Catálogo McGraw-Hill
☐ Buscando en librería
☐ Requerido como texto
☐ Precio
☐ Otros

Temas que quisiera ver tratados en futuros libros de McGraw-Hill:
....

Este libro me ha parecido:
☐ Excelente ☐ Muy bueno ☐ Bueno ☐ Regular ☐ Malo

Comentarios ....

Por favor, rellene esta tarjeta y envíela por correo o fax a la dirección apropiada.

DTFI